# Nílson Teixeira de Almeida

Bacharel e licenciado em Língua Portuguesa pela Universidade de São Paulo.
Professor de Ensino Médio e de cursos preparatórios para concursos e vestibulares.
Autor de obras sobre a língua portuguesa.

**GRAMÁTICA COMPLETA PARA CONCURSOS E VESTIBULARES**

Mais de 500 testes com respostas comentadas

2ª edição revista conforme a nova ortografia

2014

19ª tiragem

2024

saraiva jur

Copyright © Nílson Teixeira de Almeida, 2007
Direitos desta edição:
Saraiva S. A. Livreiros Editores
Todos os direitos reservados.

**Gerente editorial:** Rogério Carlos Gastaldo de Oliveira
**Editora-assistente e preparação de texto:** Kandy Sgarbi Saraiva
**Auxiliar de serviços editoriais:** Andreia Pereira
**Estagiária:** Mari Kumagai
**Revisão:** Pedro Cunha Jr. (coord.), Cid Ferreira, Alexandra Costa, Juliana Batista, Elza Gasparotto, Ivani Cazarim
**Gerente de arte:** Nair de Medeiros Barbosa
**Produtor gráfico:** Rogério Strelciuc
**Projeto gráfico e capa:** Ulhoa Cintra Comunicação Visual e Arquitetura Ltda.
**Diagramação:** Christof Gunkel

**Ilustrações:** Rico

---

Dados Internacionais de Catalogação na Publicação (CIP)
(Câmara Brasileira do Livro, SP, Brasil)

Almeida, Nílson Teixeira de
    Gramática completa para concursos e vestibulares / Nílson Teixeira de Almeida. —
2. ed. — São Paulo : Saraiva, 2009.

    Bibliografia
    ISBN 978-85-02-07743-0

    1. Português – Concursos  2. Português – Exames, questões etc.  3. Português – Gramática
4. Português – Gramática – Estudo e ensino  5. Português – Gramática (Vestibular) I. Título.

07-7231                                                                                          CDD-469.5

---

Índice para catálogo sistemático:

1. Gramática : Português : Linguística  469.5

Uma editora do GEN | Grupo Editorial Nacional

Travessa do Ouvidor, 11 – Térreo e 6º andar
Rio de Janeiro – RJ – 20040-040

Atendimento ao cliente:
https://www.editoradodireito.com.br/contato

*Para minha esposa Tânia e meus filhos Paulo, Cristiana e Lídia*
*e*
*para minhas netinhas Maria Paula e Laís.*

*Que a singeleza dessa homenagem simbolize*
*a grandeza do nosso amor.*

# Apresentação

Este livro, escrito rigorosamente de acordo com a reforma ortográfica ratificada pela CPLP (Comunidade dos Países de Língua Portuguesa) e sancionada por meio do Decreto nº 6.583, de 29 de setembro de 2008, destina-se àqueles que necessitam de uma revisão rápida e completa nos seus estudos de nossa gramáti-ca: alunos do Ensino Fundamental e Médio; candidatos a exames vestibulares, ao Enem e a concursos públicos.

A obra abrange todo o programa de língua portuguesa de maneira clara e objetiva, com capítulos curtos, que focalizam os aspectos fundamentais do nosso idioma.

Em cada capítulo, apresentamos uma série de testes de exames oficiais, focalizando os mais variados tipos de abordagem que as instituições fazem a respeito dos assuntos abordados no livro.

Quanto à finalidade do livro, nada diremos, pois seu simples manusear será suficiente para que o leitor o julgue por si mesmo. Quanto ao mérito... bem, isso é tarefa que requer mais vagar na análise, e a nós, portanto, somente nos cabe esperar o julga-mento dos colegas professores e também dos estudantes que nos quiserem honrar com as eventuais críticas e sugestões.

Resta-nos externar os agradecimentos a todos os integrantes da Editora Saraiva que, direta ou indiretamente, concorreram de alguma maneira para a realização deste trabalho.

O Autor

# Sumário

## PARTE 1 — FONOLOGIA

### Capítulo 1 – Fonologia, 2

1. **Conceitos gerais, 2**
   Contagem de fonemas, 3
2. **Vogais, semivogais e consoantes, 3**
3. **Dígrafos, encontros consonantais e encontros vocálicos, 4**
4. **Sílaba, 6**
   Acento tônico, 6
   Classificação dos monossílabos quanto à tonicidade, 6
   Classificação dos vocábulos com mais de uma sílaba, 7
5. **Separação silábica, 7**

Testes (10 testes), 8

### Capítulo 2 – Ortografia, 12

1. **Emprego das letras, 12**
   Usa-se *x* em vez de *ch*, 12
   Usa-se *c* e *ç*, 12
   Usa-se *s*, 13
   Usa-se *z*, 13
   Usa-se *j*, 14
   Usa-se *g*, 14

2. Emprego do hífen, 14

Testes (10 testes), 20

## Capítulo 3 – Acentuação gráfica, 25

1. Regras de acentuação gráfica, 25

Testes (9 testes), 28

## Capítulo 4 – Significação das palavras, 32

1. Sinônimas, 32
2. Antônimas, 32
3. Homônimas, 32
   Homônimas perfeitas, 33
4. Parônimas, 33

Testes (15 testes), 34

# PARTE 2 — MORFOLOGIA

## Capítulo 1 – Estrutura das palavras, 42

1. Radicais de origem latina, 44
2. Radicais de origem grega, 46
3. Prefixos de origem latina, 52
4. Prefixos de origem grega, 53
   Correspondência entre prefixos gregos e latinos, 54
5. Sufixos, 55

Testes (8 testes), 57

**6. Processos de formação das palavras, 60**
   Outros processos de formação de palavras, 61

Testes (9 testes), 62

## Capítulo 2 – Classes de palavras, 66

**1. Substantivo, 66**

Testes (I) (8 testes), 68

   Flexão do substantivo, 70
   *Flexão de gênero, 70*

Testes (II) (12 testes), 73

   *Flexão de número, 77*
   Plural metafônico, 79
   Plural dos diminutivos, 79
   Substantivos que só apresentam a forma plural, 79
   Plural dos substantivos compostos, 79

Testes (III) (11 testes), 81

   *Flexão de grau, 86*
   Aumentativos, 87
   Diminutivos, 88

Testes (IV) (6 testes), 89

**2. Artigo, 92**
   Emprego do artigo, 92

Testes (6 testes), 94

**3. Adjetivo, 96**
   Flexão do adjetivo, 97
   *Flexão de gênero, 97*
   *Flexão de número, 97*

Testes (I) (8 testes), 99

   *Flexão de grau, 101*
   Grau comparativo, 101
   Grau superlativo, 102

Locução adjetiva, 105
Adjetivo pátrio, 107

Testes (II) (8 testes), 110

4. **Numeral, 113**

Testes (8 testes), 117

5. **Pronome, 119**
    Pronomes pessoais, 120
        *Emprego dos pronomes pessoais, 120*

Testes (I) (12 testes), 124

    Pronomes possessivos, 129
        *Emprego dos pronomes possessivos, 129*
    Pronomes demonstrativos, 130
        *Emprego dos pronomes demonstrativos, 130*
    Pronomes indefinidos, 131
    Locuções pronominais indefinidas, 132
        *Emprego dos pronomes indefinidos, 132*

Testes (II) (10 testes), 133

    Pronomes relativos, 137
        *Emprego dos pronomes relativos, 137*
    Pronomes interrogativos, 138

Testes (III) (12 testes), 139

6. **Verbo, 144**
    Estrutura do verbo, 145
    Formas rizotônicas e arrizotônicas, 146
    Flexões do verbo, 146
    Classificação dos verbos, 147
    Formas nominais do verbo, 149

Testes (I) (10 testes), 150

Formação dos tempos simples, 153
Formação dos tempos compostos, 159
Locução verbal, 160

Testes (II) (14 testes), 164

Conjugação dos verbos defectivos, 169
Vozes do verbo, 172
Emprego do infinitivo, 174
*Emprego da forma não flexionada, 175*
*Emprego da forma flexionada, 176*
*Flexão facultativa, 176*

Testes (III) (14 testes), 177

## Capítulo 3 – Classes gramaticais invariáveis, 182

1. **Preposição, 182**
   Locução prepositiva, 182
   Combinação e contração, 183

2. **Conjunção, 183**
   Locução conjuntiva, 184

Testes (12 testes), 186

3. **Advérbio, 190**
   Locução adverbial, 191
   Advérbios interrogativos, 192
   Flexão de grau, 192
   *Grau comparativo, 192*
   *Grau superlativo, 192*
   Palavras e locuções denotativas, 193

4. **Interjeição, 194**
   Locução interjetiva, 195

Testes (11 testes), 195

X

# PARTE 3 — SINTAXE

## Conceitos preliminares, 202

## Capítulo 1 – Análise sintática da oração, 204

**Termos essenciais da oração, 204**

**1. Sujeito, 204**
   Classificação do sujeito, 206
   1. Determinado, 206
   2. Indeterminado, 206
   3. Orações sem sujeito, 208

Testes (10 testes), 209

**2. Predicado, 214**
   Predicação verbal, 214
   *Verbo intransitivo, 214*
   *Verbo transitivo direto, 215*
   *Verbo transitivo indireto, 215*
   *Verbo transitivo direto e indireto, 215*
   *Verbo de ligação, 215*
   Classificação do predicado, 218
   *Predicado verbal, 218*
   *Predicado nominal, 219*
   *Predicado verbo-nominal, 219*

Testes (12 testes), 220

**Termos integrantes da oração, 226**

**1. Complementos verbais, 226**
   Objeto direto, 226
   Objeto indireto, 228

**2. Complemento nominal, 230**
Complemento nominal de substantivos, 230
Complemento nominal de adjetivos e de advérbios, 231

**3. Agente da passiva, 232**

Testes (12 testes), 233

**Termos acessórios da oração, 238**

**1. Adjunto adnominal, 238**

**2. Adjunto adverbial, 240**

**3. Aposto, 241**
Tipos de aposto, 241

**4. Vocativo, 242**

Testes (12 testes), 243

## >> Capítulo 2 – As estruturas do período composto, 248

**Período composto por subordinação, 249**

**1. Orações subordinadas substantivas, 251**
Classificação das orações subordinadas substantivas: subjetivas, objetivas diretas, objetivas indiretas, completivas nominais, predicativas, apositivas, 252

Testes (12 testes), 255

**2. Orações subordinadas adjetivas, 260**
Classificação das orações subordinadas adjetivas: restritivas, explicativas, 261
Funções sintáticas dos pronomes relativos, 262

Testes (12 testes), 264

**3. Orações subordinadas adverbiais, 269**

Classificação das orações subordinadas adverbiais: causais, consecutivas, comparativas, conformativas, condicionais, concessivas, temporais, proporcionais, finais, 269

4. **Orações reduzidas:** reduzidas de infinitivo, reduzidas de particípio, reduzidas de gerúndio, 271

Testes (14 testes), 275

**Período composto por coordenação, 281**

1. **Orações coordenadas sindéticas, 281**
   Classificação das orações coordenadas sindéticas: aditivas, adversativas, alternativas, conclusivas, explicativas, 281
   Orações intercaladas ou interferentes, 284

Testes (14 testes), 284

## Capítulo 3 – Sintaxe de regência, 292

1. **Regência nominal, 293**
   Regência de alguns nomes, 294

Testes (12 testes), 296

2. **Regência verbal, 300**
   Grupo I, 300

Testes (I) (15 testes), 305

Grupo II, 311

Testes (II) (15 testes), 314

## Capítulo 4 – Crase, 321

1. **Casos em que ocorre a crase, 322**
2. **Ocorrências facultativas da crase, 325**
3. **Casos em que não ocorre crase, 326**

Testes (22 testes), 328

## Capítulo 5 – Sintaxe de concordância, 338

**Concordância nominal, 338**
1. **Regra geral, 338**
2. **Casos especiais, 338**

Testes (20 testes), 343

**Concordância verbal, 352**
1. **Ocorrências gerais de concordância verbal, 352**
   Sujeito simples, 352
   Sujeito composto, 356
2. **Outras ocorrências de concordância verbal, 357**

Testes (26 testes), 363

## Capítulo 6 – Colocação pronominal, 379

1. **Ocorrências da próclise, 380**
2. **Ocorrência da mesóclise, 381**
3. **Ocorrências da ênclise, 382**
4. **Colocação dos pronomes átonos nas locuções verbais, 383**

Testes (20 testes), 385

## Capítulo 7 – As palavras "que" e "se", 394

1. **A palavra "que", 394**
   Substantivo, 394
   Pronome adjetivo interrogativo, 395
   Pronome substantivo interrogativo, 395
   Pronome adjetivo indefinido, 395
   Pronome relativo, 395

Advérbio de intensidade, 396
  Preposição, 396
  Interjeição, 396
  Partícula de realce ou expletiva, 396
  Conjunção, 397

2. **A palavra "se", 398**
  Substantivo, 398
  Conjunção, 398
  Índice de indeterminação do sujeito, 399
  Pronome apassivador, 399
  Parte integrante do verbo, 399
  Partícula de realce ou expletiva, 400
  Pronome reflexivo, 400

Testes (20 testes), 401

## Capítulo 8 – Figuras de linguagem, 410

1. **Espécies de figuras de linguagem, 411**
  Figuras de palavra ou semânticas: comparação, metáfora, catacrese, metonímia, antonomásia, sinestesia, antítese, eufemismo, gradação, hipérbole, prosopopeia, paradoxo ou oxímoro, perífrase, ironia, 411
  Figuras de construção ou de sintaxe: elipse, zeugma, pleonasmo, assíndeto, polissíndeto, anacoluto, hipérbato, hipálage, anáfora, apóstrofe, silepse, 416
  Figuras sonoras ou de harmonia: aliteração, assonância, paranomásia, onomatopeia, 419

2. **Vícios de linguagem:** barbarismo, solecismo, ambiguidade ou anfibologia, cacofonia, pleonasmo vicioso, eco, colisão, hiato, 421

Testes (25 testes), 424

## Capítulo 9 – Pontuação, 436

1. **Ponto-final**, 437
2. **Ponto de interrogação**, 438
3. **Ponto de exclamação**, 438
4. **Vírgula**, 439
   Nos termos da oração, 439
   Nas orações do período, 440
5. **Ponto e vírgula**, 444
6. **Dois-pontos**, 445
7. **Travessão**, 446
8. **Reticências**, 447
9. **Aspas**, 447
10. **Parênteses**, 448

Testes (24 testes), 449

## Capítulo 10 – Tópicos de linguagem, 462

a cerca de/acerca de/cerca de/há cerca de, 462
a fim/afim, 463
a menos de/há menos de, 463
ao invés de/em vez de, 463
ao encontro de/de encontro a, 464
a princípio/em princípio/por princípio, 464
a par/ao par, 464
a baixo/abaixo, 465
demais/de mais, 465
embaixo/em cima, 465
há/a, 466

mal/mau, 466
mas/mais, 467
nenhum/nem um, 468
onde/aonde/donde, 468
por que/por quê/porque/porquê, 469
porventura/por ventura, 471
se não/senão, 471
tampouco/tão pouco, 472

Testes (20 testes), 472

**Instituições promovedoras de vestibulares, 482**
**Instituições promovedoras de concursos públicos, 487**
**Bibliografia, 491**

## parte 1

>> **1.** Fonologia
>> **2.** Ortografia
>> **3.** Acentuação gráfica
>> **4.** Significação das palavras

## 1. Fonologia

## capítulo 1

# Fonologia

## 1. Conceitos gerais

**Fonologia** é a parte da gramática que estuda os fonemas da língua, ou seja, os sons que formam as palavras na comunicação oral.

**Fonema** é a unidade mínima distintiva no sistema sonoro de uma língua. É representado entre duas barras oblíquas (//): casa → /k/ /a/ /z/ /a/.

Os sons da fala devem ser representados entre colchetes: táxi → [táksi].

**Letra** é cada um dos sinais gráficos elementares com que se representam os fonemas na língua escrita. O nosso alfabeto consta de 26 letras: a, b, c, d, e, f, g, h, i, j, k, l, m, n, o, p, q, r, s, t, u, v, w, x, y e z.

Empregamos **k**, **w** e **y** em casos especiais, como nas abreviaturas e símbolos de uso internacional (**WC** = sanitário, **km** = quilômetro, **kg** = quilograma, **K** = potássio, **W** = oeste ou watt, **Yd** = jarda, **Y** = ítrio); na grafia de nomes próprios estrangeiros e seus derivados (B**y**ron, b**y**roniano, **K**ant, **k**antiano, **W**agner, **w**agneriano); na grafia de palavras estrangeiras não aportuguesadas (hobb**y**, mar**k**eting, **k**now-how).

## Contagem de fonemas

Geralmente o número de fonemas é igual ao número de letras.

Na palavra **vida**, por exemplo, há quatro letras e quatro fonemas: /v/ /i/ /d/ /a/. Já na palavra **chave**, figuram cinco letras, mas quatro fonemas: /x/ /a/ /v/ /e/. Isso ocorre porque o grupo **ch** representa apenas um fonema: /x/.

Um mesmo fonema pode ser representado por letras diferentes. É o caso do fonema /z/ em palavras como *riso*, *azar* e *exame*.

Certas letras podem representar fonemas diferentes. Observe a letra **x** nas palavras *exato*, *xarope* e *fixa*. Nesta última palavra, o **x** é um dífono, isto é, simboliza dois fonemas diferentes: /f/ /i/ /k/ /s/ /a/ (quatro letras e cinco fonemas).

A letra **h** não representa fonema. Figura em certas palavras por razões etimológicas (**h**oje, do latim *hodie*; **h**ormônio, do grego *hórmon*), na grafia de certas interjeições (a**h**!, o**h**!) e na formação dos dígrafos **ch**, **lh** e **nh**.

## 2. Vogais, semivogais e consoantes

**Vogais** são fonemas que fazem vibrar as cordas vocais, em cuja produção a corrente de ar vinda dos pulmões não encontra obstáculos. São silábicos, isto é, sempre constituem a base da sílaba, já que não existe sílaba sem vogal. De acordo com a variação fonética, são doze: /a/ /ã/ /ẽ/ /é/ /ê/ /i/ /ĩ/ /o/ /ô/ /õ/ /u/ /ũ/.

**Semivogais** são as letras **i** e **u** (representadas foneticamente por /y/ e /w/, respectivamente) quando formam sílabas apoiadas numa vogal:

       **gaita** = [gay-ta]     **moita** = [moy-ta]
       **deusa** = [dew-za]    **lousa** = [low-za]

As letras **e** e **o** também representam semivogais quando têm o som de /**y**/ e /**w**/, respectivamente:

**mãe** = [mãy]    **põe** = [põy]    **melão** = [melãw]

**Consoantes** são fonemas resultantes de obstáculos (os lábios, a língua, os dentes) encontrados pela corrente de ar vinda dos pulmões. São representados pelas letras b, c, d, f, g, j, l, m, n, p, q, r, s, t, v, x, z.

## 3. Dígrafos, encontros consonantais e encontros vocálicos

**Dígrafos** são grupos de letras representantes de um único fonema. São dígrafos:

| | |
|---|---|
| ch – **ch**ave, **ch**uva | sç – na**sç**a, cre**sç**a |
| lh – i**lh**a, ca**lh**a | xc – e**xc**eto, e**xc**êntrico |
| nh – ba**nh**o, ga**nh**a | rr – ba**rr**o, bi**rr**a |
| ss – pá**ss**aro, no**ss**o | gu – **gu**eixa, **gu**indaste |
| sc – na**sc**er, de**sc**er | qu – a**qu**ele, **qu**iabo |

Os grupos que representam as vogais nasais também são considerados dígrafos.

As letras **m** e **n**, nesse caso, não representam fonemas, já que apenas indicam a nasalidade da vogal anterior:

| | |
|---|---|
| am – **am**pola, c**am**po | in – t**in**ta, l**in**do |
| an – **an**tigo, **an**tológico | om – **om**bro, p**om**ba |
| em – **em**prego, **em**pada | on – **on**da, c**on**ta |
| en – **en**trada, p**en**te | um – b**um**bo, r**um**ba |
| im – **im**plosão, **im**pulso | un – m**un**dano |

**Observação:** Os grupos **am**, **em**, **en** não são dígrafos quando se situam no final do vocábulo: *amam*, *cantem*, *hífen*. Nesse caso, ocorrem ditongos nasais.

**Encontro consonantal** é a sequência imediata de duas ou mais consoantes sem vogal intermediária num mesmo vocábulo: **pr**a-to, e-li**p**-se, ra**p-t**o, o**bs-t**á-cu-lo.

**Encontro vocálico** é a sequência de fonemas vocálicos na mesma sílaba ou em sílabas separadas. Há três tipos de encontros vocálicos: **ditongo**, **tritongo** e **hiato**.

**Ditongo** é a sequência de **semivogal** e **vogal**, ou vice-versa, na mesma sílaba. De acordo com a posição desses fonemas, pode ser:

a) **crescente** – a **semivogal** posiciona-se *antes* da **vogal**: cá-r**ie**, gló-r**ia**, em-pó-r**io**.

b) **decrescente** – a **semivogal** posiciona-se *depois* da **vogal**: man-t**ei**-ga, p**au**-lis-ta, r**ou**-bo.

c) **oral** – a corrente de ar escapa apenas pela cavidade bucal: c**ai**, lé-g**ua**, **ou**-tro.

d) **nasal** – a corrente de ar se divide pela cavidade bucal e pelas fossas nasais: c**ãi**-bra, cho-r**ão**, com-p**õe**.

**Tritongo** é a sequência de **semivogal**, **vogal** e outra **semivogal** na mesma sílaba. Também pode ser oral ou nasal: a-ve-ri-g**uai**, en-xa-g**uei** (tritongos orais), g**uão**, sa-g**uões** (tritongos nasais).

**Hiato** é a sequência de duas vogais, cada uma delas pertencente a uma sílaba: s**a-í**-da, s**a-ú**-va, m**o-e**-da.

## 4. Sílaba

A (sílaba) é um fonema ou conjunto de fonemas emitidos num só impulso expiratório. O seu centro é sempre uma **vogal**; sem ela não pode haver sílaba: **pé**, **ca-sa**, **rou-pa**, **me-câ-ni-co**.

Conforme o número de sílabas, o vocábulo pode ser:

a) **monossílabo** (uma única sílaba): **má**, **lê**, **rei**, **Deus**;
b) **dissílabo** (duas sílabas): **pe-dra**, **lou-sa**, **li-vre**;
c) **trissílabo** (três sílabas): **pa-ren-te**, **ca-bi-de**;
d) **polissílabo** (mais de três sílabas): **re-for-mu-lar**, **mi-san-tro-po**, **pa-ra-le-la-men-te**.

### Acento tônico

O (acento tônico) é a maior intensidade sonora existente numa sílaba.

As sílabas sobre as quais incide o acento tônico são **tônicas**, sendo **átonas** as que não recebem tal acento. São **pretônicas** as que se posicionam antes da tônica, e **postônicas** as que figuram depois dela:

### Classificação dos monossílabos quanto à tonicidade

a) **Monossílabos tônicos** – são proferidos sem apoio na palavra vizinha:

São alunas **más**; não estudam.

b) **Monossílabos átonos** – não têm autonomia fonética, ou seja, apoiam-se na palavra vizinha:

> São boas alunas, **mas** não estudam.

## Classificação dos vocábulos com mais de uma sílaba

a) **Oxítonos** – a última sílaba é a tônica: ci-**pó**, sa-**ci**, ta-**tu**;
b) **Paroxítonos** – a penúltima sílaba é a tônica: ca-**ne**-ca, pe-**nei**-ra, sa-**ú**-va;
c) **Proparoxítonos** – a antepenúltima sílaba é a tônica: **ân**-gu-lo, **fí**-si-ca, **pór**-ti-co.

## 5. Separação silábica

A separação das sílabas deve ser feita pela soletração, assim:

a) quando há consoante interna, não seguida de vogal, ela pertence à sílaba anterior: re**p-t**il, a-de**p-t**o, o**bs-tr**u-ir;
b) separam-se os dígrafos **rr**, **ss**, **sc**, **sç** e **xc**: ja**r-r**a, pa**s-s**o, flo-re**s-c**er, na**s-ç**a, e**x-c**e-to;
c) separam-se as vogais dos hiatos: s**a-ú**-va, c**a-o**-lho, x**i-i**-ta.

> **Observação:** Em algumas palavras, os grupos articulados **bl**, **br** e **dl** não formam encontros consonantais reais, por isso, na divisão silábica, deve figurar hífen entre essas duas letras. Exemplos: su**b-l**in-gual, su**b-r**o-gar, a**d-l**e-ga-ção, a**d-l**i-ga-ção etc.

## >> Testes

**1. (Esaf)** Aponte a dupla em que a letra **x** representa o mesmo fonema.
   a) enxame – inexaurível
   b) defluxado – taxar
   c) intoxicado – exceto
   d) têxtil – êxtase
   e) tóxico – taxativo

Em "a", o *x* tem som de [ch] em "enxame" e de [z] em "inexaurível"; em "b", de [ks] em "defluxado", embora não conste dos dicionários, e de [ch] em "taxar"; em "c", de [ks] em "intoxicado" e de [zc] em "exceto"; em "e", de [ks] em "tóxico" e de [ch] em "taxativo"; e, em "d", "têxtil" e "êxtase" apresentam o *x* com o mesmo som: [têxtil] e [êztaze]. Por isso, a resposta correta é a "d".

**2. (TCU)** Assinale a opção em que o fonema /s/ ocorre em todas as palavras:

   a) exatoria / reconhecido / diversificado.
   b) máximo / explícita / precursor.
   c) acionar / sucesso / invisível.
   d) manuseável / conceder / auxílio.
   e) essencial / êxito / patrício.

Em todas as palavras da alternativa "b" ocorre o fonema /s/: [mácimo], [ezplícita], [precurçor].
Em "a", "c", "d" e "e", ocorre o fonema /z/ em [ezatoria], [invizível], [manuzeável] e [êzito], respectivamente. Por isso, a resposta correta é a "b".

**3. (PUC-SP)** Indique a alternativa em que constatamos, em todas as palavras, a semivogal **i**:

   a) cativos, minada, livros, tiragem
   b) oiro, queimar, capoeiras, cheiroso
   c) virgens, decidir, brilharem, servir
   d) esmeril, fértil, cinza, ainda
   e) livros, brilharem, oiro, capoeiras

>> PARTE 1

Em todas as palavras apresentadas na alternativa "b", o *i* é semivogal porque forma sílaba com a vogal anterior, o *e*.
Nas alternativas "a", "c" e "d", o *i* é vogal em todas as palavras; em "e", é vogal em "livros" e "brilharem" e semivogal em "oiro" e "capoeiras". Por isso, a resposta correta é a "b".

**4.** (**UFPI**) Quantos fonemas possuem, respectivamente, as palavras **olhavam**, **queriam** e **incompreensíveis**?

a) seis – sete – dezesseis
b) seis – seis – treze
c) três – três – sete
d) cinco – seis – doze
e) cinco – cinco – treze

"Olhavam" tem 7 letras e 6 fonemas, porque o *lh* é dígrafo (representa apenas um fonema). "Queriam", por sua vez, tem 7 letras e 6 fonemas, pois o *qu* também é dígrafo (representa apenas um fonema). Aqui é preciso lembrar que o *m* em final de vocábulos forma ditongo. Por fim, "incompreensíveis" apresenta 16 letras e 13 fonemas, visto que o *n* da primeira sílaba (in-) e da quarta sílaba (-en-), bem como o *m* da segunda sílaba (-com-) não são fonemas porque apenas indicam nasalidade. Por isso, a resposta correta é a "b".

**5.** (**UnB-DF**) Marque a opção em que todas as palavras apresentam um dígrafo:

a) fixo, auxílio, tóxico, enxame
b) enxergar, luxo, bucho, olho
c) bicho, passo, carro, banho
d) choque, sintaxe, unha, coxa
e) exceto, carroça, quase, assado

Em "a", não ocorre dígrafo em nenhuma palavra; em "b", ocorre em "bucho" (*ch*) e "olho" (*lh*); em "d", em "choque" (*ch*) e "unha" (*nh*); e em "e", em "exceto" (*xc*), "carroça" (*rr*) e "assado" (*ss*). A alternativa "c" é a única em que ocorrem quatro dígrafos (sequência de duas letras representando um único fonema): *ch*, *ss*, *rr* e *nh*. Por isso, a resposta correta é a "c".

**6.** (**PUC-SP**) Assinale a alternativa em que todas as palavras têm a mesma classificação no que se refere ao número de sílabas.

a) enchiam, saíam, dormiu, noite
b) feita, primeiro, cresci, rasteiras
c) ruído, saudade, ainda, saúde
d) eram, roupa, sua, surgiam
e) dia, sentia, ouviam, loura

>> fonologia

Em "a", "en-chi-am" e "sa-í-am" são trissílabos; "dor-miu" e "noi-te" são dissílabos; em "b", "fei-ta" e "cres-cei" são dissílabos, ao passo que "pri-mei-ro" e "ras-tei-ras" são trissílabos; em "d", "e-ram", "rou-pa" e "su-a" são todos dissílabos, mas "sur-gi-am" é trissílabo; em "e", "di-a", "sen-tia" e "lou-ra" são dissílabos e apenas "ou-vi-am" é trissílabo. A alternativa "c", no entanto, contém as palavras "ru-í-do", "sau-da-de", "a-in-da" e "sa-ú-de", que possuem três sílabas e são, portanto, classificadas como palavras *trissilábicas*. Por isso, a resposta correta é a "c".

**7.** **(Esaf)** Assinale a alternativa em que, nas três palavras, há um ditongo decrescente.

a) água, série, memória
b) balaio, veraneio, ciência
c) coração, razão, paciência
d) apoio, gratuito, fluido
e) joia, véu, área

Em "a", "á-g**ua**", "sé-r**ie**" e "me-mó-r**ia**" têm ditongos crescentes; em "b", "ba-la**i**-(i)o" e "ve-ra-n**ei**-(i)o" apresentam ditongos decrescentes, mas "ci-ên-c**ia**" tem um ditongo crescente; em "c", "co-ra-ç**ão**" e "ra-z**ão**" têm ditongos decrescentes, e "pa-ci-ên-c**ia**" apresenta um ditongo crescente; em "d", todas as palavras apresentam ditongos decrescentes: "a-p**oi**-o", "gra-t**ui**-to" e "fl**ui**-do"; em "e", "j**oi**-a" e "v**éu**" têm ditongos decrescentes, mas "á-r**ea**" contém um ditongo crescente. Por isso, a resposta correta é a "d".

**8.** **(Esaf)** Assinale a alternativa que apresenta tritongo, hiato, ditongo crescente e dígrafo.

a) quais – saúde – perdoe - álcool
b) cruéis – mauzinho – quais – psique
c) quão – mais – mandiú – quieto
d) aguei – caos – mágoa – chato
e) joia – juiz – pônei – carroça

Em "a" ocorre tritongo em "q**uai**s"; hiato em "sa-ú-de", "per-do-e" e "ál-co-ol". Em "b", "cru-**éis**" não apresenta tritongo por causa da separação silábica; "mau-zi-nho" não é hiato, mas um ditongo decrescente; "q**uai**s" apresenta um tritongo e "psi-**que**" tem o dígrafo *qu*. Em "c" ocorre tritongo nasal em "q**uão**", ditongo decrescente em "m**ai**s"; hiato em "man-di-**ú**" e em "q**ui**-e-to". Em "d" ocorre tritongo oral em "ag**uei**"; hiato em "ca-os", ditongo crescente em "mág**oa**" e dígrafo em "**ch**ato". Em "e" ocorrem ditongo decrescente e ditongo crescente em "joia" = [j**oi**-(i)**a**]; hiato em "ju-iz"; ditongo decrescente em "pôn**ei**" e dígrafo em "ca**rr**oça". Por isso, a resposta correta é a "d".

>> PARTE 1

**9.** (F.C.Chagas) Se considerarmos o vocábulo *sereia*, o grupo vocálico destacado, foneticamente, deve ser classificado como:
a) ditongo crescente
b) hiato
c) ditongo crescente e decrescente
d) ditongo decrescente e crescente
e) tritongo

Na palavra "sereia" ocorrem dois ditongos: um decrescente (ser**ei**a) e outro crescente (sere**ia**). Observe a pronúncia: [se-rey-ya]. Esse fenômeno fonético recebe o nome de **iode**, no qual o fonema semivogal /y/ é pronunciado nas duas últimas sílabas, formando, deste modo, dois ditongos. Não se trata de hiato porque não ocorre hiato entre semivogal e vogal e não contém tritongo porque as três últimas vogais não ficam na mesma sílaba: se-r**ei-a**. A "pegadinha" deste teste está no enunciado: "o grupo vocálico destacado, **foneticamente**, deve ser classificado como:". Se o estudante se ativer somente à separação silábica formal se-rei-a, pode ser levado a crer que existe apenas um ditongo crescente ("ei"), marcando, assim, a alternativa "a". Ou, se não se lembrar de que hiato só é possível se as duas vogais forem *pronunciadas* em sílabas diferentes, o que não ocorre com /se-rey-ya/, pode achar que se trata de um hiato, marcando a alternativa "b". Por isso, a resposta correta é a "d".

**10.** (Acafe-SC) Assinale a alternativa em que há erro na partição de sílabas:
a) en-trar, es-con-der, bis-a-vô, bis-ne-to
b) i-da-de, co-o-pe-rar, es-tô-ma-go, ré-gua
c) des-cen-der, car-ra-da, pos-so, a-tra-vés
d) des-to-ar, tran-sa-ma-zô-ni-co, ra-pé, on-tem
e) pre-des-ti-nar, ex-tra, e-xer-cí-cio, dan-çar

A partição correta da palavra "bisavô" é "bi-sa-vô". Não confundir separação silábica com formação de palavras. Esta palavra é formada pelo prefixo *bis-* + a palavra "avô", daí muitas pessoas serem levadas a crer que o prefixo fica em uma sílaba só, o que não é certo neste caso. Por isso, a resposta correta é a "a".

>> fonologia

11 >>

>> **capítulo 2**

# >> Ortografia

**Ortografia** é a parte da Gramática que estabelece a grafia correta das palavras.

## 1. Emprego das letras

Apesar de pequenas alterações promovidas em nosso sistema ortográfico, ele ainda não conseguiu atingir um nível de simplificação satisfatória. As dificuldades são muitas, e o emprego das letras depende do étimo da palavra, isto é, da sua origem. Algumas orientações, contudo, podem ser bastante úteis:

### >> Usa-se *x* em vez de *ch*:

a) depois de ditongos: fai**x**a, amei**x**a, frou**x**o, pai**x**ão

   **Exceções:** recau**ch**utar (e derivados) e gua**ch**e

b) depois das iniciais **me** e **en**: me**x**er, me**x**erica, en**x**ada, en**x**uto

   **Exceções:** me**ch**a (e derivados), en**ch**ova, en**ch**er (derivado de **ch**eio), en**ch**arcar (derivado de **ch**arco)

### >> Usa-se *c* e *ç*:

a) depois de ditongos: foi**c**e, coi**c**e, ou**ç**o, bei**ç**o

b) em palavras de origem árabe, tupi ou africana: **c**etim (árabe), pa**ç**oca (tupi), mi**ç**anga (africana)

c) nos sufixos **-ação**, **-aço**, **-iço** e **-iça**: acentua**ç**ão, rica**ç**o, carni**ç**a

## Usa-se *s*:

a) depois de ditongos: pa**us**a, ma**is**ena, de**us**a, co**is**a

b) no sufixo **-ês** indicador de origem, procedência: calabr**ês**, chin**ês**, franc**ês**, mont**ês**

c) nos sufixos **-esa** e **-isa** formadores de femininos: calabr**esa**, princ**esa**, sacerdot**isa**, profet**isa**

d) nos sufixos **-oso** e **-osa** formadores de adjetivos: bond**oso**, honr**oso**, sabor**osa**, gul**osa**

## Usa-se *z*:

a) nos substantivos abstratos derivados de adjetivos: sensate**z** (derivado de "sensato"), frigide**z** (derivado de "frígido"), mole**z**a (derivado de "mole"), certe**z**a (derivado de "certo")

b) no sufixo **-triz** formador de femininos: impera**triz**, embaixa**triz**, a**triz**

c) nos sufixos formadores de aumentativos e diminutivos: copá**z**io, carta**z**, flor**z**inha, pai**z**inho

> **Cuidado!** Quando a palavra primitiva contém a letra **s**, esta se conserva na derivação: ro**s**a → ro**s**inha, ca**s**a → ca**s**inha.

d) nos verbos formados pelo sufixo **-izar**: util**izar**, civil**izar**, atual**izar**, hospital**izar**

> **Cuidado!** análi**s**e + **ar** = anali**s**ar; fri**s**o + **ar** = fri**s**ar (ou seja, nessas palavras não há o sufixo *-izar*.)

## Usa-se *j*:

a) nas palavras de origem tupi, africana ou árabe: **j**iboia (tupi), can**j**ica (africana), alfan**j**e (árabe)

b) nas palavras derivadas de outras que já contêm a letra **j**: bre**j**o → bre**j**eiro; vare**j**o → vare**j**ista

c) na conjugação de verbos terminados por **-jar**: via**j**ar, vele**j**ar, boce**j**ar, pele**j**ar, despe**j**ar

> **Cuidado!** Apesar de "viajar" e sua conjugação serem com **j**, o substantivo é com **g**: via**g**em.

## Usa-se *g*:

a) nos substantivos terminados por **-agem**, **-igem** e **-ugem**: ferr**agem**, barr**agem**, ful**igem**, vert**igem**, rab**ugem**, ferr**ugem**.

   **Exceções:** pajem e lambujem

b) nas terminações **-ágio**, **-égio**, **-ígio**, **-ógio** e **-úgio**: ped**ágio**, egr**égio**, vest**ígio**, rel**ógio**, ref**úgio**

## 2. Emprego do hífen

Usa-se o hífen nos seguintes casos:

a) na maioria dos substantivos e adjetivos compostos cujos elementos têm acentuação própria e formam uma unidade significativa: **guarda-roupa**, **sempre-viva**, **médico-cirúrgico**, **rubro-negro**, **afro-brasileiro** etc.;

b) nos compostos designativos de espécies botânicas ou zoológicas, estejam ou não ligadas por preposição ou qualquer outro elemento: **couve-flor**, **erva-doce**, **pimenta-de-cheiro**, **beija-flor**, **joão-de-barro**, **bem-te-vi** etc.;

c) nos encadeamentos vocabulares: ponte **Rio-Niterói**, sentido **cidade-bairro**, a estrada **Rio-Santos**, ligação **Anhanguera-Bandeirantes** etc.;

d) nas seguintes locuções já consagradas pelo uso: **água-de-colônia, arco-da-velha, cor-de-rosa, mais-que-perfeito, pé-de-meia, ao deus-dará, à queima-roupa**;

e) nos topônimos compostos iniciados pelos adjetivos **grã**, **grão** ou por forma verbal, ou cujos elementos sejam ligados por artigo: **Grã**-Bretanha, **Grão**-Pará, **Passa**-Quatro, Baía de Todos-**os**-Santos, Trás-**os**-Montes etc.;

f) nos compostos formados com os sufixos **-açu**, **-guaçu** ou **-mirim**, desde que o primeiro elemento termine com vogal acentuada graficamente ou nasalizada: sabi**á-açu**, capim**-açu**, araç**á-açu**, arum**ã-açu**, jacar**é-mirim**, tamandu**á-mirim** etc.;

g) nos compostos formados com os advérbios **mal** e **bem** quando esses elementos formam uma unidade sintagmática com significado e o segundo começa por **vogal** ou **h**: **bem-a**venturado, **bem-e**star, **bem-h**umorado, **mal-a**linhado, **mal-a**costumado, **mal-h**umorado etc.;

h) nas palavras formadas com os prefixos **além-**, **aquém-**, **recém-** ou **sem-**: **além-**túmulo, **aquém-**mar, **recém-**casados, **sem-**fé, **sem-**cerimônia etc.;

i) nas palavras formadas com os prefixos **ex-**, **soto-**, **sota-**, **vice-** ou **vizo-**: **ex-**aluno, **soto-**ministro, **sota-**piloto, **vice-**diretor, **vizo-**rei etc.;

j) nas palavras formadas com os prefixos **circum-** ou **pan-**, desde que o segundo elemento comece com **vogal**, **m**, **n** ou **h**: **circum-a**mbiente, **circum-e**scolar, **circum-m**arítimo, circum-navegante, pan-africanismo, pan-arabismo, pan-helenismo etc.;

k) nas palavras formadas com os prefixos **inter-**, **hiper-** e **super-**, desde que seguidos de palavras iniciadas por **h** ou **r**: **inter-h**elênico, **hiper-h**idrose, **hiper-h**umano, **super-h**idratação, **super-h**omem, **inter-r**acial, **inter-r**egional, **hiper-r**ugoso, **hiper-r**equintado, **super-r**acional, **super-r**esistente etc.;

> **Cuidado!** O prefixo **co-** é considerado exceção no emprego do hífen. Deste modo, assim como **co**essência, **co**enzima, **co**educar e **co**abitar, devemos grafar: **coo**peração, **coo**brigação etc.

l) nas palavras formadas com os prefixos **sub-** e **ab-**, desde que o segundo elemento comece com **b**, **h** ou **r**: **sub-b**ase, **sub-b**ilabiado, **sub-h**epático, **sub-h**irsuto, **sub-r**ogar, **ab-r**ogar etc.;

m) nas palavras formadas com os prefixos tônicos **pré-**, **pró-** e **pós-** seguidos de palavras de vida autônoma na língua: **pré-**histórico, **pré-**escolar, **pró-**educação, **pró-**social, **pós-**guerra, **pós-**operatório etc.;

> **Cuidado!** Palavras formadas com as formas átonas correspondentes justapõem-se ao elemento seguinte sem hífen: predizer, pressupor, preexistir, propor, proembrião, proclamar etc.

n) nas palavras formadas com prefixos ou pseudoprefixos só se emprega hífen quando o segundo elemento começa com **h** ou com a **mesma letra que encerra os prefixos ou pseudoprefixos**. Nesses casos, observe o seguinte quadro para empregar o hífen:

| 1º elemento | 2º elemento |
| --- | --- |
| prefixo/pseudoprefixo | iniciado por h ou mesma vogal |
| ante- | ante-histórico, ante-hipófise |
| anti- | anti-horário, anti-inflacionário |
| arqui- | arqui-inimigo |
| auto- | auto-hemoterapia, auto-observação |
| contra- | contra-ataque, contra-harmônico |
| eletro- | eletro-ótica, eletro-oculografia |
| extra- | extra-atmosférico, extra-humano |
| infra- | infra-hepático, infra-assinado |
| intra- | intra-auricular, intra-hepático |
| micro- | micro-*habitat*, micro-ondas, micro-organismo |
| míni- | míni-hotel |
| multi- | multi-infecção, multi-instrumentista |
| neo- | neo-helênico, neo-otoplastia |
| poli- | poli-infecção, poli-insaturado |
| pseudo- | pseudo-hermafrodita, pseudo-orgasmo |
| semi- | semi-herbáceo, semi-interno |
| sobre- | sobre-humano, sobre-exceder |
| supra- | supra-humanismo, supra-axilar |
| tele- | tele-educação, tele-entrega |
| ultra- | ultra-humano |
| re-* | reeditar, reembolsar, reencontro, reequilibrar, |

*Exceção

**Cuidado!** Muita gente é levada a crer que, pelo fato de a palavra **mal-humorado** ser grafada com hífen, ocorre o mesmo com "mau humor", o que não é verdade. No caso de "mau humor", a palavra "mau" não é prefixo, mas um adjetivo (antônimo de "bom"). O mesmo se aplica a **bem-humorado** (com hífen) e "bom humor" (sem hífen).

> **Mais cuidado!** Repare que algumas palavras com prefixo "mal" são escritas sem hífen, como **malsucedido**, **malcheiroso**, **malcozido**, **malcriado**, **malcomportado**, **maldormido** e **malresolvido**. É comum as pessoas ignorarem esse fato não só por não estarem acostumadas com essa grafia, como também por estabelecerem uma comparação com os antônimos de tais palavras, grafadas "bem-sucedido", "bem-cozido", "bem-criado", "bem-comportado", "bem-dormido" e "bem-resolvido".

De acordo com a nova reforma ortográfica, observe como você deverá grafar algumas palavras da língua portuguesa:

| 1º elemento | + 2º elemento |
|---|---|
| prefixo/pseudoprefixo | Exemplos |
| aero- | aerossondagem, aeroespacial, aerobarco, aeroclube, aeroelasticidade, aerotransporte |
| agro- | agrossocial, agroalimentar, agroexportar, agroindústria, agrovia |
| ante- | anterrosto, antessala, antedatar, antediluviano, antegozo, anteprojeto |
| anti- | antirreformista, antirrevolucionário, antissemita, antisséptico, antissequestro, antissocial, antiaderente, anticárie, anticaspa, antienvelhecimento, antijogo, antiplaca, antiqueda, antitártaro, antiterrorista |
| arqui- | arquirrival, arquiapóstata, arquiepiscopado, arqui-inimigo |
| auto- | autorrespeito, autorretrato, autosserviço, autossuficiente, autossugestão, autoestrada, auto-observação, autoajuda |
| co- | cosseno, coexistência, cooperar, cooperativa |

>> **18**

| 1º elemento | + 2º elemento |
|---|---|
| prefixo/pseudoprefixo | Exemplos |
| contra- | contrarreforma, contrarrevolucionário, contrassenso, contraespionagem, contraindicação, contraoferta, contraordem |
| eletro- | eletrorradiologia, eletrossiderúrgica, eletrodoméstico, eletroeletrônico, eletroidráulico, eletroímã |
| extra- | extrarregulamento, extrassensorial, extraclasse, extraescolar, extrafino, extrajudicial, extraocular, extraoficial, extrauterino |
| hidro- | hidrorragia, hidrossolúvel, hidroelétrica, hidromassagem, hidrovia |
| infra- | infrarrenal, infrassom, infraescrito, infraestrutura |
| intra- | intrassociedade, intraocular, intrauterino |
| micro- | microrradiografia, microrregião, microssaia, microssistema, microeconomia, micro-ondas, micro-ônibus, micro-orgânico |
| míni- | minirrádio, minirrestaurante, minissaia, minifúndio |
| multi- | multirracial, multissecular, multipotente, multiangulado, multi-infecção, multi-inseticida |
| neo- | neorrealismo, neorromântico, neoexpressionismo, neoimpressionismo, neoliberal |
| pseudo- | pseudossigla, pseudossufixo, pseudoárbitro, pseudoesfera |
| radio- | radiorreceptor, radiorrelógio, radiorrepórter, radiossonda, radioamador, radiojornal, radiopatrulha |
| re- | ressalgar, reocupar, reeditar |
| semi- | semirreta, semissintético, seminovo, semi-interno |
| sobre- | sobrerrestar, sobressair, sobrescrito, sobreinteligível |
| supra- | suprarracional, suprarrenal, suprassumo |

| 1º elemento | + 2º elemento |
|---|---|
| prefixo/pseudoprefixo | Exemplos |
| tele- | telerreceptor, telerrecado, telessena, telesserviço, teledisco, teleimpressor |
| ultra- | ultrarradical, ultrarrealismo, ultrassensível, ultrassofisticação, ultrassom, ultrassonografia, ultraleve, ultramar |

## >> Testes

1. **(TJ-SP)** Assinale a alternativa **correta** quanto à ortografia oficial.
   a) Em novembro de 2004, a discução sobre o aquecimento global tornou-se ainda mais acalorada.
   b) O problema é que as nações como o Brasil e a China recuzam-se a reduzir emissões de gases poluentes.
   c) Lei aprovada por unanimidade no Senado dos Estados Unidos transfere para jurisdição federal o caso de Terri Schiavo.
   d) Os americanos afirmam que o acordo vai freiar a economia.
   e) O Corinthians venceu o Palmeiras por 2 a 0 numa partida marcada pelo exceço de faltas e pela tenção.

   Em "a", o correto é "discussão"; em "b", "recusam-se" é com *s*; em "d", o verbo "frear" não tem *i*; em "e", grafa-se "excesso" com *ss*. Por isso, a resposta correta é a "c".

2. **(TRF-RJ)** A grafia de todas as palavras está correta em:
   a) O organizador do consorcio foi flaglado numa operação ilegal.
   b) A inveja não condis com o perfil de quem se pretende ser chefe de sessão.
   c) Ele nunca responde na hora; remoi em casa todos os seus rescentimentos.

d) No caso de inssolvência, a empresa terá seus bens empenhorados.
e) A curva inflacionária é ascendente, mas há indícios de que em breve declinará.

Em "a", o erro está na grafia da palavra "consórcio" (acentuam-se paroxítonas terminadas em ditongo) e "flagrado" ("flaglado" não existe); em "b", as formas corretas são "condiz" (do verbo "condizer") e "seção" (= "divisão", "subdivisão"); em "c", as formas corretas são "remói" (acentua-se a vogal tônica de um ditongo aberto) e "ressentimento" (do verbo "ressentir"); em "d", as formas corretas são "insolvência" (depois da letra *n* não se emprega o dígrafo *ss*) e "penhorados" (do verbo "penhorar"). Por isso, a resposta correta é a "e".

**3. (Esaf)** Quanto à grafia, assinale o texto inteiramente correto.
a) Há intensão de se alcançar um consenso para evitar as divergências entre os parlamentares.
b) É preciso cessarem as disensões para se obter a aprovação da Lei de Diretrizes e Bases da Educação.
c) Um aquário pode ser tido como um ecossistema, no qual os escrementos dos peixes, depois de decompostos, fornecerão elementos essenciais à vida das plantas.
d) O Sol é responsável pela emissão de luz, indispensável para a fotossíntese, processo pelo qual as plantas produzem o alimento orgânico primário assim como praticamente todo o oxigênio disponível na atmosfera.
e) Pesquizas recentes têm atribuído a choques meteóricos a súbita extinção dos dinossauros da face da Terra.

Em "a", o correto é "intenção"; em "b", "dissensões" é com *ss*; em "c", a grafia correta é "excrementos"; em "e", o substantivo "pesquisas" deve ser grafado com *s*. Por isso, a resposta correta é a "d".

**4. (Cespe)** A alternativa em que todas as palavras se completam com a mesma letra é:
a) ami_toso, e_tagnar, e_trangeiro
b) trou_emos, e_pairecer, má_imo
c) anali_ar, oficiali_ar, valori_ar
d) ine_gotável, te_to, e_pensas
e) qui_ermos, fi_emos, pu_emos

Em "a", todas as palavras se completam com a letra *s*: "ami**s**toso", "e**s**tagnar" e "estrangeiro". Em "b", "trouxemos" e "máximo" se escrevem com x, mas "espairecer" é com s; em "c", "analisar" é com s, mas "oficializar" e "valorizar" são escritas com z; em "d", "inesgotável" é com s, mas "texto" e "expensas" se escrevem com x; em "e", apenas "fizemos" é com z, pois "quisermos" e "pusemos" grafam-se com s. Por isso, a resposta correta é a "a".

## 5. (TJ-SP) Assinale a alternativa correta quanto à ortografia:

a) O relatório sobre as condições climáticas representa um consenso avassalador que chega a ser sóbrio diante do volume de evidência, especialmente das adaptações ecológicas ao aquecimento.
b) Com essa atitude política, as previsões se tornarão uma profescia auto-realizável, um resultado inevitável da omição dos políticos.
c) O urso polar sobre bancos de gelo cada vez menores, fadado a estinção, transformou-se no ícone do aquecimento global.
d) O animal não socumbiu apenas à seca, mas também ao impacto da aridez da região ecessivamente explorada.
e) À medida que a água se torna mais cara, o ônos dos ajustes ao novo regime passará para os grupos subalternos, como os agricultores e os pobres das áreas urbanas.

Em "b", "profecia" deve ser grafada com c, e "omissão", com ss. A título de observação, de acordo com as novas regras do acordo ortográfico, a palavra "autorrealizável" passa a ser escrita com rr. Em "c", a palavra "extinção" deve ser escrita com x; além disso, embora não se trate de ortografia, mas de acentuação, faltou crase depois de "fadado" ("fadado à extinção"). Em "d", "sucumbiu" escreve-se com u, e "excessivamente", com xc; em "e", a palavra "ônus" deve ser grafada com u. Por isso, a resposta correta é a "a".

## 6. (Fuvest-SP) A frase em que a grafia está inteiramente **correta** é:

a) A rescessão asiática, o colapso russo e a perda de vultuosas quantias roubaram a expontaneidade do mercado de investidores.
b) Nessas inserções, todas as disfunções familiares, sem exceção, vêm à tona, sempre acompanhadas de forte descarga emocional.
c) Sua Magestade não admitiu a indiscreção do ministro, expulsando-o, imediatamente, da Corte.
d) As medidas tomadas pelo Governo contra a inflação não atendem às expectativas da população e, certamente, não sortirão os resultados esperados.
e) Estudiosos mostram-se apreensivos diante da eminência do recrudecimento das superstições nas sociedades capitalistas.

>> PARTE 1

A alternativa "a" apresenta a grafia incorreta das palavras "recessão", "vultosas" e "espontaneidade" (obs.: há diferença de sentido entre "vultosa" = volumosa e "vultuosa" = de vulto). Em "c", "Majestade" é com *j*, e o correto é "indiscrição". A alternativa "d" apresenta erro de ortografia no último verbo, pois "sortirão" é do verbo "sortir" (= "prover", "abastecer"), quando, no contexto, o correto é "surtirão", do verbo "surtir" (= "ter êxito"). Já em "e", o correto seria utilizar "iminência", com *i* (= "aproximação", "proximidade"), em vez de "eminência" (= "importância"). Além disso, "recrudescimento" se escreve com *sc*. Por isso, a resposta correta é a "b".

**7.** (**Esan-SP**) Sob o ponto de vista da ortografia, assinale a opção **verdadeira** em relação às frases abaixo:

I – Durante o regime militar, muitos políticos tiveram seus mandatos caçados e foram exilados.

II – Os detentores do poder anseiam sempre por subjulgar os mais fracos.

III – Os governantes que verdadeiramente respeitam a liberdade dos indivíduos não deveriam ser uma exceção.

a) Apenas a I está correta.
b) Apenas a II está correta.
c) Apenas I e III estão corretas.
d) Apenas a III está correta.
e) Todas as frases estão corretas.

Apenas a alternativa III está correta porque, em I, deve ser "cassados" e, em II, "subjugar". Por isso, a resposta correta é a "d".

**8.** (**Facens-SP**) Quando a situação exige que se escreva seguindo as normas do português padrão, o cumprimento das regras de ortografia torna-se relevante.

Observe os enunciados abaixo:

1) Para conter a violência do trânsito, DETRANs começam a cassar carteiras do mal motorista.

2) O pessimismo tomou conta dos agentes econômicos, que creem que a riqueza do planeta evaporou.

3) Um programa que tem a pretenção de controlar a dieta calcula a composição dos alimentos ingeridos, o seu número de calorias e aponta eventuais excessos, de acordo com as informações de peso e faixa etária de cada pessoa.

Há palavras grafadas **incorretamente** em:
a) 1 e 3, apenas.
b) 1, 2 e 3.
c) 2 e 3, apenas.
d) 3, apenas.
e) 1, apenas.

Em 1, deve ser "ma**u** motorista"; em 3, "preten**s**ão". Por isso, a resposta correta é a "a".

**9.** (**FGV-SP**) Assinale a alternativa em que todas as palavras estejam **corretamente** grafadas.

a) empolgação, através, extrangeiro, despercebido, auto-falante
b) eletricista, asterístico, celebral, frustado, beneficiente
c) assessores, pretensão, losango, asterisco, alto-falante
d) sicrano, vultosa, previlégio, entitular, prazeiroso
e) eletrecista, pretensão, ascenção, celebral, prazeiroso

Na alternativa "a", "estrangeiro" é com *s* e "alto-falante", com *l*. Em "b", o correto é "aste**risco**", "ce**re**bral", "frus**t**rado" e "benefi**cen**te"; em "d", "p**ri**vilégio", "intitular" e "praz**er**oso"; e, em "e", "eletr**i**cista", "ascen**s**ão", "ce**re**bral" e "praz**er**oso". Por isso, a resposta correta é a "c".

**10.** (**UFBA**) "Mesmo que _____ não conseguiríamos _____ na equipe de trabalho o nosso _____ colega."

a) quiséssemos – encaichar – pretencioso
b) quiséssemos – encaixar – pretensioso
c) quiséssemos – encachar – pretensioso
d) quizéssemos – encaxar – pretensioso
e) quizéssemos – encaichar – pretencioso

As formas que completam corretamente as lacunas são: "quiséssemos" (todas as formas do verbo "querer" são grafadas com *s*: quis, quisemos, quiser...); "encaixar" (após ditongos emprega-se *x*) e "pretensioso" (quando a forma correlata possui *nd*, emprega-se *s*: pretender → pretensão, pretensioso). Por isso, a resposta correta é a "b".

>> **capítulo 3**

## >> Acentuação gráfica

A sílaba tônica de algumas palavras é indicada, na escrita, por meio de certos sinais denominados **acentos gráficos**. São os seguintes:

- **acento agudo** ( ´ ): pá, café, amável, médico;
- **acento circunflexo** ( ^ ): lê, pivô, cômico.

Utilizamos, ainda, o **til** ( ~ ) sobre as vogais nasais **a** e **o**: m**ã**e, dep**õ**e.

O acento grave, inclinado para a esquerda ( ` ), possui outra função, que estudaremos no capítulo destinado à crase.

### 1. Regras de acentuação gráfica

- Acentuam-se os **monossílabos tônicos** terminados por: **a(s)**, **e(s)**, **o(s)**:

    vá(s), ré(s), lê(s), só(s), xô! etc.

> **Observações:**
> 1ª) Quando um verbo monossilábico na 3ª pessoa do singular termina por **em**, na 3ª pessoa do plural grafa-se com **êm**:
>
> Ele **vem** → Eles **vêm**
> Ele **tem** → Eles **têm**

> 2ª) Recebem acento os monossílabos formados por ditongos orais abertos **éi**, **éu** ou **ói**: réus, méis, léu, véus, mói etc.

- Acentuam-se os **oxítonos** terminados por **a(s)**, **e(s)**, **o(s)**, **em** ou **ens**:

    babá(s), rapé(s), purê(s), cipó(s), além, armazéns etc.

> **Observações:**
> 1ª) Recebem acento as oxítonas terminadas por i(s) ou u(s) precedidas de ditongo: Piau**í**, quiu**ís**, tei**ú**, tuiui**ús** etc.
> 2ª) Recebem acento as oxítonas terminadas por ditongos orais abertos **éi**, **éu** ou **ói**: an**éi**s, coron**éi**s, chap**éu**, escarc**éu**, her**ói**, destr**ói**s etc.
> 3ª) Quando, na 3ª pessoa do singular, um verbo oxítono termina por **ê**, a 3ª pessoa do plural deve ser grafada com **eem**:
>     Ele rev**ê** → Eles rev**eem**
>     Ele prev**ê** → Eles prev**eem**
> 4ª) Quando, na 3ª pessoa do singular, um verbo oxítono termina por **ém**, a 3ª pessoa do plural deve ser grafada com **êm**:
>     Ele mant**ém** → Eles mant**êm**
>     Ele det**ém** → Eles det**êm**

> **Observações:**
> 1ª) Não recebem acento os paroxítonos formados pelos encontros **ei** ou **oi**: bol**ei**a, gel**ei**a, clarab**oi**a, j**oi**a, id**ei**a etc.

> 2ª) Não se acentuam as vogais tônicas **i** e **u** precedidas de ditongo das palavras paroxítonas: cau**i**la (que significa "avaro"), bai**u**ca, fei**u**ra etc.

- Acentuam-se todos os **paroxítonos**, exceto os terminados por -**a(s)**, -**e(s)**, -**o(s)** (desde que não formem ditongo), -**am**, -**em** ou -**ens**:

Observe, a seguir, um exemplário das terminações de paroxítonos que devem receber acento gráfico:

| l | amáve**l**, incríve**l** | ei(s) | pôn**ei(s)** |
|---|---|---|---|
| r | márti**r**, cânce**r** | ã(s) | dólm**ã(s)** |
| en | pól**en**, híf**en** | ão(s) | órg**ão(s)** |
| x | bóra**x**, láte**x** | um | médi**um** |
| ps | fórce**ps** | uns | álb**uns** |
| i(s) | júr**i**, láp**is** | on(s) | elétr**on(s)**, próton**(s)** |
| us | vír**us** | ditongos | histór**ia**, cár**ie** |

- Acentuam-se todos os **proparoxítonos**, sem exceção:
  **mé**dico, **cí**nico, **ân**gulo, pro**tó**tipo, **ál**coois etc.

- Hiatos formados por -**ee** e -**oo** não devem ser acentuados: cr**ee**m, d**ee**m, l**ee**m, perd**oo**, mag**oo**, v**oo**.

- Acentuam-se o **i** e **u** tônicos dos hiatos, desde que estejam sozinhos ou seguidos de **s** na sílaba:
  ca**í**, pa**ís**, ba**ú**, bala**ús**tre etc.

> **Observações:**
> 1ª) Não se acentua a letra **i** seguida de **nh**:
> ra**inh**a, ta**inh**a, ba**inh**a etc.
> 2ª) Não se acentuam as letras **i** e **u** repetidas:
> x**ii**ta, vad**ii**ce, ju**u**na, sucu**u**ba etc.

- De acordo com a reforma ortográfica sancionada em 2008, ainda que a letra **u** seja pronunciada, não se emprega mais o trema ou o acento agudo dos grupos **GU** ou **QU**: ag**u**enta, cinq**u**enta, ling**u**ística, tranq**u**ilo, eu apazig**u**o (ú) etc.
- Embora não se enquadrem nas regras anteriores, segundo a reforma ortográfica ratificada em 2008 pela Comunidade dos Países de Língua Portuguesa, continuam recebendo **acento diferencial** apenas as seguintes palavras:

| | |
|---|---|
| **pôde** (3.ª pessoa do singular do pretérito perfeito do indicativo do verbo **poder**) | **pode** (3.ª pessoa do singular do presente do indicativo do verbo **poder**) |
| **pôr** (verbo) | **por** (preposição) |
| **têm** (3.ª pessoa do plural do presente do indicativo do verbo ter) | **tem** (3.ª pessoa do singular do presente do indicativo do verbo **ter**) |

**Observação:** O substantivo **fôrma** (molde) pode ser acentuado facultativamente para diferençar de **forma** (substantivo que significa "formato" ou 3.ª pessoa do singular do verbo **formar**)

## >> Testes

1. **(Besc)** Assinale a alternativa em que a palavra **não** siga a mesma regra de acentuação que "óbvio":
   a) necessário   c) início   e) monetário
   b) juízes   d) cenário

>> 28

As palavras "necessário", "início", "cenário" e "monetário" recebem acento por serem, como a palavra "óbvio", paroxítonas terminadas em ditongo. A palavra "juízes" deve ser acentuada porque a vogal "i" forma hiato com a vogal "u". Por isso, a resposta correta é a "b".

**2. (Besc)** Assinale a alternativa em que o termo **não** siga regra de acentuação idêntica à de "famílias":

a) persistência
b) período
c) inadimplência
d) contínuas
e) dissídios

As palavras "persistência", "inadimplência", "contínuas" e "dissídios" recebem acento por serem como a palavra "famílias", isto é, paroxítonas terminadas em ditongo. A palavra "período" recebe acento, entretanto, por ser proparoxítona. Por isso, a resposta correta é a "b".

**3. (TRT-15.ª)** A mesma regra de **monótona** aplica-se em:

a) possível
b) técnicas
c) constituídos
d) eficiência
e) inevitáveis

Em "monótona", usa-se acento gráfico por se tratar de vocábulo proparoxítono. O mesmo ocorre em "técnicas". Em "a", "possível" é uma paroxítona terminada em "l"; em "b", "técnicas" é proparoxítona; em "c", a vogal "i" acentuada de "constituído" forma hiato com o "u"; em "d" e "e", os vocábulos "eficiência" e "inevitáveis", respectivamente, são paroxítonas terminadas em ditongo. Como "monótona" é uma proparoxítona, a resposta correta é a "b".

**4. (Saae — Sorocaba-SP)** Assinale a alternativa em que as palavras são acentuadas pela mesma razão que **países** e **convívio**:

a) até – saúde
b) término – respiratórias
c) você – desobediência
d) ninguém – contrário
e) proíbem – funcionários

Em "países", o "i" é a segunda vogal tônica de um hiato; a palavra "convívio" recebe acento por ser paroxítona terminada por ditongo crescente. Em "a", embora "saúde" seja acentuado pelos mesmos motivos de "países", "até" é um monossílabo tônico; em "b", "c" e "d", ainda que "respiratórias", "desobediência" e "contrário", respectivamente, sejam acentuadas como "convívio", "término", em "b", é uma proparoxítona; "você", em "c", é uma oxítona terminada em "e"; e "ninguém", em "d", é uma oxítona terminada em "em". Na última alternativa, o "i" de "proíbem" é a segunda vogal tônica de um hiato, como "países", e

>> acentuação gráfica

29 >>

a palavra "funcionários" é paroxítona terminada por ditongo crescente, como "convívio". Por isso, a resposta correta é a "e".

## 5. (TRT-SP) Assinale o item a seguir em que as duas palavras **não** são acentuadas em razão da mesma regra:

a) público – fábula

b) é – trás

c) próprios – responsáveis

d) ausência – critérios

e) nível – própria

Em "a", "público" e "fábula" são acentuadas porque são palavras proparoxítonas; em "b", "é" e "trás" recebem acento por serem monossílabos tônicos formados por "e" e "as", respectivamente; em "c", "próprios" e "responsáveis" são acentuados porque são paroxítonos terminados em ditongo; em "d", "ausência" e "critérios" também são paroxítonas acentuadas pelo mesmo motivo das palavras da alternativa "c"; em "e", embora as duas sejam palavras paroxítonas, "nível" recebe acento porque é uma paroxítona que termina em "l", e "própria" termina em ditongo. Por isso, a resposta correta é a "e".

## 6. (Cesgranrio-RJ) Assinale a opção cujos vocábulos estão relacionados segundo a mesma norma de acentuação gráfica:

a) delírio, persistência, mistério

b) paraíso, miúdo, flexível

c) irresistível, mágico, afrodisíaco

d) só, cipó, demônio

e) açúcar, artérias, cantárida

Em "b", "paraíso" e "miúdo" recebem acento por serem, respectivamente, "i" e "u" tônicos de um hiato, mas "flexível" é uma paroxítona terminada em "l", mesmo caso de "irresistível", da alternativa "c". Nela, porém, "mágico" e "afrodisíaco" recebem acento por serem proparoxítonas. Em "d", "só" é um monossílabo tônico, "cipó" é uma oxítona terminada em "o" e "demônio" é uma paroxítona terminada em ditongo, por isso essas palavras recebem acento. Em "e", "açúcar" é acentuado por tratar-se de paroxítona terminada em "r"; "artérias" é uma paroxítona terminada em ditongo e "cantárida", nome de um besouro, é uma proparoxítona. Na alternativa "a", entretanto, todas as palavras são acentuadas por serem paroxítonas terminadas em ditongo. Por isso, a resposta correta é a "a".

## >> PARTE 1

**7. (UFMA)** Assinale a opção em que uma das palavras necessita de acento gráfico.

a) caju, raiz, miolo
b) nuvem, canjica, mesa
c) atraiu, campainha, fogo
d) moeda, jovem, casulo
e) reporter, terno, afeto

A palavra "repórter" é a única que deve receber acento gráfico, por ser paroxítona terminada em "r". Por isso, a resposta correta é a "e".

**8. (FMB-MG)** Assinale a opção em que todas as palavras são acentuadas pela mesma regra de **alguém**, **inverossímil** e **caráter**, respectivamente.

a) hífen, também, impossível
b) armazém, útil, açúcar
c) têm, anéis, éter
d) há, impossível, crítico
e) pólen, magnólias, nós

"Alguém" e "armazém" são oxítonas terminadas por *em*, daí receberem o acento gráfico; "inverossímil" e "útil", por sua vez, são paroxítonas terminadas por *l* e, portanto, também são acentuadas; já "caráter" e "açúcar" são paroxítonas terminadas por *r*, daí o motivo do acento gráfico. Por isso, a resposta correta é a "b".

**9. (FEI-SP)** Assinale a alternativa em que todos os hiatos **não** precisam ser acentuados.

a) balaústre – saúde – viúvo – baú
b) juízes – jesuíta – ateísmo
c) paúl – atraír – raínha – raíz – juíz
d) baía – contribuír – saída – juízo
e) faísca – baínha – caída – ataúde

As letras *i* e *u* somente deverão ser acentuadas quando formarem hiato com outra vogal. Se o *i* for seguido de consoante ou de *nh*, não deverá receber acento. Portanto, as palavras "paul", "atrair", "rainha", "raiz" e "juiz" não podem ser acentuadas. Assim como as palavras "contribuir" e "bainha", respectivamente nas alternativas "d" e "e". Por isso, a resposta correta é a "c".

31 >>

## >> capítulo 4

# >> Significação das palavras

De acordo com sua significação, as palavras podem ser classificadas em:

## 1. Sinônimas

Palavras ou locuções que têm a mesma ou quase a mesma significação que outra: **apagar** e **abolir**, **deferir** e **concordar**, **perto** e **próximo** etc.

## 2. Antônimas

Palavras ou locuções de significação oposta: **bem** e **mal**, **bom** e **ruim**, **longe** e **perto** etc.

## 3. Homônimas

Palavras que se pronunciam da mesma forma que outra, mas cujo sentido e escrita são diferentes (**homófonos**): bu**x**o (tipo de arbusto) e bu**ch**o (estômago de animais), ou que se escrevem do mesmo modo, mas a pronúncia e o significado são diferentes (**homógrafos**): **jogo** (ô) (pronúncia fechada, substantivo) e **jogo**(ó) (pronúncia aberta, verbo) etc.

## Homônimas perfeitas

Palavras com grafia e pronúncia idênticas, mas com significados diferentes: **cedo** (verbo ou advérbio), **mato** (substantivo ou verbo), **luta** (substantivo ou verbo) etc.

## 4. Parônimas

Embora a Nomenclatura Gramatical Brasileira não registre, são palavras parecidas na escrita e na pronúncia, mas com significados diferentes: **área** (medida da superfície) e **ária** (peça musical), **deferir** (conceder) e **diferir** (diferenciar, adiar) etc.

Observe no quadro seguinte alguns parônimos importantes:

| | |
|---|---|
| **absolver** = inocentar | **absorver** = sorver, consumir |
| **arrear** = pôr arreios | **arriar** = descer, abaixar |
| **comprimento** = extensão | **cumprimento** = saudação |
| **deferir** = conceder | **diferir** = distinguir, adiar |
| **delatar** = denunciar | **dilatar** = alargar, ampliar |
| **descrição** = ato de descrever | **discrição** = qualidade de discreto |
| **despercebido** = sem ser notado | **desapercebido** = distraído |
| **discente** = relativo a alunos | **docente** = relativo a professores |
| **emergir** = flutuar | **imergir** = afundar |
| **emigrar** = sair de um país | **imigrar** = entrar em um país |
| **eminente** = ilustre, elevado | **iminente** = prestes a acontecer |
| **flagrante** = evidente | **fragrante** = aromático |
| **prescrever** = ordenar, determinar | **proscrever** = condenar, expulsar |
| **retificar** = corrigir | **ratificar** = aprovar, validar |
| **tráfego** = fluxo, trânsito | **tráfico** = comércio ilícito |

## >> Testes

**1. (TJ-SP)** Assinale a alternativa correta quanto ao uso e grafia das palavras.

a) Na atual conjetura, nada mais se pode fazer.
b) O chefe deferia da opinião dos subordinados.
c) O processo foi julgado em segunda estância.
d) O problema passou inteiramente despercebido da votação.
e) Os criminosos espiaram suas culpas no exílio.

Em "a", deveria ser "conjuntura" (= acontecimento, ocorrência) em vez de "conjetura" (= suposição, hipótese); em "b", deveria ser "diferia", que significa "divergia", "discordava", e não "deferia" (= acatava, outorgava); em "c", o correto no contexto é "instância" (= jurisdição, foro) e não "estância" (= lugar onde se mora); em "d", quis-se confundir o estudante utilizando-se a palavra "despercebido", que, no contexto, está correta (= que não se percebe), pois é frequente a confusão feita entre essa palavra e "desapercebido" (= distraído); em "e", o verbo deveria ter sido grafado com x, pois "expiaram" significa "cumpriram pena", "sofreram as consequências", ao passo que "espiaram" significa "olharam". Por isso, a resposta correta é a "d".

**2. (Esaf)** Indique a opção que preenche corretamente todas as lacunas das frases.

I – Na última _____ do grêmio, o orador foi brilhante.
II – Comprei os livros na _____ de brinquedos.
III – Solicitamos ao diretor a _____ de duas salas.

a) sessão, seção, cessão
b) seção, cessão, sessão
c) cessão, seção, sessão
d) sessão, cessão, seção
e) seção, sessão, cessão

"Sessão" é "o espaço de tempo que dura um evento"; "seção" significa "divisão ou subdivisão de um setor"; e "cessão" é o ato de ceder. Por isso, a resposta correta é a "a".

>>> 34

>> PARTE 1

3. (**Esaf**) Aponte a alternativa em que houve **erro** no emprego da palavra destacada.
   a) O mocinho sempre chega no momento **azado**.
   b) O comandante, ao saber da derrota, dirigiu-se aos soldados com o semblante **torvo**.
   c) O ignorante é **incipiente**; o principiante, **insipiente**.
   d) A cidade estava **infestada** de pernilongos.
   e) O acidentado apresentou fratura no **esterno** e no crânio.

   Na alternativa "a", "azado" significa "oportuno", "propício"; em "b", "torvo" quer dizer "triste", "pesado" (cuidado para não confundir com a palavra "turvo"!); em "c" houve uma troca de significados, visto que "incipiente" significa "principiante" e "insipiente", "ignorante". Em "d", "infestar" está corretamente empregado, embora seja comum a confusão ortográfica com "enfestar", que tem muitos significados, entre eles: "fazer aumentar". Por último, em "e", "esterno" é o nome de um osso do corpo humano, palavra que não deve ser confundida com "externo" (= "lado de fora"). Por isso, a resposta correta é a "c".

4. (**TJ-SP**) Assinale a alternativa que completa, correta e respectivamente, as lacunas da frase:
   "Pedira a _____ dos advogados, pois queria estar bem _____ na época do julgamento."

   a) intercessão – assessorado
   b) intercessão – acessorado
   c) intercecção – asseçorado
   d) interseção – assessorado
   e) interceção – aceçorado

   Visto que "intercessão" é o ato de interceder e que "assessorado", de assessorar, ou seja, de auxiliar tecnicamente, a resposta correta é a "a".

5. (**UFPI**) Indique a alternativa em que a palavra destacada tem o mesmo sentido que **flanar**.
   a) Suas lorotas eram de **enfadar** a gente.
   b) É preferível **poupar** hoje, para ter amanhã.
   c) Vi-o **estreitar** seus valores pela vida.
   d) Não é permitido **vagabundear** pelos corredores.
   e) Se alguém **girar** a maçaneta, logo estará na sala.

   Em "a", "enfadar" significa "aborrecer", "entediar"; em "b", "poupar" quer dizer "economizar"; em "c", "estreitar" significa "diminuir", "encurtar"; em "e", "girar" é "mover circularmente". Como "flanar" tem o significado de "vaguear", "perambular", "vagabundear", a resposta correta é a "d".

>> significação das palavras

35 >>

6. **(FGV-SP) Rebeldes** tem como antônimo **dóceis**; **tiranos** tem como sinônimo **autocratas**. Assinale a alternativa em que o par de antônimos e o de sinônimos, nesta ordem, está correto.

   a) vangloriavam e orgulhavam; heresia e ateísmo
   b) perpétuo e efêmero; súditos e vassalos
   c) líder e ideólogo; engrenem e engatam
   d) ônus e compromisso; esmigalha e esfacela
   e) dilemas e certezas; insuflar e esvaziar

   "Perpétuo" (= contínuo, incessante) opõe-se a "efêmero" (= passageiro, transitório); "súditos" e "vassalos" têm o mesmo significado (= submetidos ao poder de alguém). Por isso, a resposta correta é a "b".

7. **(Fecea-PR)** Há, na língua portuguesa, palavras que apresentam certa semelhança na escrita ou na pronúncia, mas são diferentes no significado. São as chamadas parônimas. É o caso de **mandato** e **mandado**.

   Assinale a alternativa em que a palavra destacada se escreve de acordo com o significado expresso pelo contexto geral da frase.

   a) O motorista foi multado porque **infligiu** as regras do trânsito.
   b) Professor e tutora **deferem** nas suas ideias.
   c) O **iminente** deputado visitou a Fecea.
   d) Falta bom **senso** às autoridades para resolver o problema da educação.
   e) Meu amigo é vendedor na **sessão** de peças.

   Em "a", o correto é "infringiu" (= desobedeceu), em vez de "infligiu" (= impôs castigo a alguém); em "b", deveria ter sido usado o verbo "diferem" (= apresentam diferenças) e não "deferem" (= conceder, outorgar). Na alternativa "c", a palavra correta seria "**e**minente" em vez de "iminente". Em "d", o vocábulo "**s**enso" foi utilizado corretamente, pois significa "juízo" (sua parônima é "censo", que quer dizer "recenseamento"). Em "e", "seção" é a palavra adequada para o contexto. Por isso, a resposta correta é a "d".

8. **(PUC-RS)** As palavras destacadas na passagem: "A leitura propicia conhecimento e, muitas vezes, um **inefável** prazer. É por isso que ela é um direito **inalienável** do homem." significam, respectivamente:

a) raro, inelutável
d) infindável, insubstituível
b) estranho, inseparável
e) sutil, fundamental
c) indizível, intransferível

"Inefável "significa "indizível", "o que não se pode exprimir por palavras"; ao passo que "inalienável" quer dizer "intransferível". Por isso, a resposta correta é a "c".

**9. (FMIT-MG)** Em que item os significados dos parônimos estão trocados?

a) **feroz** = bravio, perverso; **feraz** = fértil, fecundo
b) **sortir** = prover, abastecer; **surtir** = originar, produzir
c) **prescrever** = abolir, extinguir; **proscrever** = ordenar, determinar
d) **ratificar** = validar, comprovar; **retificar** = corrigir, emendar
e) **destratar** = insultar, descompor; **distratar** = anular, desfazer

"Prescrever" significa "ordenar", "determinar", "receitar", "cair em desuso", e "proscrever" quer dizer "abolir", "extinguir", "desterrar", "expulsar". Por isso, a resposta correta é a "c".

**10. (ITA-SP)** Os sinônimos de **ignorante, iniciante, sensatez** e **confirmar** são, respectivamente:

a) incipiente, insipiente, descrição, retificar
b) incipiente, insipiente, discrição, ratificar
c) insipiente, incipiente, descrição, ratificar
d) insipiente, incipiente, discrição, ratificar
e) incipiente, insipiente, descrição, ratificar

"Insipiente" significa "ignorante", "imprudente", "sem cautela"; "incipiente" quer dizer "iniciante", "principiante", "inexperiente"; "sensatez" é "discrição", "reserva", "prudência"; "confirmar" significa "ratificar", "comprovar", "validar". Por isso, a resposta correta é a "d".

**11. (Fuvest-SP)** "A negociação entre presidência e oposição é condição *sine qua non* para que a nova lei seja aprovada."
A expressão latina em itálico, largamente utilizada em contextos de língua portuguesa, significa, neste caso:

a) prioritária
d) imprescindível
b) relevante
e) urgente
c) pertinente

O significado da expressão latina *sine qua non* é "sem a qual não". Essa expressão indica uma cláusula ou condição sem a qual não é possível ocorrer o que é indicado posteriormente. Por isso, a resposta correta é a "d".

**12. (Fuvest-SP)** "Meditemos na **regular** beleza que a natureza nos oferece."

Assinale a alternativa em que o homônimo tem o mesmo significado do empregado na oração acima.

a) Não conseguia regular a marcha do carro.
b) É bom aluno, mas obteve nota regular.
c) Aquilo não era regular; devia ser ajustado.
d) Admirava-se ali a disposição regular dos canteiros.
e) Daqui até a sua casa há uma distância regular.

Em "a", "regular" significa "ajustar"; em "b", "mediana"; em "c", "imperfeito", "desajustado"; e, em "e", "razoável". Na frase apresentada e na da alternativa "d", a palavra "regular" significa "harmoniosa", "simétrica". Por isso, a resposta correta é a "d".

**13. (Umesp-SP)** Observe as frases seguintes:

1. Esses casos caracterizam uma _____ a leis e normas existentes. (*Folha de São Paulo* – B11 – 03/10/03).
2. As taxas refletem o ganho do investidor porque levam em conta o impacto da _____ . (*Folha de São Paulo* – B4 – 06/10/03).
3. À pequena distância, não era possível a _____ dos sinais de trânsito.
4. A _____ da maconha tem gerado muitas polêmicas na sociedade brasileira.

Assinale a alternativa cujos parônimos preencham, adequadamente e na ordem em que aparecem, as lacunas das frases acima.

a) inflação / infração / discriminação / discriminação
b) infração / inflação / discriminação / descriminação
c) inflação / infração / descriminação / descriminação
d) inflação / infração / descriminação / discriminação
e) infração / inflação / descriminação / discriminação

"Infração" significa "violação", "transgressão"; "inflação", "elevação geral de preços"; "discriminação", "distinção"; e "descriminação", "legalização". Por isso, a resposta correta é a "b".

14. (UFSM-RS) Analise as palavras entre parênteses e assinale a alternativa em que a primeira palavra completa, corretamente, a frase:
   a) O motorista foi multado porque _____ (infligiu – infringiu) as regras de trânsito.
   b) Naquela assembleia, foi aprovada a _____ (sessão – cessão) de terras aos colonos.
   c) Solicitei ao banco o meu _____ (estrato – extrato) de contas.
   d) As mercadorias devem ser _____ (descriminadas – discriminadas) na nota fiscal.
   e) O supermercado deveria estar _____ (sortido – surtido) de mercadorias.

Em "a", "infligir" = aplicar ou impor castigo; "infringir" = violar, desrespeitar; em "b", "sessão" = tempo durante o qual está reunida uma corporação; "cessão" = ação ou efeito de ceder; em "c", "estrato" = camada extensa de nuvens; "extrato" = resultado de uma extração; em "d", "descriminadas" = inocentadas, absolvidas; "discriminadas" = especificadas; em "e", emprega-se a palavra "sortido", que significa "provido", "abastecido". A palavra "surtido" é particípio do verbo "surtir", que significa "produzir ou alcançar efeito, resultado". Por isso, a resposta correta é a "e".

15. (FGV-SP) Assinale a alternativa em que a palavra **pior** assume significado diferente do dos demais casos.
   a) Ela agiu da pior forma possível.
   b) Quem fica com a pior parte é sempre quem carrega o piano; quem leva as coisas na flauta acaba sendo beneficiado.
   c) Ele se comportou pior do que seu filho, que já não era lá muito das gentilezas.
   d) O pior livro do autor é, sem dúvida, o editado em 2003.
   e) O rapaz tinha sempre o pior desempenho entre os alunos da terceira série.

A palavra "pior", nas alternativas "a", "b", "d" e "e", pertence à classe dos adjetivos. Na alternativa "c", é advérbio, modificando o verbo "comportar-se". Faz parte da locução adverbial comparativa "pior do que". Por isso, a resposta correta é a "c".

parte 2

>> **1.** Estrutura das palavras
>> **2.** Classes de palavras
>> **3.** Classes gramaticais invariáveis

## 2. Morfologia

## >> capítulo 1

## >> Estrutura das palavras

As palavras contêm vários elementos denominados **morfemas**. São os seguintes:

**Radical** é o elemento que contém o sentido básico da palavra, não podendo ser decomposto em unidades menores: **ferr**o, **ferr**eiro, **ferr**ugem, **ferr**agem, **ferr**oso etc.

As palavras que apresentam o mesmo radical são chamadas **cognatas**. Assim, são cognatas as palavras **cert**o, **cert**eiro, in**cer**to, **cert**eza, **cert**amente etc.

**Desinências** são elementos que se anexam ao radical para indicar as flexões gramaticais. Podem ser:

- **nominais:** indicam, nos nomes, as flexões de gênero e número:

    aluno(s), aluna(s), rico(s), rica(s)

- **verbais:** indicam, nos verbos, as flexões de modo, tempo, número e pessoa:

    falo, falei, falamos, falassem, falávamos

**Vogal temática** é o elemento que possibilita a ligação entre o radical e as desinências. Pode ser:

- **nominal:** figura depois do radical dos nomes sem indicar o gênero:

    casa, terra, povo, dente

> **Observação:**
> No caso de bel**o**/bel**a**, há oposição de gênero entre as palavras; as vogais finais são *desinências nominais*, e não *vogais temáticas*.

- **verbal:** caracteriza as três conjugações verbais. Assim:

  **-A-** para verbos da 1ª conjugação: pul-**a**-r, cant-**a**-rei, estud-**a**-mos

  **-E-** para verbos da 2ª conjugação: prend-**e**-r, prend-**e**-sse, prend-**e**-mos

  **-I-** para verbos da 3ª conjugação: part-**i**-r, part-**i**-mos, part-**i**-remos

  O radical acrescido da vogal temática recebe o nome de **tema**:

  *pular* > tema = *pula-*, *prender* > tema = *prende-*,
  *partir* > tema = *parti-*

  **Afixos** são elementos que se posicionam antes ou depois do radical para formar novas palavras. Podem ser:

- **prefixos:** os que figuram antes do radical:

  **des**ligar, **ante**por, **ex**portar, **bis**neto

- **sufixos:** os que figuram depois do radical:

  forn**alha**, surd**ez**, social**ista**, burr**ico**

**Vogal e consoante de ligação** são elementos sem valor significativo, destinados apenas a tornar a palavra mais eufônica:

silv-**í**-cola, gas-**ô**-metro, cha-**l**-eira, saci-**z**-inho

Observe, nos quadros seguintes, um exemplário dos principais elementos de origem grega e latina existentes na língua portuguesa.

# 1. Radicais de origem latina

| radical | significado | exemplo |
|---|---|---|
| agri | campo | agricultor |
| ambi | ambos | ambidestro |
| api | abelha | apicultura |
| arbori | árvore | arborizar |
| auri | ouro | aurífero |
| beli | guerra | belígero |
| cado | que cai | cadente |
| capiti | cabeça | capital |
| cida | que mata | homicida |
| cola | que habita | silvícola |
| cruci | cruz | cruciforme |
| cultura | ato de cultivar | cafeicultura |
| dico | que diz | maledicente |
| doceo | que ensina | docente |
| fero | que contém ou produz | mamífero |
| ferri | ferro | férrico |
| fico | que faz ou produz | benéfico |
| fide | fé | fidedigno |
| forme | forma | uniforme |
| frater | irmão | fraternidade |
| fugo | que foge ou afugenta | centrífugo |
| gena | nascido em | alienígena |
| gero | que contém ou produz | lanígero |
| igni | fogo | ignívoro |
| loco | lugar | localidade |
| ludo | jogo | ludoterapia |
| mater | mãe | materno |
| morti | morte | mortífero |

| radical | significado | exemplo |
| --- | --- | --- |
| multi | muitos | multinacional |
| oculo | olho | ocular |
| oni | todo | onipotente |
| opera | obra, trabalho | operário |
| paro | que produz | ovíparo |
| pater | pai | paternal |
| pede | pé | bípede |
| pisci | peixe | piscicultura |
| pluri | vários | pluricelular |
| pluvi | chuva | pluvial |
| populo | povo | popular |
| puer | criança | puericultura |
| quadri | quatro | quadrilátero |
| quero | que procura | inquérito |
| radio | raio | radiômetro |
| reti | reto | retilíneo |
| sapo | sabão | saponáceo |
| silva | floresta | silvicultor |
| sono | som | uníssono |
| sui | a si mesmo | suicida |
| tango | que toca | tangível |
| tri | três | trimestre |
| umbra | sombra | umbroso |
| uni | um | unicelular |
| vago | que vaga | noctívago |
| vermi | verme | vermífugo |
| video | que vê | vidente |
| vini | vinho | vinicultura |
| voci | voz | vociferar |
| volo | que quer | benévolo |
| voro | que come | carnívoro |

## 2. Radicais de origem grega

| radical | significado | exemplo |
|---|---|---|
| acro | alto | acrópole |
| aero | ar | aeródromo |
| agogo | que conduz | pedagogo |
| algia | dor | nevralgia |
| alo | outro | alopatia |
| andro | varão | androceu |
| anemo | vento | anemômetro |
| angelo | mensageiro | evangelho |
| anto | flor | antófago |
| antropo | homem | antropologia |
| arcaio | antigo | arcaísmo |
| aristo | melhor, nobre | aristocrata |
| aritmo | número | aritmética |
| arquia | governo | monarquia |
| arto | pão | artófago |
| astro | astro | astrologia |
| auto | próprio | autocrítica |
| baro | peso | barômetro |
| bata | que caminha | acrobata |
| batraco | sapo, rã | batráquio |
| biblio | livro | bibliófilo |
| bio | vida | biografia |
| bronco | garganta | broncoscopia |
| caco | feio, mau | cacófato |
| cali | belo | caligrafia |
| cardio | coração | cardiologia |
| carpo | fruto | endocarpo |
| cefalo | cabeça | encefalite |

| radical | significado | exemplo |
|---|---|---|
| ceramo | barro | cerâmica |
| ciano | azul | cianeto |
| cino | cão | cinofilia |
| cito | célula | leucócito |
| cloro | verde | clorofila |
| cosmo | mundo | cosmografia |
| cracia | força, poder | democracia |
| croma | cor | cromático |
| crono | tempo | cronologia |
| da(c)tilo | dedo | datilografia |
| deca | dez | decâmetro |
| delo | visível | psicodélico |
| demo | povo | demografia |
| dendro | árvore | dendrofobia |
| derma | pele | dermatologista |
| dinamo | força | dinamômetro |
| doxo | opinião | ortodoxo |
| dromo | corrida | hipódromo |
| eco | casa | economia |
| edro | face, lado | poliedro |
| electro | eletricidade | eletrólise |
| enea | nove | eneassílabo |
| entero | intestino | entérico |
| entomo | inseto | entômico |
| ergo | trabalho | ergofobia |
| eritro | vermelho | eritrose |
| estesis | sensação | estética |
| etno | raça | etnologia |
| eto | costume | ética |
| fago | que come | hematófago |

| radical | significado | exemplo |
|---|---|---|
| filo | amigo | filósofo |
| fito | planta | fitófago |
| fisis | natureza | fisiológico |
| fobo | que teme | hidrófobo |
| foto | luz | fotógrafo |
| fone | voz, som | fonema |
| freno | mente, diafragma | frenologia, frenite |
| galacto | leite | galactose |
| gamo | casamento | polígamo |
| gastro | estômago | gastrite |
| geo | terra | geologia |
| geno | nascimento | genética |
| gero | velho | geriatria |
| gimno | nu | gimnofobia |
| gine | mulher | gineceu |
| glauco | verde | glauconita |
| glico | doce | glicose |
| glossa, glota | língua | glossário, poliglota |
| hagio | sagrado | hagiografia |
| hidro | água | hidrômetro |
| helio | sol | heliotropismo |
| hema | sangue | hemácia |
| hepta | sete | heptágono |
| hialo | vidro | hialino |
| hiero | sagrado | hieróglifo |
| hipno | sono | hipnose |
| hipo | cavalo | hípico |
| holo | inteiro | holofote |
| homo | igual | homófono |
| icono | imagem | iconoclasta |

| radical | significado | exemplo |
| --- | --- | --- |
| ictis | peixe | ictiófago |
| idio | próprio | idiomático |
| iso | igual | isometria |
| lalia | fala | dislalia |
| latria | adoração | idolatria |
| leuco | branco | leucócito |
| lipo | gordura | lipemia |
| lisis | dissolução | hidrólise |
| lito | pedra | litografia |
| logo | palavra | diálogo |
| logia | estudo | cronologia |
| macro | grande | macrocéfalo |
| mancia | adivinhação | quiromancia |
| mania | inclinação | maníaco |
| megalo | grande | megalomania |
| melano | negro | Melanésia |
| mero | parte | isômero |
| metro | medida | cronômetro |
| micro | pequeno | micróbio |
| mielo | medula | poliomielite |
| mio | músculo | mioplegia |
| miria | dez mil | miriâmetro |
| miso | que odeia | misantropo |
| mono | um só | monograma |
| morfo | forma | amorfo |
| necro | morto | necrópsia |
| nefro | rim | nefrite |
| neo | novo | neolatino |
| neuro | nervo | neurologia |
| nicto | noite | nictofobia |

| radical | significado | exemplo |
| --- | --- | --- |
| nomo | lei | autônomo |
| noso | doença | nosocômio |
| oclo | multidão | oclocracia |
| odonto | dente | odontologia |
| ofis | serpente | ofídico |
| oftalmo | olho | oftalmologista |
| oligo | pouco | oligarquia |
| onico | unha | onicofagia |
| oniro | sonho | onírico |
| onoma | nome | onomástico |
| orto | reto, correto | ortografia |
| osmo | impulso | endosmose |
| oto | ouvido | otite |
| paleo | antigo | paleografia |
| pan | tudo | panteísmo |
| paqui | espesso | paquímetro |
| pato | doença | patologia |
| pedia | instrução | enciclopédia |
| penta | cinco | pentágono |
| pepsis | digestão | dispepsia |
| pinaco | quadro | pinacoteca |
| pireto | febre | antipirético |
| piro | fogo | pirotécnico |
| pleo | cheio | pleonasmo |
| pluto | rico | plutocracia |
| pode, podo | pé | ápode, pododigital |
| poli | muitos | polígrafo |
| polis | cidade | Petrópolis, metrópole |
| pseudo | falso | pseudoprofeta |
| psico | alma | psíquico |

| radical | significado | exemplo |
| --- | --- | --- |
| ptero | asa | díptero |
| quilo | mil | quilômetro |
| quiro | mão | quiromante |
| raquis | coluna vertebral | raquítico |
| rino | nariz | rinite |
| rizo | raiz | rizotônico |
| sacaro | açúcar | sacarose |
| scopia | ato de ver | datiloscopia |
| selene | lua | selenita |
| sema | sinal | semáforo |
| sismo | terremoto | sísmico |
| sofia | sabedoria | teosofia |
| stico | verso | dístico |
| stoma | boca | estomatite |
| strato | exército | estratégia |
| tafo | túmulo | epitáfio |
| talasso | mar | talassocracia |
| tanato | morte | tanatofobia |
| taqui | rápido | taquicardia |
| terapia | cura | sonoterapia |
| termo | calor | termômetro |
| tetra | quatro | tetraedro |
| tipo | figura | arquétipo |
| tono | tensão, tom | monótono |
| topo | lugar | topógrafo |
| xeno | estrangeiro | xenofobia |
| xero | seco | xerográfico |
| xilo | madeira | xilogravura |
| zime | fermento | enzima |
| zoo | animal | zoologia |

## 3. Prefixos de origem latina

| prefixo | sentido | exemplo |
|---|---|---|
| ab-, abs- | afastamento, separação | abjurar, abster-se |
| ad-, a- | aproximação, direção | adjunto, abeirar |
| ambi- | duplicidade | ambivalente |
| ante- | posição anterior | antepor |
| bene-, ben-, bem- | bem, muito bom | benemérito, benfeitor |
| bis-, bi- | duas vezes | bisneto, bípede |
| circum-, circun- | em redor de | circumpolar, circunscrever |
| cis- | posição aquém | cisplatino |
| com-, con-, co- | companhia, combinação | compatriota, contemporâneo, coautor |
| contra- | oposição, ação contrária | contrapor |
| de-, des-, dis- | movimento para baixo, afastamento, negação, ação contrária | decapitar, desviar, desleal, discordar |
| ex-, es-, e- | movimento para fora, mudança, separação | exportar, escamar, emigrar |
| extra- | posição exterior, superioridade | extraterreno, extraviar |
| in-, im-, i-, em-, en- | movimento para dentro; posição interna | inalar, importar, imigrar, embarcar, enlatar |
| in-, im-, i- | negação | inútil, imperfeito, ilegal |
| inter-, entre- | posição intermediária | interpor, entrelinha |
| intra-, intro- | movimento para dentro | intraocular, introspecção |
| justa- | posição ao lado de | justaposição |

>> 52

| prefixo | sentido | exemplo |
| --- | --- | --- |
| o-, ob- | oposição, posição em frente | opor, oblongo |
| per- | movimento através de, muito, duração | percorrer, perdurar, pernoitar, perpassar |
| post-, pos- | posição posterior | postergar, pospor |
| pre- | anterioridade, superioridade | predizer, predominar |
| pro- | posição em frente, movimento para frente | proclamar, progredir |
| re- | repetição, intensidade | reler, ressoar |
| retro- | movimento para trás | retroagir |
| semi- | metade, quase | semicírculo, semimorto |
| sub-, sob-, so- | posição inferior | subchefe, sobpor, soterrar |
| super-, sobre- | posição superior | superpor, sobreposto |
| trans-, tras-, tra-, tres- | através de, além de | transpor, transladar, traduzir, tresnoitar |
| ultra- | além de, excesso | ultramar, ultramoderno |
| vice-, vis- | substituição | vice-diretor, visconde |

## 4. Prefixos de origem grega

| prefixo | sentido | exemplo |
| --- | --- | --- |
| a-, an- | privação, negação | ateu, anarquia |
| ana- | repetição, separação | análise, anacrônico |
| anfi- | duplicidade | anfíbio |
| anti- | oposição | antiaéreo |
| apo- | separação | apócrifo |
| arqui-, arce- | posição superior | arquiduque, arcebispo |
| cata- | movimento para baixo, ordem | cataclismo, catálogo |

| prefixo | sentido | exemplo |
| --- | --- | --- |
| di- | duas vezes | dígrafo |
| dia- | através de | diálogo |
| dis- | dificuldade | dispepsia |
| en-, em- | inclusão | encéfalo, emblema |
| endo- | posição interior | endocraniano |
| epi- | posição superior | epígrafe |
| eu-, ev- | excelência | eufonia, evangelho |
| ex-, ec-, exo- | movimento para fora | êxodo, éctipo, exógeno |
| hemi- | metade | hemisfério |
| hiper- | posição superior, excesso | hipertensão |
| hipo- | posição inferior | hipoderme |
| meta- | mudança | metamorfose |
| para- | proximidade | paralelo |
| peri- | em torno de | perímetro |
| pro- | posição anterior | prólogo |
| sin-, sim-, si- | simultaneidade | sinfonia, simpatia, silogismo |

## Correspondência entre prefixos gregos e latinos

| prefixo grego | exemplo | prefixo latino | exemplo | sentido |
| --- | --- | --- | --- | --- |
| a-, an- | amoral, anarquia | des-, in- | desleal, infiel | privação |
| anti- | antiaéreo | contra- | contradizer | ação contrária |
| anfi- | anfíbio | ambi- | ambivalente | duplicidade |
| apo- | apogeu | ab- | abjurar | afastamento |
| cata- | cataclismo | de- | decair | movimento para baixo |

| prefixo grego | exemplo | prefixo latino | exemplo | sentido |
|---|---|---|---|---|
| di- | díptero | bi- | bilabial | dois |
| dia-, meta- | diálogo, metamorfose | trans- | transformação | através de, mudança |
| en- | encéfalo | in- | ingerir | interioridade |
| endo- | endovenoso | intra- | intramuscular | posição interior |
| epi- | epiderme | supra- | supracitado | acima |
| eu- | eufonia | bene- | benefício | bem, bom êxito |
| ex-, ec- | êxodo, éctipo | ex- | exportar | movimento para fora |
| hemi- | hemiciclo | semi- | semicírculo | metade |
| hiper- | hipertensão | super- | superabundante | excesso |
| hipo- | hipotrofia | sub- | subterrâneo | posição abaixo |
| para- | paráfrase | ad- | adjacente | proximidade |
| peri- | perímetro | circum(n)- | circunscrever | em torno de |
| sin- | sintonia | cum- | cúmplice | simultaneidade |

## 5. Sufixos

A maioria dos sufixos da língua portuguesa são de origem latina.

Os sufixos podem ser **verbais** ou **nominais**. Apenas um é adverbial: **-mente**, como, por exemplo, na palavra "calma**mente**".

Os **sufixos verbais** formam os *verbos*; os **nominais**, os *substantivos* ou *adjetivos*.

Os **sufixos verbais** exprimem:

a) **ações repetidas** (*verbos frequentativos*): marejar, espernear, bravejar.
b) **ação menos intensa** (*verbos diminutivos*): bebericar, adocicar, chuviscar.
c) **ação causadora** (*verbos causativos*): esfriar, ruborizar, esquentar.

d) **ação indicativa de mudança de estado** (*verbos incoativos*): enriquecer, umedecer, anoitecer.

Os **sufixos nominais** exprimem:

a) **ação ou resultado de ação**: paulada, formatura, mordida.
b) **ocupação, profissão, agente**: ferreiro, cantor, jornalista.
c) **qualidade ou estado**: bondade, feiura, meiguice.
d) **lugar**: pensionato, papelaria, bebedouro.
e) **qualidade em excesso**: horroroso, narigudo, purulento.
f) **matéria**: férreo, pétreo, argênteo.
g) **diminuição**: viela, homenzinho, corpete.
h) **aumento**: homenzarrão, balaço, narigão.
i) **referência**: marítimo, campestre, lunar.
j) **origem**: latino, escocês, burguês.
k) **tendência**: louvável, alagadiço, confiável.
l) **coleção, aglomeração**: mapoteca, bambuzal, boiada.
m) **estado doentio ou inflamação**: febril, gastrite, trombose.
n) **ciência ou doutrina**: zoologia, medicina, comunismo.
o) **partidário ou seguidor**: republicano, comunista, parnasiano.

## >> Testes

**1.** (**CGJ-RJ**) O radical grego *fobia* significa "medo, aversão"; o vocábulo abaixo que tem sua significação corretamente indicada é:

a) agorafobia = medo dos tempos atuais
b) acrofobia = medo de lugares altos
c) claustrofobia = medo de lugares religiosos
d) hidrofobia = medo de chuva
e) fotofobia = medo de aparecer em público

Na alternativa "a", o real significado de "agorafobia" é o medo mórbido e angustiante de lugares públicos e grandes espaços abertos; em "b", "acrofobia" significa medo de lugares altos (*acro* = alto, elevado; *fobia* = medo); em "c", "claustrofobia" é, na verdade, a aversão a lugares fechados; em "d", "hidrofobia" é a aversão à água em geral, não especificamente a chuva. Por último, em "e", "fotofobia" é a aversão à luz. Por isso, a resposta correta é a "b".

**2.** (**F. C. Chagas**) Assinale a opção em que a consoante destacada faz parte do radical, não sendo consoante de ligação.

a) bambu**z**al
b) lapi**s**inho
c) cafe**t**eira
d) cha**l**eira
e) pau**l**ada

Em "b", na palavra "lapisinho", o *s* faz parte do radical "lápis". Com esse radical, além da palavra "lapisinho", também é possível derivar palavras como "lapisar", "lapisada" e "lapiseira". Nas demais alternativas, todas as consoantes em destaque são de ligação, ou seja, servem apenas para auxiliar a pronúncia das palavras a que se incorporam. Por isso, a resposta correta é a "b".

**3.** (**F. C. Chagas**) A palavra **estomatite**, em sua formação, contém um radical grego e significa:

a) dor de estômago
b) inflamação do estômago
c) inflamação da boca
d) inflamação do esôfago
e) inflamação dos rins

A palavra "estomatite" origina-se do grego *stoma* (= boca) + *itis* (= inflamação). Ao contrário do que a maioria das pessoas pensa, não se trata de dor ou de inflamação do estômago, como propõem, respectivamente, as alternativas "a" e "b". Em "a", dor de estômago é gastralgia ou gasteralgia; em "b", inflamação do estômago é conhecida como gastrite; em "d", inflamação do esôfago é esofagite; e, em "e", a inflamação dos rins é chamada de nefrite. Por isso, a resposta correta é a "c".

**4.** (TRT-ES) Assinale o item em que os prefixos destacados não têm o mesmo sentido:

a) carta **a**nônima – homem **in**capaz
b) **hemi**sfério sul – raiz **semi**morta
c) nuvem **diá**fana – película **trans**lúcida
d) rua **para**lela – autor **con**temporâneo
e) **peri**metro urbano – área **circun**vizinha

Em "a", "anônimo" e "incapaz" têm os prefixos *a-* e *in-*, respectivamente, que indicam "privação"; em "b", *hemi-* e *semi-* significam "metade" e "quase", respectivamente; em "c", *diá-* e *trans-* significam "transparente"; em "d", "paralela" apresenta o prefixo grego *para-*, que significa "proximidade", "ao lado de"; em "contemporâneo", o prefixo latino *com-* (cujo *m* transformou-se em *n* por anteceder a letra *t*) significa "companhia"; em "e", *peri-* e *circun-* significam "em torno de". Por isso, a resposta correta é a "d".

**5.** (UEA-AM) Assinale a alternativa cujo sufixo tem o mesmo valor significativo do que o de **mudança**.

a) traição
b) jogador
c) dignidade
d) navegante
e) pobreza

Em "mudança" e "traição", os sufixos *-ança* e *-ção* indicam resultado de ação. Nas demais alternativas, temos: b) jogador → *-or* = ofício ou profissão; c) dignidade → *-dade* = qualidade; d) navegante → *-nte* = ofício ou profissão; e) pobreza → *-ez(a)* = estado. Por isso, a resposta correta é a "a".

**6.** (Cotemig) Em todas as frases abaixo há uma palavra contendo um prefixo de negação, exceto em:

a) "O Provão é um pararraios de besteiras e equívocos".
b) "O desconforto de ser avaliado é o ônus inerente à operação de um curso".

c) "As notas muito baixas dos cursos de matemática podem ser devidas a expectativas irrealistas dos que redigiram as provas".
d) "Se a visita identifica um curso insuficiente cabe aplicar a lei".

As palavras com prefixo de negação estão presentes nas alternativas: b) **des**conforto; c) **ir**realistas e d) **in**suficiente. Por isso, a resposta correta é a "a".

**7.** (Cesgranrio-RJ) Aponte a série em que os prefixos possuem o mesmo significado:

a) hipodérmico, hipoteca, hipertensão, hipotrofia
b) anarquia, antipatia, acromia, anfíbio
c) perímetro, paralelo, periferia, periscópio
d) disjuntor, diâmetro, diagonal, disenteria
e) amoral, imoral, imberbe, infeliz

Em "a", "hipodérmico" e "hipotrofia" têm o prefixo *hypó-*, que significa "posição inferior"; "hipoteca" vem de *hiphotéke* (= suporte) e "hipertensão" apresenta o prefixo *hypér-*, que quer dizer "posição superior". Em "b", "anarquia" e "acromia" têm, respectivamente, os prefixos *an-* e *a-*, que indicam negação, assim como o prefixo *anti-*, de "antipatia", mas "anfíbio" contém o prefixo *anphi-*, que significa "duplicidade". A alternativa "c" apresenta o prefixo *peri-* (= em volta de) nas palavras "perímetro", "periferia" e "periscópio", no entanto, "paralelo" tem o prefixo *para-* (= ao lado de). Já a alternativa "d", traz as palavras "disjuntor" e "disenteria", em que *dis-* significa "dificuldade", e "diâmetro" e "diagonal" cujo prefixo *dia-* quer dizer "através de". Na última alternativa, nas palavras "**a**moral", "**i**moral", "**im**berbe" e "**in**feliz", todos os prefixos indicam negação, privação. Por isso, a resposta correta é a "e".

**8.** (UFJF-MG) O item em que **não** há correspondência de significação entre os dois elementos destacados é:

a) **circun**ferência – **perí**metro
b) **semi**círculo – **hemi**sfério
c) **sub**terrâneo – **hipó**tese
d) **super**lotado – **hipér**bole
e) **pro**jetar – **dia**gonal

Em "a", os prefixos de "**circun**ferência" e "**perí**metro" significam "em volta de"; em "b", *semi-* e *hemi-* querem dizer "metade"; em "c", "**sub**terrâneo" e "**hipó**tese" contêm prefixos que significam "posição inferior"; em "d" tanto *super-* quanto *hypér-* querem dizer "excesso". A última alternativa traz as palavras "projetar" (*pro-* = "posição para a frente") e "diagonal" (*dia-* = "através de"). Por isso, a resposta correta é a "e".

# 6. Processos de formação das palavras

Há, em português, dois processos básicos de formação das palavras: a **derivação** e a **composição**.

- **Derivação** – é o processo de formação de palavras que consiste, basicamente, na junção de afixos a um radical. Pode ocorrer das seguintes maneiras:

    a) **prefixação**: ocorre por meio da junção de um **prefixo** ao radical:

    **des**animar, **re**colocar, **in**feliz

    b) **sufixação**: ocorre por meio da junção de um **sufixo** ao radical:

    vandal**ismo**, legal**mente**, sabor**oso**

    c) **parassintética**: ocorre por meio da junção simultânea de um **prefixo** e um **sufixo** ao radical, sem que a palavra possa existir apenas com um dos afixos.

    **a**noit**ecer**, **em**bandeir**ar**, **de**salm**ado**

    d) **regressiva** (ou **deverbal**): ocorre por meio da troca da terminação verbal por uma vogal (**a**, **e** ou **o**), surgindo, assim, um substantivo abstrato:

    lut**ar** > lut**a**   realç**ar** > realc**e**   arroch**ar** > arroch**o**

    e) **imprópria** (ou **conversão**): ocorre com a mudança da classe gramatical de uma palavra:

    É terrível ouvir um **não**.
    (advérbio convertido em substantivo)

    O **trilar** do apito. (verbo convertido em substantivo)

    Coração **ferido**. (particípio verbal convertido em adjetivo)

    Congestionamento **monstro**.
    (substantivo convertido em adjetivo)

- **Composição** – consiste na formação de novas palavras por meio da junção de dois ou mais radicais existentes na língua. Pode ocorrer por:

  a) **justaposição**: os elementos da palavra composta conservam a sua integridade morfológica.

  guarda-chuva   mestre-sala   passatempo   rodapé

  b) **aglutinação**: pelo menos um dos elementos da palavra composta perde a sua integridade morfológica:

  planalto (= plano + alto)   embora (= em + boa + hora)

## Outros processos de formação de palavras

- **Hibridismo** – é a junção de elementos originários de línguas diferentes:

  sociologia (*sócio* = origem latina; *logia* = origem grega)

  burocracia (*buro* = origem francesa; *cracia* = origem grega)

  televisão (*tele* = origem grega; *visão* = origem latina)

- **Abreviação** (ou **redução vocabular**) – é a utilização de parte de uma palavra no lugar de sua totalidade:

  pneumático > pneu   motocicleta > moto   fotografia > foto

- **Onomatopeia** – é a utilização de palavras que procuram reproduzir certos sons ou ruídos:

  zum-zum   reco-reco   urrar   ploft

- **Sigla** – é a utilização das letras iniciais de uma organização, associação ou entidade:

  **IBGE** (Instituto Brasileiro de Geografia e Estatística)

  **Esaf** (Escola Superior de Administração Fazendária)

  **FGV** (Fundação Getúlio Vargas)

## >> Testes

**1. (Senac)** Observe as seguintes palavras: **montanha-russa, brincadeira, imprevisíveis, descontroladamente**. Considerando-se os processos de formação de palavras, têm-se, respectivamente,

a) composição por aglutinação, derivação sufixal, derivação prefixal, derivação prefixal e sufixal.
b) composição por justaposição, derivação sufixal, derivação prefixal, derivação prefixal e sufixal.
c) composição por aglutinação, derivação prefixal e sufixal, derivação sufixal, derivação parassintética.
d) derivação parassintética, derivação prefixal, composição por aglutinação, hibridismo.
e) composição por aglutinação, hibridismo, derivação prefixal e sufixal, derivação parassintética.

"Montanha-russa" apresenta composição por justaposição, ou seja, junção de palavras sem alteração fonética; "brincadeira" provém de uma derivação sufixal (sufixo *-eira*; o *-d-* é mera consoante de ligação); "imprevisíveis", por sua vez, apresenta derivação prefixal (prefixo de negação *im-*); e "descontroladamente" é formado a partir de uma derivação prefixal e sufixal, na junção não simultânea do prefixo de afastamento *des-* e do sufixo formador de advérbio *-mente*. Por isso, a resposta correta é a "b".

**2. (Esaf)** Considerando o processo de formação de palavras, relacione a segunda coluna pela primeira:

1) derivação imprópria            (  ) desencontro
2) prefixação                     (  ) jogador
3) prefixação e sufixação         (  ) impropriamente
4) sufixação                      (  ) o cantar
5) composição                     (  ) rodovia

Assinale a alternativa que contenha a numeração em sequência correta:

>> **62**

a) 2, 4, 3, 5, 1
b) 4, 1, 5, 2, 3
c) 3, 4, 2, 1, 5
d) 2, 4, 3, 1, 5
e) 4, 1, 5, 3, 2

A palavra "desencontro" é formada pelo prefixo *des-* + "encontro", o que caracteriza uma prefixação; o vocábulo "jogador" é formado pelo tema "joga-" + consoante de ligação *-d-* + sufixo *-or*, o que determina sufixação; "impropriamente", a seu termo, é formada pelo prefixo *im-* + "própria" + sufixo *-mente*, ou seja, prefixação e sufixação; "o cantar" nada mais é que o verbo "cantar" convertido em substantivo, daí a presença do artigo masculino "o", o que define uma derivação imprópria; e, por último, "rodovia" é formada por "roda" + "via", isto é, uma composição por aglutinação. Por isso a resposta correta é a "d".

**3.** (TJ-SP) Desejava o diploma, por isso lutou para obtê-lo.

Substituindo-se as forma verbais de **desejar**, **lutar** e **obter** pelos respectivos substantivos a elas correspondentes, a frase correta é:

a) O desejo do diploma levou-o a lutar por sua obtenção.
b) O desejo do diploma levou-o à luta em obtê-lo.
c) O desejo do diploma levou-o à luta pela sua obtenção.
d) Desejoso do diploma, foi à luta pela sua obtenção.
e) Desejoso do diploma, foi lutar por obtê-lo.

"Desejo" e "luta" derivam, respectivamente, de "desejar" e "lutar", pelo processo da derivação regressiva ou deverbal; "obtenção" deriva do verbo "obter" pelo processo da derivação sufixal. Por isso, a resposta correta é a "c".

**4.** (Esaf) Estão destacados abaixo os elementos constituintes das palavras e indicados os processos de formação. Assinale a alternativa **incorreta**.

a) engordar = em + gordo + ar > derivação prefixal e sufixal
b) automóvel = auto (grego) + móvel (latino) > hibridismo
c) planalto = plano + alto > composição por aglutinação
d) malmequer = mal + me + quer > composição por justaposição
e) prazerosamente = prazerosa + mente > derivação sufixal

Na palavra "engordar", ocorre derivação parassintética, isto é, os afixos (prefixo *em-* e sufixo *-ar*) foram incorporados simultaneamente ao radical *gord-*. A palavra não existe apenas com o prefixo ou apenas com o sufixo. Por isso, a resposta correta é a "a".

**5. (Esaf)** Em qual das séries uma das palavras não foi formada por prefixação?

a) remeter – conter – antegozar
b) readquirir – predestinado – propor
c) irregular – amoral – demover
d) dever – deter – antever
e) irrestrito – antípoda – prever

Na palavra "dever", não ocorre prefixação porque essa palavra é primitiva. Em "deter", a palavra deriva do verbo "ter" (prefixo *de*-); em "antever", a palavra deriva do verbo "ver" (prefixo *ante*-). Por isso, a resposta correta é a "d".

**6. (Fuvest-SP)** O valor semântico de <u>des-</u> **não** coincide com o do par *centralização / descentralização* apenas em:

a) Despregar o prego foi mais difícil do que pregá-lo.
b) "Belo, belo, que vou para o Céu..." – e se soltou, para voar: descaiu foi lá de riba, no chão muito se machucou.
c) Enquanto isso ele ficava ali em casa, em certo repouso, até a saúde de tudo se desameaçar.
d) A despoluição do rio Tietê é um repto urgente aos políticos e à população de São Paulo.
e) O governo de Israel decidiu desbloquear metade da renda de arrecadação fiscal que Israel devia à Autoridade Nacional Palestina.

Em "centralização/descentralização", o prefixo "des-" indica negação, ausência. Isso também ocorre em "a" ("despregá-lo"), "c" ("desameaçar"), "d" ("despoluição") e "e" ("desbloquear"). Em "b", entretanto, "descair" significa "inclinar-se lentamente": o prefixo "des-", no caso, não indica negação, ausência, mas "movimento de cima para baixo". Por isso, a resposta correta é a "b".

**7. (Uniderp-MS)** Assinale a alternativa que indica **corretamente** os processos de formação das palavras grifadas:

I – Ao <u>anoitecer</u>, o <u>planalto</u> fica deserto.
II – O raio ultravioleta provocou um <u>ataque</u> danoso ao material.

a) derivação sufixal – justaposição – aglutinação
b) parassíntese – aglutinação – derivação regressiva
c) derivação prefixal – aglutinação – justaposição
d) derivação prefixal e sufixal – justaposição – parassíntese
e) parassíntese – justaposição – derivação regressiva

Em "anoitecer" (a-noit-ecer), os afixos foram incorporados simultaneamente ao radical *noit-*, ou seja, se retirarmos os afixos, não subsistirá vocábulo, mas, sim, fragmento sem significado, o que configura a parassíntese; em "planalto" (plano + alto) ocorre composição por aglutinação, isto é, junção de radicais com alteração fonética; em "ataque" (atacar > ataque), houve derivação regressiva porque se formou um substantivo abstrato a partir de um verbo. Por isso, a resposta correta é a "b".

**8.** **(Unip-SP)** Assinale a alternativa cujo vocábulo tenha sido formado pelo mesmo processo da palavra **amargura**.

a) infeliz
b) cipoal
c) rever
d) anoitecer
e) lusco-fusco

As palavras "amargura" e "cipoal" são formadas por derivação sufixal. Nas alternativas "a" e "c", o processo de formação é a derivação prefixal ("**in**feliz" e "re**ver**", respectivamente); em "b", "cipo**al**" é formado por derivação sufixal, assim como a palavra "amarg**ura**"; em "d", "anoitec**er**" é formado por derivação parassintética; e, em "e", "lusco-fusco" é uma composição por justaposição. Por isso, a resposta correta é a "b".

**9.** **(Ufscar-SP)** Considerando os vocábulos seguintes, assinale a alternativa que indica os pares de derivação regressiva, derivação imprópria e derivação sufixal, precisamente nessa ordem:

1) embarque
2) histórico
3) cruzes!
4) porquê
5) fala
6) sombrio

a) 2 – 5, 1 – 4, 3 – 6
b) 1 – 4, 2 – 5, 3 – 6
c) 1 – 5, 3 – 4, 2 – 6
d) 2 – 3, 5 – 6, 1 – 4
e) 3 – 6, 2 – 5, 1 – 4

"Embarque" e "fala" são regressivos de "embarcar" e "falar", respectivamente; "cruzes!" e "porquê" são derivações impróprias porque o substantivo "cruzes" foi transformado em interjeição, e a conjunção "porque" foi convertida em substantivo; "histórico" e "sombrio" são derivações sufixais de "história" e "sombra", respectivamente. Por isso, a resposta correta é a "c".

## capítulo 2

# Classes de palavras

De acordo com suas formas e funções, as palavras da língua portuguesa costumam ser agrupadas em dez classes denominadas **classes gramaticais** ou **classes de palavras**. As que apresentam flexão ou variação em sua forma chamam-se *variáveis*; são *invariáveis*, portanto, as que se apresentam sempre com a mesma forma.

Observe, no quadro seguinte, a classificação geral das classes de palavras:

| classes variáveis | classes invariáveis |
|---|---|
| substantivo | advérbio |
| artigo | preposição |
| adjetivo | conjunção |
| numeral | interjeição |
| pronome | |
| verbo | |

## 1. Substantivo

É a palavra que nomeia os seres reais, imaginários ou decorrentes de uma ação, qualidade ou estado.

Subdividem-se em:

a) **simples:** apresentam apenas um radical:

garoto, árvore, cidade, mesa

b) **compostos**: apresentam mais de um radical:

   peixe-boi, bem-te-vi, girassol, passatempo

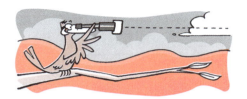

c) **comuns**: nomeiam os seres de uma mesma espécie em sua totalidade:

   homem, atleta, cidade, país

d) **próprios**: nomeiam um ser específico entre todos os de uma espécie:

   Pedro, Pelé, Londrina, Brasil

e) **primitivos**: não se originam de outra palavra:

   laranja, pedra, trabalho, árvore

f) **derivados**: formam-se a partir de um primitivo:

   laranjeira, pedrisco, trabalhador, arvoredo

g) **concretos**: nomeiam um ser real ou imaginário, de natureza independente:

   chuva, cadeira, saci, fada

h) **abstratos**: nomeiam uma ação, qualidade ou estado, ou seja, seres dependentes:

   fuga, bondade, ternura, cegueira

i) **coletivos**: indicam um conjunto de seres:

   cáfila (de camelos), alcateia (de lobos), batalhão (de soldados)

## >> Testes (I)

**1. (Esaf)** Assinale a opção em que há substantivos que se referem, respectivamente, a **ação** e **sentimento**:
a) homem, passos
b) passado, medo
c) diferença, raízes
d) inteligência, criação
e) trabalho, tristeza

O substantivo "trabalho" é formado por derivação regressiva do verbo "trabalhar", indicando, portanto, uma ação; o substantivo "tristeza" é derivação sufixal (trist- + -eza) do adjetivo "triste", que indica um sentimento. Por isso, a resposta correta é a "e".

**2. (CTA-SP)** Assinale a alternativa que apresenta apenas substantivos abstratos:
a) Deus – papai-noel – fantasma – saci-pererê
b) fada – amor – fumaça – boneca
c) amor – ódio – saudade – medo
d) fada – casamento – saudade – liberdade
e) fada – boneca – sorriso – fumaça

Em "a", todos os substantivos são concretos; em "b", apenas "amor" é abstrato; em "c", as palavras "amor", "ódio", "saudade" e "medo" indicam sentimentos, sendo, portanto, substantivos abstratos; em "d", apenas "fada" é concreto; em "e", apenas "sorriso" é abstrato. Por isso, a resposta correta é a "c".

**3. (UFV-MG)** Assinale a alternativa em que a palavra grifada pertence à classe dos substantivos:
a) O médico **louco** disse que no hospício não havia telefone.
b) De médico e de **louco**, todo mundo tem um pouco.
c) "Sou **louco** por ti, América!"
d) Ele parecia completamente **louco**.
e) A cidade julgava o prefeito **louco**.

Em "De médico e de louco, todo mundo tem um pouco", a palavra "louco" nomeia o ser, sendo, portanto, um substantivo. Nas demais frases, a palavra "louco" pertence à classe dos adjetivos. Por isso, a resposta correta é a "b".

>> PARTE 2

4. (UFJF-MG) Assinale a alternativa em que apareçam substantivos simples, respectivamente, **concreto** e **abstrato**.

   a) água, vinho
   b) Pedro, Jesus
   c) Pilatos, verdade
   d) Jesus, abaixo-assinado
   e) Nova Iorque, Deus

   Em "c", "Pilatos" é concreto e "verdade" é abstrato. Nas demais alternativas, todos os substantivos são concretos. Por isso, a resposta correta é a "c".

5. (FMIT-MG) Assinale a alternativa em que **não** há relação entre as duas colunas quanto à classificação dos substantivos:

   a) madeira – concreto
   b) árvore – concreto
   c) maravilhas – abstrato
   d) ramalhete – abstrato
   e) ramos – concreto

   O substantivo "ramalhete" possui existência independente, ou seja, apresenta existência real em si mesmo. É, portanto, concreto, e não abstrato. Por isso, a resposta correta é a "d".

6. (Fesp-SP) Assinale a alternativa que contenha substantivos, respectivamente, **abstrato**, **concreto** e **concreto**:

   a) fada, fé, menino
   b) fé, fada, beijo
   c) beijo, fada, menino
   d) amor, pulo, menino
   e) menino, amor, pulo

   Em "a", "fada" e "menino" são concretos, "fé" é abstrato; em "b", "fé" e "beijo" são abstratos, "fada" é concreto; em "d" "amor" e "pulo" são abstratos, "menino" é concreto; em "e", "menino" é concreto, "amor" e "pulo" são abstratos. Por isso, a resposta correta é a "c".

7. (ITA-SP) Examinando as definições abaixo:

   **Atilho:** grupo de ilhas de coral que tem formato de um círculo ou anel, circundando parcial ou totalmente um lago interior.

   **Conciliábulo:** qualquer assembleia de prelados católicos em que se discutem assuntos dogmáticos.

   **Baixela:** conjunto de instrumentos científicos de pouca precisão.

   **Tertúlia:** agrupamento de amigos.

69 >>

verifica-se que:

a) apenas uma está correta.
b) apenas duas estão corretas.
c) três estão corretas.
d) todas estão corretas.
e) nenhuma está correta.

São corretas apenas as definições de "conciliábulo" e de "tertúlia", porque "atilho" é coletivo de "espigas de milho" e "baixela", de "utensílios de mesa". Por isso, a resposta correta é a "b".

8. **(UFV-MG)** Uma das características do substantivo abstrato é não se vincular ao ser, do mundo real ou imaginário, e dar nome a ações, qualidades, estados e fenômenos. Dentre as alternativas abaixo, assinale aquela em que não há substantivo abstrato:

a) "Ajeitou-se no banco e esperou o barulho do motor."
b) "... são cachorros que costumam latir e pular em seus sonhos."
c) "Quem viu a necessidade eventual de perder docemente a paciência?"
d) "... e ei-lo novamente de mãos e almas vazias."
e) "Localiza eletronicamente todos os animais da redondeza, e anda pela rua em disparada."

Na alternativa "a", o substantivo abstrato é a palavra "barulho"; em "b", "sonhos"; em "c", "necessidade" e "paciência"; em "e", "redondeza" e "disparada". A palavra "alma", na alternativa "d", gramaticalmente é classificada como substantivo concreto. Isso é bem curioso, porque "beijo", "abraço", "dor", entre outros, que são mais concretos do que "alma", são classificados como abstratos. Porém, é a gramática que assim determina. Por isso, a resposta correta é a "d".

## >> Flexão do substantivo

Flexão é a propriedade que o substantivo possui para indicar **gênero** (masculino ou feminino), **número** (singular ou plural), e **grau** (aumentativo ou diminutivo).

### Flexão de gênero

**Gênero** é o termo que se usa para classificar as palavras como masculinas ou femininas.

No caso dos seres inanimados, o gênero do substantivo é fictício, já que tais seres não possuem sexo:

o planeta (masculino)     a estrela (feminino)
o vaso (masculino)     a vida (feminino)

Quanto aos seres animados, o gênero refere-se à sua característica sexual (masculino ou feminino). Como regra geral, o masculino é indicado pela desinência **-o**, e o feminino, por **-a**:

garot**o** / garot**a**     alun**o** / alun**a**     lob**o** / lob**a**     pat**o** / pat**a**

Outros substantivos, porém, são marcados por outras terminações. São os chamados *substantivos biformes*. Observe o quadro seguinte:

| masculino | feminino |
|---|---|
| genro | nora |
| abade | abadessa |
| ator | atriz |
| cavalheiro | dama |
| pai | mãe |
| patriarca | matriarca |
| padrasto | madrasta |
| frade | freira |

| masculino | feminino |
|---|---|
| cão | cadela |
| burro | besta |
| rei | rainha |
| zangão | abelha |
| réu | ré |
| javali | gironda |
| cavalo | égua |

**Observação:** Quando a oposição entre masculino e feminino é estabelecida por palavras de radicais diferentes, o substantivo recebe o nome de **heterônimo**: boi/vaca, marido/mulher, cavaleiro/amazona etc.

Existem, ainda, substantivos que não sofrem flexão para indicar a oposição entre masculino e feminino: são os chamados *substantivos uniformes*. Podem ser:

a) **comuns de dois**: a oposição masculino/feminino é indicada por um artigo (ou qualquer outro determinante):

o mártir/a mártir<br/>
esse dentista/essa dentista<br/>
bom cliente/boa cliente

b) **sobrecomuns**: designam tanto seres do sexo masculino quanto do feminino, sem que haja marca gramatical para indicar a oposição entre masculino e feminino:

a vítima (ele ou ela)<br/>
a testemunha (ele ou ela)<br/>
a criança (ele ou ela)

c) **epicenos**: designam certos animais com a posposição dos adjetivos *macho* e *fêmea*:

águia macho/águia fêmea<br/>
jacaré macho/jacaré fêmea<br/>
onça macho/onça fêmea

**Observação:** Certos substantivos apresentam um significado no masculino e outro diferente no feminino. Recebem o nome de **heterossêmicos**. Veja:

| substantivo | masculino | feminino |
| --- | --- | --- |
| cabeça | líder de um grupo | parte do corpo |
| guia | pessoa que orienta | documento |
| capital | valor pecuniário | cidade |
| grama | unidade da massa | relva, gramínea |
| moral | ânimo | código ético |
| cisma | separação | ideia fixa |
| caixa | funcionário | objeto |
| nascente | onde nasce o Sol | fonte de água |
| lotação | veículo | capacidade |
| lente | professor | vidro de aumento |

## >> Testes (II)

1. **(MM)** A alternativa em que há **erro** no sentido dos substantivos é:
   a) o grama = unidade de medida; a grama = relva
   b) o rádio = aparelho receptor; a rádio = estação transmissora
   c) o guia = documento; a guia = pessoa que guia
   d) o cisma = separação; a cisma = desconfiança
   e) o moral = ânimo; a moral = ética

   O substantivo "guia", determinado pelo artigo masculino "o", significa "pessoa que guia", antecedido do artigo feminino "a", significa "documento". Na alternativa "c", portanto, houve inversão dos significados da palavra "guia". Por isso, ela é a resposta correta.

2. **(Esaf)** Assinale o item em que há erro quanto à determinação do gênero.
   a) Deu certo o estratagema.
   b) Personagem, pessoa importante: se é homem dizemos o personagem, se é mulher, a personagem.
   c) Bidu Saião é o soprano brasileiro mais conhecido nos Estados Unidos.
   d) Ele era o chefe daquele clã.
   e) O atleta ungira os braços até os omoplatas.

   O substantivo "omoplata" é feminino: "O atleta ungira os braços até as omoplatas". Por isso, a resposta correta é a "e".

3. **(Alerj)** Na frase "É uma doença que ataca o sistema de defesa do organismo", observa-se o uso do artigo masculino **o** diante da palavra **sistema**. A palavra diante da qual não se pode usar **o** é:
   a) edema           c) alfazema           e) telefonema
   b) emblema         d) problema

   O substantivo "alfazema" não admite o artigo "o" por se tratar de substantivo feminino: "a alfazema". Os demais substantivos são todos masculinos: o edema, o emblema, o problema, o telefonema. Por isso, a resposta correta é a "c".

**4.** (TRT-RJ) Escolha a alternativa cujos gêneros, pela ordem, correspondem aos seguintes vocábulos: **alface**, **grama** (peso), **dó** e **telefonema**.

a) masculino – feminino – masculino – feminino
b) feminino – feminino – masculino – feminino
c) masculino – feminino – masculino – masculino
d) feminino – masculino – masculino – masculino
e) feminino – feminino – masculino – masculino

O substantivo "alface" é feminino; "grama" (unidade da massa); "dó" (sentimento de pena, nota musical) e "telefonema" são substantivos masculinos. Por isso, a resposta correta é a "d".

**5.** (Alerj) Dos substantivos abaixo o que se classifica, quanto ao gênero, como sobrecomum é:

a) ré
b) tatu
c) ente
d) aldeã
e) analista

Em "a", "ré" é feminino de "réu"; em "b", "tatu" é epiceno: tatu macho/tatu fêmea; em "c", o substantivo "ente" (aquilo que existe; coisa, objeto, matéria, substância, ser) é sobrecomum, ou seja, só pode ser antecedido de determinantes masculinos: o ente, esse ente etc.; em "d", "aldeã" é feminino de "aldeão"; e, em "e", "analista" é comum de dois: o analista/a analista. Por isso, a resposta correta é a "c".

**6.** (Alerj) O vocábulo que pertence ao gênero masculino é:

a) sósia
b) libido
c) dinamite
d) cataplasma
e) aguardente

O substantivo "sósia", a rigor, é comum de dois: o sósia/a sósia. Os substantivos das demais alternativas são apenas femininos: a libido, a dinamite, a cataplasma, a aguardente. Por isso, a resposta correta é a "a".

**7.** (Ueba) Ficou com _____ quando soube que _____ caixa do banco entregara aos ladrões todo o dinheiro _____ clã.

a) o moral abalado – o – do
b) a moral abalada – o – da
c) o moral abalado – a – da
d) a moral abalado – a – do
e) a moral abalada – a – da

>> 74

São masculinos os substantivos "moral" (ânimo), "caixa" (funcionário) e "clã" (unidade social formada por indivíduos ligados a um ancestral comum). Por isso, a resposta correta é a "a".

8. **(ITA-SP)** Examinar a frase abaixo, dando atenção aos vocábulos destacados.

    "**A estação emissora** procurava encorajar **o ânimo** daqueles que lutavam contra **a tropa inimiga**".

    A sequência dos sinônimos das palavras destacadas na sentença acima é, pela ordem:

    a) o rádio, a moral, a corja
    b) a rádio, a moral, a horda
    c) a rádio, o moral, a hoste
    d) o rádio, o moral, a hoste
    e) as alternativas acima não são corretas.

Os substantivos "rádio" e "moral" são heterossêmicos, isto é, mudam de significado de acordo com o gênero: "o rádio" (= osso, aparelho, elemento químico)/"a rádio" (= emissora), "o moral" (= ânimo)/"a moral" (= código ético); o substantivo "hoste" (= grupo de inimigos) é apenas feminino: "a hoste". Por isso, a resposta correta é a "c".

9. **(ITA-SP – adapt.)** Examine a sentença e depois indique a alternativa correta.

    "Uma **ateia** conversando com uma **sultana** chegou à conclusão de que a **pigmeia** era **filisteia**".

    a) A indicação do feminino das duas últimas palavras está errada.
    b) A indicação do feminino das três primeiras palavras está errada.
    c) A indicação do feminino das duas primeiras palavras está errada.
    d) A indicação do feminino de todas as palavras destacadas está correta.
    e) A indicação do feminino de todas as palavras destacadas seria feita de maneira diversa das indicadas.

Os substantivos "ateia", "sultana", "pigmeia" e "filisteia" são femininos, respectivamente, de "ateu", "sultão", "pigmeu" e "filisteu". Por isso, a resposta correta é a "d".

**10. (UFSC)** Há substantivos que têm um só gênero gramatical para designar pessoas de ambos os sexos. Uma das alternativas seguintes constituída de três substantivos desta espécie é:

a) a criança, a vítima, o selvagem
b) a criança, a testemunha, o agente
c) a vítima, a jovem, o parente
d) a criança, a vítima, o cônjuge
e) a testemunha, a patroa, o mestre

Em "a", "criança" e "vítima" são sobrecomuns; "selvagem" é comum de dois; em "b", "criança" e "testemunha" são sobrecomuns; "agente" é comum de dois; em "c", "vítima" é sobrecomum; "jovem" e "parente" são comuns de dois; em "d", "criança", "vítima" e "cônjuge" são sobrecomuns, ou seja, designam pessoas de ambos os sexos sem mudar de determinante: "a criança", "a vítima" e "o cônjuge"; e, em "e", "testemunha" é sobrecomum; "patroa" é feminino de "patrão"; "mestre" é masculino (feminino = "mestra"). Por isso, a resposta correta é a "d".

**11. (PUC-PR)** Assinale a alternativa em que os sentidos foram trocados:

a) a coma: juba; o coma: estado mórbido
b) a gênese: geração; o gênese: 1º livro do Pentateuco
c) a grama: erva rasteira; o grama: unidade da massa
d) a guia: documento; o guia: aquele que conduz
e) a crisma: óleo usado em alguns sacramentos; o crisma: o sacramento da confirmação

"Crisma" é substantivo heterossêmico: no masculino significa "óleo perfumado que se usa na administração de alguns sacramentos"; no feminino, "a cerimônia da confirmação do batismo". Por isso, a resposta correta é a "e".

**12. (PUC-SP)** Assinale a alternativa incorreta:

a) Borboleta é substantivo epiceno.
b) Rival é comum de dois gêneros.
c) Omoplata é substantivo masculino.
d) Vítima é substantivo sobrecomum.
e) n.d.a.

O substantivo "omoplata" é feminino: "a omoplata". Por isso, a resposta correta é a "c".

### Flexão de número

**Número** é a possibilidade que tem o substantivo de indicar, por meio de sua terminação, apenas um ou mais de um ser. Daí o *singular* e o *plural*.

Geralmente o plural do substantivo simples é indicado pelo acréscimo da desinência **-s**:

árvore > árvore**s**   casa > casa**s**   pedra > pedra**s**

Dependendo da terminação do singular, há outros casos para a formação do plural. São os seguintes:

1. Os terminados por **-m** trocam o **-m** por **-ns**:

    folhage**m** > folhage**ns**   atu**m** > atu**ns**   ite**m** > ite**ns**

2. Os terminados em **-al**, **-el**, **-ol** e **-ul** trocam o **-l** por **-is**:

    var**al** > var**ais**   ton**el** > ton**éis**
    pai**ol** > pai**óis**   pa**ul** > pa**uis**

> **Observação:**
> côns**ul** → côns**ules**; m**al** → m**ales**; c**al** → c**ales** ou ca**is**

3. Os terminados por **-s** (em sílaba tônica), **-r** e **-z** recebem **-es**:

    retró**s** > retro**ses**   rada**r** > rada**res**   xadre**z** > xadre**zes**

4. Os terminados por **-il** trocam **-il** por **-is** (nas oxítonas) e **-i** por **-eis** (nas não-oxítonas):

    barr**il** > barr**is**   fun**il** > fun**is**
    fuz**il** > fuz**is**
    fóss**il** > fóss**eis**   projét**il** > projét**eis**
    répt**il** > répt**eis**

5. Os terminados em **-x** são invariáveis:

    o tóra**x** > **os** tóra**x**   a xéro**x** > **as** xéro**x**

6. Os terminados por **-ão** fazem o plural de três maneiras:

a) trocam **-ão** por **-ões**:

  barão > barões  botão > botões
  cartão > cartões  porão > porões

b) trocam **-ão** por **-ães**:

  pão > pães  alemão > alemães
  catalão > catalães  capitão > capitães

c) recebem a desinência **-s**:

  cidadão > cidadãos  cristão > cristãos
  irmão > irmãos  grão > grãos

**Observação:** Alguns substantivos terminados em **-ão** admitem mais de um plural. Observe no quadro:

| | |
|---|---|
| aldeão | aldeãos — aldeões — aldeães |
| ancião | anciãos — anciões — anciães |
| castelão | castelãos — castelões — castelães |
| charlatão | charlatões — charlatães |
| cirurgião | cirurgiões — cirurgiães |
| corrimão | corrimãos — corrimões |
| cortesão | cortesãos — cortesões |
| ermitão | ermitãos — ermitões — ermitães |
| faisão | faisões — faisães |
| guardião | guardiões — guardiães |
| hortelão | hortelãos — hortelões |
| refrão | refrãos — refrães |
| sacristão | sacristãos — sacristães |
| sultão | sultãos — sultões — sultães |
| verão | verãos — verões |
| vilão | vilãos — vilões — vilães |
| vulcão | vulcãos — vulcões |

*Plural metafônico*

Alguns substantivos, no plural, trocam o **o** tônico fechado pelo **o** tônico aberto:

mi**o**lo (fechado) > mi**o**los (aberto)
car**o**ço (fechado) > car**o**ços (aberto)
f**o**go (fechado) > f**o**gos (aberto)
**o**sso (fechado) > **o**ssos (aberto)

*Plural dos diminutivos*

Substantivos diminutivos no plural apresentam a seguinte particularidade: retira-se a letra **s** do substantivo pluralizado e acrescenta-se o sufixo **-zinhos(as)**:

cord**ão** > cord**ões** > cord**õe**zinhos
past**el** > past**éis** > past**ei**zinhos
flor > flor**es** > flor**e**zinhas ou flor**z**inhas

*Substantivos que só apresentam a forma plural*

o**s** pêsame**s**    a**s** féria**s**    a**s** núpcia**s**    o**s** parabé**ns**

*Plural dos substantivos compostos*

Os substantivos compostos seguem os seguintes critérios:

1. Variação dos dois elementos:
   Os dois elementos são flexionados quando são palavras variáveis:

   primeira-dama > primeira**s**-dama**s**
   segunda-feira > segunda**s**-feira**s**
   amor-perfeito > amor**es**-perfeito**s**

2. Variação só do primeiro elemento:
   Somente o primeiro elemento deve ser flexionado nos seguintes casos:

   a) quando entre os dois elementos há preposição:

   joão-**de**-barro > jo**ões**-de-barro
   água-**de**-colônia > água**s**-de-colônia
   peroba-**do**-campo > peroba**s**-do-campo

b) quando o segundo elemento indica a finalidade, a forma ou a semelhança do primeiro:

caneta-tinteiro > canetas-tinteiro
pombo-correio > pombos-correio
homem-rã > homens-rã

**Observação:** No caso acima, admite-se também a pluralização dos dois elementos:

caneta-tinteiro > canetas-tinteiros
pombo-correio > pombos-correios
homem-rã > homens-rãs

3. Variação só do último elemento:

a) quando o primeiro elemento é verbo ou palavra invariável:

beija-flor > beija-flores
arranha-céu > arranha-céus
sempre-viva > sempre-vivas
vice-rei > vice-reis

b) quando o substantivo é formado de palavras repetidas ou onomatopeicas:

corre-corre > corre-corres
mata-mata > mata-matas
reco-reco > reco-recos
tico-tico > tico-ticos

**Observação:** Com verbos repetidos, admite-se também o plural dos dois elementos:

corre-corre > corres-corres
mata-mata > matas-matas

c) quando o primeiro elemento é uma das formas **grão**, **grã** e **bel**:

grão-duque > grão-duques
grã-cruz > grã-cruzes
bel-prazer > bel-prazeres

>> PARTE 2

4. Ficam invariáveis:

    a) os compostos de verbos de significado oposto:

    o perde-ganha > **os** perde-ganha

    b) os compostos de verbo seguido de palavra invariável:

    o bota-fora > **os** bota-fora
    o pisa-mansinho > **os** pisa-mansinho

    c) os compostos de verbo seguido de palavra no plural:

    o saca-rolhas > **os** saca-rolhas
    o quebra-nozes > **os** quebra-nozes

5. Admitem mais de um plural:

    fruta-pão > fruta**s**-p**ães** / fruta**s**-pão
    terra-nova > terra**s**-nova**s** / terra-nova**s**
    guarda-marinha > guarda**s**-marinha**s** / guarda**s**-marinha
    padre-nosso > padre**s**-nosso**s** / padre-nosso**s**

## >> Testes (III)

**1.** (TJ-SP) Qual a alternativa em que há um plural incorreto?

a) guardas-noturnos; vices-diretores
b) boias-frias; bate-papos
c) puros-sangues; dedos-duros
d) sextas-feiras; joões-ninguém
e) bem-me-queres; arrozes-doces

Em "b", "boias-frias" está corretamente flexionado porque os dois elementos são variáveis (substantivo + adjetivo), e "bate-papos" recebe flexão só no segundo elemento porque o primeiro é verbo; em "c", "puros-sangues" está

**81 >>**

correto porque os dois elementos são variáveis (adjetivo + substantivo), e "dedos-duros" também está corretamente flexionado porque os dois elementos são variáveis (substantivo + adjetivo); em "d", "sextas-feiras" recebe flexão nos dois elementos por ser formado por duas palavras variáveis (numeral + substantivo), e o plural de "joão-ninguém" é "joões-ninguém", porque o primeiro elemento é um substantivo variável e o segundo é um pronome indefinido invariável; em "e", "bem-me-queres" está correto por ser formado por três elementos em que o segundo não é preposição, portanto, apenas o último recebe flexão, e o composto "arrozes-doces" está correto por ser formado por duas palavras variáveis (substantivo + adjetivo). Na alternativa "a", o substantivo "guardas-noturnos" está corretamente flexionado: os dois elementos são palavras variáveis (substantivo + adjetivo), mas o plural de "vice-diretor" deve ser "vice-diretores", porque trata-se de palavra invariável (prefixo) seguida de palavra variável (substantivo). Por isso, a resposta correta é a "a".

## 2. (Alerj) Segue o mesmo modelo de formação do plural de **cidadão** o seguinte substantivo:

a) botão  
b) vulcão  
c) tabelião  
d) cristão  
e) escrivão  

Os substantivos "cidadão" e "cristão" têm, no plural, as formas "cidadãos" e "cristãos", respectivamente. O plural dos substantivos das outras alternativas é: em "a", "botão" = "botões"; em "b", "vulcão" = "vulcãos" ou "vulcões"; em "c", "tabelião" = "tabeliães" ou "tabeliãos"; em "e", "escrivão" = "escrivães". Por isso, a resposta correta é a "d".

## 3. (SSP-RJ) Levando em conta a norma culta da língua, indique a única alternativa correta.

a) Os abaixo-assinados foram transmitidos pelos alto-falantes.  
b) Os abaixo assinados foram transmitidos pelos alto-falantes.  
c) Os abaixo-assinados foram transmitidos pelos altos-falantes.  
d) Os abaixos-assinados foram transmitidos pelos altos-falantes.  
e) Os abaixo assinados foram transmitidos pelos altos-falantes.  

O plural de "abaixo-assinado" é "abaixo-assinados": composto da palavra invariável "abaixo" (advérbio) e da palavra variável "assinado" (particípio verbal com valor de adjetivo), e o plural de "alto-falante" é "alto-falantes", por ser formado de palavra invariável "alto" (advérbio) e palavra variável "falante" (adjetivo). Observe-se que, nas alternativas "b" e "e", na palavra "abaixo-assinado" falta o emprego do hífen. Por isso, a resposta correta é a "a".

## 4. (TCE-RJ) Assinale a opção em que o plural das palavras sublinhadas é feito da mesma forma.

a) O escrivão desacatou aquele cidadão.
b) O salário-família será pago na sexta-feira.
c) O freguês, antigo tinha uma aparência simples.
d) O funcionário encarregado de vistoria era dócil e gentil.
e) Naquele mundo pagão, havia apenas um cristão.

Os substantivos "pagão" e "cidadão" fazem o plural "pagãos" e "cidadãos", respectivamente. O plural das demais palavras é: em "b", "salários-famílias" ou "salários-família" (quando o segundo elemento indica o tipo do primeiro, só o primeiro recebe flexão ou os dois podem ser flexionados) e "sextas-feiras" (numeral + substantivo: os dois são flexionados); em "c", "fregueses" (substantivo terminado por -ês recebe a desinência -es) e "os simples" ou "símplices" (essa palavra permanece invariável ou pode ser flexionada); em "d", "dóceis" (palavras não oxítonas terminadas por -il trocam -il por -eis) e "gentis" (palavras oxítonas terminadas por -il trocam -il por -is). Por isso, a resposta correta é a "e".

**5.** (Ucsal-BA) Assinale a letra que corresponde à alternativa que preenche corretamente os espaços pontilhados da frase apresentada.

As .......... vestiam casados .......... e exibiam .......... coloridos.

a) porta-bandeiras – furtas-cores – chapéuzinhos
b) portas-bandeira – furta-cor – chapéizinhos
c) porta-bandeiras – furta-cores – chapeuzinhos
d) portas-bandeiras – furta-cores – chapéizinhos
e) portas-bandeira – furtas-cores – chapeusinhos

Quando o substantivo é composto de verbo + palavra variável, só o segundo elemento recebe flexão, no caso, "porta-bandeiras" e "furta-cores". Para flexionar um substantivo no diminutivo plural, retira-se o "-s" do substantivo pluralizado ("chapéus") e acrescenta-se o sufixo "-zinho" + "s": "chapeuzinhos". Por isso, a resposta correta é a "c".

**6.** (Epcar-MG) Continuam com o **o** fechado no plural os seguintes substantivos:

a) imposto – porto – miolo
b) forno – corvo – antolho
c) fosso – tijolo – reforço
d) socorro – rogo – poço
e) esboço – logro – bolso

As palavras "esboço", "logro" e "bolso" mantêm, no plural, a vogal o fechada. Nas demais alternativas, todas as palavras, no plural, são pronunciadas com a vogal tônica aberta ó. Por isso, a resposta correta é a "e".

**7. (Cesgranrio-RJ)** Assinale o par de vocábulos que formam o plural como **órfão** e **mata-burro**, respectivamente:

a) cristão / guarda-roupa
b) questão / abaixo-assinado
c) alemão / beija-flor
d) tabelião / sexta-feira
e) cidadão / salário-família

As palavras "órfão" e "cristão" têm o plural "órfãos" e "cristãos", respectivamente. Os substantivos "mata-burro" e "guarda-roupa" têm o plural, respectivamente, "mata-burros" e "guarda-roupas" (verbo + substantivo: só o segundo elemento recebe flexão). Por isso, a resposta correta é a "a".

**8. (Cesgranrio-RJ)** Assinale o par de vocábulos que forma o plural como **balão** e **caneta-tinteiro**:

a) vulcão / abaixo-assinado
b) irmão / salário-família
c) questão / manga-rosa
d) bênção / papel-moeda
e) razão / guarda-chuva

Na alternativa "a", "vulcão" admite dois plurais: "vulcões" ou "vulcãos", e "abaixo-assinado" flexiona-se "abaixo-assinados" (advérbio + adjetivo: só o segundo elemento recebe flexão); em "b", o plural de "irmão" é "irmãos", e o de "salário-família" pode ser "salários-família" ou "salários-famílias" (quando o segundo elemento indica o tipo do primeiro, só o primeiro recebe flexão ou os dois podem ser flexionados). Em "c", as palavras "balão" e "questão" têm o plural "balões" e "questões", respectivamente. Os substantivos "caneta-tinteiro" e "manga-rosa" têm o plural, respectivamente, "canetas-tinteiro" ou "canetas-tinteiros" e "mangas-rosa" ou "mangas-rosas" (quando o segundo elemento indica a finalidade ou a semelhança do primeiro, só o primeiro elemento recebe flexão ou os dois podem ser flexionados). Em "d", "bênção" tem o plural "bênçãos"; "papel-moeda", "papéis-moeda" ou "papéis-moedas" (quando o segundo elemento indica o tipo do primeiro, só o primeiro recebe flexão ou os dois elementos podem ser flexionados); e, em "e", "razões" é o plural de "razão", e "guarda-chuvas" o de "guarda-chuva" (verbo + substantivo: só o segundo elemento deve ser flexionado). Por isso, a resposta correta é a "c".

**9. (Mackenzie-SP)** Numa das seguintes frases, há uma flexão de plural errada:

a) Os escrivães serão beneficiados por esta lei.
b) O número mais importante é o dos anõezinhos.
c) Faltam os hifens nesta relação de palavras.
d) Fulano e Beltrano são dois grandes caráteres.
e) Os répteis são animais ovíparos.

Em "a", o plural de "escrivão" é apenas "escrivães"; em "b", o plural é mesmo "anõezinhos" porque retira-se o *s* do substantivo pluralizado e acrescenta-se o sufixo *-zinho* + desinência *-s*; em "c", o plural de "hífen" é "hifens" (sem acento) ou "hífenes"; em "d", o plural da palavra "caráter" é "caracteres", e não "caráteres"; por último, em "e", o plural de "réptil" é "répteis" porque substantivos não oxítonos terminados em *-il* trocam o *-il* por *-eis*. Por isso, a resposta correta é a "d".

**10.** (UEL-PR) Viam-se _____ junto aos _____ do jardim.

a) papelsinhos/meios-fio
b) papeizinhos/meio-fios
c) papeisinhos/meio-fios
d) papelsinhos/meios-fios
e) papeizinhos/meios-fios

Para flexionar a palavra "papeizinhos", retira-se o *s* do substantivo pluralizado e acrescenta-se o sufixo *-zinho* + a desinência *-s*. O plural de "meio-fio" é "meios-fios" porque quando ocorre numeral + substantivo, os dois elementos recebem flexão. Por isso, a resposta correta é a "e".

**11.** (Mackenzie-SP) Os plurais de *vice-rei*, *porta-estandarte*, *navio-escola* e *baixo-relevo* são:

a) vices-reis, porta-estandartes, navios-escola, baixos-relevo
b) vice-reis, portas-estandartes, navios-escola, baixos-relevo
c) vices-reis, porta-estandartes, navio-escola, baixo-relevos
d) vice-reis, porta-estandartes, navio-escolas, baixos-relevos
e) vice-reis, porta-estandartes, navios-escola, baixos-relevos

O plural de "vice-rei" é "vice-reis", pois substantivo composto de prefixo + palavra variável recebe flexão só no segundo elemento; "porta-estandarte" recebe flexão apenas no segundo elemento ("porta-estandartes") porque o primeiro é verbo; o plural de "navio-escola" é "navios-escola" ou "navios-escolas" (quando o segundo elemento indica a finalidade do primeiro, só o primeiro recebe flexão ou os dois podem ser flexionados); o plural de "baixo-relevo" é "baixos-relevos" porque os dois elementos são variáveis (adjetivo + substantivo). Por isso, a resposta correta é a "e".

### Flexão de grau

**Grau** é a possibilidade que a flexão do substantivo oferece para exprimir a ideia de aumento ou diminuição do ser, relativamente à sua dimensão normal. Exemplo:

> árvore > arvorezona (aumentativo)
> arbusto (diminutivo)

O grau do significado de um substantivo se faz por dois processos:

a) **processo analítico**: junta-se ao substantivo um adjetivo que indique aumento ou diminuição:

> chapéu grande
> chapéu pequeno
> árvore enorme
> árvore minúscula

b) **processo sintético**: faz-se mediante o emprego de sufixos especiais que indiquem aumento ou diminuição:

> chapelão
> chapeuzinho
> arvorezona
> arbusto

**Observação:** Certos diminutivos ou aumentativos acrescentam ao substantivo um sentido carinhoso, afetivo, ou, então, depreciativo, irônico ou pejorativo. Assim:

mãezinha    amorzinho    porcalhão    atrevidaço

Veja, a seguir, um exemplário de alguns aumentativos e diminutivos importantes.

*Aumentativos*

| | |
|---|---|
| amigo | amigaço, amigalhaço, amigão |
| animal | animalaço, animalão |
| bala | balaço, balázio |
| beiço | beiçarrão, beiçoca, beiçola, beiçorra |
| cabeça | cabeção, cabeçorra |
| cão | canzarrão, canaz |
| cara | caraça, carantonha |
| carta | cartapácio, cartaz |
| chapéu | chapeirão, chapelão |
| copo | coparrão, copázio |
| criança | criançona |
| cruz | cruzeiro |
| dente | dentão, dentilhão |
| faca | facalhão, facalhaz, facalhona, facão |
| farda | fardalhão, fardão |
| fogo | fogacho, fogaréu |
| gato | gataço, gatalhaço, gatão |
| homem | homenzarrão |
| jornal | jornalaço |
| ladrão | ladravão, ladravaz |
| laje | lajedo |
| lapa | laparão, lapão |
| lenço | lençalho |
| livro | livrão, livrório |
| lobo | lobaz |
| luz | luzerna |
| macho | machacaz, macharrão |
| magro | magricela, magriço |
| mala | malotão |
| mão | manzorra, mãozorra, manápula, manopla |
| moça | macetona |

| | |
|---|---|
| muro | muralha |
| nariz | nariganga, narigão |
| navio | naviarra |
| negro | negralhão, negrão, negraço |
| neve | nevada, nevasca |
| pedra | pedregulho |
| povo | povaréu |
| prato | pratalhaz, pratarraz, pratázio, pratarrão |
| rapaz | rapagão |
| vaga | vagalhão |
| voz | vozeirão, vozeiro |

*Diminutivos*

| | |
|---|---|
| aldeia | aldeola, aldeota |
| animal | animalejo, animalzinho, animáculo |
| árvore | arbúsculo, arbusto, arvoreta |
| asa | álula, aselha |
| bastão | bastonete |
| caixa | caixeta, caixola, caixote |
| cão | cãozito, canicho, cãozinho |
| canção | cançoneta |
| corpo | corpúsculo, corpete |
| dente | dentículo |
| face | faceta |
| farol | farolete, farolim |
| febre | febrícula |
| filho | filhinho, filhote |
| fita | fitilho |
| flor | florinha, florículo, florzinha |
| folha | folíolo, folheta (o) |
| globo | glóbulo |
| gota | gotícula |
| homem | homúnculo, homenzinho, hominho |
| laje | lajota |
| língua | lingueta |

| livro | livrete(o), livreco |
| lugar | lugarejo, lugarote |
| mala | malote, maleta |
| moça | moçoila |
| namoro | namorico, namorilho |
| nó | nódulo |
| papel | papelete, papelucho, papelinho |
| poema | poemeto |
| povo | poviléu, populacho |
| rapaz | rapazote, rapazelho |
| rio | riacho, ribeiro, regato |
| rua | ruela |
| saia | saiote |
| sino | sineta |
| verso | versículo, verseto |

## >> Testes (IV)

1. (**UFSM-RS**) Identifique a alternativa em que o plural do diminutivo das palavras **escritor**, **informações**, **ligação**, e **material** está de acordo com a língua padrão:

   a) escritorezinhos, informaçãozinhas, ligaçãozinhas, materialzinhos
   b) escritorzinhos, informaçãozinhas, ligaçãozinhas, materialzinhos
   c) escritorezinhos, informaçõezinhas, ligõezinhas, materiaizinhos
   d) escritorezinhos, informaçãozinhas, ligõezinhas, materialzinhos
   e) escritorzinhos, informaçõezinhas, ligõezinhas, materialzinhos

   Na formação do diminutivo plural, coloca-se o substantivo no plural, retira-se a letra *s* e acrescenta-se *-zinho(s)* ou *-zinha(s)*. Por isso, a resposta correta é a "c".

2. (**Mackenzie-SP**) Indique a alternativa que **não** contém um substantivo no grau diminutivo:

a) Todas as moléculas foram conservadas com as propriedades particulares, independentemente da atuação do cientista.
b) O ar senhoril daquele homúnculo transformou-o no centro de atenções na tumultuada assembleia.
c) Através da vitrina da loja, a pequena observava curiosamente os objetos decorativos expostos à venda, por preço bem baratinho.
d) De momento a momento, surgiam curiosas sombras e vultos apressados na silenciosa viela.
e) Enquanto distraía as crianças, a professora tocava flautim, improvisando cantigas alegres e suaves.

Cuidado com a "pegadinha" neste teste: na alternativa "c", a palavra "baratinho" é forma diminutiva de adjetivo (barato), e não de substantivo. Nas demais alternativas, os diminutivos são de substantivos: em "a", "moléculas" < "mol"; em "b", "homúnculo" < "homem"; em "d", "viela" < "via"; e em "e", "flautim" < "flauta". Por isso, a resposta correta é a "c".

3. (Mackenzie-SP) Aponte a frase que **não** contenha um substantivo empregado no grau diminutivo.
   a) Coleciono corpúsculos significativos por princípios óbvios da minha natureza.
   b) Faça questiúnculas, somente se forem suficientes para a formulação de ideias essenciais.
   c) Os silvícolas optaram pelo uso da linguagem fundamentada em gestos e expressões fisionômicas.
   d) O chuvisco contínuo de gracejos sentimentais perturba-me a mente cansada.
   e) Esses versículos poderão complicar sua relação com os visitantes de má política.

Nas demais alternativas, os diminutivos são os seguintes: Em "a", "corpúsculos" é diminutivo de "corpo"; em "b", "questiúnculas" é diminutivo de "questão"; em "c", a palavra "silvícola" (= selvagem) não é forma diminutiva; em "d", "chuvisco" é diminutivo de "chuva"; e, em "e", "versículos" é diminutivo de "verso". Por isso, a resposta correta é a "c".

4. (Fuvest-SP) "O diminutivo é uma maneira ao mesmo tempo afetuosa e precavida de usar a linguagem. Afetuosa porque geralmente o usamos para designar o que é agradável, aquelas coisas tão fáceis que se deixam diminuir sem perder o sentido. E precavida porque também o usamos para desarmar certas palavras que, por sua forma original, são ameaçadoras demais."

(Luis Fernando Verissimo, *Diminutivos*)

A alternativa inteiramente de acordo com a definição do autor de diminutivo é:
a) O iogurtinho que vale por um bifinho.
b) Ser brotinho é sorrir dos homens e rir interminavelmente das mulheres.
c) Gosto muito de te ver, Leãozinho.
d) Essa menininha é terrível.
e) Vamos bater um papinho.

Em "Gosto muito de te ver, Leãozinho", o diminutivo "Leãozinho" é empregado para realçar o grau de afetividade, de carinho existente entre o emissor e o receptor. Ao mesmo tempo, é uma forma precavida que o emissor utilizou a fim de amenizar o caráter ameaçador existente na palavra "leão". Por isso, a resposta correta é a "c".

**5.** (**Fumec-MG**) Em todos os exemplos abaixo o diminutivo traduz ideia de afetividade, exceto:
a) Deixe-me olhar o seu bracinho, minha filha.
b) Para mim você será sempre a queridinha.
c) Amorzinho, você vem comigo?
d) Ele é um empregadinho de nossa firma.
e) Não sei, paizinho, como irei embora.

Em "Ele é um empregadinho de nossa firma", o diminutivo "empregadinho" denota desprezo, sendo, portanto, forma pejorativa, e não afetiva. Por isso, a resposta correta é a "d".

**6.** (**FAI-SP**) Observe as frases abaixo:
1. Que papelão você fez ontem no baile!
2. Vestia uma roupinha muito mixuruca.
3. Gostaria de lhe oferecer uns presentinhos bem mimosos.
4. Não precisa fazer dramalhão mexicano.
5. Eta rapazinho difícil!

Aponte a sequência que apresenta substantivos com mudança de grau usada em sentido pejorativo.

a) 1, 2, 3 e 4
b) 1, 2 e 4
c) 1, 2, 4 e 5
d) 1, 2, 3, 4 e 5
e) 3, 4 e 5

Na frase nº 3, o diminutivo "presentinhos" denota carinho, afetividade do emissor da mensagem. Nas demais alternativas, os aumentativos ou diminutivos traduzem desprezo ou deboche por parte do emissor, sendo, portanto formas pejorativas. Por isso, a resposta correta é a "c".

## 2. Artigo

Recebem o nome de **artigo** as palavras **o**, **a**, **os**, **as**, **um**, **uma**, **uns** e **umas** que se antepõem aos substantivos a fim de determiná-los ou indeterminá-los e, ao mesmo tempo, indicar o gênero e o número a que pertencem. Daí a classificação em **definidos** e **indefinidos**.

- **Artigos definidos**: indicam seres determinados, individualizados:

> Visitamos **o** museu.
> **As** ruas amanheceram úmidas.

- **Artigos indefinidos**: indicam seres de maneira vaga, generalizada:

> **Um** dia irei visitá-lo.
> Comprei **umas** frutas no mercado.

### Emprego do artigo

1. Muitos nomes próprios indicativos de lugar admitem o artigo, outros não:

> **a** Inglaterra, **o** Rio de Janeiro, Portugal, Roma

2. Antes de nomes de pessoas geralmente não se usa artigo:

> Rubinho não teve sorte na última corrida.

> **Observação:** Quando existe a ideia de familiaridade ou afetividade, emprega-se o artigo:
> Vou visitar **o** Alfredo, um velho amigo de infância.

3. Depois do numeral **ambos** é obrigatório o emprego do artigo:

> Analisamos **ambos os** textos.

4. O artigo indefinido pode indicar ideia de aproximação numérica:

> Daqui até à cidade são **uns** três quilômetros.
> (= aproximadamente três quilômetros)

5. Com adjetivos no grau superlativo, pode-se variar a posição do artigo na frase:

> Conheço **as** regiões mais lindas do Brasil.
> Conheço regiões **as** mais lindas do Brasil.

6. Não se emprega o artigo antes de **pronomes de tratamento**, com exceção dos pronomes **senhor(a)**, **senhorita** e **madame**:

> **Vossa Senhoria** será o homenageado da noite.

7. Não se combina com preposição o artigo que integra o nome de jornais, revistas, obras literárias etc.

> Esse caso foi publicado **em O** *Globo*. (e não "no *Globo*")

8. Não se emprega artigo em locuções adverbiais em que figuram as palavras **casa** ou **terra** empregadas sem determinação ou qualificação:

> Ontem não saí **de casa**.
> Os turistas já retornaram a terra.
> (a palavra **a** que antecede **terra** é preposição)

**Observação:** Quando as palavras **casa** e **terra** figuram determinadas ou qualificadas, o emprego do artigo é obrigatório:

> Aquela é **a** casa de meus avós.
> Visitarei **a amada** terra onde nasci.

## >> Testes

**1. (Alerj)** O emprego correto do artigo definido "o" com os nomes dos estados brasileiros é:

a) Acre
b) Goiás
c) Sergipe
d) São Paulo
e) Pernambuco

Em relação a nomes próprios de lugar, alguns admitem artigo, outros não. O substantivo "Acre", por exemplo, admite a anteposição de artigo: "Visitei o Acre nas férias". Os substantivos "Goiás", "Sergipe", "São Paulo" e "Pernambuco" não admitem essa prática. Por isso, a resposta correta é a "a".

**2. (Alerj)** "Foi um **setembro negro**."

No período acima o emprego do artigo antes da expressão destacada é justificado em virtude de ser:

a) usado antes de datas célebres.
b) omitido, em geral, antes das datas do mês.
c) dispensado, principalmente, quando o substantivo é abstrato.
d) colocado antes dos nomes dos meses, quando enunciados no plural.
e) admitido nos nomes de meses acompanhados de um qualificativo.

O artigo indefinido "um", na frase apresentada, foi empregado para substantivar a expressão "setembro negro". Por isso, a resposta correta é a "e".

**3. (Mackenzie-SP)** Assinale a alternativa em que há erro:

a) Li a notícia no *Estado de São Paulo*.
b) Li a notícia em *O Estado de São Paulo*.
c) Essa notícia, eu a li em *A Gazeta*.
d) Vi essa notícia em *A Gazeta*.
e) Foi em *O Estado de São Paulo* que li essa notícia.

>> 94

>> PARTE 2

Nunca se une a preposição com o artigo que faz parte do nome de jornais, revistas e obras literárias. Por isso, a resposta correta é a "a".

**4. (UFU-MG)** Em uma das frases, o artigo definido está empregado erradamente. Em qual?

a) A velha Roma está sendo modernizada.

b) A "Paraíba" é uma bela fragata.

c) Não conheço agora a Lisboa do meu tempo.

d) O gato escaldado tem medo de água fria.

e) O Havre é um porto de muito movimento.

Em "a", o uso está correto porque o substantivo "Roma" está adjetivado; em "b", subentende-se a palavra "embarcação" antes de "Paraíba"; em "c", o substantivo "Lisboa" está adjetivado; em "d", não se usa o artigo em provérbios ou ditos populares; em "e", o nome próprio geográfico "Havre" exige o emprego do artigo. Provavelmente, alguns estudantes, por falta de conhecimento relacionado à cultura geral, seriam levados a marcar esta alternativa, visto "Havre" ser um nome próprio pouco comum. No entanto, a resposta correta é a "d".

**5. (FMU-SP)** Observe as frases seguintes e depois escolha a única alternativa **incorreta**:

I – Com a Ana ele vai brigar.
II – Com Fred ele não vai discutir.

a) A frase I contém um artigo definido, no feminino e no singular, que semanticamente torna **Ana** mais próxima do emissor.

b) A frase I contém um artigo definido, no feminino e no singular, pois antecede um nome próprio de mesmas características morfológicas.

c) No confronto entre a frase I e a frase II pode-se notar a importância do uso estilístico do artigo.

d) A frase II, dispensando o artigo diante do nome próprio, marca o distanciamento entre o referente e o emissor.

e) A frase II, não contendo o artigo definido diante do nome próprio, está errada.

Com nomes de pessoas o emprego do artigo é facultativo. A presença do artigo, no entanto, denota intimidade, familiaridade. Por isso, a resposta correta é a "e".

**6. (Fatec-SP)** Indique o erro quanto ao emprego do artigo.
a) Em certos momentos, as pessoas as mais corajosas se acovardam.
b) Em certos momentos, as pessoas mais corajosas se acovardam.
c) Em certos momentos, pessoas as mais corajosas se acovardam.
d) Em certos momentos, as mais corajosas pessoas se acovardam.
e) N.d.a.

É grave erro repetir o artigo com adjetivos empregados no grau superlativo. São corretas, portanto, as construções das opções "b", "c" e "d". Por isso, a resposta correta é a "a".

## 3. Adjetivo

É a palavra que se refere ao substantivo, atribuindo-lhe qualidade, especificação, estado ou origem:

>   homem **caridoso**
>   carro **barulhento**
>   criança **sadia**
>   vinho **português**

Quanto à estrutura e formação, o adjetivo tem a mesma classificação do substantivo: **simples**, **composto**, **primitivo** e **derivado**.

a) **simples**: possui apenas um radical:

>   alto    belo    real    difícil

b) **composto**: possui dois ou mais radicais:

>   azul-claro    marrom-escuro
>   afro-brasileiro    político-social

c) **primitivo**: não deriva de outra palavra.

>   fácil    pobre    célebre    magro

d) **derivado**: deriva de outra palavra.

>   enlatado    famoso    ilegal    giratório

## Flexão do adjetivo

Como o substantivo, o adjetivo também apresenta as flexões de **gênero**, **número** e **grau**.

### Flexão de gênero

Quanto ao gênero, o adjetivo pode ser **uniforme** ou **biforme**:

a) **biforme**: possui a mesma forma para os dois gêneros, com variação na terminação.

| masculino | feminino |
|---|---|
| aluno **estudioso** | aluna **estudiosa** |
| cantor **bom** | cantora **boa** |
| vinho **gelado** | água **gelada** |
| homem **honesto** | mulher **honesta** |

b) **uniforme**: possui uma única forma para os dois gêneros.

| masculino | feminino |
|---|---|
| povo **feliz** | gente **feliz** |
| amigo **fiel** | amiga **fiel** |
| jogador **veloz** | jogadora **veloz** |
| leite **quente** | água **quente** |

### Flexão de número

No plural, o adjetivo simples é flexionado da mesma maneira que o substantivo simples.

| singular | plural |
|---|---|
| resposta **certa** | respostas **certas** |
| família **feliz** | famílias **felizes** |
| povo **cristão** | povos **cristãos** |
| balconista **gentil** | balconistas **gentis** |

No adjetivo composto, somente o último elemento deve ser flexionado.

| singular | plural |
|---|---|
| mesa **médico-cirúrgica** | mesas **médico-cirúrgicas** |
| ritmo **afro-brasileiro** | ritmos **afro-brasileiros** |
| crise **político-social** | crises **político-sociais** |
| peça **herói-cômica** | peças **herói-cômicas** |

**Observações:**

1ª) Os adjetivos **azul-marinho**, **azul-celeste** e **verde-gaio** não recebem flexão:

saias **azul-marinho**
paredes **azul-celeste**
fitas **verde-gaio**

2ª) São invariáveis os adjetivos compostos indicativos de cor comparada:

tecidos **verde-limão**
painéis **amarelo-ouro**
gravatas **azul-pavão**

3ª) O adjetivo composto **surdo-mudo**, como exceção, recebe flexão nos dois elementos:

meninos **surdos-mudos**
meninas **surdas-mudas**

4ª) Permanecem invariáveis os substantivos empregados como adjetivos:

camisas **palha**
cortinas **cinza**
blusas **laranja**

## >> Testes (I)

**1. (Alerj)** A frase que contém um adjetivo é:

a) A necessidade fez isto do homem.
b) Todos lutam para ter a liberdade.
c) A televisão nos mostra o mundo.
d) Ele usa um topete escandaloso.
e) Gostaria de ficar com você.

Em "Ele usa um topete escandaloso", a palavra "escandaloso" é adjetivo, caracterizador do substantivo "topete". Nas demais alternativas não há adjetivo. Por isso, a resposta correta é a "d".

**2. (TRT-PR)** "*O uniforme verde-oliva era mais bonito do que o verde-claro.*"

Passando a oração para o plural, temos:

a) Os uniformes verdes-olivas eram mais bonitos do que os verdes-claros.
b) Os uniformes verdes-oliva eram mais bonitos do que os verdes-claros.
c) Os uniformes verde-olivas eram mais bonitos do que os verdes-claros.
d) Os uniformes verde-oliva eram mais bonitos do que os verde-claros.
e) Os uniformes verde-oliva eram mais bonitos do que os verde-claro.

Somente o último elemento de um adjetivo composto deve ser flexionado: "uniformes verde-claros". Todavia, na indicação de cor comparada, o adjetivo composto deve permanecer invariável: "uniformes verde-oliva". Por isso, a resposta correta é a "d".

**3. (Esaf)** O plural de "Convém o tratado franco-brasileiro" é:

a) Convém os tratados franco-brasileiro.
b) Convém os tratados francos-brasileiros.
c) Convêm os tratados francos-brasileiros.
d) Convêm os tratados franco-brasileiro.
e) Convêm os tratados franco-brasileiros.

O plural de "convém" é "convêm", concordando com o núcleo do sujeito "tratados". O plural de "franco-brasileiro" é "franco-brasileiros" por se tratar de um adjetivo composto (somente o último elemento recebe flexão). Por isso, a resposta correta é a "e".

**4. (TRF-RJ)** Os acordos _____ dispensam interpretações de natureza _____ .

a) lusos-brasileiros – filosófico-científica
b) lusos-brasileiro – filosófica-científicas
c) luso-brasileiros – filosófico-científica
d) lusos-brasileiros – filosófica-científica
e) luso-brasileiros – filosófica-científicas

O adjetivo composto recebe flexão apenas no último elemento. Assim, as formas corretas são "acordos luso-brasileiros" e "natureza filosófico-científica". Observe que o adjetivo "filosófico-científica" concorda com o substantivo "natureza", e não com "interpretações", como leva a crer as alternativas "b" e "e". Por isso, a resposta correta é a "c".

**5. (Unifor-CE)** Preencher a alternativa correta:

"Algumas agremiações do bairro realizavam várias atividades _____".

a) políticas-partidária
b) políticos-partidárias
c) políticas-partidárias
d) político-partidárias
e) política-partidárias

Somente o último elemento do adjetivo composto deve concordar com o substantivo ao qual se refere. Por isso, a resposta correta é a "d".

**6. (Cesgranrio-RJ)** Assinale a opção em que todos os adjetivos não se flexionam em gênero.

a) delgado, móbil, forte
b) oval, preto, simples
c) feroz, exterior, enorme
d) brilhante, agradável, esbelto
e) imóvel, curto, superior

Em "a", "delgado" é biforme; "móbil" e "forte" são uniformes; em "b", "oval" e "simples" são uniformes; "preto" é biforme; em "c", os adjetivos "feroz", "exterior" e "enorme" são uniformes, ou seja, possuem uma única forma que se aplica tanto a substantivos masculinos como a femininos; em "d", "brilhante" e "agradável" são uniformes; "esbelto" é biforme; em "e", "imóvel" é uniforme; "curto" e "superior" são uniformes (note que o adjetivo "superior" geralmente é invariável. Na acepção de "dirigente de um convento", flexiona-se normalmente: "superiora"). Por isso, a resposta correta é a "c".

**7. (FGV-SP)** Assinale a alternativa em que a palavra destacada **não** tem valor de adjetivo:

a) A malha **azul** estava molhada
b) O sol desbotou o **verde** da bandeira.
c) Tinha os cabelos **branco-amarelados**.
d) As nuvens tornavam-se **cinzentas**.
e) O mendigo carregava um fardo **amarelado**.

Na segunda alternativa, a palavra "verde" está substantivada pelo artigo definido "o". Trata-se de uma derivação imprópria (= mudança de classe gramatical de uma palavra). Por isso, a resposta correta é a "b".

**8. (ITA-SP)** O plural de **terno azul-claro**, **terno verde-mar** é, respectivamente:

a) ternos azuis-claros, ternos verdes-mares
b) ternos azuis-claros, ternos verde-mares
c) ternos azul-claro, ternos verde-mar
d) ternos azul-claros, ternos verde-mar
e) ternos azuis-claro, ternos verde-mar

Apenas o último elemento de um adjetivo composto deve ser flexionado: "ternos azul-claros". Na indicação de cor comparada, o adjetivo composto deve permanecer invariável: "ternos verde-mar". Por isso, a resposta correta é a "d".

## Flexão de grau

O grau do adjetivo indica a maior ou a menor intensidade de uma qualidade ou característica atribuída a um substantivo. Assim, o grau do adjetivo pode ser **comparativo** ou **superlativo**.

*Grau comparativo*

Estabelece a comparação de características entre dois ou mais seres. Pode ser:

a) **de igualdade**:

Esse homem é **tão rico** quanto o irmão.

b) **de inferioridade**:

Esse homem é **menos rico** (do) que o irmão.

c) **de superioridade:**

    Esse homem é **mais rico** (do) que o irmão.

*Grau superlativo*

Estabelece uma intensificação do significado do adjetivo. Ocorre das seguintes maneiras:

a) **relativo**: relaciona a característica de um ser em relação a outros. Poder ser:
- **de inferioridade**:

    Esse homem é **o menos rico** dos irmãos.

- **de superioridade**:

    Esse homem é **o mais rico** dos irmãos.

b) **absoluto**: a característica de um ser é intensificada sem relação com outros seres. Pode ser:
- **analítico**: a intensificação se faz com auxílio de um advérbio de intensidade:

    Esse homem é **muito rico**.

- **sintético**: a intensificação se faz com auxílio de um sufixo:

    Esse homem é **riquíssimo**.

Alguns comparativos e superlativos apresentam formas especiais. Observe o quadro:

| adjetivo | comparativo | superlativo |
|---|---|---|
| bom | melhor | ótimo |
| mau | pior | péssimo |
| grande | maior | máximo |
| pequeno | menor | mínimo |
| alto | superior | supremo |
| baixo | inferior | ínfimo |

**Observações:**

1ª) Comparando-se características de um mesmo ser, podem-se empregar as formas **mais bom**, **mais mau**, **mais grande**:

> Ele é **mais bom** (do) que inteligente.
> Ele é **mais mau** (do) que caridoso.
> João é **mais grande** (do) que gordo.

2ª) Além da forma **menor**, admite-se também o emprego de **mais pequeno**, mais comum em Portugal:

> Aquele goleiro é **mais pequeno** do que os zagueiros.

Observe, no quadro seguinte, alguns adjetivos no grau superlativo absoluto sintético:

| | |
|---|---|
| ágil | agílimo, agilíssimo |
| agradável | agradabilíssimo |
| agudo | acutíssimo, agudíssimo |
| alto | supremo, sumo, altíssimo |
| amargo | amaríssimo, amarguíssimo |
| amável | amabilíssimo |
| amigo | amicíssimo |
| antigo | antiquíssimo |
| áspero | aspérrimo, asperíssimo |
| audaz | audacíssimo |
| baixo | ínfimo, baixíssimo |
| bom | ótimo, boníssimo |
| capaz | capacíssimo |
| célebre | celebérrimo |
| comum | comuníssimo |
| cruel | crudelíssimo |

| | |
|---|---|
| difícil | dificílimo |
| doce | dulcíssimo, docíssimo |
| fácil | facílimo |
| feroz | ferocíssimo |
| fiel | fidelíssimo |
| frágil | fragílimo, fragilíssimo |
| frio | frigidíssimo, friíssimo |
| grande | máximo, grandíssimo |
| horrível | horribilíssimo |
| humilde | humílimo, humildíssimo |
| incrível | incredibilíssimo |
| infiel | infidelíssimo |
| inimigo | inimicíssimo |
| livre | libérrimo, livríssimo |
| magro | macérrimo, magríssimo |
| mau | péssimo, malíssimo |
| miserável | miserabilíssimo |
| mísero | misérrimo |
| negro | nigérrimo, negríssimo |
| nobre | nobilíssimo |
| pequeno | mínimo, pequeníssimo |
| pessoal | personalíssimo |
| pobre | paupérrimo, pobríssimo |
| possível | possibilíssimo |
| próspero | prospérrimo |
| provável | probabilíssimo |
| sábio | sapientíssimo |
| sensível | sensibilíssimo |
| sério | seriíssimo |
| simpático | simpaticíssimo |
| simples | simplicíssimo, simplíssimo |
| veloz | velocíssimo |

## Locução adjetiva

É o grupo de palavras formado de preposição e de substantivo apresentando valor de adjetivo:

leite **de cabra** (= **caprino**)    fratura **de crânio** (= **craniana**)

Veja, no quadro seguinte, algumas locuções adjetivas importantes:

| | |
|---|---|
| de abdômen | abdominal |
| de abelha | apícola |
| de águia | aquilino |
| de aluno | discente |
| de baço | esplênico |
| de bispo | episcopal |
| de boca | bucal, oral |
| de bronze | brônzeo, êneo |
| de cabeça | cefálico |
| de cabelo | capilar |
| de cabra | caprino |
| de campo | rural, campesino |
| de cavalo | equino, hípico |
| de chumbo | plúmbeo |
| de chuva | pluvial |
| de cidade | citadino, urbano |
| de cobra | viperino, ofídico |
| de cobre | cúprico |
| de coração | cardíaco, cordial |
| de criança | pueril, infantil |
| de dedo | digital |
| de estômago | estomacal, gástrico |
| de estrela | estelar |
| de fábrica | fabril |
| de fígado | hepático, figadal |

| | |
|---|---|
| de fogo | ígneo |
| de garganta | gutural |
| de gato | felino |
| de gelo | glacial |
| de guerra | bélico |
| de idade | etário |
| de ilha | insular |
| de inverno | hibernal |
| de irmão | fraternal |
| de lago | lacustre |
| de leão | leonino |
| de lebre | leporino |
| de leite | lácteo |
| de lobo | lupino |
| de mãe | maternal, materno |
| de marfim | ebúrneo, ebóreo |
| de mestre | magistral |
| de monge | monacal, monástico |
| de morte | mortífero, letal |
| de nádegas | glúteo |
| de nariz | nasal |
| de olho | ocular, óptico, oftálmico |
| de ouro | áureo |
| de ouvido | ótico |
| de ovelha | ovino |
| de paixão | passional |
| de pântano | palustre |
| de pedra | pétreo |
| de peixe | písceo |
| de pescoço | cervical |
| de porco | suíno |
| de prata | argênteo |
| de professor | docente |

| de pus | purulento |
| --- | --- |
| dos quadris | ciático |
| de rim | renal |
| de rio | fluvial |
| de selo | filatélico |
| de selva | silvestre |
| de sonho | onírico |
| da terra | telúrico |
| de terremoto | sísmico |
| de touro | taurino |
| de umbigo | umbilical |
| de velho | senil |
| de vento | eólio, eólico |
| de vontade | volitivo |

## Adjetivo pátrio

Indica origem, procedência de um ser em relação a um lugar:

vinho **português**   navio **italiano**   porto **brasileiro**

Observe, no quadro seguinte, alguns adjetivos pátrios importantes:

| Acre | acriano |
| --- | --- |
| Afeganistão | afegane, afegão |
| Alagoas | alagoano |
| Amapá | amapaense |
| Amazonas | amazonense |
| Angola | angolano, angolense |
| Austrália | australiano |
| Áustria | austríaco |
| Bahia | baiano |

| | |
|---|---|
| Belém (Palestina) | belemita |
| Belém (Pará) | belenense |
| Brasília | brasiliense |
| Buenos Aires | portenho ou buenairense |
| Cairo | cairota |
| Calábria | calabrês |
| Ceará | cearense |
| Chipre | cipriota |
| Creta | cretense |
| Croácia | croata |
| El Salvador | salvadorenho |
| Espírito Santo | espírito-santense, capixaba |
| Etiópia | etíope |
| Fernando de Noronha | noronhense |
| Flandres | flamengo |
| Florença | florentino |
| Gália | gaulês |
| Goiás | goiano |
| Grécia | grego, helênico |
| Índia | indiano, hindu |
| Japão | japonês, nipônico |
| Jerusalém | hierosolimitano, hierosolimita, jerosolimita |
| Madagáscar | madagascarense, malgaxe |
| Manaus | manauense, manauara |
| Marajó | marajoara |
| Maranhão | maranhense |
| Mato Grosso | mato-grossense |
| Mato Grosso do Sul | mato-grossense-do-sul |
| Minas Gerais | mineiro |
| Moscou | moscovita |

| | |
|---|---|
| Nova Zelândia | neozelandês |
| Panamá | panamenho |
| Pará | paraense |
| Paraíba | paraibano |
| Paraná | paranaense |
| Parma | parmesão |
| Pequim | pequinês |
| Pernambuco | pernambucano |
| Piauí | piauiense |
| Porto Alegre | porto-alegrense |
| Porto Rico | porto-riquenho |
| Provença | provençal |
| Rio de Janeiro (cidade) | carioca |
| Rio de Janeiro (estado) | fluminense |
| Rio Grande do Norte | rio-grandense-do-norte, norte-rio-grandense, potiguar |
| Rio Grande do Sul | rio-grandense-do-sul, sul-rio-grandense, gaúcho |
| Rondônia | rondoniense |
| Roraima | roraimense |
| Salvador | salvadorense, soteropolitano |
| Santa Catarina | catarinense, barriga-verde |
| São Paulo (cidade) | paulistano |
| São Paulo (estado) | paulista |
| Sardenha | sardo |
| Sergipe | sergipano |
| Terra do Fogo | fueguino |
| Tibete | tibetano |
| Tirol | tirolês |
| Tocantins | tocantinense |
| Três Corações | tricordiano |

## >> Testes (II)

**1.** **(TJ-SP)** Assinale a alternativa em que se respeitam as normas cultas de flexão de grau.

a) Nas situações críticas, protegia o colega de quem era amiguíssimo.
b) Mesmo sendo o Canadá friosíssimo, optou por permanecer lá durante as férias.
c) No salto, sem concorrentes, seu salto era melhor de todos.
d) Diante dos problemas, ansiava por um resultado mais bom que ruim.
e) Comprou uns copos baratos, de cristal, da mais malíssima qualidade.

Em "a", o correto seria "amicíssimo"; em "b", "friíssimo" ou "frigidíssimo"; em "c", faltou o artigo definido "o": "o melhor"; em "d", a forma "mais bom" pode ser empregada quando se comparam características de um mesmo ser. A "pegadinha" está aí: normalmente se associa ao adjetivo "bom" o comparativo "melhor". A estranheza ao ler "mais bom" pode levar o estudante a pensar que esta alternativa não responde corretamente o teste, o que não é verdade. Em "e", a flexão de grau de "má" é, no caso, "péssima". Por isso, a resposta correta é a "d".

**2.** **(TRT-RJ)** A forma do superlativo está **incorreta** na frase da seguinte alternativa:

a) Comíamos tão pouco que ficamos **magríssimos**.
b) Todos o consideravam **sapientíssimo**.
c) Era um leitor compulsivo, **voracíssimo**.
d) Depois da publicação do romance ficou **celebérrimo**.
e) Após o golpe, tornou-se um ditador **cruelíssimo**.

>> 110

Em "a", "magríssimos" ou "macérrimos" são superlativos de "magro"; em "b", "sapientíssimo" é o superlativo de "sábio"; em "c", "voracíssimo" é de "voraz"; e, em "d", "celebérrimo" é o superlativo de "célebre". Na última alternativa, a forma correta do superlativo absoluto sintético de "cruel" é "crudelíssimo". Por isso, a resposta correta é a "e".

**3. (ACP-SP)** Das relações substantivos/adjetivos apresentadas, uma está **errada**. Aponte-a.

a) asno: asnino
b) ave-de-rapina: acipitrino
c) bronze: êneo
d) esposa: uxório

O adjetivo correspondente a "asno" é "asinino". Em "b", relativo a "ave-de-rapina" é "acipitrino" ou "acipritiano"; em "c", relativo a bronze é "êneo" ou "brônzeo"; em "d", relativo à esposa é "uxório". Por isso, a resposta correta é a "a".

**4. (ACP-SP)** Aponte a alternativa em que o superlativo dos adjetivos **célere**, **pio** e **pobre** estão corretos.

a) celerílimo – pientíssimo – paupérrimo
b) celérrimo – piíssimo – pobríssimo
c) celeríssimo – pissérrimo – pobrílimo
d) celerílimo – piissérrimo – paupérrimo

O superlativo absoluto sintético de "célere" (= "veloz", "rápido") é "celérrimo" ou "celeríssimo"; de "pio" (= "piedoso") é "piíssimo" ou "pientíssimo"; de "pobre" é "pobríssimo" ou "paupérrimo". Por isso, a resposta correta é a "b".

**5. (ITA-SP)** Dadas as afirmações de que quem nasce em

1) Lima é limenho
2) Buenos Aires é buenairense
3) Jerusalém é hierosolimitano

Verificamos que está(estão) correta(s):
a) apenas a afirmação nº 1
b) apenas a afirmação nº 2
c) apenas a afirmação nº 3
d) apenas as afirmações nºs 1 e 2
e) todas as afirmações

O natural de Lima é limenho; de Buenos Aires, buenairense ou portenho; de Jerusalém, hierosolimitano, jerosolimita ou hierosolimita. Por isso, a resposta correta é a "e".

**6. (ITA-SP)** Dadas as afirmações

1) O superlativo absoluto sintético de **ágil** é **agíssimo** ou **agílimo**.
2) O grau diminutivo sintético de **colher** é **colherzinha** ou **colherinha**.
3) O grau diminutivo sintético de **chapéus** é **chapéisinhos**.

Constatamos que está(estão) correta(s):

a) apenas a afirmação nº 1
b) apenas a afirmação nº 2
c) apenas a afirmação nº 3
d) todas as afirmações
e) n.d.a.

Dado que o superlativo absoluto de "ágil" é apenas "agílimo", e que o grau diminutivo sintético de "chapéus" é "chapeuzinhos", apenas a afirmação 2 está certa. Por isso, a resposta correta é a "b".

**7. (FGV-SP)** Aponte a alternativa que traz os superlativos absolutos sintéticos de acordo com a norma culta.

a) celebérrimo, crudelésimo, dulcíssimo, nigérrimo, nobilíssimo
b) celebésimo, crudelíssimo, dulcíssimo, nigérrimo, nobérrimo
c) celebérrimo, crudelíssimo, dulcíssimo, nigérrimo, nobilíssimo
d) celebríssimo, cruelérrimo, dulcésimo, negérrimo, nobérrimo
e) celebríssimo, crudelérrimo, dulcísimo, negérrimo, nobérrimo

O superlativo absoluto sintético de "célebre" é "celebérrimo", do latim *celeber*; de "cruel" é "crudelíssimo", do latim *crudele*; de "doce" é "dulcíssimo", do latim *dulce*; de "negro" é "nigérrimo", do latim *nigru*; de "nobre" é "nobilíssimo", do latim *nobili*. Por isso, a resposta correta é a "c".

**8. (Unisinos-RS)** O item em que a locução adjetiva **não** corresponde ao adjetivo dado é:

a) hibernal: de inverno
b) filatélico: de folhas
c) discente: de alunos
d) docente: de professor
e) onírico: de sonho

O adjetivo "filatélico" corresponde à locução adjetiva "de selos". Por isso, a resposta correta é a "b".

## 4. Numeral

É a palavra que indica a quantidade dos seres ou assinala o lugar que eles ocupam em uma determinada série. Assim, os numerais podem ser:

a) **cardinais** – são os números básicos: um, dois, três, quatro etc.
b) **ordinais** – indicam a ordem de sucessão dos seres numa determinada série: primeiro, segundo, terceiro, quarto etc.
c) **fracionários** – indicam a diminuição proporcional da quantidade, a sua divisão: meio ou metade, um terço, um quarto etc.
d) **multiplicativos** – indicam o aumento proporcional da quantidade, a sua multiplicação: duplo ou dobro, triplo, quádruplo etc.

Veja, a seguir, o quadro geral dos numerais:

| algarismos | | numerais | | | |
|---|---|---|---|---|---|
| arábicos | romanos | cardinais | ordinais | fracionários | multiplicativos |
| 1 | I | um | primeiro | — | — |
| 2 | II | dois | segundo | meio/metade | duplo/dobro/dúplice |
| 3 | III | três | terceiro | um terço | triplo |
| 4 | IV | quatro | quarto | um quarto | quádruplo |
| 5 | V | cinco | quinto | um quinto | quíntuplo |
| 6 | VI | seis | sexto | um sexto | sêxtuplo |
| 7 | VII | sete | sétimo | um sétimo | sétuplo |
| 8 | VIII | oito | oitavo | um oitavo | óctuplo |
| 9 | IX | nove | nono | um nono | nônuplo |
| 11 | XI | onze | décimo primeiro | um onze avos | undécuplo |
| 12 | XII | doze | décimo segundo | um doze avos | duodécuplo |

| algarismos || numerais ||||
|---|---|---|---|---|---|
| arábicos | romanos | cardinais | ordinais | fracionários | multiplicativos |
| 13 | XIII | treze | décimo terceiro | um treze avos | — |
| 14 | XIV | quatorze | décimo quarto | um quatorze avos | — |
| 15 | XV | quinze | décimo quinto | um quinze avos | — |
| 16 | XVI | dezesseis | décimo sexto | um dezesseis avos | — |
| 17 | XVII | dezessete | décimo sétimo | um dezessete avos | — |
| 18 | XVIII | dezoito | décimo oitavo | um dezoito avos | — |
| 19 | XIX | dezenove | décimo nono | um dezenove avos | — |
| 20 | XX | vinte | vigésimo | um vinte avos | — |
| 30 | XXX | trinta | trigésimo | um trinta avos | — |
| 40 | XL | quarenta | quadragésimo | um quarenta avos | — |
| 50 | L | cinquenta | quinquagésimo | um cinquenta avos | — |
| 60 | LX | sessenta | sexagésimo | um sessenta avos | — |
| 70 | LXX | setenta | septuagésimo | um setenta avos | — |
| 80 | LXXX | oitenta | octogésimo | um oitenta avos | — |
| 90 | XC | noventa | nonagésimo | um noventa avos | — |
| 100 | C | cem, cento | centésimo | um centésimo | cêntuplo |
| 101 | CI | cento e um | centésimo primeiro | cento e um avos | — |
| 200 | CC | duzentos | ducentésimo | um duzentos avos | — |
| 300 | CCC | trezentos | trecentésimo | um trezentos avos | — |
| 400 | CD | quatrocentos | quadringentésimo | um quatrocentos avos | — |
| 500 | D | quinhentos | quingentésimo | um quinhentos avos | — |
| 600 | DC | seiscentos | sexcentésimo | um seiscentos avos | — |

>> PARTE 2

| algarismos | | numerais | | | |
|---|---|---|---|---|---|
| arábicos | romanos | cardinais | ordinais | fracionários | multiplicativos |
| 700 | DCC | setecentos | septingentésimo | um setecentos avos | — |
| 800 | DCCC | oitocentos | octingentésimo | um oitocentos avos | — |
| 900 | CM | novecentos | nongentésimo | um novecentos avos | — |
| 1 000 | M | mil | milésimo | um milésimo | — |
| 1 000 000 | M̄ | milhão | milionésimo | um milionésimo | — |
| 1 000 000 000 | M̿ | bilhão | bilionésimo | um bilionésimo | — |

**Observações:**

1ª) Na designação de reis, papas, séculos, capítulos de uma obra, empregam-se os **ordinais** até **dez**; de **onze** em diante, empregam-se os cardinais, desde que figurem após um substantivo:

D. Pedro **I** (primeiro)
Luiz **XV** (quinze)
Papa João Paulo **VI** (sexto)
Papa Bento **XVI** (dezesseis)
capítulo **X** (décimo)
capítulo **XII** (doze)

2ª) Na numeração de portarias, decretos, leis, artigos e outros textos oficiais, empregam-se os **ordinais** até **nono** e os cardinais de **dez** em diante:

artigo **5º** (quinto)
parágrafo **9º** (nono)
artigo **10** (dez)
parágrafo **15** (quinze)

3ª) Na leitura e escrita dos cardinais, deve-se intercalar a conjunção "e" entre as unidades, as dezenas e as centenas:

25 = vinte **e** cinco
139 = cento **e** trinta **e** nove
48 = quarenta **e** oito
925 = novecentos **e** vinte **e** cinco

4ª) Nos números de mais de quatro algarismos, não se intercala a conjunção entre o milhar e a centena:

4 945 = quatro mil novecentos **e** quarenta **e** cinco

5ª) Quando a centena começa por zero ou termina por dois zeros, emprega-se obrigatoriamente a conjunção:

2 045 = dois mil **e** quarenta **e** cinco
4 500 = quatro mil **e** quinhentos

6ª) Em números longos, não se emprega a conjunção entre cada grupo de três algarismos:

5 226 345 673 = cinco bilhões,
duzentos **e** vinte **e** seis milhões,
trezentos **e** quarenta **e** cinco mil seiscentos
**e** setenta **e** três

## >> Testes

**1. (ACP-SP)** Em qual das alternativas o numeral cardinal não corresponde ao ordinal?

a) sexcentésimo octogésimo sexto – 6 086
b) sexagésimo quarto – 64
c) ducentésimo vigésimo terceiro – 223
d) quadringentésimo sexagésimo quarto – 464

"Sexcentésimo octogésimo sexto" corresponde a 686. O ordinal correspondente a 6 086 é "seis milésimos (ou sexto milésimo) octogésimo sexto". Por isso, a resposta correta é a "a".

**2. (Alerj)** A alternativa que apresenta um vocábulo numeral cardinal é:

a) a quinta casa
b) o triplo de folhas
c) a folha vinte e um
d) a metade do caminho
e) o capítulo quadragésimo primeiro

Numeral cardinal é o que indica quantidade determinada. Em "a", "quinta" é ordinal; em "b", "triplo" é multiplicativo; em "d", "metade" é fracionário; em "e", "quadragésimo primeiro" é ordinal. Por isso, a resposta correta é a "c".

**3. (Telerj)** Assinale a alternativa em que o numeral tem valor hiperbólico:

a) Naquele estádio havia quinhentas pessoas.
b) Mais de cem milhões de brasileiros choraram.
c) "Com mil demônios" – praguejou ele, diante do acidente fatal.
d) Ele foi o quadragésimo colocado.
e) Cinco oitavos do prêmio couberam a mim.

Em "Com mil demônios", o numeral "mil" não expressa quantidade determinada. Nessa expressão, o numeral tem valor hiperbólico porque engrandece exageradamente a verdade daquilo que se deseja exprimir. Esse recurso recebe o nome de "hipérbole", conforme veremos no capítulo destinado a figuras de linguagem. Por isso, a resposta correta é a "c".

4. **(FVE-SP)** Assinale o item em que o numeral ordinal, por extenso, esteja correto:
   a) 2 866º – dois milésimos, octogésimo, sexagésimo sexto.
   b) 6 222º – sexto milésimo, ducentésimo, vigésimo segundo.
   c) 3 478º – três milésimos, quadrigentésimo, septuagésimo oitavo.
   d) 1 899º – milésimo, octogésimo, nongentésimo nono.
   e) 989º – nonagésimo, octogésimo nono.

   Em "a", o correto é dois milésimos, octingentésimo, sexagésimo sexto; em "c", três milésimos, quadringentésimo, septuagésimo oitavo; em "d", milésimo, octingentésimo, nonagésimo nono; e, em "e", nongentésimo (ou noningentésimo), octogésimo nono. Por isso, a resposta correta é a "b".

5. **(FVE-SP)** Indique o item em que os numerais estão corretamente empregados.
   a) Ao Papa Paulo seis sucedeu João Paulo primeiro.
   b) Após o parágrafo nono virá o parágrafo décimo.
   c) Depois do capítulo sexto, li o capítulo décimo primeiro.
   d) Antes do artigo dez vem o artigo nono.
   e) O artigo vigésimo segundo foi revogado.

   Em "a", o correto é "Ao Papa Paulo sexto"; em "b", "virá o parágrafo dez"; em "c", "li o capítulo onze"; e, em "e", "O artigo vinte e dois". Na penúltima alternativa, usou-se a regra de numeração de portarias, decretos, leis, artigos e outros textos oficiais, nos quais se empregam os ordinais até nono e os cardinais a partir do dez. Por isso, a resposta correta é a "d".

6. **(Ufes)** Milhão tem como ordinal correspondente milionésimo. A relação entre cardinais se apresenta inadequada na opção:
   a) cinquenta – quinquagésimo
      novecentos e um – nongentésimo primeiro
   b) setenta – setuagésimo
      quatrocentos e trinta – quadringentésimo trigésimo
   c) oitenta – octingentésimo
      trezentos e vinte – trecentésimo vigésimo
   d) quarenta – quadragésimo
      duzentos e quatro – ducentésimo quarto
   e) noventa – nonagésimo
      seiscentos e sessenta – sexcentésimo sexagésimo

O numeral ordinal correspondente a "oitenta" é "octogésimo"; "octingentésimo" corresponde a "oitocentos". Por isso, a resposta correta é a "c".

**7. (Vunesp)** Identifique o caso em que não haja expressão numérica de sentido indefinido:

a) Ele é o duodécuplo colocado.
b) Quer que veja esse filme pela milésima vez?
c) "Na guerra os meus dedos dispararam mil mortes."
d) "A vida tem uma só entrada, a saída é por cem portas."
e) n.d.a.

Em "Ele é o duodécuplo colocado", o numeral "duodécuplo", sinônimo de "décimo segundo", expressa quantidade determinada. Nas demais alternativas, os numerais têm valor hiperbólico, ou seja, engrandecem exageradamente uma expressão. Por isso, a resposta correta é a "a".

**8. (FMU-SP)** Triplo e tríplice são numerais:

a) ordinal o primeiro e multiplicativo o segundo.
b) ambos ordinais.
c) ambos cardinais.
d) ambos multiplicativos.
e) multiplicativo o primeiro e ordinal o segundo.

As formas "triplo" e "tríplice" correspondem a "três vezes mais ou maior". São, portanto, numerais multiplicativos de "três". Por isso, a resposta correta é a "d".

## 5. Pronome

É a palavra que substitui ou acompanha o substantivo, considerando-o apenas como pessoa do discurso. No primeiro caso, chama-se **pronome substantivo**; no segundo, **pronome adjetivo**. Exemplos:

É importante que **todos** compareçam à **nossa** festa.

*pronome substantivo*   *pronome adjetivo*

Os pronomes classificam-se em **pessoais**, **possessivos**, **demonstrativos**, **indefinidos**, **interrogativos** e **relativos**.

## Pronomes pessoais

Indicam uma das três pessoas do discurso.

Observe no quadro abaixo a subdivisão dos pronomes pessoais:

| pessoas do discurso | | retos | oblíquos átonos | oblíquos tônicos |
|---|---|---|---|---|
| singular | 1ª pessoa | eu | me | mim, comigo |
| | 2ª pessoa | tu | te | ti, contigo |
| | 3ª pessoa | ele/ela | se, o, a, lhe | si, consigo, ele, ela |
| plural | 1ª pessoa | nós | nos | nós, conosco |
| | 2ª pessoa | vós | vos | vós, convosco |
| | 3ª pessoa | eles/elas | se, os, as, lhes | si, consigo, eles, elas |

### Emprego dos pronomes pessoais

a) Os pronomes pessoais **retos** exercem a função sintática de **sujeito** e os **oblíquos**, de **complementos verbais**:

> "Ninguém vai me acorrentar
> Enquanto eu puder cantar
> Enquanto eu puder sorrir
> Enquanto eu puder cantar
> Alguém vai ter que me ouvir
> Enquanto eu puder cantar."
>
> Chico Buarque

b) Os pronomes **eu** e **tu** nunca podem ser regidos de preposição. Devemos substituí-los pelas formas **mim** e **ti**, respectivamente:

> No palco, fique entre **mim** e o apresentador.
> Já não espero mais nada de **ti**.

c) Os pronomes **oblíquos** apresentam duas formas:

- **átonos** – são empregados sempre sem preposição:

> Jamais **te** darei outra oportunidade.
> Perguntaram-**me** se sou casado.

- **tônicos** – são sempre regidos de preposição:

> Há profunda amizade **entre ti** e ele.
> Ela sempre confiou **em mim**.

d) Os pronomes **o**, **a**, **os** e **as** exercem a função de **objeto direto**; **lhe** e **lhes**, a de **objeto indireto**: ou **complemento nominal:**

Encontrei **alguns amigos** na praia. → Encontrei-**os** na praia.
Sempre obedeci **aos meus pais**. → Sempre **lhes** obedeci.
A decisão foi favorável **ao aluno**. → A decisã foi-**lhe** favorável

e) Os pronomes **o**, **a**, **os** e **as** assumem as formas **lo**, **la**, **los** e **las** após as formas verbais terminadas em **r**, **s** ou **z**:

Devo resolver **este problema**. → Devo resolvê-**lo**.
Vou levar **as crianças** ao parque. → Vou levá-**las** ao parque.
A Argentina produz **bons vinhos**. → A Argentina produ-**los**.

f) Com as formas verbais terminadas em som nasal, os pronomes **o**, **a**, **os** e **as** assumem as formas **no**, **na**, **nos** e **nas**:

Detiveram **o ladrão** na porta do banco. → Detiveram-**no** na porta do banco.

Acompanharam **as visitas** até a porta. → Acompanharam-**nas** até a porta.

g) Quando o pronome oblíquo se refere à mesma pessoa do pronome reto, ele é denominado **reflexivo**:

> Feri-**me** com uma faca.
> (= Feri a mim mesmo.)
>
> Amélia admirava-**se** no espelho.
> (= Admirava a si mesma.)

h) Os pronomes **nos**, **vos** e **se**, quando indicam ação mútua, denominam-se **recíprocos**:

> Os noivos deram-**se** as mãos. (= Deram as mãos **um ao outro**.)

i) Os pronomes **si** e **consigo** só podem ser empregados como reflexivos:

> Aquela vaidosa garota só pensa em si.
> Sempre leve consigo seus documentos.

j) Deveremos empregar as formas **com nós** e **com vós** quando aparecerem seguidas de palavras enfáticas como **mesmos**, **próprios**, **todos**, **outros** ou qualquer numeral:

> Você viajará com nós todos.
> Irei com vós mesmos.
> Ela irá com nós três ao teatro.

l) Os pronomes **me**, **te**, **lhe**, **nos** e **vos** podem apresentar valor possessivo:

> Roubaram-**me** os documentos. (= **meus** documentos)
> Beijei-**lhe** delicadamente a testa. (= **sua** testa)

Entre os pronomes pessoais, incluem-se os **pronomes pessoais de tratamento**. Veja, a seguir, alguns desses pronomes com as respectivas abreviaturas.

| pronome | abreviatura singular | abreviatura plural | emprego |
|---|---|---|---|
| você | v. | — | Tratamento íntimo, familiar |
| Vossa Alteza | V. A. | VV. AA. | Príncipes, princesas, duques |
| Vossa Eminência | V. Em.ª | V. Em.ªˢ | Cardeais |
| Vossa Excelência | V. Ex.ª | V. Ex.ªˢ | Altas autoridades do governo e oficiais das Forças Armadas |
| Vossa Magnificência | V. Mag.ª | V. Mag.ªˢ | Reitores de universidades |
| Vossa Majestade | V. Mª | VV. MM. | Reis, imperadores |
| Vossa Meritíssima | Usado por extenso | | Juízes de direito |
| Vossa Reverendíssima | V. Rev.ᵐᵃ | V. Rev.ᵐᵃˢ | Sacerdotes |
| Vossa Senhoria | V. S.ª | V. S.ªˢ | Altas autoridades (É bastante frequente na correspondência comercial.) |
| Vossa Santidade | V. S. | — | Papa |
| Senhor, Senhora | Sr./Sr.ª | Sr.ˢ/Sr.ªˢ | Tratamento respeitoso em geral |

>> classes de palavras

**Observações:**

1ª) Essas formas são empregadas quando nos dirigimos ao interlocutor:

> Senhor Secretário, **Vossa** Senhoria pode receber-me agora?

2ª) Quando nos referimos à pessoa de quem falamos, substituímos **Vossa** por **Sua**:

> Quantas vezes **Sua** Excelência, o presidente, já esteve na Europa?

## >> Testes (I)

**1. (TRE-RO)** Observe as frases:
   I – A língua portuguesa foi a que chegou até _____ através de gerações.
   II – Não basta _____ querer que a grafia coincida com a pronúncia; é preciso a reforma.
   III – Torna-se muito complicado para _____ acompanhar essa mudança.
   IV – Para _____, unificar a grafia é impossível.
   V – Deixaram alguns pontos para _____ estudar.

   A opção que completa corretamente as frases é:
   a) eu – eu – eu – mim – mim.
   b) eu – eu – mim – eu – mim.
   c) mim – eu – eu – mim – eu.
   d) mim – eu – mim – mim – eu.
   e) mim – a mim – mim – eu – mim.

   Na oração I, o correto é "até mim" (o pronome "mim" aparece regido da preposição "até"); em II, "Não basta eu querer" (o pronome "eu" exerce a função de sujeito do verbo "querer"); em III, "complicado para mim" (o pronome "mim" exerce a função sintática de complemento nominal do adjetivo "complicado"); em IV, "Para mim" (o pronome "mim" exerce a função sintática de complemento nominal do adjetivo "impossível"); e, em V, "para eu estudar" (o pronome "eu" exerce a função de sujeito do verbo "estudar"). Por isso, a resposta correta é a "d". As funções sintáticas dos termos das orações estudaremos, mais adiante, no capítulo destinado ao estudo do período simples.

**2. (Telerj)** Assinale a opção em que o emprego do pronome pessoal está de acordo com a norma culta da língua.
   a) Entre o chefe e eu há confiança mútua.
   b) Para eu, vencer na empresa é fundamental.
   c) Vim falar consigo sobre o debate de amanhã.
   d) Já lhe avisei do ocorrido na empresa.
   e) Esta linha telefônica vai de mim a ti.

Em "a", o certo é "Entre o chefe e mim", pois o pronome "mim" aparece regido da preposição "entre"; em "b", usa-se "Para mim", uma vez que o pronome "mim" é complemento nominal do adjetivo "fundamental"; em "c", não se usa "consigo", mas "com você", que exerce a função de objeto indireto do verbo "falar"; em "d", o "lhe" deve ser substituído por "o" ("Já o avisei"), visto que o pronome "o" exerce a função de objeto direto do verbo "avisar"; em "e", os pronomes "mim" e "ti" aparecem regidos da preposição "de", o que condiz com a norma culta. Por isso, a resposta correta é a "e".

**3.** (**Alerj**) A substituição do termo sublinhado pelo pronome está **incorreta** em:

a) Viram **a moça**. / Viram-na.
b) Pedi **a elas** o material. / Pedi-lhes o material.
c) Tocou **o hino** completo. / Tocou-o completo.
d) Parti em pedaços **o bolo**. / Parti-lo em pedaços.
e) Deixou para o filho **a herança**. / Deixou-a para o filho.

Na penúltima alternativa, deveria ser "Parti em pedaços o bolo. / Parti-o em pedaços", pois, quando o verbo termina em vogal oral, emprega-se normalmente o pronome "o". Por isso, a resposta correta é a "d".

**4.** (**TRE-MT**) A alternativa em que o emprego do pronome pessoal **não** obedece à norma culta é:

a) Fizeram tudo para eu ir lá.
b) Ninguém lhe ouvia as queixas.
c) O vento traz consigo a tempestade.
d) Trouxemos um presente para si.
e) Não vá sem mim.

Na penúltima alternativa, o pronome "si" só pode ser empregado reflexivamente. Na frase em questão, deve-se empregar "para você", que exerce a função de objeto indireto do verbo "trazer": "Trouxemos um presente para você". Por isso, a resposta correta é a "d".

**5.** (**Alerj**) "É quase impossível enxergá-lo."

Na frase acima, foi empregado corretamente o pronome oblíquo "o". A frase que **não** se completa com esse pronome é:

a) Abracei-_____ com entusiasmo.
b) Vi-_____ ontem na esquina da rua.
c) Felicitei-_____ pela aprovação.

d) A ele, devolvi-_____ o documento.
e) O livro, entreguei-_____ ao aluno.

"A ele, devolvi-lhe o documento." Nessa frase, o pronome "lhe" exerce a função de objeto indireto do verbo "devolver". Nas demais alternativas, o pronome "o" exerce a função de objeto direto. Por isso, a resposta correta é a "d".

6. **(TRT-SP)** Assinale a alternativa incorreta quanto ao emprego do pronome pessoal **si**.

   a) Madalena queria a mãe junto de si.
   b) Quando voltou a si, não se lembrava de nada.
   c) Meu filho será confiante em si mesmo.
   d) Ofereço esse presente para si.
   e) Vivem brigando entre si.

"Ofereço esse presente para você." Nessa frase, "para você" exerce a função de objeto indireto. Por isso, a resposta correta é a "d".

7. **(TRT-SP)** Assinale a alternativa em que o pronome **lhe** tem valor possessivo.

   a) Caiu-lhe nas mãos um belo romance de José de Alencar.
   b) Dei-lhe indicações completamente seguras.
   c) Basta-lhe uma palavra apenas.
   d) Seus amigos escreveram-lhe um singelo poema.
   e) Informaram-lhe o resultado da prova realizada ontem.

Em "Caiu-lhe nas mãos um belo romance de José de Alencar", o pronome "lhe" corresponde ao possessivo "suas": "Caiu em suas mãos um belo romance de José de Alencar". Por isso, a resposta correta é a "a".

8. **(Fuvest-SP)** No trecho, "pisou-lhe o pé", o pronome **lhe** assume valor possessivo, tal como ocorre em uma das seguintes frases, também extraídas de *Memórias Póstumas de Brás Cubas*:

   a) "falei-lhe do marido, da filha, dos negócios, de tudo".
   b) "mas enfim contei-lhe o motivo da minha ausência".
   c) "se o relógio parava, eu dava-lhe corda".
   d) "Procure-me, disse eu, poderei arranjar-lhe alguma coisa".
   e) "envolvida numa espécie de mantéu, que lhe disfarçava as ondulações do talhe".

O pronome "lhe" assume valor possessivo no trecho "... que lhe disfarçava as ondulações do talhe", correspondendo a "... que disfarçava as ondulações do seu talhe". Por isso, a resposta correta é a "e".

**9. (ITA-SP)** Leia com atenção as frases abaixo:

1. Vá depressa, que o chefe quer falar _____.
2. Leva _____ o guarda-chuva, que o tempo está nublado.
3. Informaram-_____ que amanhã não haverá expediente.
4. Felizmente, poucos são os que se aborrecem perante _____.

As lacunas das frases acima devem ser completadas, respectivamente, pelos pronomes:

a) contigo – consigo – no – ti e mim
b) com você – contigo – lhe – ela e mim
c) contigo – contigo – lhe – você e eu
d) consigo – contigo – lhe – mim e tu
e) consigo – com você – no – ti e você

Nas frases 1 e 2, os verbos figuram, respectivamente, na 3ª e 2ª pessoas do singular, devendo, portanto, manter a uniformidade de tratamento com o emprego das formas "com você" (frase 1) e "contigo" (frase 2). Na frase 3, o verbo "informar" é transitivo direto e indireto, e o objeto direto ("que amanhã não haverá expediente") já aparece expresso, faltando-lhe, pois, o objeto indireto. Este deve ser representado pelo pronome oblíquo átono "lhe". Na frase 4, deve-se empregar pronome oblíquo tônico, já que é regido pela preposição "perante". Por isso, a resposta correta é a "b".

**10. (UEM-PR)** Observe as seguintes frases:

I – Ele deixou os livros aqui para ____ entregá-los a você.
II – Está tudo acabado entre você e ____.
III – Toda a responsabilidade recairá sobre ____ e ele.
IV – Paulo, poderíamos falar ____?
V – Queremos falar ____ mesmos.

As lacunas acima devem ser completadas, pela ordem, com os pronomes:

a) eu – mim – mim – com você – com vós
b) eu – mim – eu – consigo – convosco
c) mim – eu – mim – com você – convosco

d) mim – mim – mim – com você – com vós
e) eu – eu – mim – consigo – com vós

Em I, o pronome "eu" exerce a função de sujeito do verbo "entregar". Em II, o pronome "mim" aparece regido da preposição "entre". Em III, o pronome "mim" aparece regido da preposição "sobre". Em IV, "com você" exerce a função de objeto indireto do verbo "falar". Por último, em V, emprega-se a forma "com vós" porque o pronome "vós" aparece realçado pela palavra "mesmos". Por isso, a resposta correta é a "a".

**11. (FEI-SP)** Assinale a alternativa que completa, corretamente, as lacunas:

"Era para _____ falar _____ ontem, mas não _____ localizei em parte alguma."

a) mim – consigo – o
b) mim – contigo – te
c) eu – com ele – lhe
d) eu – com ele – o
e) mim – consigo – lhe

"Era para eu falar com ele ontem, mas não o localizei em parte alguma." "Eu" e "com ele" funcionam, respectivamente, como sujeito e objeto indireto do verbo "falar"; "o" funciona como objeto direto do verbo "localizar". Por isso, a resposta correta é a "d".

**12. (UFV-MG)** Das alternativas abaixo, apenas uma preenche de modo correto as lacunas das frases. Assinale-a.

Quando saíres, avisa-nos que iremos _____.
Meu pai deu um livro para _____ ler.
Não se ponha entre _____ e ela.
Mandou um recado para você e _____.

a) contigo – eu – eu – eu
b) com você – mim – mim – mim
c) consigo – mim – mim – eu
d) consigo – eu – mim – mim
e) contigo – eu – mim – mim

A primeira frase apresenta o verbo "sair" na 2ª pessoa do singular, portanto, para manter a uniformidade de tratamento, deve-se empregar o pronome "contigo". Na segunda frase, "eu" exerce a função de sujeito do verbo "ler". Nas duas últimas frases, deve-se empregar a forma "mim", porque tal pronome aparece regido, respectivamente, das preposições "entre" e "para". Por isso, a resposta correta é a "e".

## Pronomes possessivos

Indicam posse em relação às três pessoas do discurso, concordando em pessoa gramatical com o possuidor e em gênero e número com o ser possuído.

Observe no quadro seguinte os pronomes possessivos da língua portuguesa:

| | | |
|---|---|---|
| **singular** | 1ª pessoa | meu, minha, meus, minhas |
| | 2ª pessoa | teu, tua, teus, tuas |
| | 3ª pessoa | seu, sua, seus, suas |
| **plural** | 1ª pessoa | nosso, nossa, nossos, nossas |
| | 2ª pessoa | vosso, vossa, vossos, vossas |
| | 3ª pessoa | seu, sua, seus, suas |

### Emprego dos pronomes possessivos

a) Existem situações em que os pronomes possessivos não expressam ideia de posse. Podem indicar **afetividade**, **respeito** ou **cálculo aproximado**:

"**Meu** Antônio, para mim não trazes nada?" (Casimiro de Abreu)
Por favor, **minha** senhora, onde fica a Rua Direita?
Naquela época ele devia ter **seus** dezoito anos.

b) Em certas frases o emprego de **seu**, **sua**, **seus** ou **suas** pode causar duplo sentido.

A garota discutia com o irmão o **seu** futuro.
(O futuro da garota ou do irmão?)

Para evitar duplo sentido, deve-se, sempre que possível, substituir o possessivo por **dele**, **deles**, **dela** ou **delas**:

A garota discutia com o irmão o futuro **dele**. (ou **dela**)

c) Os pronomes oblíquos **me**, **te**, **lhe**, **lhes**, **nos** e **vos** podem apresentar valor de pronomes possessivos:

Doíam-**me** os dentes. ( = **meus** dentes)
Beijei-**lhe** a testa. (= **sua** testa)

## Pronomes demonstrativos

Indicam a posição em que se encontram os seres em relação às três pessoas do discurso.

Os pronomes demonstrativos são os seguintes:

| pessoas | variáveis |  |  |  | invariáveis |
|---|---|---|---|---|---|
|  | masculino |  | feminino |  |  |
|  | singular | plural | singular | plural |  |
| 1ª | este | estes | esta | estas | isto |
| 2ª | esse | esses | essa | essas | isso |
| 3ª | aquele | aqueles | aquela | aquelas | aquilo |

### Emprego dos pronomes demonstrativos

a) **Este**, **estes**, **esta**, **estas** e **isto** indicam o ser próximo à pessoa que fala:

>  **Este** velho chapéu pertenceu ao meu avô.
>  Compre **esta** caneta para você.
>  **Isto** aqui eu conservo com muito carinho.

b) **Esse**, **esses**, **essa**, **essas** e **isso** indicam o ser próximo à pessoa com quem se fala:

>  **Esse** é o ônibus em que viajaremos.
>  Onde você comprou **essa** blusa?
>  **Isso** foi colocado aí de propósito.

c) **Aquele**, **aqueles**, **aquela**, **aquelas** e **aquilo** indicam o ser distante tanto de quem fala como de com quem se fala:

>  **Aquele** jogador é atacante ou zagueiro?
>  Já vi **aquela** atriz em várias novelas.
>  **Aquilo** não parece um disco voador?

d) **Este**, **estes**, **esta**, **estas** e **isto** indicam tempo presente em relação ao emissor:

> Nunca esqueceremos **esta** louca aventura.
> É muito importante **esta** experiência por que estou passando agora.

e) **Esse**, **esses**, **essa**, **essas** e **isso** indicam tempo passado ou futuro relativamente próximo ao momento em que se fala:

> Ontem falei seriamente com ela. **Essa** foi a nossa última conversa.

f) **Aquele**, **aqueles**, **aquela**, **aquelas** e **aquilo** indicam um tempo distante em relação ao momento em que se fala:

> O Brasil foi tricampeão em 1970. Jamais me esquecerei **daquela** conquista.

g) **Este**, **estes**, **esta**, **estas** e **isto** indicam o que ainda vai ser falado ou escrito:

> A ordem é **esta**: sempre devemos lutar por nossos objetivos.

h) **Esse**, **esses**, **essa**, **essas** e **isso** indicam o que já foi falado ou escrito:

> "Ordem e Progresso" – **essas** são as palavras inseridas em nossa bandeira.

i) Também são considerados pronomes demonstrativos as palavras **o**, **os**, **a**, **as**, **tal** e **semelhante**:

> O réu não sabia **o** que responder. (= ... **aquilo** que responder.)
> Nunca repita **tal** asneira. (= ... **essa** asneira.)
> Jamais cometi **semelhante** tolice. (= ... **essa** tolice.)

## Pronomes indefinidos

São pronomes que se referem de maneira imprecisa à terceira pessoa, ou exprimem quantidade indeterminada.

Os pronomes indefinidos são os seguintes:

| variáveis | invariáveis |
|---|---|
| algum, alguns, alguma, algumas | |
| bastante, bastantes | |
| nenhum, nenhuns, nenhuma, nenhumas | |
| certo, certos, certa, certas | alguém |
| muito, muitos, muita, muitas | ninguém |
| outro, outros, outra, outras | mais |
| pouco, poucos, pouca, poucas | menos |
| todo, todos, toda, todas | cada |
| vário, vários, vária, várias | outrem |
| tanto, tantos, tanta, tantas | tudo |
| quanto, quantos, quanta, quantas | nada |
| qualquer, quaisquer | algo |
| diversos, diversas | que |
| um, uns, uma, umas | |
| tamanho, tamanhos, tamanha, tamanhas | |

## Locuções pronominais indefinidas

São grupos de palavras equivalentes a pronomes indefinidos. Os mais comuns são os seguintes: **cada um**, **cada qual**, **quem quer que**, **qualquer um**, **seja quem for**, **todo aquele que**, **um ou outro** etc.

### Emprego dos pronomes indefinidos

a) O pronome **algum** (e variações), posicionado depois de um substantivo, adquire valor negativo:

> Essa moeda já não possui valor **algum**.

b) A palavra **certo** (e flexões) posicionada depois de um substantivo tem valor de adjetivo:

> No teatro, procure sentar-se no lugar **certo**.
> Finalmente encontrei a pessoa **certa** para casar.

c) Os pronomes **todo** e **toda**, desacompanhados de artigo, equivalem a **qualquer**, **cada**; antecedidos de artigo, significam **inteiro**:

> **Todo** dia recebo meus jornais em casa.
> (= qualquer dia, cada dia)
> Ela faz o mesmo serviço durante **todo o** dia. (= o dia inteiro)

d) A palavra **todo** tem valor de advérbio quando figura em referência a um adjetivo. Equivale a **muito**, **completamente**, devendo, porém, concordar com o substantivo da frase.

> A criança amanheceu **toda** molhada.
> Hoje ele é um homem **todo** mudado.

## >> Testes (II)

1. **(Esaf)** Assinale a frase em que o pronome possessivo foi usado **incorretamente**.
   a) Vossa Senhoria trouxe seu discurso e os documentos indeferidos?
   b) Vossa Reverendíssima queira desculpar-me se interrompo vosso trabalho.
   c) Voltando ao Vaticano, Sua Santidade falará a fiéis de várias nacionalidades.
   d) Informamos que Vossa Excelência e seus auxiliares conseguiram muitas adesões.
   e) Sua Excelência, o Sr. Ministro da Justiça, considerou a medida inconstitucional.

   A segunda frase deveria ser: "Vossa Reverendíssima queira desculpar-me se interrompo seu trabalho", pois os pronomes de tratamento pertencem à terceira pessoa, portanto o pronome possessivo adequado é "seu", e não "vosso". Por isso, a resposta correta é a "b".

2. **(Alerj)** Assinale a alternativa em que o pronome **lhe** é um adjunto adnominal, indicando posse:

a) João lhe pediu desculpas.
b) Admiro-lhe a inteligência penetrante.
c) O porteiro entregou-lhe as cartas do inquilino.
d) Depois da ameaça, o funcionário obedeceu-lhe.
e) O chefe deu-lhe instruções precisas sobre o projeto.

Em "Admiro-lhe a inteligência penetrante", o pronome "lhe" tem valor de "sua": "Admiro a sua inteligência penetrante". Nessa frase, portanto, o pronome "lhe" exerce a função de adjunto adnominal. Nas demais alternativas, o pronome "lhe" corresponde a "a ele", exercendo a função de objeto indireto. Por isso, a resposta correta é a "b".

3. **(F. C. Chagas)** Usando os pronomes adequados, complete as lacunas do texto:

"Por favor, passe _____ caneta que está aí perto de você; _____ aqui não serve para _____ desenhar."

a) aquela – esta – mim
b) esta – esta – mim
c) essa – esta – eu
d) essa – essa – mim
e) aquela – esta – eu

"Essa" demonstra algo junto à pessoa com a qual se fala; "esta" demonstra algo junto à pessoa que fala; "eu" exerce a função de sujeito do verbo "desenhar". Por isso, a resposta correta é a "c".

4. **(PUC-SP)** No trecho: "O presidente não recebeu ninguém, não havia nenhuma fotografia sorridente dele, nenhuma frase imortal, nada que fosse supimpa", tem-se:

a) quatro pronomes adjetivos indefinidos.
b) dois pronomes adjetivos indefinidos e dois pronomes substantivos indefinidos.
c) um pronome substantivo indefinido e três pronomes adjetivos indefinidos.
d) quatro pronomes substantivos indefinidos.
e) um pronome adjetivo indefinido e três pronomes substantivos indefinidos.

Os pronomes indefinidos "ninguém" e "nada" são pronomes substantivos porque estão empregados de forma absoluta, ou seja, não se relacionam com nenhum substantivo da frase. Já o pronome "nenhuma", nas duas ocorrências, é pronome adjetivo porque se relaciona com os substantivos "fotografia" e "frases", respectivamente. Por isso, a resposta correta é a "b".

**5. (Epcar)** Assinale a alternativa que completa corretamente as lacunas das frases apresentadas.

1. "_____ documento que tens à mão é importante, Pedrinho?"
2. "A estrada do mar, larga e oscilante, _____ sim, o tentava."
3. "Na traseira do caminhão lia-se _____ frase: 'Tristeza não paga dívida'."
4. "Cuidado, mergulhador, _____ animais são venenosos: a arraia miúda, o peixe-escorpião, a medusa, o mangangá."

a) Esse – essa – esta – estes
b) Este – esta – esta – estes
c) Este – esta – essa – esses
d) Esse – essa – essa – esses
e) Esse – essa – essa – estes

Em 1, "esse" indica algo junto da pessoa com quem se fala; em 2, "essa" indica o que se citou anteriormente ("a estrada"); em 3 e 4, "esta" e "estes" indicam o que se vai citar, ou seja, respectivamente, a frase descrita depois dos dois-pontos e os nomes dos animais venenosos. Por isso, a resposta correta é a "a".

**6. (Faap-SP)** Examinando a estrofe de Zé Kety, analise o tipo de pronome predominante.

"Uns com tanto
Outros tantos com algum
Mas a maioria
Sem nenhum."

a) pronome pessoal de tratamento
b) pronome do caso oblíquo
c) pronome indefinido
d) pronome demonstrativo
e) n.d.a.

"Uns", "tanto", "outros", "tantos", "algum" e "nenhum" são pronomes indefinidos substantivos, ou seja, estão empregados de forma absoluta, substituindo substantivos. Por isso, a resposta correta é a "c".

7. (**UFMA**) Identifique a oração em que a palavra **certo** é pronome indefinido.

   a) Certo perdeste o juízo.
   b) Certo rapaz te procurou.
   c) Escolheste o rapaz certo.
   d) Marque o conceito certo.
   e) Não deixe o certo pelo errado.

   Em "a", "certo" é advérbio (= "certamente"); em "b", é pronome indefinido adjetivo porque se antepõe ao substantivo "rapaz"; em "c" e "d", tem valor de adjetivo (= correto); em "e", de substantivo. Por isso, a resposta correta é a "b".

8. (**Mackenzie-SP**) Classifique a palavra sublinhada: "Sei **o** que fazes".

   a) pronome adjetivo indefinido
   b) pronome pessoal
   c) artigo
   d) pronome substantivo demonstrativo
   e) pronome adjetivo demonstrativo

   Na frase "Sei o que fazes", a palavra "o" é pronome substantivo demonstrativo, já que corresponde ao demonstrativo "aquilo" (= "Sei aquilo que fazes"). Por isso, a resposta correta é a "d".

9. (**UEPG-PR**) Na oração: "**Certos** amigos não chegaram a ser jamais amigos **certos**", o termo destacado é respectivamente:

   a) adjetivo e pronome
   b) pronome adjetivo e adjetivo
   c) pronome substantivo e pronome adjetivo
   d) pronome adjetivo e pronome indefinido
   e) adjetivo anteposto e adjetivo posposto

   Na primeira ocorrência, a palavra "certos" é pronome adjetivo indefinido porque se antepõe ao substantivo "amigos" (= "alguns" amigos); na segunda ocorrência, como se coloca depois do substantivo "amigos", é adjetivo, correspondendo a "verdadeiros". Por isso, a resposta correta é "b".

10. (**UEPG-PR**) "**Toda** pessoa deve responder pelos compromissos assumidos." A palavra destacada é:

a) pronome adjetivo indefinido
b) pronome substantivo indefinido
c) pronome adjetivo demonstrativo
d) pronome substantivo demonstrativo
e) nenhuma das alternativas acima é correta

Lembre-se de que pronome adjetivo relaciona-se a um substantivo. Na frase apresentada, portanto, o pronome é adjetivo indefinido porque se relaciona ao substantivo "pessoa". Por isso, a resposta correta é a "a".

## Pronomes relativos

São os pronomes que recuperam, numa oração, um termo já expresso na oração anterior, evitando, assim, a repetição desse termo.

Os pronomes relativos são os seguintes:

| variáveis | invariáveis |
|---|---|
| o qual, a qual, os quais, as quais, cujo, cuja, cujos, cujas, quanto, quantos | que, quem, como, onde, quando |

**Nota:** A palavra **quanta** não é empregada como pronome relativo.

### Emprego dos pronomes relativos

a) O pronome relativo **que** é empregado em relação a coisas ou pessoas; o pronome **quem** só é relacionado a pessoas e sempre aparece preposicionado:

Este é o abacateiro **que** plantei na minha infância.

Aquela é a professora **que** representará a nossa escola.

Você é o amigo a **quem** sempre apoiei.

b) O pronome relativo **que** pode ter como antecedente os demonstrativos **o**, **a**, **os** ou **as**:

> É verdade o que lhe digo.
> A que acaba de entrar é minha prima.

c) Para evitar duplo sentido, emprega-se o relativo **qual** e variações:

> Visitarei o filho da minha vizinha o qual (ou a qual) está muito doente.

d) O pronome relativo **cujo** (e flexões) equivale a um pronome possessivo e sempre se posiciona antes de um substantivo com o qual concorda em gênero e número:

> Esse é o candidato de cuja honestidade desconfio.
> Este é o livro cujo autor mora em nossa cidade.

e) O pronome relativo **onde** corresponde a **em que** e sempre indica lugar:

> Este é o bairro onde moram meus avós.

## Pronomes interrogativos

São os pronomes que empregamos em frases interrogativas diretas ou indiretas.

Os pronomes interrogativos são os seguintes:

| variáveis | invariáveis |
|---|---|
| qual, quais, quanto, quanta, quantos, quantas | que, quem |

Quantos convidados deverão comparecer? (interrogação direta)

Não se sabe quantos convidados deverão comparecer.
(interrogação indireta)

## >> Testes (III)

1. **(SEE-SP)** Ontem, fomos recepcionados pela Cristina **onde** nos acolheu com muito carinho.

   A metodologia é excelente **onde** permite que a criança aproveite o máximo.

   A sala é bem espaçosa **onde** favoreceu as brincadeiras em grupo.

   Há uma boa diversidade de atividades **onde** o professor também é um observador.

   No português padrão, **onde** deve ser substituído, respectivamente, por:

   a) quem – da qual – pois – o que
   b) a qual – pois – o que – das quais
   c) a qual – da qual – pois – que
   d) quem – pois – que – pois
   e) a que – pois – da qual – das quais

   "Onde" equivale a "lugar em que" ou simplesmente a "em que", quando se refere a um termo antecedente indicativo de lugar. Não cabe, portanto, nas frases apresentadas acima. O pronome relativo "quem" sempre se refere a um antecedente expresso relacionado a pessoas, podendo ser substituído por "qual" e variações. O pronome "que" tanto pode referir-se a pessoas quanto a antecedentes não personificados, podendo, também, ser substituído por "qual" e variações. Já a conjunção "pois" deve ser empregada para indicar a causa do fato expresso na oração anterior, ou simplesmente explicar o que se afirma anteriormente. Por isso, a resposta correta é a "b".

2. **(SEE-SP)** "Encontrei um guarda. Perguntei ao guarda sobre a rua. Eu estava procurando a rua. O guarda não sabia dizer."

   Reescrevendo-se essas frases num único período, e observando-se as alterações necessárias, a forma correta é:

   a) Encontrei um guarda e perguntei-lhe sobre a rua que estava procurando, onde ele não sabia dizer.

b) Encontrei um guarda, perguntei a ele onde ficava a rua e ele não sabia dizer a rua que eu procurava.
c) Quando encontrei um guarda, perguntei onde ficava a rua que eu procurava, então ele respondeu não saber.
d) Quando encontrei um guarda, perguntei aonde ficava a rua que procurava e ele não sabia dizer.
e) Perguntei a um guarda que encontrei onde ficava a rua que eu estava procurando, mas ele não sabia dizer.

Em "Perguntei a um guarda que encontrei onde ficava a rua que eu estava procurando, mas ele não sabia dizer", o pronome relativo "que" relaciona-se ao antecedente personificado "guarda"; o interrogativo "onde" equivale a "em que lugar"; a conjunção "mas" introduz oração coordenada sindética adversativa. Por isso, a resposta correta é a "e".

**3.** (**CMB**) Assinale a opção que apresenta MAU uso dos pronomes.

a) A situação com a qual lidamos parece ser semelhante àquela.
b) É excelente a solução dada pela empresa, pois esta terá maiores lucros, e aquela beneficiará empregados.
c) Quantos aos funcionários, a pesquisa lhes fornecerá dados úteis.
d) A solução depende de ele ter boas intenções e de nós termos vontade de agir.
e) As famílias cujos os chefes estão desempregados sabem bem o que é depressão.

É grave erro empregar artigo após o pronome relativo "cujo" e variações. O correto é, portanto, "As famílias cujos chefes estão desempregados sabem bem o que é depressão". Por isso, a resposta correta é a "e".

**4.** (**TRE-MT**) A lacuna da frase "A situação _____ aspiro começou a se delinear" é preenchida, de acordo com a norma culta, por:

a) onde         c) a que         e) a qual
b) cujo         d) que

Em "A situação a que aspiro começou a se delinear", o pronome relativo "que" aparece antecedido da preposição "a" porque está subordinado ao verbo transitivo indireto "aspirar", que, na acepção de "almejar", rege essa preposição (quem aspira, aspira "a"). Por isso, a resposta correta é a "c".

>> PARTE 2

**5.** (TRT-SP) As mulheres _____ olhos brilham não são dignas de confiança.

O lugar _____ moro é muito arejado.

É um cidadão _____ honestidade se pode confiar.

a) cujos os – que – em que
b) cujos – em que – em cuja
c) cujos – em que – cuja
d) cujos os – em que – cuja a
e) cujos – que – em cuja

Na oração "As mulheres cujos olhos brilham não são dignas de confiança", o pronome relativo "cujo" refere-se ao termo posterior "olhos", com o qual concorda em gênero e número. Em "O lugar em que moro é muito arejado", o segmento "em que" equivale a "onde", exercendo a função de adjunto adverbial de lugar. Na oração "É um cidadão em cuja honestidade se pode confiar", o relativo "cuja" refere-se ao termo posterior "honestidade", com o qual concorda em gênero e número; aparece antecedido da preposição "em" porque está subordinado ao verbo transitivo indireto "confiar", que rege essa preposição (quem confia, confia "em"). Por isso, a resposta correta é a "b".

**6.** (Cespe) Há **erro** no emprego do pronome relativo grifado (preposicionado ou não) na seguinte frase:

a) Desconheço o artista de **que** falas.
b) Este é o livro de **cujo** autor ele fez alusão.
c) Os crimes pelos **quais** ele foi julgado eram antigos.
d) O juiz de **cujas** sentenças ele recorreu vai entrar de licença.
e) As decisões do STF às **quais** ele se referia eram todas de grande utilidade.

Em "a", o verbo "falar" rege a preposição "de" (quem fala, fala "de"); em "b", a construção correta é "Este é o livro a cujo autor ele fez alusão"; o relativo "cujo" refere-se ao termo posterior "autor", com o qual concorda em gênero e número. Deve figurar regido da preposição "a" porque está subordinado ao substantivo "alusão", que rege essa preposição (quem faz alusão, faz alusão "a"); em "c", o verbo "julgar" rege a preposição "por" (quem é julgado, é julgado "por"); em "d", o verbo "recorrer", no sentido de "interpor recurso judicial ou administrativo", rege a preposição "de"; e, em "e", o verbo "referir-se" rege a preposição "a". Por isso, a resposta correta é a "b".

>> classes de palavras

141 >>

**7. (Fadi-SP)** Una as frases por meio de um pronome relativo, de acordo com a norma culta, e assinale a alternativa correta.

"O eleitor votará com alegria no candidato. O eleitor confia no candidato."

a) O eleitor confia no candidato e votará com alegria.
b) O eleitor votará com alegria no candidato em quem confia.
c) O eleitor votará com alegria no candidato que confia.
d) O eleitor votará e confiará no candidato com alegria.
e) O eleitor votará com alegria no candidato de que confia.

O pronome relativo "quem" retoma o antecedente "candidato". Usa-se "em quem" porque o verbo "confiar" pede essa preposição (quem confia, confia "em" alguém). Como não há por que mudar a ordem do período, a única alternativa que contempla essas exigências é a "b". Em "a", o verbo "votar" deixou de ser transitivo indireto (quem vota, vota "em" alguém), para tornar-se intransitivo e, além disso, não há pronome relativo nessa alternativa; em "c", falta a preposição "em" ("em que confia"); em "d", o sentido do período original, em que o "eleitor votará com alegria" foi modificado: "o eleitor votará e confiará com alegria", além de não haver pronome relativo na oração. Por fim, em "e", a preposição correta é "em", não "de". Ela induz ao erro porque o antônimo de "confiar" ( = "desconfiar") é que pede a preposição "de". Por isso, a resposta correta é a "b".

**8. (Fesp-SP)** Aponte a opção que completa corretamente as frases abaixo:

1) Este é o garoto ____ pai fui professor.
2) Era uma grande árvore ____ sombra descansávamos.
3) Você é a pessoa ____ recorrerei.

a) de cujo – em cuja – a quem
b) cujo – em cuja – que
c) a cujo – da qual – com quem
d) cujo o – cuja – a quem
e) do qual – sobre a qual – para quem

Em "Este é o garoto de cujo pai fui professor", o relativo "cujo" refere-se ao termo posterior "pai", com o qual concorda em gênero e número. Deve figurar antecidido da preposição "de" porque exerce a função de adjunto adnominal do substantivo "pai" (= fui professor do pai). Já em "Era uma grande árvore em cuja sombra descansávamos", o relativo "cuja" refere-se ao termo posterior "sombra", com o qual concorda em gênero e número. Deve ser antecidido da preposição "em" porque exerce a função de adjunto adverbial de lugar. Na terceira oração, "Você é a pessoa a quem recorrerei", o pronome "quem" é relativo ao termo antecedente "pessoa". Aparece antecedido da preposição "a" por estar subordinado ao verbo transitivo indireto "recorrer", que rege essa preposição (quem recorre, no sentido de pedir proteção ou ajuda, recorre "a"). Por isso, a resposta correta é a "a".

**9.** (PUC-SP) "Os depoimentos _____ teve acesso comprovaram que a República não cumpriu, nesses cem anos, as promessas _____ foi portadora."

a) a que – de que
b) aos quais – de cujas
c) pelo quais – às quais
d) os quais – das quais
e) que – que

Usa-se "a que" na primeira lacuna porque o pronome relativo "que" precisa ser regido pela preposição "a", visto estar subordinado ao substantivo "acesso", que rege essa preposição (quem tem acesso, tem acesso "a"). Na segunda lacuna, o correto é "de que", pois o relativo "que" figura antecedido da preposição "de" por funcionar como complemento nominal do adjetivo "portadora" (quem é portador, é portador "de"). Por isso, a resposta correta é a "a".

**10.** (UEL-PR) O homem, _____ méritos você se referiu, mostrou-se agradecido.

a) cujos
b) a cujos
c) cujos a
d) para cujos
e) de cujos

Em "O homem, a cujos méritos você se referiu, mostrou-se agradecido", o pronome relativo "cujos" refere-se ao termo posterior "méritos" e aparece antecedido da preposição "a" porque está subordinado ao verbo transitivo indireto "referir-se" (quem se refere, refere-se "a"). Por isso, a resposta correta é a "b".

**11.** (Unifor-CE) O trabalho _____ ele se dedica é dos mais louváveis, por isso receberá o prêmio _____ lhe falei.

a) que – de que
b) a que – que
c) a que – de que
d) que – que
e) a que – cujo

Na primeira lacuna, usa-se "a que", pois o pronome relativo "que" aparece antecedido da preposição "a" visto estar subordinado ao verbo transitivo indireto "dedicar-se", que rege essa preposição (quem se dedica, se dedica "a"). Na segunda lacuna, o correto é "de que", pois é necessária a preposição "de" pelo fato de o pronome relativo estar subordinado ao verbo transitivo indireto "falar" (quem fala, fala "de"). Por isso, a resposta correta é a "c".

**12. (Fuvest-SP)** Indique a frase em que o pronome relativo está empregado corretamente.

a) É um cidadão em cuja honestidade se pode confiar.
b) Feliz é o pai cujos os filhos são ajuizados.
c) Comprou uma casa maravilhosa, cuja casa lhe custou uma fortuna.
d) Preciso de um pincel, sem o cujo não poderei terminar o quadro.
e) Os jovens, cujos pais conversei com eles, prometeram mudar de atitude.

Em "a", o pronome relativo "cuja" refere-se ao termo posterior "honestidade", com o qual concorda em gênero e número. Aparece antecedido da preposição "em" porque está subordinado ao verbo transitivo indireto "confiar", que rege essa preposição (quem confia, confia "em"). Em "b", não se utiliza artigo definido depois de "cujos", portanto, o correto é "Feliz é o pai cujos filhos são ajuizados"; em "c", não há razão para utilizar "cuja" na oração, pois trata-se de uma casa apenas. Assim, a oração corrigida é "Comprou uma casa maravilhosa que lhe custou uma fortuna". Em "d", não se justifica o uso de "cujo", pois não há relação de posse entre as palavras da oração. O correto é "Preciso de um pincel, sem o qual não poderei terminar o quadro". Por último, em "e", a oração apresenta redundância, ou seja, diz a mesma coisa duas vezes, pelo fato de "pais" e "eles" serem as mesmas pessoas. O erro ocorre porque o pronome relativo "cujos" já retoma a palavra "pais" e, portanto, deve vir antecedido da preposição "com": "Os jovens, com cujos pais conversei, prometeram mudar de atitude". Por isso, a resposta correta é a "a".

## 6. Verbo

É a palavra que exprime *ação*, *fenômeno natural*, *estado* ou *mudança de estado*, indicando simultaneamente tempo, modo, pessoa e número.

O feirante **jogou** as cascas de laranja no lixo. (ação)

Ontem **choveu** durante o dia.
(fenômeno natural)

O dia **está** chuvoso. (estado)

## Estrutura do verbo

Do ponto de vista morfológico, o verbo apresenta os seguintes elementos:

- **Radical**: é a parte invariável que contém o núcleo significativo e formal do verbo. Obtém-se com a exclusão das terminações **-ar**, **-er** ou **-ir** do infinitivo:

  **fal**-ar     **com**-er     **part**-ir

- **Vogal temática**: é a vogal que se anexa ao radical a fim de indicar a conjugação a que o verbo pertence. São três as vogais temáticas:

  **-a-** (caracteriza verbos da primeira conjugação) → fal-**a**-r

  **-e-** (caracteriza verbos da segunda conjugação) → com-**e**-r

  **-i-** (caracteriza verbos da terceira conjugação) → part-**i**-r

- **Tema**: é o radical acrescido da vogal temática, pronto para receber as desinências indicativas de tempo, modo, número e pessoa:

  **fala**-mos     **come**-rei     **parti**-ria

- **Desinências modo-temporais**: indicam o modo e o tempo do verbo:

| fala**va** | indica o *pretérito imperfeito do indicativo* |
|---|---|
| come**sse** | indica o *pretérito imperfeito do subjuntivo* |
| partir**ei** | indica o *futuro do presente* |

> **Nota:** o verbo **pôr** e seus derivados (**compor**, **repor**, **propor** etc.) pertencem à 2ª conjugação. A vogal temática **-e-**, que figurava no português arcaico *poer*, desapareceu.

- **Desinências número-pessoais**: indicam o número (singular ou plural) e as pessoas do discurso:

| falo | indica a 1ª pessoa do singular (**eu**) |
| comes | indica a 2ª pessoa do singular (**tu**) |
| partimos | indica a 1ª pessoa do plural (**nós**) |

## Formas rizotônicas e arrizotônicas

Chamam-se **rizotônicas** as formas verbais que apresentam a vogal tônica no radical:

fal-o    com-es    part-o

Chamam-se **arrizotônicas** as formas verbais que apresentam a vogal tônica fora do radical:

fal-ava    com-esse    part-isse

## Flexões do verbo

O verbo é a classe de palavra que mais flexões possui. Observe no quadro a seguir:

| flexões | finalidade | exemplos |
|---|---|---|
| número | O verbo varia para concordar em número (singular ou plural) com o sujeito a que se refere. | A onça **protege** seus filhotes. As horas **passam** lentamente. |
| pessoa | Indica as três pessoas do discurso (*emissor, receptor* ou *referente*) | **Gosto** de literatura. (**Eu**) **Partiste** cedo ontem. (**Tu**) O garoto **caiu** da rede. (**Ele**) |
| modo | *Indicativo* — exprime um processo certo, concreto, positivo. | Os trabalhadores **reivindicam** bons salários. |
| | *Subjuntivo* — exprime um processo hipotético ou optativo. | Talvez eu **converse** com ele. Caso você **estudasse**, ... |

146

| flexões | finalidade | exemplos |
|---|---|---|
| **modo** | *Imperativo* — exprime ordem, pedido, súplica. | **Pare**, **olhe**, **escute**. Não **pisem** na grama. |
| **tempo** | *Presente* — indica o momento atual em que o processo se realiza. | A Terra **gira** em torno do Sol. |
| | *Pretérito perfeito* — indica processos totalmente concluídos no passado. | O tornado **destruiu** o vilarejo. |
| | *Pretérito mais-que-perfeito* — indica processos passados, mas concluídos antes de outros também já passados. | Não soubemos quem **armara** aquela confusão. |
| | *Pretérito imperfeito* — expressa processos interrompidos ou contínuos no passado. | Meu avô **trabalhava** dia e noite. |
| | *Futuro do presente* — indica um processo vindouro em relação ao presente. | Não sabemos quem **comandará** a delegação. |
| | *Futuro do pretérito* — exprime um processo posterior a um acontecimento já passado. | Poucos **voltariam** vivos daquela guerra absurda. |

> **Observação:** A **voz verbal**, conforme veremos mais adiante, é indicada por outro processo, e não por desinências.

## Classificação dos verbos

a) **Regulares:** não apresentam alteração no radical, e as terminações seguem um padrão chamado de paradigma.
Usamos como paradigma para as três conjugações verbos sabidamente regulares, como **falar**, **vender** e **partir**.

b) **Irregulares**: apresentam alteração no radical ou as terminações fogem ao modelo da conjugação a que pertencem:

**dizer** (radical = diz-): digo – disse – direi

c) **Anômalos**: apresentam, durante a conjugação, profundas alterações no radical. É o caso, por exemplo, dos verbos **ir** e **ser**.

**ir**: vou, fui, ia, fora, irei, fosse etc.
**ser**: sou, fui, era, fora, serei, fosse etc.

d) **Defectivos**: não possuem conjugação completa, como os verbos **computar**, **falir**, **banir** etc. Não apresentam, por exemplo, as três pessoas do singular do presente do indicativo. A conjugação dos verbos defectivos será apresentada posteriormente.

e) **Abundantes**: apresentam mais de uma forma. O verbo **comprazer**, por exemplo, no pretérito perfeito do indicativo apresenta as formas **comprazi** ou **comprouve**. A abundância ocorre geralmente no particípio: **pagado** e **pago**, **aceitado** e **aceito**, **fritado** e **frito**, **elegido** e **eleito**, **entregado** e **entregue** etc.

> **Observação:** Geralmente os particípios regulares são empregados com os verbos auxiliares **ter** e **have**r; os particípios irregulares são empregados com os auxiliares **ser** e **estar**:
>
> O soldado **tinha matado** o inimigo.
> O juiz **havia suspendido** a audiência.
> O inimigo **tinha sido morto** pelo soldado.
> A audiência **havia sido suspensa** pelo juiz.

f) **Auxiliares**: são verbos que se combinam com o infinitivo, particípio ou gerúndio de outro verbo. Os mais frequentes em português são **ser**, **estar**, **ter** e **haver**.

g) **Pronominais**: são os que se conjugam acompanhados de pronomes oblíquos da mesma natureza do sujeito. Eis alguns deles: **queixar-se**, **arrepender-se**, **suicidar-se**, **precaver-se**, **atrever-se** etc.

## Formas nominais do verbo

Algumas formas verbais figuram desprovidas de flexões indicativas de tempo e modo, podendo exercer as funções próprias dos nomes (substantivo, adjetivo ou advérbio). Por essa razão, são chamadas *formas nominais*. São elas: **infinitivo** (impessoal ou pessoal), **particípio** e **gerúndio**.

O infinitivo pode ser:

a) **impessoal:** pode apresentar o valor de um substantivo. A sua terminação é **-r**.

> É proibido **pisar** na grama.
> Pede-se não **falar** com o motorista.

b) **pessoal:** conjuga-se de acordo com as pessoas do discurso.

> É bom (tu) **voltares** cedo para casa.
> É necessário (nós) **estudarmos** mais.

O gerúndio, não estando numa locução verbal (*estou estudando*), tem valor de advérbio ou de adjetivo:

> **Esforçando**-te, conseguirás teus intentos.
> (**esforçando** = com esforço)

> Ele caminhava **cambaleando** pelas ruas.
> (**cambaleando** = cambaleante)

O particípio, quando não forma tempo composto (*tenho estudado*), tem valor de adjetivo e recebe flexão de gênero, número e grau.

> Sou um cidadão **honrado**.
> Somos pessoas **honradas**.
> É um cidadão **honradíssimo**.

## >> Testes (I)

**1. (TJ-SP)** O particípio verbal está corretamente empregado em:

a) Não estaríamos salvados sem a ajuda dos barcos.
b) Os guris tinham chego às ruas às dezessete horas.
c) O criminoso foi pego na noite seguinte à do crime.
d) O rapaz já tinha abrido as portas quando chegamos.
e) A faxineira tinha refazido a limpeza da casa toda.

Como geralmente os particípios regulares são empregados com os verbos auxiliares "ter" e "haver", e os irregulares com "ser" e "estar", a alternativa "a" deveria ser "Não estaríamos salvos". Em "b", "d" e "e", os verbos utilizados são irregulares, de modo que não apresentam particípios regulares. As orações corretas são, respectivamente: "Os guris tinham chegado", "O rapaz já tinha aberto" e "A faxineira tinha refeito". Por isso, a resposta correta é a "c".

**2. (SSP-SP)** Considerando a estrutura, a palavra **implantamos** apresenta os seguintes elementos mórficos (morfemas):

a) prefixo + radical + vogal temática + desinência número-pessoal
b) prefixo + radical + tema + sufixo
c) prefixo + radical + desinência número-pessoal
d) prefixo + radical + sufixo

Em "implantamos" encontram-se os seguintes elementos mórficos: *im-* = prefixo grego que significa "movimento para dentro"; *-plant-* = radical (do latim *plantare* = "semear", "cultivar"); *-a-* = vogal temática característica de verbos da 1ª conjugação; *-planta-* = tema (radical seguido de vogal temática); *-mos* = desinência verbal indicativa da 1ª pessoa do plural (nós). Por isso, a resposta correta é a "a".

**3. (MP-SP)** Assinale a alternativa correta quanto à correlação dos tempos verbais, de acordo com a norma culta.

a) Se todos estiverem de acordo, eles deixariam a reunião para a semana seguinte.
b) Logo que você perceber o clima de tensão, não teria agido daquela maneira.

c) Seria melhor que elas examinassem os documentos com o cuidado necessário.
d) Quero que você dirige a atenção aos mais necessitados.
e) Caso me desencontrasse com ela, deixarei os livros com sua secretária.

Em "a", o paralelismo verbal só ocorre se houver os pares "estivessem/deixariam" ou "estiverem/deixarão"; em "b", a única forma correta é "Logo que você percebeu o clima de tensão, não teria agido daquele maneira"; em "d", o segundo verbo deveria ser "dirija"; em "e", há duas possibilidades para manter a correlação dos tempos verbais: "Caso me desencontrasse com ela, deixaria os livros com sua secretária" ou "Caso me desencontre com ela, deixarei os livros com sua secretária". Por isso, a resposta correta é a "c".

**4. (Esaf)** Marque o item em que a frase está **incoerente** por falta da correlação entre as formas verbais.

a) Terminada a fase de restauração, a Capela Sistina explode em cores.
b) Há quem considere que as imagens da abóbada restaurada aparecem muito brilhantes e planas.
c) Há os que preferem que a aparência com a qual estarão acostumados fosse mantida.
d) Outros acham que muitos traços acabaram perdidos.

O certo é: "Há os que preferem que a aparência com a qual estão acostumados seja mantida". Por isso, a resposta correta é a "c".

**5. (Anatel)** "**Amar** é a eterna inocência." Nessa oração de Fernando Pessoa, o verbo grifado está no:

a) infinitivo pessoal
b) gerúndio
c) particípio
d) infinitivo impessoal

Em "Amar é a eterna inocência", o verbo "amar" está no infinitivo impessoal porque a intenção do emissor se centraliza exclusivamente no processo verbal, sem atribuí-lo a qualquer sujeito determinado. Por isso, a resposta correta é a "d".

**6. (PUC-PR)** Assinale a alternativa que preenche **corretamente** as lacunas:

1. O intruso já tinha sido _____.
2. Não sabia se já haviam _____ a casa.
3. Mais de uma vez lhe haviam _____ a vida.
4. A capela ainda não havia sido _____.

a) expulsado – coberto – salvo – benzida
b) expulso – cobrido – salvo – benzida
c) expulsado – cobrido – salvado – benta
d) expulso – coberto – salvado – benta
e) expulsado – cobrido – salvo – benzida

Os verbos "expulsar", "salvar" e "benzer" são abundantes, ou seja, possuem dois particípios: um regular e outro irregular. Emprega-se o particípio regular na voz ativa, com os verbos auxiliares "ter" e "haver" (frases 2 e 3), e o particípio irregular na voz passiva, com os auxiliares "ser" e "estar" (frases 1 e 4). O verbo "cobrir", no entanto, não é abundante, e o seu particípio é apenas "coberto". Por isso, a resposta correta é a "d".

**7.** (**ITA-SP**) Assinale a alternativa que preenche, de acordo com a norma culta, os espaços da frase: "_____ 23 anos _____ o golpe fatal no socialismo de Mitterrand".

a) A – aconteceu.
b) Há – aconteceu.
c) À – acontecia.
d) Há – acontecia.
e) A – acontecia.

O tempo decorrido deve ser indicado pela forma impessoal do verbo "haver" (há). A forma "acontecia" (pretérito imperfeito do modo indicativo) refere-se a fato que ocorreu no passado e teve continuidade. Por isso, a resposta correta é a "d".

**8.** (**Efoa-MG**) Um dos critérios utilizados para a classificação dos verbos em português, como sendo da primeira, segunda e terceira conjugação, baseia-se:

a) na estrutura da raiz;
b) na significação do radical;
c) na regência verbal;
d) na desinência do particípio;
e) na desinência do infinitivo.

A indicação da conjugação a que o verbo pertence é feita pela vogal temática – elemento que liga o radical à desinência. A vogal temática situa-se antes do -r do infinitivo: a para a primeira conjugação > pul-a-r; e para a segunda conjugação > perd-e-r; i para a terceira conjugação > part-i-r. Por isso, a resposta correta é a "e".

>> PARTE 2

**9. (Cesgranrio-RJ) Acesas** é particípio adjetivado de **acender**, verbo chamado abundante, porque possui dupla forma de particípio (acendido e aceso). Essa abundância, que é geralmente do particípio, em alguns casos ocorre em outras formas. Assim, por exemplo, é o caso de:

a) coser
b) olhar
c) haver
d) vir
e) dançar

O verbo "haver" também é classificado como abundante, já que apresenta duas formas: "haveis" e "heis", "havemos" e "hemos". Por isso, a resposta correta é a "c".

**10. (Imes-SP)** Tempo verbal que expressa um fato anterior a outro acontecimento que também é passado:

a) pretérito imperfeito do indicativo
b) pretérito imperfeito do subjuntivo
c) pretérito perfeito do indicativo
d) pretérito mais-que-perfeito do indicativo
e) futuro do pretérito do indicativo

O pretérito imperfeito do indicativo (alternativa "a") expressa uma ação interrompida ou em andamento no passado (ex.: Foi preso quando *tentava* pular o muro.); o pretérito imperfeito do subjuntivo (alternativa "b") expressa uma ação que talvez pudesse ter ocorrido no passado (ex.: Se você *estudasse*, hoje estaria numa situação melhor.); o pretérito perfeito do indicativo (alternativa "c") indica um processo totalmente ocorrido no passado (ex.: A Seleção Brasileira *conquistou* a Copa várias vezes.); o pretérito mais-que-perfeito do indicativo, por sua vez, indica um fato passado, mas concluído antes de outro também já ocorrido (ex.: O filho não entendeu o que o pai lhe *dissera*. – o fato de "dizer" ocorreu antes de "entender"). Por fim, em "e", o próprio nome do tempo verbal já denuncia que não se trata apenas de passado, como requer o enunciado do teste. Por isso, a resposta correta é a "d".

## >> Formação dos tempos simples

Em português há três tempos que dão origem a todos os demais. São eles:

a) **presente do indicativo**
b) **pretérito perfeito do indicativo**
c) **infinitivo impessoal**

1. Derivação do presente do indicativo

   a) **Presente do subjuntivo** — deriva da 1ª pessoa do singular do **presente do indicativo**. Na 1ª conjugação, substitui-se a desinência **o** por **e**; na 2ª e 3ª conjugações, substitui-se a desinência **o** por **a**:

   |  | **Presente do indicativo** | **Presente do subjuntivo** |
   |---|---|---|
   | **1ª conjugação** | eu fal-**o** (-**o** + **e**) → | que eu fal-**e** |
   | **2ª conjugação** | eu vend-**o** (-**o** + **a**) → | que eu vend-**a** |
   | **3ª conjugação** | eu part-**o** (-**o** + **a**) → | que eu part-**a** |

   b) **Imperativo afirmativo** — **tu** e **vós** saem do **presente do indicativo** sem a letra **s** final; as demais formas são as mesmas do **presente do subjuntivo**:

   | 1ª conjugação |||
   |---|---|---|
   | **Presente do indicativo** | **Imperativo afirmativo** | **Presente do subjuntivo** |
   | eu falo | (não há) | que eu fale |
   | tu falas (-s) → | fala (tu) | que tu fales |
   | ele fala | fale (você) | ← que ele fale |
   | nós falamos | falemos (nós) | ← que nós falemos |
   | vós falais (-s) → | falai (vós) | que vós faleis |
   | eles falam | falem (vocês) | ← que eles falem |

   | 2ª conjugação |||
   |---|---|---|
   | **Presente do indicativo** | **Imperativo afirmativo** | **Presente do subjuntivo** |
   | eu vendo | (não há) | que eu venda |
   | tu vendes (-s) → | vende (tu) | que tu vendas |
   | ele vende | venda (você) | ← que ele venda |
   | nós vendemos | vendamos (nós) | ← que nós vendamos |
   | vós vendeis (-s) → | vendei (vós) | que vós vendais |
   | eles vendem | vendam (vocês) | ← que eles vendam |

| 3ª conjugação |||
| --- | --- | --- |
| Presente do indicativo | Imperativo afirmativo | Presente do subjuntivo |
| eu parto | (não há) | que eu parta |
| tu partes (-s) → | parte (tu) | que tu partas |
| ele parte | parta (você) | ← que ele parta |
| nós partimos | partamos (nós) | ← que nós partamos |
| vós partis (-s) → | parti (vós) | que vós partais |
| eles partem | partam (vocês) | ← que eles partam |

c) **Imperativo negativo** — todas as formas coincidem com as do **presente do subjuntivo**:

| 1ª conjugação ||
| --- | --- |
| Presente do subjuntivo | Imperativo negativo |
| que eu fale | (não há) |
| que tu fales → | Não fales (tu) |
| que ele fale → | Não fale (você) |
| que nós falemos → | Não falemos (nós) |
| que vós faleis → | Não faleis (vós) |
| que eles falem → | Não falem (vocês) |

| 2ª conjugação ||
| --- | --- |
| Presente do subjuntivo | Imperativo negativo |
| que eu venda | (não há) |
| que tu vendas → | Não vendas (tu) |
| que ele venda → | Não venda (você) |
| que nós vendamos → | Não vendamos (nós) |
| que vós vendais → | Não vendais (vós) |
| que eles vendam → | Não vendam (vocês) |

| 3ª conjugação ||
| --- | --- |
| **Presente do subjuntivo** | **Imperativo negativo** |
| que eu parta | (não há) |
| que tu partas → | Não partas (tu) |
| que ele parta → | Não parta (você) |
| que nós partamos → | Não partamos (nós) |
| que vós partais → | Não partais (vós) |
| que eles partam → | Não partam (vocês) |

2. Derivação do pretérito perfeito do indicativo

    A 3ª pessoa do plural do **pretérito perfeito do indicativo** dá origem a três tempos:

    a) **pretérito mais-que-perfeito do indicativo** (tema + -ra, -ras, -ra, -ramos, -reis, -ram)

    b) **futuro do subjuntivo** (tema + -r, -res, -rmos, -rdes, -rem)

    c) **pretérito imperfeito do subjuntivo** (tema + -sse, -sses, -sse, -ssemos, -sseis, -ssem)

    Observe as adaptações ocorridas no seguinte exemplo da 1ª conjugação:

| Falar: tema = fala- |||
| --- | --- | --- |
| **Pretérito mais-que-perfeito do indicativo** | **Futuro do subjuntivo** | **Pretérito imperfeito do subjuntivo** |
| eu falara | quando eu falar | se eu falasse |
| tu falaras | quando tu falares | se tu falasses |
| ele falara | quando ele falar | se ele falasse |
| nós faláramos | quando nós falarmos | se nós falássemos |
| vós faláreis | quando vós falardes | se vós falásseis |
| eles falaram | quando eles falarem | se eles falassem |

**Observação:** O procedimento é o mesmo para os verbos da 2ª e 3ª conjugações.

3. Derivação do infinitivo impessoal

    O infinitivo impessoal dá origem aos seguintes tempos e modos:

    a) **Pretérito imperfeito do indicativo** — acrescentam-se ao tema da 1ª conjugação as desinências **-va**, **-vas**, **-va**, **-vamos**, **-veis**, **-vam**; ao radical da 2ª e 3ª conjugações acrescentam-se as desinências **-ia**, **-ias**, **-ia**, **-íamos**, **-íeis**, **-iam**:

| 1ª conjugação | 2ª conjugação | 3ª conjugação |
|---|---|---|
| eu falava | eu vendia | eu partia |
| tu falavas | tu vendias | tu partias |
| ele falava | ele vendia | ele partia |
| nós falávamos | nós vendíamos | nós partíamos |
| vós faláveis | vós vendíeis | vós partíeis |
| eles falavam | eles vendiam | eles partiam |

b) **Futuro do presente** — acrescentam-se as terminações **-ei**, **-ás**, **-á**, **-emos**, **-eis**, **-ão** ao infinitivo das três conjugações:

| 1ª conjugação | 2ª conjugação | 3ª conjugação |
|---|---|---|
| eu falarei | eu venderei | eu partirei |
| tu falarás | tu venderás | tu partirás |
| ele falará | ele venderá | ele partirá |
| nós falaremos | nós venderemos | nós partiremos |
| vós falareis | vós vendereis | vós partireis |
| eles falarão | eles venderão | eles partirão |

**Exceções: dizer** → direi; **fazer** → farei; **trazer** → trarei.

c) **Futuro do pretérito** — acrescentam-se as terminações **-ia**, **-ias**, **-ia**, **-íamos**, **-íeis**, **-iam** ao infinitivo das três conjugações:

| 1ª conjugação | 2ª conjugação | 3ª conjugação |
|---|---|---|
| eu falaria | eu venderia | eu partiria |
| tu falarias | tu venderias | tu partirias |
| ele falaria | ele venderia | ele partiria |
| nós falaríamos | nós venderíamos | nós partiríamos |
| vós falaríeis | vós venderíeis | vós partiríeis |
| eles falariam | eles venderiam | eles partiriam |

Exceções: **dizer** → diria; **fazer** → faria; **trazer** → traria.

d) **Infinitivo pessoal** — acrescentam-se as respectivas desinências número-pessoais ao infinitivo das três conjugações:

| 1ª conjugação | 2ª conjugação | 3ª conjugação |
|---|---|---|
| falar (eu) | vender (eu) | partir (eu) |
| falares (tu) | venderes (tu) | partires (tu) |
| falar (ele) | vender (ele) | partir (ele) |
| falarmos (nós) | vendermos (nós) | partirmos (nós) |
| falardes (vós) | venderdes (vós) | partirdes (vós) |
| falarem (eles) | venderem (eles) | partirem (eles) |

e) **Particípio** — substitui-se o **-r** do infinitivo por **-do**. Por influência da vogal temática da 3ª conjugação, a vogal temática **-e-** da 2ª conjugação altera-se para **-i-**.

| 1ª conjugação | 2ª conjugação | 3ª conjugação |
|---|---|---|
| falar | vender | partir |
| falado | vendido | partido |

f) **Gerúndio** — substitui-se o **-r** do infinitivo das três conjugações pela desinência **-ndo**:

| 1ª conjugação | 2ª conjugação | 3ª conjugação |
|---|---|---|
| falar | vender | partir |
| falando | vendendo | partindo |

## Formação dos tempos compostos

Os tempos compostos são formados pelos verbos auxiliares **ter** ou **haver** seguidos de um **particípio** — chamado de **verbo principal**:

Tenho lutado muito na vida.
Ele havia refeito a proposta.

Observe, no quadro abaixo, a conjugação do verbo **falar**, auxiliado pelo verbo **ter**:

| INDICATIVO ||||
|---|---|---|---|
| **Pretérito perfeito composto** | **Pretérito mais-que-perfeito composto** | **Futuro do presente composto** | **Futuro do pretérito composto** |
| Auxiliar no presente do indicativo | Auxiliar no pretérito imperfeito do indicativo | Auxiliar no futuro do presente | Auxiliar no futuro do pretérito |
| tenho falado | tinha falado | terei falado | teria falado |
| tens falado | tinhas falado | terás falado | terias falado |
| tem falado | tinha falado | terá falado | teria falado |
| temos falado | tínhamos falado | teremos falado | teríamos falado |
| tendes falado | tínheis falado | tereis falado | teríeis falado |
| têm falado | tinham falado | terão falado | teriam falado |

| SUBJUNTIVO |||
|---|---|---|
| **Pretérito perfeito composto** | **Pretérito mais-que-perfeito composto** | **Futuro composto** |
| Auxiliar no presente do subjuntivo | Auxiliar no pretérito imperfeito do subjuntivo | Auxiliar no futuro do subjuntivo |
| tenha falado | tivesse falado | tiver falado |
| tenhas falado | tivesses falado | tiveres falado |
| tenha falado | tivesse falado | tiver falado |
| tenhamos falado | tivéssemos falado | tivermos falado |
| tenhais falado | tivésseis falado | tiverdes falado |
| tenha falado | tivessem falado | tiverem falado |

| FORMAS NOMINAIS |||
|---|---|---|
| Infinitivo impessoal composto | Infinitivo pessoal composto | Gerúndio composto |
| Auxiliar no infinitivo impessoal | Auxiliar no infinitivo pessoal | Auxiliar no gerúndio |
| ter falado | ter falado<br>teres falado<br>ter falado<br>termos falado<br>terdes falado<br>terem falado | tendo falado |

## Locução verbal

É a combinação de um **verbo auxiliar** com o **infinitivo**, **particípio** ou **gerúndio** de outro verbo, chamado de principal.

As locuções verbais mais usadas em português ocorrem da seguinte maneira:

a) com os auxiliares **ter** e **haver** ligados a um infinitivo pela preposição **de**, indicando obrigação ou intenção:

**Tenho de chegar** cedo ao escritório.
**Haveremos de vencer** esse torneio.

b) com os auxiliares **estar**, **andar**, **ir** e **vir** seguidos de um gerúndio, indicando ação contínua:

**Estou vivendo** no interior.

Você **anda procurando** encrenca.

As estrelas **iam sumindo** aos poucos.

**Vêm surgindo** novas notícias.

c) com o verbo **ir** seguido de um infinitivo, exprimindo a intenção de realizar ações num futuro próximo:

> **Vou exigir** que ele se retrate em público.
> **Iremos acampar** no final desta semana.

Observe, nos quadros seguintes, a conjugação completa dos verbos auxiliares **ter**, **haver**, **ser** e **estar**.

| MODO INDICATIVO ||||
|---|---|---|---|
| **Presente** ||||
| ter | haver | ser | estar |
| tenho | hei | sou | estou |
| tens | hás | és | estás |
| tem | há | é | está |
| temos | havemos | somos | estamos |
| tendes | haveis | sois | estais |
| têm | hão | são | estão |
| **Pretérito imperfeito** ||||
| ter | haver | ser | estar |
| tinha | havia | era | estava |
| tinhas | havias | eras | estavas |
| tinha | havia | era | estava |
| tínhamos | havíamos | éramos | estávamos |
| tínheis | havíeis | éreis | estáveis |
| tinham | haviam | eram | estavam |
| **Pretérito perfeito** ||||
| ter | haver | ser | estar |
| tive | houve | fui | estive |
| tiveste | houveste | foste | estiveste |
| teve | houve | foi | esteve |
| tivemos | houvemos | fomos | estivemos |
| tivestes | houvestes | fostes | estivestes |
| tiveram | houveram | foram | estiveram |

| Pretérito mais-que-perfeito | | | |
|---|---|---|---|
| ter | haver | ser | estar |
| tivera | houvera | fora | estivera |
| tiveras | houveras | foras | estiveras |
| tivera | houvera | fora | estivera |
| tivéramos | houvéramos | fôramos | estivéramos |
| tivéreis | houvéreis | fôreis | estivéreis |
| tiveram | houveram | foram | estiveram |

| Futuro do presente | | | |
|---|---|---|---|
| ter | haver | ser | estar |
| terei | haverei | serei | estarei |
| terás | haverás | serás | estarás |
| terá | haverá | será | estará |
| teremos | haveremos | seremos | estaremos |
| tereis | havereis | sereis | estareis |
| terão | haverão | serão | estarão |

| Futuro do pretérito | | | |
|---|---|---|---|
| ter | haver | ser | estar |
| teria | haveria | seria | estaria |
| terias | haverias | serias | estarias |
| teria | haveria | seria | estaria |
| teríamos | haveríamos | seríamos | estaríamos |
| teríeis | haveríeis | seríeis | estaríeis |
| teriam | haveriam | seriam | estariam |

## MODO SUBJUNTIVO

### Presente

| ter | haver | ser | estar |
|---|---|---|---|
| tenha | haja | seja | esteja |
| tenhas | hajas | sejas | estejas |
| tenha | haja | seja | esteja |
| tenhamos | hajamos | sejamos | estejamos |
| tenhais | hajais | sejais | estejais |
| tenham | hajam | sejam | estejam |

## Pretérito imperfeito

| ter | haver | ser | estar |
|---|---|---|---|
| tivesse | houvesse | fosse | estivesse |
| tivesses | houvesses | fosses | estivesses |
| tivesse | houvesse | fosse | estivesse |
| tivéssemos | houvéssemos | fôssemos | estivéssemos |
| tivésseis | houvésseis | fôsseis | estivésseis |
| tivessem | houvessem | fossem | estivessem |

## Futuro

| ter | haver | ser | estar |
|---|---|---|---|
| tiver | houver | for | estiver |
| tiveres | houveres | fores | estiveres |
| tiver | houver | for | estiver |
| tivermos | houvermos | formos | estivermos |
| tiverdes | houverdes | fordes | estiverdes |
| tiverem | houverem | forem | estiverem |

## MODO IMPERATIVO

### Afirmativo

| ter | haver | ser | estar |
|---|---|---|---|
| tem (tu) | há (tu) | sê (tu) | está (tu) |
| tenha (você) | haja (você) | seja (você) | esteja (você) |
| tenhamos (nós) | hajamos (nós) | sejamos (nós) | estejamos (nós) |
| tende (vós) | havei (vós) | sede (vós) | estai (vós) |
| tenham (vocês) | hajam (vocês) | sejam (vocês) | estejam (vocês) |

### Negativo

| ter | haver | ser | estar |
|---|---|---|---|
| não tenhas (tu) | não hajas (tu) | não sejas (tu) | não estejas (tu) |
| não tenha (você) | não haja (você) | não seja (você) | não esteja (você) |
| não tenhamos (nós) | não hajamos (nós) | não sejamos (nós) | não estejamos (nós) |
| não tenhais (vós) | não hajais (vós) | não sejais (vós) | não estejais (vós) |
| não tenham (vocês) | não hajam (vocês) | não sejam (vocês) | não estejam (vocês) |

| FORMAS NOMINAIS |||| 
| :--- | :--- | :--- | :--- |
| **Infinitivo impessoal** ||||
| ter | haver | ser | estar |
| **Infinitivo pessoal** ||||
| ter | haver | ser | estar |
| teres | haveres | seres | estares |
| ter | haver | ser | estar |
| termos | havermos | sermos | estarmos |
| terdes | haverdes | serdes | estardes |
| terem | haverem | serem | estarem |
| **Gerúndio** ||||
| tendo | havendo | sendo | estando |
| **Particípio** ||||
| tido | havido | sido | estado |

## >> Testes (II)

1. (SRF) Na resposta de um médico a seu paciente, há **erro** de emprego verbal. Assinale-o.

   "— Doutor, eu preciso tomar remédio?"

   a) Convém que você o tome.
   b) Se você tomar o remédio, sarará mais rapidamente.
   c) É preciso que você tome o remédio.
   d) Tome o remédio por mais uma semana.
   e) É bom que você toma o remédio.

   Na última alternativa, o verbo "tomar" deveria ser conjugado na 3ª pessoa do singular do imperativo afirmativo, cuja terminação coincide com a do presente do subjuntivo = que você tome → tome (você). Por isso, a resposta correta é a "e".

## >> PARTE 2

2. **(MPU)** Está inteiramente **correta** quanto à flexão verbal a frase:
   a) Os parlamentares divergiram nos detalhes, mas conviram nos pontos essenciais.
   b) Se eles requisessem revisão do processo, tê-la-iam conseguido.
   c) Coalizaram-se as oposições, mas o Presidente interveio e obteve uma trégua.
   d) Pediu-nos que lhe expedíssemos os documentos antes que o superintendente os revesse.
   e) Quando todos se manterem calados, o orador houve por bem iniciar sua fala.

   Em "a", o verbo deveria ser "convieram"; em "b", "requeressem"; em "d", "revisse"; e, em "e", "mantiverem". Por isso, a resposta correta é a "c".

3. **(TJ-SP)** O uso indiscriminado do gerúndio tem-se constituído um problema para a expressão culta da língua. Indique a única alternativa em que ele está empregado conforme o padrão culto.

   a) Após aquele treinamento, a corretora está falando muito bem.
   b) Nós vamos estar analisando seus dados cadastrais ainda hoje.
   c) Não haverá demora, o senhor pode estar aguardando na linha.
   d) No próximo sábado, procuraremos estar liberando o seu carro.
   e) Breve, queremos estar entregando as chaves de sua nova casa.

   Em "b", o correto é "Nós vamos analisar" ou "Nós analisaremos"; em "c", "o senhor pode aguardar" ou "aguarde na linha"; em "d", "procuraremos liberar" ou "liberaremos"; em "e", "quereremos entregar" ou "entregaremos". Por isso, a resposta correta é a "a".

4. **(TRE-RO)** Observe a frase:
   Se tu _____ que os eleitores chegam para votar, _____ a porta e _____ -os entrar.

   A opção que completa corretamente a frase é:

   a) veres / abre / deixa
   b) veres / abra / deixe
   c) vires /abra / deixa
   d) vires / abre / deixa
   e) virdes / abri / deixai

>> classes de palavras

**165 >>**

O futuro do subjuntivo deriva da 3ª pessoa do plural do pretérito perfeito do indicativo com a supressão da terminação -am e acréscimo da desinência correspondente à pessoa do emissor – eles "viram" (-am + -es) → se tu "vires". A 2ª pessoa do singular do imperativo afirmativo deriva da 2ª pessoa do singular do presente do indicativo, suprimindo-se a letra s – tu "abres" (-s) → "abre" (tu); tu "deixas" (-s) → "deixa" (tu). Por isso, a resposta correta é a "d".

5. **(TJ-SP)** Assinale a alternativa em que o tempo verbal está corretamente indicado entre parênteses.

   a) No mundo tudo **poderia** ser apresentado em generosa amplitude. (futuro do pretérito)
   b) Nada lhe **parece** mais estúpido e mesquinho que o ideal do trabalhador. (imperativo afirmativo)
   c) Se **existisse** uma ética do trabalho, a da aventura pode desaparecer. (pretérito mais-que-perfeito)
   d) Dois princípios **encarnam**-se nos tipos do aventureiro e do trabalhador. (imperfeito do subjuntivo)
   e) Só uma ética de trabalho **dará** valor moral positivo ao trabalho. (pretérito perfeito)

Em "b", o verbo "aparecer" está conjugado no presente do indicativo; em "c", "existir" está no pretérito imperfeito do subjuntivo; em "d", "encarnar" está no presente do indicativo; em "e", "dar" figura no futuro do presente. O futuro do pretérito do verbo "poder" na 3ª pessoa do singular ("tudo") é "poderia". Por isso, a resposta correta é a "a".

6. **(Petrobras)** Assinale a opção que preenche corretamente as lacunas abaixo:

   "Se você _____ o edital do concurso, leia-o com atenção, pois quando _____ a inscrição, não _____ haver rasuras nos requerimentos."

   a) vir – fizer – deverá
   b) vir – fizer – deverão
   c) vir – fazer – deverão
   d) ver – fizer – deverá
   e) ver – fazer – deverão

A 3ª pessoa do singular do verbo "ver" é "vir": eles "viram" (-am); logo, "quando você **vir**". Do verbo "fazer" é "fizer": eles "fizeram" (-am); então, "quando você **fizer**". O verbo "dever" não pode ser flexionado no plural porque é auxiliar do verbo impessoal "haver". Por isso, a resposta correta é a "a".

**7.** (**TRT-RJ**) "... fique alerta." Se trocarmos a pessoa do verbo para a segunda do singular, mantendo-se o mesmo tempo e modo verbal, a frase teria forma:

a) fiquem alerta    c) fica alerta    e) fiques alerta
b) ficas alerta     d) ficai alerta

A 2ª pessoa do singular do imperativo afirmativo deriva da 2ª pessoa do singular do presente do indicativo, suprimindo-se a letra *s*: tu "ficas" (-s) → "fica (tu)". Por isso, a resposta correta é a "c".

**8.** (**Alerj**) A forma nominal classificada como gerúndio composto é:

a) sendo amado    c) tendo sido amado    e) tiverem sido amados
b) forem amados   d) terem sido amados

O gerúndio composto é formado pelos verbos "ser" ou "ter" no gerúndio, antepostos ao particípio de outro verbo ("sendo" ou "tendo amado"). Por isso, a resposta correta é a "a".

**9.** (**Fuvest-SP**) Assinale a alternativa que preenche corretamente as lacunas:

Não _____ cerimônia, _____, que a casa é _____ e _____ à vontade.

a) faças – entre – tua – fique
b) faça – entre – sua – fique
c) faças – entre – sua – fica
d) faz – entra – tua – fica
e) faça – entra – tua – fique

A 3ª pessoa do singular do imperativo afirmativo coincide com a do presente do subjuntivo: "que você faça → faça (você)"; "que você entre → entre (você)"; "que você fique → fique (você)". O pronome possessivo correspondente à 3ª pessoa é "sua". Por isso, a resposta correta é a "b".

**10.** (**Enem**) A forma verbal sublinhada tem força do imperativo em:

a) Ora, **direis**, ouvir estrelas...
b) Ao toque do sinal, **entrar** em classe.
c) É preciso que eles **venham** comigo ao aeroporto.
d) Serão expulsos, caso assim **comportem**.
e) **Lembrar** não me traz de volta ao passado.

Em "Ao toque do sinal, entrar em classe", o infinitivo impessoal pode ser empregado com valor de imperativo. Nesse caso, o verbo "entrar" equivale a "entre", "entrem", "entremos". Por isso, a resposta correta é a "b".

**11. (UnB-DF)** Identifique a série que contém as formas do futuro do subjuntivo, na mesma pessoa gramatical, relativas às formas assinaladas no segmento a seguir.

"**Venho** de longe e **vou** para longe: mas procurei pelo chão os sinais do meu caminho e não **vi** nada, porque as ervas cresceram e as serpentes andaram."

a) vier – for – vir
b) vir – ir – ver
c) vir – vier – vir
d) vier – ir – vir
e) vir – for – ver

Os verbos "vir", "ir" e "ver" estão na 1ª pessoa do singular (eu). Sabendo-se que o futuro do subjuntivo deriva da 3ª pessoa do plural do pretérito perfeito do indicativo, temos: eles vieram (-am) = quando eu vier; eles foram (-am) = quando eu for; eles viram (-am) = quando eu vir. Por isso, a resposta correta é a "a".

**12. (Fuel-PR)** Pode ser que eu _____ levar as provas, se você _____ tudo para que eu _____ onde estão.

a) consiga, fará, descobriria
b) consiga, fizer, descubra
c) consigo, fizer, descobrir
d) consigo, fizer, descubro
e) consiga, fará, descobrirei

Para haver correlação entre pessoa, número, tempo e modo, o verbo "conseguir" deve ser conjugado na 1ª pessoa do singular do presente do subjuntivo ("consiga"); "fazer" deve figurar na 3ª pessoa do singular do futuro do subjuntivo ("fizer"); e "descobrir" também deve ser flexionado na 1ª pessoa do singular do presente do subjuntivo ("descubra"). Por isso, a resposta correta é a "b".

**13. (Fatec-SP)** Reescrita de acordo com a norma culta, na 3ª pessoa do plural, as formas verbais destacadas na frase de Machado de Assis "Eia! **Chora** os dous recentes mortos, se **tens** lágrimas. Se só **tens** riso, **ri**-te" poderão, conservando o sentido original, dar lugar respectivamente a:

a) chorem – possuem – possuem – riem-se
b) choram – há – há – riem-se
c) choram – têem – têem – riam-se
d) chorem – têm – têm – riam-se
e) choram – houverem – houverem – riem-se

Os verbos "chorar" e "rir" encontram-se na 2ª pessoa do singular do imperativo afirmativo. Conjugando-os na 3ª pessoa do plural, obtêm-se as formas "chorem"

>> 168

e "riam-se", já que essas coincidem com as do presente do subjuntivo. O verbo "ter" está na 2ª pessoa do singular do presente do indicativo, cuja 3ª pessoa do plural apresenta a forma "têm". Por isso, a resposta correta é a "d".

**14.** (FGV-SP) Assinale a alternativa em que os verbos derivados de **pôr**, **ter** e **ver** estão corretamente conjugados.

a) Não aprovaríamos o orçamento, a menos que eles se dispusessem a negociar, que se detivessem na análise do assunto e revissem os custos.
b) Quando se propuserem a ajudar-nos, não se ativerem a detalhes e reverem sua atitude, haverá acordo.
c) Os que previram o seu sucesso não se ateram ao potencial do rapaz; tampouco supuseram que ele resistiria.
d) Mantiveram a justiça porque recompuseram os fatos e reviram as provas.
e) O contrato será renovado se não preverem problemas, não se indisporem com os inquilinos e manterem a calma.

Os verbos "dispor", "deter" e "rever" derivam, respectivamente, de "pôr", "ter" e "ver", devendo, portanto, ser conjugados como estes últimos: eles "puseram" → eles "dispuseram"; se eles "tivessem" → se eles "detivessem"; se eles "vissem" → se eles "revissem". Em "b", o correto é "reverem"; em "c", "ativeram"; em "d", "recompuseram"; e, em "e", "preverem", "indispuserem" e "mantiverem". Por isso, a resposta correta é a "a".

## >> Conjugação dos verbos defectivos

Conforme já vimos, chamam-se defectivos os verbos que não apresentam conjugação completa. Tais verbos podem ser **impessoais**, **unipessoais** ou **pessoais**.

a) **impessoais** — são os que indicam fenômenos da natureza (**ventar**, **chover**, **garoar**, **trovejar** etc.); o verbo **haver**, significando existência, ocorrência ou exprimindo tempo decorrido; e os verbos **fazer** e **estar**, empregados em referência a tempo ou clima:

**Choveu** muito durante o jogo.
**Houve** fraudes nas últimas eleições.
**Faz** dias que não chove.
Já **faz** dias quentes nesta época.

b) **unipessoais** — referem-se a vozes de animais ou possuem sujeito representado por uma oração:

> Meu perdigueiro **latiu** durante a noite toda.
> **Convém** que afastemos os maus pensamentos.

c) **pessoais** — certos verbos que apresentam cacofonia (ele "computa") ou duplo sentido (eu *falo*: do verbo *falar* ou *falir*?).

Veja os grupos em que os verbos defectivos são subdivididos:

1) Os que não apresentam a 1ª pessoa do singular do presente do indicativo não possuem o presente do subjuntivo nem o imperativo negativo, e cujo imperativo afirmativo só apresenta as pessoas **tu** e **vós**. Observe, por exemplo, a conjugação do verbo **abolir**:

| Abolir ||
| Presente do indicativo | Imperativo afirmativo |
| --- | --- |
| — | — |
| aboles | abole (tu) |
| abole | — |
| abolimos | — |
| abolis | aboli (vós) |
| abolem | — |

Como esse modelo, conjugam-se, entre outros: **aturdir, brandir, carpir, delir, demolir, emergir, exaurir, fremir, haurir, jungir, ruir, banir, brunir, colorir, delinquir, esculpir, extorquir, fulgir, imergir, retorquir**.

2) Os que só possuem as pessoas **nós** e **vós** do presente do indicativo não possuem o presente do subjuntivo nem o imperativo negativo, e cujo imperativo afirmativo só apresenta a pessoa **vós**. O verbo **falir**, por exemplo, pertence a esse grupo. Observe:

| Falir ||
|---|---|
| **Presente do indicativo** | **Imperativo afirmativo** |
| — | — |
| — | — |
| — | — |
| falimos | — |
| falis | fali (vós) |
| — | — |

Seguem esse modelo: **aguerrir**, **combalir**, **embair**, **empedernir**, **fornir**, **remir**, **renhir**, **transir** etc.

Nesse grupo também se enquadram os verbos **reaver**, **adequar** e **precaver-se**. Devido à sua importância, apresentamos a conjugação completa do verbo **reaver**:

| MODO INDICATIVO |||
|---|---|---|
| **Presente** | **Pretérito imperfeito** | **Pretérito perfeito** |
| — | reavia | reouve |
| — | reavias | reouveste |
| — | reavia | reouve |
| reavemos | reavíamos | reouvemos |
| reaveis | reavíeis | reouvestes |
| — | reaviam | reouveram |
| **Pretérito mais-que-perfeito** | **Futuro do presente** | **Futuro do pretérito** |
| reouvera | reaverei | reaveria |
| reouveras | reaverás | reaverias |
| reouvera | reaverá | reaveria |
| reouvéramos | reaveremos | reaveríamos |
| reouvéreis | reavereis | reaveríeis |
| reouveram | reaverão | reaveriam |

| MODO SUBJUNTIVO | | |
|---|---|---|
| **Presente** | **Pretérito imperfeito** | **Futuro** |
| — | reouvesse | reouver |
| — | reouvesses | reouveres |
| — | reouvesse | reouver |
| — | reouvéssemos | reouvermos |
| — | reouvésseis | reouverdes |
| — | reouvessem | reouverem |

| MODO IMPERATIVO | |
|---|---|
| **Afirmativo** | **Negativo** |
| — | — |
| — | — |
| — | — |
| — | — |
| reavei (vós) | — |
| — | — |

| FORMAS NOMINAIS | |
|---|---|
| **Infinitivo pessoal** | **Infinitivo impessoal** |
| reaver | reaver |
| reaveres | **Gerúndio** |
| reaver | reavendo |
| reavermos | **Particípio** |
| reaverdes | reavido |
| reaverem | |

## >> Vozes do verbo

Chama-se **voz** a forma que o verbo adquire para indicar se o sujeito pratica ou sofre a ação expressa pelo verbo.

São quatro as vozes verbais: **ativa**, **passiva**, **reflexiva** e **reflexiva recíproca**.

- **Voz ativa** — o sujeito é o *agente* da ação expressa pelo verbo:

Um furacão destruiu aquele povoado.

sujeito agente

>> 172

- **Voz passiva** — o sujeito *sofre* a ação expressa pelo verbo:

    <u>Aquele povoado</u> foi destruído por um furacão.
    (*sujeito paciente*)

Existem dois processos de **voz passiva**:

**Voz passiva analítica** — forma-se com o verbo **ser** seguido de um verbo **transitivo direto** ou **transitivo direto e indireto** no particípio:

    <u>O turista</u> foi morto por uma bala perdida.
    (*sujeito paciente*)

**Voz passiva sintética** — forma-se com um verbo **transitivo direto** ou **transitivo direto e indireto** na 3ª pessoa do singular ou do plural (conforme o sujeito paciente seja singular ou plural) mais o pronome apassivador **se**:

    Formou-se <u>uma grande fila</u> na entrada do circo.
    (*sujeito paciente*)

    Formaram-se <u>grandes filas</u> na entrada do circo.
    (*sujeito paciente*)

- **Voz reflexiva** — ocorre quando o sujeito pratica e sofre a ação verbal simultaneamente. Nesse caso, o verbo sempre é acompanhado de um pronome pessoal oblíquo da mesma pessoa do sujeito a que se refere, possuindo o valor de **a si mesmo (a)**:

    <u>A criança</u> feriu-se na escada. (feriu a si mesma)
    (*sujeito agente e paciente*)

- **Voz reflexiva recíproca** — Ocorre quando a ação é mútua entre os elementos do sujeito. Nesse caso, o pronome oblíquo equivale a **um ao outro**, **uns aos outros**:

   <u>Os dois lutadores</u> encaravam-se raivosos. (olhavam um ao outro)
   (*sujeito agente e paciente*)

## Emprego do infinitivo

O **infinitivo** pode figurar de forma **impessoal**, sem se referir a algum sujeito, ou de forma **pessoal**, flexionada, referindo-se a alguma pessoa gramatical.

O infinitivo **impessoal** é empregado quando a intenção do emissor se centraliza exclusivamente no fato verbal, sem atribuí-lo a qualquer sujeito:

   É proibido dar alimentos aos animais.
   Nunca se deve montar em cavalo bravo.

O infinitivo é **pessoal** quando o fato verbal é atribuído a um sujeito, que pode ser exclusivo ou comum a outro verbo já expresso no período:

   Os retirantes caminhavam horas e horas, na esperança de encontrarem água.

Nesse período, o sujeito de **encontrarem** é elíptico (**os retirantes**), já expresso na oração anterior.

O infinitivo pessoal também pode aparecer sem flexão. Nesse caso o seu sujeito só pode ser identificado pelo contexto:

   Vocês nunca devem sair da sala sem pedir licença.

Nessa frase, o sujeito do verbo em destaque é **vocês**, já determinado pela desinência **-m** que figura no verbo **dever** da oração anterior. Trata-se, portanto, de infinitivo pessoal sem flexão.

## Emprego da forma não flexionada

Não se flexiona o **infinitivo** nos seguintes casos:

a) quando a forma verbal substantivada funciona como sujeito da oração:

**Caminhar** faz bem para a saúde.

b) quando é o verbo principal de uma *locução verbal*:

Não quero mais **morar** neste lugar.

c) quando tem valor de imperativo:

— **Atacar**, **atacar**! — ordenava o treinador.

d) quando é empregado como complemento nominal de um adjetivo. Nesse caso, aparece antecedido da preposição **de** e tem valor passivo:

São situações difíceis **de entender**.

e) quando aparece após verbos **causativos** (*mandar*, *deixar*, *fazer* etc.) ou **sensitivos** (*perceber*, *notar*, *sentir* etc.) desde que não apareça um sujeito representado por um substantivo:

**Mandei**-o **sumir** da minha frente. (sujeito = **o**)
**Senti**-os **aproximar-se**. (sujeito = **os**)

> **Observação:**
> Quando o sujeito desse tipo de verbo é representado por substantivos, o infinitivo pode ser flexionado:
> Pedi para as crianças **voltarem** cedo para casa.
> (sujeito = **as crianças**)

## Emprego da forma flexionada

Flexiona-se o **infinitivo** nos seguintes casos:

a) quando o infinitivo tem o seu próprio sujeito expresso na frase:

É bom vocês **retornarem** de metrô.

(sujeito = **vocês**)

b) quando se refere a um sujeito **elíptico** que se quer dar a conhecer pela desinência verbal:

Convém **jogarmos** com mais empenho.

(sujeito elíptico = **nós**)

c) quando o infinitivo aparece depois do verbo **parecer**:

As estrelas parece **correrem** entre as nuvens.

> **Observação:**
> No caso acima, pode-se flexionar o verbo **parecer** e deixar o infinitivo sem flexão:
> As estrelas **parecem correr** entre as nuvens.

## Flexão facultativa

Quando o infinitivo não apresenta sujeito expresso, mas se relaciona a um sujeito indicado anteriormente, pode ou não aparecer flexionado:

Os noivos dirigiram-se à lateral da igreja para **receber** os cumprimentos.

ou

Os noivos dirigiram-se à lateral da igreja para **receberem** os cumprimentos.

## >> Testes (III)

1. **(TJ-SP)** A alternativa correta quanto ao uso dos verbos é:

   a) Quando ele vir suas notas, ficará muito feliz.
   b) Ele reaveu, logo, os bens que havia perdido.
   c) A colega não se contera diante da situação.
   d) Se ele ver você na rua, não ficará contente.
   e) Quando você vir estudar, traga seus livros.

   Em "b", o correto é "reouve"; em "c", "conteve"; em "d", "vir"; e, em "e", "vier". Por isso, a resposta correta é a "a".

2. **(TCU)** Assinale a opção em que as formas verbais entre parênteses completam corretamente as lacunas.

   a) Até agora não _____ no andamento das investigações, mas considero necessário que se _____ a veracidade das informações. (intervim; averigue)

   b) Conta-se que os herdeiros se _____ quando da leitura do testamento, pois alguns deles não aceitaram que os empregados _____ beneficiados. (desaviram; fossem)

   c) Se ele _____ licença para instalar a loja, é aconselhável que _____, pois o local é bastante perigoso. (obtiver; se precavenha)

   d) Nunca _____ a tais manifestações, pois não acredito que elas _____ aos meus propósitos. (adiro; se adequem).

   e) Ele sempre _____ contra possíveis dificuldades e _____ todas as necessidades da família. (se precaveu; proviu)

   Em "b", as formas que completam as lacunas são "desaviram" e "fossem"; em "c", "obtiver" e "se acautele" (o verbo "precaver-se" é defectivo); em "d", "adiro" e "se adaptem" (o verbo "adequar" é defectivo); e, em "e", "se preveniu" e "proveu" (o verbo "precaver-se" é defectivo). Por isso, a resposta correta é a "a".

3. **(Alerj)** Das frases abaixo, a única que apresenta erro quanto à conjugação do verbo grifado é:
   a) Ela ainda não **reouve** o que perdera.
   b) Os advogados já **requiseram** os processos.
   c) O diretor **entreteve** o aluno por muito tempo.
   d) Sempre **passeamos** no Aterro e nunca fomos assaltados.
   e) Vocês querem que nós **tragamos** os exercícios corrigidos?

   A conjugação correta do verbo "requerer" é "requereram", já que esse verbo **não** segue a conjugação do verbo "querer". Por isso, a resposta correta é a "b".

4. **(TRT-RJ)** "Tudo isso pode ser comprovado por qualquer cidadão." A forma ativa dessa mesma frase é:
   a) Qualquer cidadão pode comprovar tudo isso.
   b) Tudo pode comprovar-se.
   c) Qualquer cidadão se pode comprovar tudo isso.
   d) Pode comprovar-se tudo isso.
   e) Qualquer cidadão pode ter tudo isso comprovado.

   A oração "Tudo isso pode ser comprovado por qualquer cidadão" encontra-se na voz passiva analítica. O sujeito paciente "Tudo isso", na voz ativa, transforma-se em objeto direto; o agente da passiva "por qualquer cidadão" transforma-se em sujeito agente. A forma ativa dessa frase, portanto, é "Qualquer cidadão pode comprovar tudo isso". Por isso, a resposta correta é a "a".

5. **(Alerj)** Marque a opção que completa corretamente as lacunas.
   Se eu o _____, dir-lhe-ei que você já _____ o livro emprestado.
   a) vir – reouve
   b) ver – reaveu
   c) vir – reaveu
   d) ver – reouve
   e) vier – reaviu

   A 1ª pessoa do singular do futuro do subjuntivo do verbo "ver" é "vir"; a 1ª pessoa do singular do pretérito perfeito do verbo "reaver" é "reouve", já que esse verbo é conjugado como o verbo "haver" somente nas formas em que este último apresenta a letra *v*. Por isso, a resposta correta é a "a".

6. **(TRT-PR)** Transpondo para a voz passiva a oração: "Já tinha visto aquela pessoa antes", temos a forma verbal:
   a) fora vista
   b) tinha sido vista
   c) foi vista
   d) vira-se
   e) teria sido vista

A oração "Já tinha visto aquela pessoa antes" encontra-se na voz ativa com sujeito elíptico ("eu" ou "ele"). O termo "aquela pessoa" é objeto direto da forma composta "tinha visto". Na voz passiva, portanto, esse objeto transforma-se em sujeito paciente, resultando a frase: "Aquela pessoa já tinha sido vista (por mim ou por ele) antes". Por isso, a resposta correta é a "b".

7. **(Alerj)** O emprego do verbo **precaver-se** está correto no seguinte período:
   a) Todos se precavêm porque o mal da AIDS está se alastrando.
   b) Eu me precavenho porque a AIDS é uma realidade.
   c) Se você se precavir, não ficará doente.
   d) Ele não se precaveu e ficou doente.
   e) Elas se precavinham sempre.

O verbo "precaver-se" não deriva de "ver" nem de "vir". É defectivo e só se conjuga nas formas arrizotônicas, ou seja, nas formas em que a vogal tônica se situa fora do radical: precavemo-nos, precavei-vos, precavia-me, precavi-me etc. Por isso, a resposta correta é a "d".

8. **(Fuvest-SP)** Assinale a alternativa em que uma forma verbal foi empregada **incorretamente**.
   a) O superior interveio na discussão, evitando a briga.
   b) Se a testemunha depor favoravelmente, o réu será absolvido.
   c) Quando eu reouver o dinheiro, pagarei a dívida.
   d) Quando você vir Campinas, ficará extasiado.
   e) Ele trará o filho, se vier a São Paulo.

O verbo "depor" é derivado do verbo "pôr", portanto segue a conjugação deste último: "Se ele puser"→ "Se ele depuser". Por isso, a resposta correta é a "b".

9. **(ESPM-SP)** Nas frases abaixo, todas as formas verbais estão incorretas, segundo o que preceitua a gramática, exceto uma. Assinale a única **correta**.
   a) Se você decompor esta equação, chegará aos resultados previstos.
   b) Eu tenho chego tarde ao trabalho.
   c) O investidor ainda não reaveu o dinheiro aplicado nas Bolsas de Valores.
   d) Quando você rever esse contrato, entenderá melhor seus direitos.
   e) Se o funcionário obter sucesso no desempenho da função, ganhará transferência para a matriz nos EUA.

A alternativa "a" só seria correta se o verbo fosse "decompuser"; em "b", o correto é "chegado", porque o particípio irregular "chego" não existe; em "c", o certo é "reouve", visto que "reaver" conjuga-se como o verbo "haver" (somente nas formas em que este último apresenta a letra v); e, em "e", o verbo deve ser "obtiver", pois "obter" conjuga-se como "ter". Por isso, a resposta correta é a "d".

## 10. (Esan-SP) Assinale a alternativa em que há um verbo defectivo.

a) Demoliram vários prédios naquele local.
b) Eles se correspondem frequentemente.
c) Estampava no rosto um sorriso, um sorriso de criança.
d) Compramos muitas mercadorias remarcadas.
e) Coube ao juiz julgar o réu.

Não se conjuga o verbo "demolir" na 1ª pessoa do singular do presente do indicativo nem, portanto, no presente do subjuntivo. No imperativo afirmativo só se empregam as formas "demole (tu)" e "demoli (vós)". No imperativo negativo não há nenhuma forma. Nos demais tempos e modos, conjuga-se normalmente. Por isso, a resposta correta é a "a".

## 11. (FGV-SP) Leia a frase: "A lei de lucros extraordinários foi detida no Congresso". Assinale a alternativa que corresponde exatamente a essa frase.

a) O Congresso deteve a lei de lucros extraordinários.
b) Deteu-se no Congresso a lei de lucros extraordinários.
c) O Congresso deteu a lei de lucros extraordinários.
d) Deteve-se no Congresso a lei de lucros extraordinários.
e) A lei de lucros extraordinários era detida no Congresso.

A oração apresentada está na voz passiva analítica. Sua passagem para a passiva sintética está correta na penúltima alternativa, observando-se a flexão do verbo "deter", derivado de "ter" ("deteve"), o emprego do pronome apassivador "se" e a concordância do verbo com o sujeito "a lei de lucros extraordinários". O Congresso é o lugar onde a lei foi detida, portanto, não foi ele quem a deteve. Por isso, a resposta correta é a "d".

## 12. (Besc) Assinale a alternativa em que NÃO tenha havido erro de uso de formas verbais.

a) Se nós vimos à empresa amanhã, faremos o trabalho.
b) Eles tinham intervindo no caso há mais de um mês.
c) Quando você reaver os documentos, procure-me.
d) Ele requereu a matrícula no curso de Português.
e) Se você pôr a cabeça para funcionar, encontrará a solução para o seu problema.

Em "a", o futuro do subjuntivo do verbo "vir", tempo requerido pelo contexto, é "viermos"; em "b", o correto é usar o particípio do verbo "intervir" ("intervindo"), que, curiosamente, tem a mesma forma do gerúndio. "Intervido" não existe. Em "c", o correto é "reouver", pois o tempo verbal da oração é o futuro do subjuntivo, mesmo caso da alternativa "e", onde, em vez de "pôr", o correto é "puser". A pegadinha deste teste está na alternativa "d": a 3.ª pessoa do singular do verbo "requerer" no pretérito perfeito do indicativo é mesmo "requereu". Cuidado para não confundir com a conjugação de "querer" (que, nessa mesma pessoa e tempo verbal, seria "quis"), pois "requerer" não deriva desse verbo. Por isso, a resposta correta é a "d".

**13.** (Unesp-SP) Aponte a alternativa em que o verbo **reaver** está correto.

a) É necessário que você reavenha aquele dinheiro.
b) É necessário que você reaveja aquele dinheiro.
c) É necessário que você reaja aquele dinheiro.
d) É necessário que você reava aquele dinheiro.
e) n.d.a.

O verbo "reaver" é defectivo, devendo ser conjugado como "haver", porém somente nas formas em que este último apresenta a letra *v*. Presente do indicativo: somente *reavemos* e *reaveis*. Presente do subjuntivo: não há. Imperativo afirmativo: somente *reavei*. Imperativo negativo: não há. Pretérito perfeito do indicativo: *reouve, reouveste, reouve, reouvemos, reouvestes, reouveram*. Pretérito mais-que-perfeito do indicativo: *reouvera, reouveras, reouvera* etc. Pretérito imperfeito do indicativo: *reavia, reavias, reavia* etc. Pretérito imperfeito do subjuntivo: *reouvesse, reouvesses, reouvesse* etc. Futuro do subjuntivo: *reouver, reouveres, reouver* etc. Futuro do presente: *reaverei, reaverás, reaverá* etc. Futuro do pretérito: *reaveria, reaverias, reaveria* etc. Gerúndio: *reavendo*. Particípio: *reavido*. Por isso, a resposta correta é a "e".

**14.** (Cesesp-PE) Assinale o único item em que o emprego do infinitivo está errado.

a) Deixei-os sair, mas procurei orientá-los bem.
b) De hoje a três meses podes voltar aqui.
c) Disse ser falsas aquelas assinaturas.
d) Depois de alguns instantes, eles parecia estarem mais conformados.
e) Viam-se brilhar as primeiras estrelas.

Na terceira alternativa o certo é: "Disse serem falsas aquelas assinaturas". O infinitivo deve ser flexionado, já que o sujeito da oração subordinada (aquelas assinaturas) é diferente do verbo da oração principal ("eu" ou "ele"). Por isso, a resposta correta é a "c".

## >> capítulo 3

# >> Classes gramaticais invariáveis

## 1. Preposição

É a palavra invariável que liga duas outras, subordinando uma à outra. Observe os exemplos:

Moro **em** Brasília.

(a preposição **em** estabelece circunstância de lugar entre as duas palavras)

O cão morreu **de** fome.

(a preposição **de** estabelece circunstância de causa entre as duas palavras)

### >> Locução prepositiva

É o conjunto de duas ou mais palavras com valor de preposição: **através de, embaixo de, atrás de, em volta de, ao redor de, por cima de** etc.

As preposições podem ser:

a) **essenciais**: palavras que funcionam unicamente como preposição: **a, ante, até, após, com, contra, de, desde, em, entre, para, por, perante, sem, sob, sobre** e **trás**.

b) **acidentais**: palavras pertencentes a outras classes gramaticais que, eventualmente, passam a exercer o papel de preposição: **como, conforme, segundo, mediante, durante** etc.

## Combinação e contração

As preposições podem unir-se a outras palavras por **combinação** ou **contração**. Não havendo alteração fonética, ocorre **combinação**; com alteração fonética, ocorre **contração**.

| combinação | |
|---|---|
| a + (os) | **ao(s)** |
| a + onde | **aonde** |

| contração | | | |
|---|---|---|---|
| de + o(s) | **do(s)** | de + ele(s) | **dele(s)** |
| de + a(s) | **da(s)** | de + ela(s) | **dela(s)** |
| em + o(s) | **no(s)** | a + a(s) | **à(s)** |
| em + a(s) | **na(s)** | a + aquele(s) | **àquele(s)** |
| em + ele(s) | **nele(s)** | a + aquela(s) | **àquela(s)** |
| em + ela(s) | **nela(s)** | a + aquilo | **àquilo** |
| em + um(a) | **num(a)** | por + a(s) | **pela(s)** |
| em + um(ns) | **num(ns)** | por + o(s) | **pelo(s)** |
| de + ali | **dali** | | |

## 2. Conjunção

É a palavra invariável que liga duas orações ou dois termos semelhantes da mesma oração. Observe os exemplos:

> Você quer açúcar **ou** adoçante?
>
> (a conjunção **ou** liga duas palavras)
>
> Preste atenção **ou** saia da sala.
>
> (a conjunção **ou** liga duas orações)

As conjunções que ligam termos ou orações de idêntica função sintática recebem o nome de **coordenativas**. As orações ligadas por esse tipo de conjunção recebem o nome de **coordenadas**.

As conjunções que ligam orações sintaticamente dependentes, exercendo as funções próprias de um substantivo (orações substantivas) ou exprimem uma circunstância adverbial (orações adverbiais) são denominadas **subordinativas**. As orações introduzidas por esse tipo de conjunção recebem o nome de **subordinadas**.

## Locução conjuntiva

Chama-se **locução conjuntiva** o conjunto de palavras que apresenta o mesmo valor de uma conjunção: **desde que**, **antes que**, **já que**, **até que**, **a fim de que**, **à medida que** etc.

Veja nos quadros seguintes a classificação geral das conjunções e locuções conjuntivas.

a) Conjunções e locuções coordenativas:

| classificação | conjunções e locuções | exemplos |
|---|---|---|
| aditivas | **e**, **nem**, **mas também**, **bem como**, **como**, **como também** etc. | Ele não trabalha **nem** estuda. |
| adversativas | **mas**, **porém**, **todavia**, **entretanto**, **contudo** etc. | Meu tio é rico, **mas** é muito avarento. |
| alternativas | **ou**, **ou... ou**, **ora... ora**, **já... já**, **quer... quer** etc. | Preste atenção **ou** retire-se. |
| conclusivas | **logo**, **portanto**, **por isso**, **assim**, **pois** (depois do verbo) etc. | O dia está frio; leve, **por isso**, um bom agasalho. |
| explicativas | **que**, **porque**, **porquanto**, **pois** (antes do verbo) etc. | Leve este dicionário, **pois** o preço está ótimo. |

184

b) Conjunções e locuções subordinativas:

| classificação | conjunções e locuções | exemplos |
|---|---|---|
| causais | **porque**, **como**, **já que**, **uma vez que**, **visto que**, **dado que**, **sendo que** etc. | **Como** choveu muito, as ruas ficaram alagadas. |
| consecutivas | **que**, relacionada a uma palavra de caráter intensivo (**tão**, **tal**, **tanto** etc.) | Gritou **tanto que** ficou quase sem voz. |
| comparativas | **como**, **tal qual**, **que**, **mais... que**, **menos... que**, **quanto** etc. | Nada pesa tanto **como** um segredo. |
| conformativas | **conforme**, **consoante**, **segundo**, **como**, **assim como** etc. | Farei tudo **conforme** determina a lei. |
| concessivas | **embora**, **por mais que**, **mesmo que**, **ainda que**, **se bem que** etc. | **Por mais que** insistam, não agiremos dessa maneira. |
| condicionais | **se**, **caso**, **contanto que**, **a menos que**, **salvo se**, **sem que** etc. | Você nada conseguirá, **sem que** se esforce. |
| proporcionais | **quanto mais**, **quanto menos**, **tanto mais**, **à medida que**, **à proporção que** etc. | **Quanto menos** você falar, mais satisfeitos ficaremos. |
| finais | **para que**, **a fim de que**, **que** (= **para que**) etc. | Todos faziam sinal **para que** o time não recuasse. |
| temporais | **quando**, **enquanto**, **logo que**, **sempre que**, **depois que**, **desde que** etc. | **Quando** alguém faz economia, prepara o seu bem-estar. |

## >> Testes

**1.** **(TJ-SP)** A região alvo da expansão das empresas, _____, das redes de franquias, é a Sudeste, _____ as demais regiões também serão contempladas em diferentes proporções; haverá, _____, planos diversificados de acordo com as possibilidades de investimento dos possíveis franqueados.

A alternativa que completa, correta e respectivamente, as lacunas e relaciona corretamente as ideias do texto é:

a) digo – portanto – mas
b) como – pois – mas
c) ou seja – embora – pois
d) ou seja – mas – portanto
e) isto é – mas – como

A expressão "ou seja" é mera expressão de explicação, de esclarecimento; a conjunção "mas" estabelece com a oração anterior ideia de oposição, de adversidade; a conjunção "portanto" introduz a conclusão da informação apresentada anteriormente. Esses elementos conectivos pertencem às orações coordenadas, inseridas mais adiante, no capítulo destinado ao estudo do período composto. Por isso, a resposta correta é a "d".

**2.** **(BB)** "Este trabalho, **sobre** ser agradável, é gratificante." A preposição grifada equivale a:

a) apesar de
b) à custa de
c) além de
d) antes de
e) em vez de

Na frase apresentada, a preposição "sobre" equivale à locução prepositiva "além de", indicando inclusão, adição. Por isso, a resposta correta é a "c".

**3.** **(Alerj)** A preposição **a** com valor de movimento no espaço foi utilizada na seguinte frase:

a) Cumpriu tudo **à** risca.
b) Daqui **a** um mês falarei tudo.
c) **Ao** anoitecer, avistei um povoado.

>> **186**

d) Sua vida de casada vai de mal **a** pior.
e) Do Leme **a**o Leblon, o passeio é fantástico.

Em "a" e "d", a preposição "a" indica modo; em "b" e "c" a circunstância é de tempo. Por isso, a resposta correta é a "e".

**4.** (**Esaf**) Marque a opção que apresenta preposição ou locução prepositiva similar à da seguinte frase: "Não obstante essa artimanha, o candidato foi eleito.".

a) Através dessa artimanha, o candidato foi eleito.
b) Diante dessa artimanha, o candidato foi eleito.
c) Depois dessa artimanha, o candidato foi eleito.
d) Em razão dessa artimanha, o candidato foi eleito.
e) A despeito dessa artimanha, o candidato foi eleito.

A expressão "não obstante" equivale à locução "apesar de", indicando oposição, concessão. Na frase "A despeito dessa artimanha, o candidato foi eleito", a locução "a despeito de" é similar a "apesar de", "não obstante". Por isso, a resposta correta é a "e".

**5.** (**FJG-RJ**) Substituindo-se o termo destacado em "Mas a localização é, **como** costumam dizer os anúncios, privilegiada", por outro, de igual significado, teremos:

a) quando
b) porque
c) conforme
d) à medida que
e) logo que

A conjunção "como", na frase apresentada, introduz ideia de conformidade, similar à conjunção "conforme": "Mas a localização é, conforme costumam dizer os anúncios, privilegiada". Por isso, a resposta correta é a "c".

**6.** (**ITA-SP**) Assinale a opção que melhor substitui a expressão destacada no trecho abaixo e, ao mesmo tempo, esteja de acordo com a relação por ela estabelecida.

"(...) Embora o Enem seja um avanço **no sentido de permitir** uma avaliação do ensino médio, ele pode incorrer em um problema que existe atualmente: tornar-se um modelo para os currículos das escolas. (...)". (Caderno Especial. *Folha de S.Paulo.* 24/8/1999)

a) que permite – restrição
b) porque permite – explicação
c) e permite – adição
d) para permitir – finalidade
e) a despeito de permitir – concessão

A expressão pode ser substituída por "porque permite", sem alterar o sentido do período, já que explica o "avanço" relacionado à sigla "Enem". Por isso, a resposta correta é a "b".

**7.** (**Fuvest-SP**) Entre as frases "Cazuza mordeu a vida com todos os dentes" e "A doença e a morte parecem ter-se vingado de sua paixão exagerada de viver" estabelece-se um vínculo que pode ser corretamente explicitado com o emprego de:

a) desde que
b) tanto assim que
c) uma vez que
d) à medida que
e) apesar de que

Estabelece-se entre as duas orações uma relação de causa e consequência. Em "a", "desde que" exprime tempo; em "c", "uma vez que" exprime causa; em "d", "à medida que" exprime proporção; em "e", "apesar de que" exprime oposição (concessão). Por isso, a resposta correta é a "b".

**8.** (**Unaerp-SP**) "Os leigos que me perdoem: leitura é fundamental."

Na frase, os dois-pontos têm função conjuntiva e unem orações com sentido de:

a) tempo
b) adversidade
c) concessão
d) adição
e) consequência

Os dois-pontos podem ser substituídos por "mas", "porém", "todavia", "contudo", "entretanto", que introduzem a ideia de oposição em relação ao que foi expresso anteriormente. Por isso, a resposta correta é a "b".

**9.** (**Unaerp-SP**) Entre os dois segmentos dos provérbios e frases que seguem, há uma relação lógica permitindo que as lacunas possam ser corretamente preenchidas pela conjunção *mas*, o que não ocorre apenas em:

>> **188**

a) Papagaio come milho, _____ periquito leva a fama.
b) Casa de ferreiro, _____ espeto de pau.
c) Voem juntos, _____ não amarrados.
d) O lobo perde a pele, _____ não perde o vício.
e) Quem não deve, _____ não teme.

Com exceção da última alternativa, todas as outras contêm uma relação de oposição entre as orações apresentadas. Por isso, a resposta correta é a "e".

**10. (ESPM-SP)** Leia as frases:

I – A secretária falou **do** gerente.
II – A secretária falou **pelo** gerente.
III – A secretária falou **para o** gerente.
IV – A secretária falou **junto** com o gerente.

As preposições destacadas traduzem respectivamente ideia de:

a) companhia, direção, substituição, simultaneidade
b) assunto, direção, substituição, companhia
c) assunto, substituição, direção, simultaneidade
d) assunto, substituição, companhia, direção
e) modo, causa, direção, companhia

Em I, "do" = falou sobre, a respeito de; em II, "pelo" indica que a secretária falou como se fosse o gerente (ideia de substituição); em III, "para" indica direção (a secretária falou dirigindo-se ao gerente); em IV, "junto com" significa que a secretária falou ao mesmo tempo que o gerente. Por isso, a resposta correta é a "c".

**11. (Mackenzie-SP)** Indique a oração que apresenta locução prepositiva.

a) Havia objetos valiosos sobre a pequena mesa de mármore.
b) À medida que os inimigos se aproximavam, as tropas inglesas recuavam.
c) Seguiu a carreira militar devido à influência do pai.
d) Agiu de caso pensado, quando se afastou de você.
e) De repente, riscou e reescreveu o texto.

Locução prepositiva é o conjunto de palavras encerrado por uma preposição essencial, possuindo o mesmo valor de uma preposição. É o que ocorre na expressão "devido à" (= por causa de): "Seguiu a carreira militar devido à (= por causa da) influência do pai". Por isso, a resposta correta é a "c".

> **12. (ITA-SP)** "O projeto Montanha Limpa, desenvolvido desde 1992, por meio da parceria entre o Parque Nacional de Itatiaia e a *DuPont*, visa amenizar os problemas causados pela poluição em forma de lixo deixado por visitantes desatentos." (Folheto do Projeto Montanha Limpa do Parque Nacional de Itatiaia)
>
> A preposição que indica que o Projeto Montanha Limpa continua até a publicação do Folheto é:
>
> a) entre
> b) por (por visitantes)
> c) em
> d) por (pela poluição)
> e) desde

A única alternativa em que a preposição relaciona-se a uma noção de tempo e de permanência é a que especifica que o projeto Montanha Limpa é desenvolvido "desde 1992", ou seja, desde aquele ano. Nada indica, na sequência do texto, a sua interrupção. Por isso, a resposta correta é a "e".

## 3. Advérbio

É a palavra que modifica o sentido de um **verbo**, acrescentando-lhe uma circunstância (tempo, modo, lugar, causa, intensidade etc.) ou intensifica o significado de um **adjetivo** ou de outro **advérbio**. Pode, também, modificar o sentido de uma frase toda:

a) modificando um verbo:

> Aquele vereador fala bem.

b) intensificando um adjetivo:

> Aquela garota é bastante magra.

c) intensificando outro advérbio:

> Essa professora fala muito alto.

d) modificando toda a frase:

> Felizmente, os bombeiros chegaram rapidamente.

## >> Locução adverbial

É o conjunto de duas ou mais palavras possuindo o mesmo valor e emprego de um advérbio: **com capricho**, **às vezes**, **sem vontade**, **de propósito**, **de repente** etc.

De acordo com a Nomenclatura Gramatical Brasileira, os advérbios e locuções recebem a classificação exposta no quadro seguinte:

| circunstâncias | advérbios e locuções adverbiais |
| --- | --- |
| afirmação | sim, certamente, realmente, efetivamente, por certo, de fato, sem dúvida etc. |
| dúvida | acaso, porventura, possivelmente, provavelmente, quiçá, talvez etc. |
| intensidade | assaz, bastante, bem, demais, mais, menos, muito, pouco, tão, quase, quanto, demais, meio, todo, apenas, demasiadamente, em excesso, em demasia etc. |
| lugar | abaixo, acima, adiante, aqui, aí, ali, aquém, além, atrás, fora, dentro, acolá, através, perto, longe, à direita, à esquerda, de longe, de perto, ao lado, por dentro, por fora, por aqui, por ali, para onde etc. |
| modo | assim, bem, debalde, depressa, devagar, mal, bem, melhor, pior, alerta, à toa, às claras, às ocultas, às pressas, ao léu, lado a lado, frente a frente etc, e quase todos os terminados pelo sufixo *-mente* (calmamente, alegremente etc.) |
| negação | não, de modo algum, de jeito nenhum, de forma alguma etc. |
| tempo | agora, ainda, amanhã, ontem, anteontem, antes, breve, cedo, tarde, depois, hoje, então, nunca, jamais, logo, sempre, outrora, já, raramente, à tarde, à noite, de manhã, de repente, de súbito, em breve, de quando em quando etc. |

## Advérbios interrogativos

Por serem empregados nas interrogações diretas ou indiretas, os seguintes advérbios são chamados de **advérbios interrogativos**:

| circunstâncias | advérbios interrogativos | exemplos |
|---|---|---|
| causa | por que | Por que você mentiu?<br>Não sei por que você mentiu. |
| lugar | onde | Onde esse autor nasceu?<br>Ignoro onde ele nasceu. |
| modo | como | Como ele está trajado?<br>Não sei como ele está trajado. |
| tempo | quando | Quando voltaremos de lá?<br>Ainda não sei quando voltaremos de lá. |

## Flexão de grau

Alguns advérbios admitem, à maneira dos adjetivos, a flexão de grau comparativo e superlativo:

### Grau comparativo

a) **de igualdade**: Ele mora tão longe quanto você.
b) **de inferioridade**: Ele mora menos longe do que você.
c) **de superioridade**: Ele mora mais longe do que você.

### Grau superlativo

a) **absoluto analítico**: Ele mora muito longe.
b) **absoluto sintético**: Ele mora longíssimo.

**Observações:**

1ª) Na linguagem informal, é comum o emprego de certos advérbios no grau **diminutivo**:

> Meu sítio fica **pertinho** da cidade.

2ª) Modificando **particípios**, empregam-se as formas **mais bem** e **mais mal** em vez de **melhor** e **pior**, respectivamente:

> Meu texto está **mais bem** elaborado do que o seu.
> É o indivíduo **mais mal** encarado que já conheci.

3ª) Na aproximação de dois ou mais advérbios formados pelo sufixo *-mente*, podemos usar esse sufixo somente no último advérbio:

> Meu pai sempre falou **tranquila** e **pausadamente**.

## Palavras e locuções denotativas

Existem certas palavras ou expressões que não se enquadram efetivamente como advérbio ou locução adverbial. De acordo com a NGB, tais palavras ou expressões recebem classificação à parte, porém sem nome especial. São analisadas de acordo com a ideia que encerram, assim:

a) **Inclusão** – *até, inclusive, mesmo, também* etc.:

> Ele fala mal **até** dos próprios amigos.

b) **Exclusão** – *apenas, menos, salvo, senão, só, somente* etc.:

> Não reconheci, na foto, **só** uma pessoa: você.

c) **Designação** – *eis*:

>Eis a cidade em que nasci.

d) **Realce** – *cá, lá, é que, que, ora, só* etc.:

>Sei lá onde ela mora.

e) **Retificação** – *aliás, ou antes, ou melhor, isto é* etc.:

>O ladrão, ou melhor, os ladrões fugiram a pé.

f) **Situação** – *afinal, agora, então, mas* etc.:

>Afinal é isso que você tinha a declarar?

## 4. Interjeição

É a palavra ou locução com que se exprime um sentimento de dor, de alegria, de admiração, de aplauso, de irritação etc.

As interjeições são classificadas de acordo com o sentimento que expressam. Entre as mais usadas, destacamos as seguintes:

a) **alegria ou satisfação:** ah!, oh!, oba!
b) **animação:** coragem!, avante!, eia!, vamos!
c) **aplauso:** bis!, bem!, bravo!, viva!
d) **desejo:** oh!, oxalá!, tomara!
e) **dor:** ai!, ui!
f) **espanto ou surpresa:** ah!, chi!, ih!, oh!, ué!, uai!, caramba!
g) **apelo:** alô!, ei!, socorro!
h) **silêncio:** psiu!, silêncio!, caluda!
i) **suspensão:** alto!, basta!, alto lá!
j) **advertência:** cuidado!, atenção!

## Locução interjetiva

Ocorre quando a exclamação é feita por um grupo de palavras:

Nossa Senhora!   Benza-me Deus!   Puxa vida!

## >> Testes

**1.** (Telerj) Assinale a opção em que não se observa equivalência de sentido entre a locução e o advérbio:

a) ao mesmo tempo – concomitantemente
b) sem muito cuidado – negligentemente
c) de vez em quando – esporadicamente
d) aos poucos – inopinadamente
e) com força – vigorosamente

Os advérbios correspondentes à locução "aos poucos" são: "lentamente", "paulatinamente", "vagarosamente". "Inopinadamente" significa "inesperadamente". Por isso, a resposta correta é a "d".

**2.** (PGE-RJ) Na frase "... tão bonita, tão, sei **lá**, radiante...", a que classe de palavra pertence o vocábulo destacado?

a) palavra denotativa
b) advérbio
c) interjeição
d) preposição
e) conjunção

De acordo com a Nomenclatura Gramatical Brasileira, a palavra "lá", não exprimindo circunstância de lugar, é uma simples palavra denotativa de realce. Por isso, a resposta correta é a "a".

3. (**Fuvest-SP**) Na frase "O Sol ainda produzirá energia (...)", o advérbio **ainda** tem o mesmo sentido que em:

a) Ainda lutando, nada conseguirá.
b) Há ainda outras pessoas envolvidas no caso.
c) Ainda há cinco minutos ele estava aqui.
d) Um dia ele votará, e ela estará ainda à sua espera.
e) Sei que ainda serás rico.

O sentido da palavra "ainda" na frase "O Sol ainda produzirá energia (...)" é de "até lá", "até esse tempo", como também ocorre na frase "Um dia ele voltará, e ela estará ainda (até lá, até esse tempo) à sua espera". Por isso, a resposta correta é a "d".

4. (**FGV-SP**) "**Ainda que** endureçamos os nossos corações diante da vergonha e da desgraça experimentadas pelas vítimas, o ônus do analfabetismo é **muito** alto para todos os demais."

A locução "ainda que" e o advérbio "muito" estabelecem, nesse enunciado, relações de sentido, respectivamente, de:

a) restrição e quantidade
b) causa e modo
c) tempo e meio
d) concessão e intensidade
e) condição e especificação

A expressão "ainda que" é uma locução conjuntiva que introduz ideia de oposição à informação contida na oração seguinte. Trata-se, portanto, de locução subordinativa adverbial concessiva, conforme veremos, mais adiante, em orações subordinadas adverbiais; o advérbio "muito" intensifica a ideia contida no adjetivo "alto". Por isso, a resposta correta é a "d".

5. (**UnB-DF**) Assinale a frase em que *meio* funciona como advérbio.

a) Só quero meio quilo.
b) Achei-o meio triste.
c) Descobri o meio de acertar.
d) Parou no meio da rua.
e) Comprou um metro e meio.

Em "a" e "e", "meio" é numeral fracionário; em "b", é advérbio porque intensifica o significado do adjetivo "triste"; em "c" e "d", é um substantivo, determinado pelo artigo "o", mas em "d" esse artigo está contraído com a preposição "em" = "no". Por isso, a resposta correta é a "b".

6. (**UEPG-PR**) As formas que traduzem vivamente os sentimentos súbitos, espontâneos e instintivos dos falantes são denominados:
   a) conjunções
   b) interjeições
   c) preposições
   d) locuções
   e) coordenações

O comando da questão já traz o conceito de interjeição. Por isso, a resposta correta é a "b".

7. (**Fuvest-SP**) "É preciso agir, e rápido, disse ontem o ex-presidente nacional do partido."

   A frase em que a palavra destacada não exerce função idêntica à de **rápido** é:
   a) Como estava exaltado, o homem gesticulava e falava **alto**.
   b) Mademoiselle ergueu **súbito** a cabeça, voltou-a pro lado, esperando, olhos baixos.
   c) Estavam acostumados a falar **baixo**.
   d) Conversamos por alguns minutos, mas tão **abafado** que nem as paredes ouviram.
   e) Sim, havíamos de ter um oratório bonito, **alto**, de jacarandá.

Em "É preciso agir, e rápido, disse ontem o ex-presidente nacional do partido", a palavra "rápido" é um adjetivo adverbializado (valendo por advérbio de modo) porque modifica o verbo "agir"; em "Sim, havíamos de ter um oratório bonito, alto, de jacarandá", a palavra "alto" é adjetivo, caracterizador do substantivo "oratório". Nas demais alternativas, todas as palavras em destaque também são adjetivos adverbializados. Por isso, a resposta correta é a "e".

8. (**Ufes**) O único item cuja palavra em negrito pertence à mesma classe da destacada em "(...) apareceu um bem-te-vi caprichoso, **muito** moderno (...)" é:

a) O homem gasta **muito** dinheiro para exterminar os pássaros.
b) Há **muito** passarinho para uma só árvore.
c) Passado **muito** tempo, ouvi um bem-te-vi cantar.
d) O bem-te-vi devia estar numa gaiola **muito** elegante.
e) As crianças responderam com **muito** acerto.

Em "(...) apareceu um bem-te-vi caprichoso, muito moderno (...)", a palavra "muito" é advérbio porque intensifica o sentido do adjetivo "moderno". A mesma classe de palavra encontra-se na frase "O bem-te-vi devia estar numa gaiola muito elegante", já que a palavra "muito" intensifica o sentido do adjetivo "elegante". Por isso, a resposta correta é a "d".

**9.** (UFV-MG) Em todas as alternativas há dois advérbios, **exceto** em:

a) Ele permaneceu muito calado.
b) Amanhã não iremos ao cinema.
c) O menino, ontem, cantou desafinadamente.
d) Tranquilamente, realizou-se, hoje, o jogo.
e) Ela falou calma e sabiamente.

Em "b", os advérbios são: "amanhã" (tempo) e "não" (negação); em "c", "ontem" (tempo) e "desafinadamente" (modo); em "d", "tranquilamente" (modo) e "hoje" (tempo); em "e", "calma" = "calmamente" (modo) e "sabiamente" (modo). Na frase "Ele permaneceu muito calado", existe apenas o advérbio "muito", intensificando o sentido do adjetivo "calado". Por isso, a resposta correta é a "a".

**10.** (PUC-SP) No trecho: "Todo romancista, todo poeta, quaisquer que sejam os rodeios que possa fazer a teoria literária, deve falar de (...) o mundo existe e o escritor fala, **eis** a literatura."

A palavra destacada é:

a) advérbio de inclusão
b) advérbio de designação
c) conjunção subordinativa
d) palavra denotativa de exclusão
e) palavra denotativa de inclusão

Certas palavras, apesar de apresentarem forma semelhante à dos advérbios, a rigor não podem ser consideradas como tais. A Nomenclatura Gramatical Brasileira classifica-as simplesmente como palavras denotativas, devendo ser analisadas de acordo com a ideia que indicam. É o que ocorre com a palavra "eis", que indica inclusão. Por isso, a resposta correta é a "e".

**11.(ESPM-SP)** Substituindo as expressões em destaque nas frases abaixo, o que se pode obter?

   I – **Levei um grande susto!** Quase fui atropelado!
  II – **Que desagradável!** Lá vem ele de novo.
 III – **Preste atenção!** O guarda pode multar.

a) Opa – Puxa – Oh
b) Opa – Xi – Céus
c) Caramba – Xi – Alerta
d) Quê – Xi – Cuidado
e) n.d.a

As palavras "caramba", "xi" e "alerta" são interjeições que expressam, respectivamente, espanto, aborrecimento e advertência. Por isso, a resposta correta é a "c".

## parte 3

>> Conceitos preliminares
>> **1.** Análise sintática da oração
>> **2.** As estruturas do período composto
>> **3.** Sintaxe de regência
>> **4.** Crase
>> **5.** Sintaxe de concordância
>> **6.** Colocação pronominal
>> **7.** As palavras "que" e "se"
>> **8.** Figuras de linguagem
>> **9.** Pontuação
>> **10.** Tópicos de linguagem

# 3.

## >> Sintaxe

## >> Conceitos preliminares

A palavra **sintaxe** origina-se do grego; significa "arranjo", "disposição". A sintaxe, portanto, é a parte da gramática que estuda não só as relações existentes entre as palavras na frase, assim como as normas de construção dos períodos.

**Frase** é a palavra ou conjunto de palavras com significado completo que serve para estabelecer comunicação:

> Cuidado!
> Reduza a velocidade.

**Oração** é a frase organizada em torno de um verbo ou locução verbal:

> Nossa viagem será longa.
> Está chovendo muito neste verão.

**Período** é um enunciado linguístico formado por uma ou mais orações. Pode ser:

a) **simples** — é constituído de apenas uma oração, isto é, há, no período simples, apenas um verbo ou locução verbal:

> Durante as suas viagens, **percorreu** todo o Sul do Brasil.
> O lugarejo **foi invadido** pelas águas.

> **Observação:** O período simples também recebe o nome de **oração absoluta**.

b) **composto** — é constituído de duas ou mais orações que, enquanto estrutura sintática, podem ser dependentes de uma outra (subordinadas) ou independentes entre si (coordenadas). Observe os exemplos:

O período acima é composto de duas orações. A segunda oração é subordinada porque depende sintaticamente da primeira. Nesse caso, portanto, o período é composto por subordinação.

"Deus **quer**, o homem **sonha**, a obra **nasce**." (Fernando Pessoa)

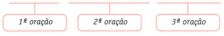

Nesse período há três verbos, portanto são três orações. Trata-se de um período composto por coordenação, já que as três orações são sintaticamente independentes.

>> **capítulo 1**

>> **Análise sintática da oração**

# TERMOS ESSENCIAIS DA ORAÇÃO

As orações, normalmente, apresentam dois termos essenciais: o **sujeito** e o **predicado**.

O elemento a respeito do qual se declara alguma coisa recebe o nome de **sujeito**. A declaração feita a respeito do sujeito denomina-se **predicado**.

Nas orações em que figura o sujeito, geralmente o verbo concorda com ele em pessoa e número. Veja os exemplos no quadro seguinte:

| sujeito | predicado |
|---|---|
| Este romance | **apresenta** uma trama simples. |
| Os músicos | **faziam** ensaios de madrugada. |

## 1. Sujeito

O sujeito, como vimos, é o termo sobre o qual recai a declaração feita pelo predicado.

**Observações:**

1ª) Chama-se **núcleo do sujeito** a palavra central, geralmente representada por **substantivo**, **pronome substantivo** ou **palavra substantivada**:

A velha **viúva** chorava desesperada.
*substantivo*

**Todos** devem comportar-se durante a aula.
*pronome substantivo*

**Escrever** é um ato livre e universal. (Samir Curi)
*verbo substantivado*

2ª) Nem sempre o sujeito é o termo que inicia a oração:

Na última prova, faltaram muitos **candidatos**.
*núcleo do sujeito*

Foram tomadas as **precauções** necessárias.
*núcleo do sujeito*

3ª) Quando o sujeito se refere à 3ª pessoa, sempre é possível substituí-lo por um dos pronomes pessoais retos **ele**, **ela**, **eles** ou **elas**:

Na última prova, faltaram muitos **candidatos**.
Na última prova, **eles** faltaram.

Foram tomadas as **precauções** necessárias.
**Elas** foram tomadas.

## Classificação do sujeito

1. **Determinado:** pode ser identificado na oração, quer figure de forma expressa ou subentendida:

    **Os convidados** aplaudiam os noivos.
    (**Nós**) Viajaremos na próxima semana.

    O sujeito determinado pode ser:

    a) **simples** — apresenta apenas um núcleo:

    Sua **atitude** foi um ato de heroísmo.

    b) **composto** — apresenta dois ou mais núcleos:

    **O anfitrião** e os **convidados** reuniram-se na biblioteca.

    c) **elíptico** (ou **oculto**) — não aparece expresso na oração, mas pode ser identificado pela desinência verbal ou pelo contexto:

    Chegamos tarde ao encontro. (**nós**)

    Onde ficarás hospedado naquela cidade? (**tu**)

    [O rapaz declarou ] [que estava apaixonado pela prima.]

    No último exemplo, o sujeito da segunda oração é o mesmo da primeira (**o rapaz**). Trata-se, portanto, de sujeito elíptico (ou oculto).

> **Observação:** Embora a Nomenclatura Gramatical Brasileira não registre a classificação **sujeito oculto**, nós a empregamos por ser tradicional e prática.

2. **Indeterminado:** sujeito que não se pode identificar na oração, ou por não se desejar que seja conhecido, ou pela impossibilidade de sua identificação. Ocorre nos seguintes casos:

    a) Colocando-se o verbo na 3ª pessoa do plural sem referência a nenhum termo expresso no contexto:

**Falaram** mal de você na última reunião.
**Detiveram** os assaltantes na porta do banco.

b) Colocando-se o verbo na 3ª pessoa do singular acompanhado do pronome **se**, que, neste caso, é classificado como **índice de indeterminação do sujeito**:

**Vai-se** à cidade por vários caminhos.
**Necessita-se** de motoristas profissionais.

**Observação:** Dependendo da voz verbal, como vimos na página 172, o sujeito pode ser **determinado**. Isso ocorre quando o pronome **se** acompanha verbos (no singular ou plural) que admitem a passagem da voz passiva sintética para a voz passiva analítica. Observe as transformações no seguinte quadro:

| voz passiva sintética | voz passiva analítica |
|---|---|
| Criticou-se sua atitude | Sua atitude foi criticada. |
| Criticaram-se suas atitudes. | Suas atitudes foram criticadas. |

**Cuidado:** muita gente é levada a crer que os pronomes indefinidos (**alguém**, **ninguém**), quando na função de sujeito, justamente por sua classificação, ou seja, por não se saber de quem exatamente se está falando, são tidos como indeterminados. Na oração "alguém bateu à porta", por exemplo, embora não se saiba quem bateu à porta, não significa, **sintaticamente**, que o sujeito seja indeterminado. O sujeito, neste caso, é simples: "alguém", isto é, a palavra "alguém" tem a função de sujeito na frase. O mesmo ocorre com o pronome interrogativo **quem**: "Quem fez o bolo?". Mesmo que não se tenha conhecimento da pessoa que fez o bolo, o sujeito, neste caso, também é simples: "quem".

3. **Oração sem sujeito:** existem predicados que não fazem referência a nenhum tipo de sujeito. Isso ocorre com o emprego dos chamados verbos impessoais, nas seguintes situações:

a) com verbos que exprimem fenômenos da natureza:

> Ainda **chove** nesta época do ano.
> **Ventava** muito durante o desfile.

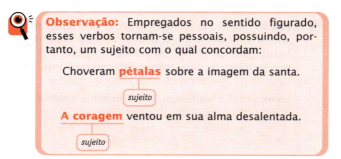

**Observação:** Empregados no sentido figurado, esses verbos tornam-se pessoais, possuindo, portanto, um sujeito com o qual concordam:

Choveram **pétalas** sobre a imagem da santa.
   sujeito

**A coragem** ventou em sua alma desalentada.
sujeito

b) com os verbos **fazer** e **estar** (na 3ª pessoa do singular) empregados na indicação de tempo ou clima:

> Ontem **fez** um dia lindo.
> **Faz** muito calor naquela cidade.
> **Está** tarde e frio.

c) com o verbo **haver** (na 3ª pessoa do singular) empregado no sentido de "existir", "ocorrer" ou na indicação de tempo decorrido:

> "**Há** numa vida humana cem mil vidas." (Olavo Bilac)
> **Houve** muitos incidentes durante o jogo.
> **Havia** dias que não conversávamos.

d) com o verbo **ser** empregado em referência a datas, horas ou distâncias:

> Hoje **é** dia 1º de abril.
> Já **são** quase sete horas.
> Daqui ao centro **são** oito quilômetros.

**Observação:** Nas locuções verbais, a impessoalidade do verbo principal é transferida ao verbo auxiliar:

**Deverá haver** novas eleições brevemente.
**Vai fazer** cinco anos que me formei.

e) com os verbos **bastar** e **chegar** seguidos da preposição **de**:

> **Basta de** comentários maldosos!
> **Chega de** bobagens!

## >> Testes

1. (SSP-SP) Assinale a alternativa **incorreta**.
   a) **Frase** é todo e qualquer enunciado de sentido completo, consistindo numa palavra, ou num conjunto delas com função comunicativa.
   b) **Oração** consiste na frase em torno do verbo; é a expressão do pensamento com uma forma verbal.
   c) **Período** é a frase expressa mediante uma única oração.
   d) **Período composto** é aquele formado por mais de uma oração, que podem ser dependentes ou independentes.

"Período" é o enunciado formado por uma única oração (período simples) ou por várias orações (período composto). Por isso, a resposta correta é a "c".

2. **(TJ-SP)** O termo **oração**, entendido como uma construção com sujeito e predicado que formam um período simples, se aplica, adequadamente, apenas a:

   a) Amanhã, tempo instável, sujeito a chuvas esparsas no litoral.
   b) O vigia abandonou a guarita assim que cumpriu seu período.
   c) O passeio foi adiado para julho, por não ser época de chuvas.
   d) Muito riso, pouco siso — provérbio apropriado à falta de juízo.
   e) Os concorrentes à vaga de carteiro submeteram-se a exames.

   Em "a" e "d" as frases não são oracionais, ou seja, não apresentam verbos, portanto não podem ser analisadas sintaticamente; em "b" e "c", os períodos são compostos, já que cada alternativa apresenta dois verbos. A última alternativa, "Os concorrentes à vaga de carteiro submeteram-se a exames", é um período simples porque é organizado em torno de apenas um verbo. É formado pelo binômio sujeito (Os concorrentes à vaga de carteiro) e predicado (submeteram-se a exames). Por isso, a resposta correta é a "e".

3. **(BB)** Havia pobres e ricos na festa ontem.

   Na frase, o verbo está no singular porque:

   a) a concordância é facultativa;
   b) há um erro de concordância;
   c) o sujeito é indeterminado;
   d) concorda com o sujeito oculto;
   e) é impessoal.

   O verbo "haver" é impessoal quando figura no sentido de "existir", "ocorrer" ou indica tempo decorrido. Nesse caso a oração não possui sujeito, razão pela qual o verbo deve ser empregado na 3ª pessoa do singular. Por isso, a resposta correta é a "e".

4. **(TJ-SP)**

   "**Basta** de covardia! A hora soa...
   Voz ignota e fatídica revoa,
   Quem vem... Donde? De Deus.
   A nova geração rompe da terra,
   E qual Minerva armada para a guerra,
   **Pega** a espada... olha os céus."

   No poema há dois verbos destacados. Qual é a classificação do sujeito de cada um deles?

a) simples e oculto
b) inexistente e simples
c) inexistente e oculto
d) oculto e indeterminado
e) oculto e simples

Na oração "Basta de covardia!", não há sujeito porque o verbo "bastar" seguido da preposição "de" é impessoal. O sujeito do verbo "pegar" é oculto ("A nova geração"), presente no quarto verso. Por isso, a resposta correta é a "c".

**5.** **(TJ-SP)** Analise as frases abaixo e marque a alternativa cujo sujeito é indeterminado:

a) Alguém insistia inutilmente.
b) Anoitecia silenciosamente.
c) Em nossa terra não se vive senão de políticos.
d) Outros caminhos poderia haver.
e) As lágrimas caíam uma a uma de seus olhos.

Em "a", o sujeito simples é "Alguém". (Observação: aqui, a ideia de indeterminação que a palavra "alguém" sugere pode levar o estudante a marcar erroneamente esta alternativa. Mas "alguém", "ninguém" etc. — pronomes indefinidos, sempre serão sujeitos simples quando nessa função, nunca indeterminados.) Em "b", há uma oração sem sujeito — o verbo "anoitecer" é impessoal; em "c", o sujeito é indeterminado porque o verbo "viver" é intransitivo acompanhado do índice de indeterminação do sujeito "se"; em "d", também há uma oração sem sujeito — o verbo "haver" empregado no sentido de "existir" é impessoal; e, por último, em "e", o sujeito é simples: "As lágrimas". Por isso, a resposta correta é a "c".

**6.** **(TJ-SP)** Assinale a oração em que o sujeito é oculto:

a) Encontramos homens e mulheres famintos.
b) Durante a noite, picharam a parede.
c) Existem razões para incriminá-lo.
d) Entraram os ministros e seus assessores.
e) Haviam sido realizadas todas as provas.

Em "a", o sujeito "nós" está implícito na forma verbal "Encontramos"; em "b", o sujeito indeterminado (não se sabe quem pichou a parede); em "c", o sujeito é simples: "razões". Aqui, o verbo "existir" foi utilizado propositalmente para confundir o estudante, que aprendeu que o verbo "haver" no *sentido* de "existir" é impessoal. O verbo "existir" em si não é, porque "algo" sempre existe. Se o estudante entender que "razões" é objeto direto de "existir", quando, na verdade, é sujeito, pode ser levado a concluir, equivocadamente, que o sujeito de "existem" é oculto. Em "d", há um sujeito composto: "o ministro e seus assessores". A ordem inversa da oração contribui para confundir o estudante. Cuidado, pois esta é uma "pegadinha" muito comum em testes. Por fim, em "e", temos sujeito simples: "todas as provas". Por isso, a resposta correta é a "a".

7. (**Mackenzie-SP**) Leia o seguinte texto:

DESTINO ATROZ

Um poeta sofre três vezes: primeiro quando ele os sente, depois quando os escreve e, por último, quando declamam os seus versos.

(Mário Quintana)

No texto, o sujeito do verbo **declamam** é:

a) "os" (elíptico)
b) indeterminado
c) "eles" (oculto)
d) "os seus versos" (composto)
e) "três vezes" (simples)

Um dos recursos para indeterminar o sujeito é deixar o verbo na 3ª pessoa do plural sem referência ao pronome "eles" ou a termos anteriormente expressos. É o que ocorre com a forma verbal "declamam" presente no texto acima. Por isso, a resposta correta é a "b".

8. (**FGV-SP**) Assinale a alternativa em que o pronome **você** exerça a função de sujeito do verbo grifado.

a) **Cabe** a você alcançar aquela peça do maleiro.
b) Não **enchas** o balão de ar, pois ele pode ser levado pelo vento.
c) Ao **chegar**, vi você perambulando pelo *shopping center* da Mooca.
d) Ei, você, posso **entrar** por esta rua?
e) Na estação Trianon-Masp desceu a Angelina; na Consolação, **desceu** você.

Em "a", "a você" é objeto indireto (termo que estudaremos mais adiante), pois o sujeito é "alcançar aquela peça do maleiro" (basta entender a ordem direta: "Alcançar aquela peça do maleiro cabe a você"); em "b", o sujeito é elíptico (tu); em "c" e "d", o sujeito também é elíptico (eu), e a palavra "você" é, respectivamente, objeto direto do verbo "ver" e vocativo. Transpondo-se a frase para a ordem direta, fica claro que o pronome "você" exerce a função de sujeito em: "A Angelina desceu na estação Trianon-Masp; você desceu na Consolação". Por isso, a resposta correta é a "e".

9. (**UEL-PR**) O período em que há uma oração sem sujeito é:

a) Embarcaríamos, ainda que a ventania aumentasse.
b) Caso ocorram ventos fortes, suspenderemos o embarque.
c) Se ventar, não teremos como embarcar.
d) Chegam do sul, com a chuva, os ventos que impedem o embarque.
e) A ventania ameaçava o nosso embarque, mas, enfim, moderou.

É preciso tomar cuidado com a interpretação do enunciado, visto que todas as alternativas apresentam períodos compostos. O enunciado é claro: "o período em que há uma oração sem sujeito", ou seja, faz-se necessário analisar cada oração dos períodos compostos. Em "a", o sujeito de "Embarcaríamos" é elíptico (nós); o de "aumentasse" é simples (a ventania); em "b", o sujeito de "ocorram" é simples (ventos fortes); o de "suspenderemos" é elíptico (nós); em "c", a primeira oração não possui sujeito porque o verbo "ventar" é impessoal (indica fenômeno da natureza); em "d", o sujeito de "Chegam" é simples (os ventos); de "impedem" é simples (que — pronome relativo que substitui o termo anterior "os ventos"); e, em "e", o sujeito de "ameaçava" é simples (A ventania); de "moderou" é elíptico (A ventania — expresso na primeira oração). Por isso, a resposta correta é a "c".

**10.** (Fiap-SP) O sujeito, quando se refere à terceira pessoa, é sempre substituível pelos pronomes pessoais retos **ele, ela, eles, elas**. Assinale a alternativa em que tal substituição, na frase II, está errada.

a) I – "Valem as reticências e as intenções."
   II – **Elas** valem.

b) I – "Na casa-grande do engenho do capitão Tomás, a tristeza e o desânimo haviam tomado conta até de D. Amélia."
   II – Na casa-grande do engenho, **ele**, a tristeza e o desânimo haviam tomado conta até de D. Amélia.

c) I – "Terá realmente piado a coruja?"
   II – **Ela** terá realmente piado?

d) I – "Até quando irá durar esta guerra?"
   II – Até quando **ela** irá durar?

e) I – "O café estava fechado, na praça deserta as luzes cochilavam."
   II – O café estava fechado, na praça **elas** cochilavam.

No período "Na casa-grande do engenho do capitão Tomás, a tristeza e o desânimo haviam tomado conta até de D. Amélia.", o sujeito composto "a tristeza e o desânimo" deveria ser substituído por "eles": "eles haviam tomado conta até de D. Amélia.". Note que a substituição errada de "capitão Tomás" pelo pronome "ele" altera até o sentido da oração. Em I, o capitão Tomás é o dono da casa de engenho, e consta na oração apenas para transmitir essa informação. Em II, toma conta de D. Amélia junto com a tristeza e o desânimo. Portanto, para que a substituição de um termo por um pronome seja correta, não pode haver mudança de sentido na oração. Por isso, a resposta correta é a "b".

## 2. Predicado

Para classificar o predicado, precisamos, antes, conhecer a predicação verbal.

### >> Predicação verbal

O resultado da conexão existente entre o verbo e seu complemento recebe o nome de **predicação verbal**.

Quanto à predicação, os verbos podem ser **intransitivos**, **transitivos diretos**, **transitivos indiretos**, **transitivos diretos e indiretos** ou **de ligação**.

Os verbos intransitivos ou transitivos são **nocionais**, ou seja, possuem noção significativa, indicando a ação ou a atitude do sujeito.

Os **verbos de ligação** não são nocionais, já que não indicam ação nem atitude do sujeito.

Observe os conceitos e exemplos:

#### Verbo intransitivo

Possui significação completa, ou seja, constitui sozinho o predicado sem necessidade de complementos (objeto direto ou indireto):

Escrevi tanto que meus dedos adormeceram.

"Pássaros leves e negros voavam nítidos no ar puro..."

Clarice Lispector

"Os chocalhos tilintariam pelos arredores."

Graciliano Ramos

### Verbo transitivo direto

Necessita de um complemento não preposicionado chamado de **objeto direto**:

"O homem sério / que contava dinheiro / parou." (Chico Buarque)

"O olho da vida inventa o luar." (Gilberto Gil)

### Verbo transitivo indireto

Necessita de um complemento obrigatoriamente preposicionado chamado de **objeto indireto**:

"Você só pensa em luxo e riqueza..." (Mário Lago)

"O Dr. Juca sonhava com o poder." (José Lins do Rego)

### Verbo transitivo direto e indireto

Necessita de dois complementos — um **objeto direto** e outro **indireto**:

"O major entregou sua cota ao coronel." (Lima Barreto)

### Verbo de ligação

É o verbo sem significação precisa que serve apenas para ligar o sujeito a uma característica (qualidade, estado ou condição) chamada de **predicativo do sujeito**.

Geralmente o predicativo é representado por adjetivo ou por expressão substituível por adjetivo. Observe:

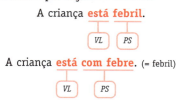

A criança **está febril**.
VL  PS

A criança **está com febre**. (= febril)
VL  PS

O principal verbo de ligação é o verbo **ser**, mas existem outros com essa classificação. Observe alguns deles no quadro seguinte:

| sujeito | predicado ||
|---|---|---|
| | verbo de ligação | predicativo do sujeito |
| A situação | é | gravíssima. |
| A situação | está | gravíssima. |
| A situação | parece | gravíssima. |
| A situação | ficou | gravíssima. |
| A situação | permanece | gravíssima. |
| A situação | continua | gravíssima. |
| A situação | anda | gravíssima. |
| A situação | tornou-se | gravíssima. |

Note que esses verbos só serão empregados como verbos de ligação quando:

- não possuírem noção significativa própria;
- não indicarem ação ou atitude do sujeito;
- não indicarem a posição do sujeito num lugar;
- ligarem o sujeito a uma característica chamada de predicativo do sujeito.

**Observações:**

**1ª)** O verbo **ser** é intransitivo quando significa **ocorrer, realizar-se**. Nesse caso aparece sempre acompanhado de uma expressão circunstancial de tempo ou de lugar:

O desfile cívico **será** às dezessete horas.
— S — VI — circunstância de tempo

O desfile cívico **será** na Avenida Paulista.
— S — VI — circunstância de lugar

**2ª)** Os verbos **estar, ficar, permanecer** e **continuar** são intransitivos quando figuram acompanhados de uma expressão circunstancial de lugar:

Os atletas **estão** em um hotel de luxo.
— S — VI — circunstância de lugar

A igreja **fica** no centro da cidade.
— S — VI — circunstância de lugar

Os atletas **permaneciam** no campo de treinamento.
— S — VI — circunstância de lugar

Os soldados **continuavam** no campo de batalha.
— S — VI — circunstância de lugar

**3ª)** Alguns verbos intransitivos ou transitivos podem funcionar como verbo de ligação:

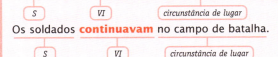

"Havia oito dias que Lúcia não **andava** boa." (José de Alencar)
— S — VL — PS

No conto, o sapo **virou** um belo príncipe.
— S — VL — PS

**4ª)** O predicativo do sujeito também pode figurar com verbos intransitivos ou transitivos, podendo, nesse caso, ocupar qualquer posição na frase:

Os anciões dormiam **tranquilos**.
— S — VI — PS

Os alunos, **ansiosos**, aguardavam as notas.
— S — PS — VTD — OD

**5ª)** O predicativo também pode acrescentar uma característica ao objeto direto ou objeto indireto:

Aquela garota tem os pés **chatos**.
— S — VDT — OD — POD

Gosto de vocês sempre **alegres**.
— VDI — OI — POI

## Classificação do predicado

De acordo com a estrutura da frase, o predicado pode ser **verbal**, **nominal** ou **verbo-nominal**.

### Predicado verbal

O núcleo significativo concentra-se num verbo intransitivo ou transitivo, não havendo predicativo na frase:

A palmeira **nasce** em terreno arenoso.
— S — VI — circunstância de lugar — PV

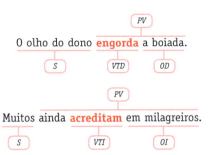

### Predicado nominal

O núcleo significativo concentra-se no predicativo do sujeito. Nesse tipo de frase o verbo sempre é de ligação:

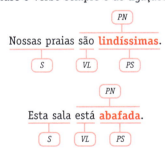

### Predicado verbo-nominal

Possui dois núcleos significativos — um verbo (intransitivo ou transitivo) e um predicativo (do sujeito ou do objeto):

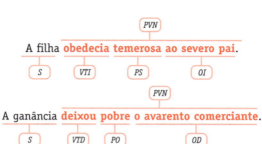

## >> Testes

**1.** (TJ-SP)

"Não **quero** aparelhos
Para navegar.
**Ando** naufragado,
Ando sem destino.
Pelo voo dos pássaros
Quero me guiar..."

(Jorge de Lima)

Os verbos destacados no poema classificam-se, quanto à predicação, como:

a) transitivo indireto — verbo de ligação
b) transitivo indireto — intransitivo
c) transitivo direto — intransitivo
d) transitivo direto — verbo de ligação
e) transitivo direto e indireto — transitivo direto

O verbo "querer" exige complemento não preposicionado (quem quer, quer alguma coisa) chamado de objeto direto. No poema, o objeto direto é o termo "aparelhos". O verbo "andar", no contexto, está empregado no sentido de "estar" (= Estou naufragado), sendo, portanto, verbo de ligação, e não verbo intransitivo, como a alternativa "c" leva a crer. Estabelece elo entre o sujeito oculto (eu) e o predicativo do sujeito (naufragado). Por isso, a resposta correta é a "d".

**2.** (TJ-RN) Analise os verbos do período que segue:

"O jovem **andava** triste, já que poucos o **ajudavam**. Todavia, **tinha** esperança de que algo **viesse** do céu, a fim de que o **iluminasse**."

Assinale a opção em que os verbos são, respectivamente, classificados de forma correta:

a) ligação — transitivo direto — transitivo direto — intransitivo — transitivo direto
b) intransitivo — transitivo direto — transitivo direto — intransitivo — transitivo direto
c) intransitivo — transitivo direto — transitivo direto e indireto — intransitivo — transitivo direto
d) ligação — transitivo direto — transitivo direto e indireto — intransitivo — transitivo direto

O verbo "andar", no contexto, está empregado no sentido de "estar" (= O jovem estava triste), sendo, portanto, verbo de ligação. O termo "triste" funciona como predicativo do sujeito (O jovem); o verbo "ajudar" é transitivo direto, cujo objeto direto é o pronome pessoal "o"; o verbo "ter" é transitivo direto, possui como objeto direto o termo "esperança"; o verbo "vir" é intransitivo porque não exige objetos (quem vem, simplesmente vem de algum lugar); o verbo "iluminar" é transitivo direto, cujo objeto direto é o pronome pessoal "o". O risco, aqui, é crer que a resposta "d" esteja correta, acreditando-se que "de que algo viesse do céu" seja objeto indireto do verbo "ter", o que o classificaria como transitivo direto e indireto. No entanto, "de que algo viesse do céu" é complemento nominal da palavra "esperança", pois se refere a um substantivo, não a um verbo. Por isso, a resposta correta é a "a".

**3.** (TRT-MG) "Pais que não impõem limites aos seus filhos pensam que estão sendo liberais, mas estão sendo apenas irresponsáveis."

No período acima, **não** se encontra oração com:

a) predicativo do sujeito
b) predicado verbal
c) predicado nominal
d) predicado verbo-nominal
e) objeto indireto

No período em questão, há quatro orações. Na primeira ("Pais ... pensam"), o predicado é verbal porque o verbo "pensar" é transitivo direto e não há predicativo na frase; na segunda ("... que não impõem limites a seus filhos..."), o predicado é verbal porque o verbo "impor" é transitivo direto e indireto, não havendo predicativo na frase; na terceira ("... que estão sendo liberais...") e na quarta ("... mas estão sendo apenas irresponsáveis."), os predicados são nominais porque estão estruturados com verbos de ligação ("estão sendo") e predicativos do sujeito ("liberais" e "irresponsáveis"). Por isso, a resposta correta é a "d".

4. (BB) Todas as alternativas contêm predicado nominal, **exceto**:

a) A casa, de longe, parecia um monstro.
b) Aquele amor deixava-o insensível.
c) Ultimamente andava muito nervoso.
d) Fique certo: eu não sou você.
e) O tempo está chuvoso, sombrio.

Em "Aquele amor deixava-o insensível", o predicado é verbo-nominal, já que apresenta dois núcleos significativos: um verbo transitivo direto (deixar) e um predicativo do objeto direto "o" (insensível). Por isso, a resposta correta é a "b".

5. (STN) Observe as duas orações abaixo:

I – Os fiscais ficaram preocupados com o alto índice de sonegação fiscal.
II – Houve uma sensível queda na arrecadação do ICM em alguns Estados.

Quanto ao predicado, elas classificam-se, respectivamente, como:
a) nominal e verbo-nominal
b) verbo-nominal e verbal
c) nominal e verbal
d) verbal e verbo-nominal
e) verbal e nominal

Em I, o predicado é nominal porque o verbo "ficar" é de ligação. O núcleo da informação é o predicativo do sujeito "preocupados"; em II, é verbal, porque possui como núcleo o verbo transitivo direto "haver" e não há predicativo na frase. O que pode confundir, aqui, é a palavra "sensível", que pode parecer predicativo do sujeito, levando à alternativa "a", em que esta oração é classificada como tendo um predicado verbo-nominal. Porém, na verdade, "sensível" é adjunto adnominal do núcleo do sujeito "queda". Por isso, a resposta correta é a "c".

>> PARTE 3

**6.** (TJ-SP) Indique a frase que apresenta predicado nominal.

a) Naquele ano, o teatro permaneceu fechado.
b) Vários colegas o ajudaram na tarefa.
c) Os trombadinhas agiram rápido e levaram tudo.
d) No meio da folia, levaram minha carteira.
e) Não existiam motivos para tanta confusão.

Em "a", o predicado é nominal porque está estruturado em torno do verbo de ligação "permaneceu". O núcleo da informação concentra-se no predicativo do sujeito "fechado". Em "b" e "d": o predicado é verbal — o verbo é transitivo direto e não há predicativo na frase. Em "c" e "e", verbal — o verbo é intransitivo e também não há predicativo na frase. Por isso, a resposta correta é a "a".

**7.** (FGV-SP) Assinale a alternativa em que pelo menos um verbo esteja empregado como transitivo direto.

a) Dependeu o coveiro de alguém que rezasse.
b) Oremos, irmãos.
c) Chega o primeiro raio da manhã.
d) Loureiro escolheu-nos como padrinhos.
e) Contava com o auxílio de Marina para cuidar do evento.

Os verbos das alternativas "a" e "e" são transitivos indiretos (a inversão na alternativa "a", na qual o verbo vem antes do sujeito, faz parecer que "o coveiro" é objeto de "dependeu", levando ao erro de classificar tal verbo como transitivo direto, quando, na realidade, "o coveiro" é sujeito desse verbo); os das alternativas "b" e "c" são intransitivos. Na penúltima alternativa, o verbo "escolher" é transitivo direto, tem como complemento (objeto direto) o pronome oblíquo átono "nos". O estudante pode ser levado a crer, no entanto, que, neste caso, "escolher" é transitivo indireto se substituir o pronome "nos" por "nós", sendo forçado a utilizar uma preposição ("Loureiro escolheu a nós como padrinhos"). Porém, se substituir "nos" por "a gente", terá confirmada a transitividade direta neste caso, sem usar qualquer preposição ("Loureiro escolheu a gente como padrinhos"). Por isso, a resposta correta é a "d".

**8.** (Unilus-SP) Assinale a alternativa em que a oração tem predicado nominal:

a) Por que alguns grupos de fanáticos chocam o mundo?
b) Por volta de 1500, os europeus cristãos partiram para a conquista do Oceano Atlântico.

>> análise sintática da oração

223 >>

c) Há máquinas até na Roma dos papas.
d) O crescimento do rebanho e a fartura do petróleo produziram um barril de pólvora.
e) Os Estados Unidos permanecerão poderosos no cenário mundial.

Com exceção da última, todas as alternativas apresentam verbos de ação: em "a", "chocar" é transitivo direto; em "b", "partir" é intransitivo; em "c", "haver" é transitivo direto; em "d", "produzir" é transitivo direto. Em "Os Estados Unidos permanecerão poderosos no cenário mundial", o verbo "permanecer" estabelece ligação entre o sujeito "Estados Unidos" e o predicativo do sujeito "poderosos". Por isso, a resposta correta é a "e".

**9.** (PUC-RJ) "Não vira para trás, Bianca..."

Temos nessa frase um predicado verbal. Assinale a oração abaixo que apresenta o mesmo tipo de predicado.

a) O rapaz virou um fera.
b) Teria ele realmente virado um revolucionário?
c) O vento forte virou o barco depressa demais.
d) Ele virou inimigo da própria mulher.
e) Ele virava aflito as páginas do livro.

Em "Não vira para trás, Bianca...", o predicado é verbal porque o núcleo significativo está centrado no verbo intransitivo "virar". O mesmo ocorre com o predicado da frase "c": "O vento forte virou o barco depressa demais", em que o núcleo significativo está centrado no verbo transitivo direto "virar", cujo objeto direto é o termo "o barco". Nos contextos das alternativas "a", "b" e "d", o verbo "virar" não possui noção significativa, sendo, portanto, empregado como mero verbo de ligação. Na alternativa "e", o predicado é verbo-nominal porque há dois núcleos significativos: o verbo transitivo direto "virar" (virava a página do livro) e o predicativo do sujeito "aflito". Por isso, a resposta correta é a "c".

**10.** (FMPA-MG) Assinale a alternativa em que o verbo destacado **não** é de ligação:

a) A criança *estava* com fome.
b) Pedro *parece* adoentado.
c) Ele *tem andado* confuso.
d) *Ficou* em casa o dia todo.
e) A jovem *continua* sonhadora.

Nas alternativas "a", "b", "c" e "e", todos os verbos são de ligação, já que não indicam ação ou atitude do sujeito. Servem apenas para estabelecer o elo entre o sujeito e o predicativo do sujeito. Na frase "Ficou em casa o dia todo", o verbo é intransitivo seguido de uma expressão indicativa de lugar. Denota, no caso, a atitude do sujeito. Por isso, a resposta correta é a "d".

**11. (FMU/Fiam-SP)** Assinale a alternativa em que aparece um predicado verbo-nominal.

a) Os viajantes chegaram cedo ao destino.
b) Demitiram o secretário da instituição.
c) Nomearam as novas ruas da cidade.
d) Compareceram todos atrasados à reunião.
e) Estava irritado com as brincadeiras.

Na frase "Compareceram todos atrasados à reunião", o predicado é verbo-nominal porque há dois núcleos significativos: um verbo intransitivo ("Compareceram") e um predicativo do sujeito ("atrasados"). Os predicados das demais alternativas são apenas verbais porque os verbos são significativos (intransitivo em "a"; transitivos diretos em "b" e "c"), não havendo predicativo em nenhuma das orações; em "e", o predicado é nominal porque o verbo "estar", no contexto, é de ligação. O que induz ao erro é a presença de adjetivos nas alternativas incorretas "a" e "c". Em "a", "cedo" se refere ao verbo, não ao sujeito "os viajantes"; em "c", "novas" é predicativo do objeto "ruas da cidade". Por isso, a resposta correta é a "d".

**12. (UEPG-PR)** Assinale a opção cuja frase possui predicado verbo-nominal.

a) O professor entrou na sala pensativo.
b) Ele andava a passos largos.
c) Ninguém lhe era agradável.
d) Em qualquer situação, continuava sorrindo.
e) Foi sofrível tua participação.

Em "b" o predicado é verbal, pois há um verbo intransitivo sem predicativo na frase; em "c" e "e", o predicado é nominal (verbo de ligação + predicativo do sujeito); em "d", o predicado é verbal, pois há locução verbal intransitiva e não há predicativo na frase; na primeira alternativa, o predicado é verbo-nominal porque apresenta dois núcleos significativos: um verbo intransitivo ("entrar") e um predicativo do sujeito ("pensativo"). Por isso, a resposta correta é a "a".

# TERMOS INTEGRANTES DA ORAÇÃO

São **integrantes** os termos que completam o significado de certos verbos ou nomes presentes na oração. São os seguintes:

1) **complementos verbais** (**objeto direto** e **objeto indireto**);
2) **complemento nominal**;
3) **agente da passiva**.

## 1. Complementos verbais

### >> Objeto direto

Liga-se ao verbo sem auxílio de preposição. Geralmente é substituível por um dos pronomes oblíquos **o(s)**, **a(s)** e as variações **no(s)**, **na(s)**, **lo(s)** ou **la(s)**:

O vento destelhou muitas casas.
VTD — OD

O vento destelhou-as.
VTD — OD

O frio intenso prejudicou a plantação.
VTD — OD

O frio intenso prejudicou-a.
VTD — OD

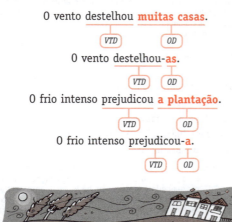

**Observações:**

1ª) Depois de verbos terminados em som nasal (**-m**, **-ão**, **-õe**), os pronomes oblíquos assumem as formas **-no(s)**, **-na(s)**:

Os alunos esperavam **a nova professora**.
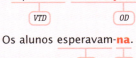

Os alunos esperavam-**na**.

2ª) Depois de verbos terminados em **-r**, **-s**, **-z**, os verbos perdem essas terminações e os pronomes oblíquos assumem as formas **-lo(s)**, **-la(s)**:

Devemos fazer **os exercícios**.

Devemos fazê-**los**.

Exterminamos **todas as baratas**.

Exterminamo-**las**.

O domador conduz **as feras** à jaula.

O domador condu-**las** à jaula.

3ª) Às vezes, por motivos estilísticos, o objeto direto pode ser preposicionado. Nesse caso, a preposição não é obrigatória. Observe alguns casos:

Sabe-se que Brutus traiu **a César**.
(VTD) (ODP)

Sabe-se que Brutus **o** traiu.
(OD) (VTD)

Você jamais comerá **do meu pão**.
(VTD) (ODP)

Você jamais **o** comerá.
(OD) (VTD)

Devemos cumprir **com nosso dever**.
(VTD) (ODP)

Devemos cumpri-**lo**.
(VTD) (OD)

## Objeto indireto

Liga-se ao verbo com auxílio de preposição obrigatória. É substituível por **a ele(s)**, **a ela(s)**, **dele(s)**, **dela(s)**, **nele(s)**, **nela(s)** etc. e, às vezes, por **lhe(s)**:

Nós confiamos **em seu bom gosto**.
(VTI) (OI)

Nós confiamos **nele**.
(VTI) (OI)

O direito de reclamar assiste **aos consumidores**.
  — VTI —  — OI —

O direito de reclamar assiste **a eles**.
  — VTI — — OI —

O direito de reclamar **lhes** assiste.
  — OI — — VTI —

> **Observações:**
>
> 1ª) Os pronomes oblíquos átonos **me**, **te**, **se**, **nos** e **vos**, dependendo da classificação do verbo, podem funcionar como **objeto direto** ou **objeto indireto**:
>
> Filhos, respeitem-**me** sempre.
>   — VTD — OD —
>
> Filhos, obedeçam-**me** sempre.
>   — VTI — OI —
>
> 2ª) Como complemento verbal, o pronome oblíquo átono **lhe(s)** sempre funciona como objeto indireto:
>
> Este direito não **lhe** assiste.
>   — sujeito — OI — VTI —
>
> Aquele filme não **lhe** agradou?
>   — sujeito — OI — VTI —
>
> 3ª) Por questão de estilo, tanto o objeto direto como o indireto podem ser repetidos pleonasticamente por meio de um pronome oblíquo. Veja os exemplos:
>
> **Meus livros**, não **os** empresto a ninguém.
>   — OD — OD pleonástico — VTD —
>
> **A mim**, basta-**me** a sua palavra.
>   — OI — VTI — OI pleonástico — sujeito —

## 2. Complemento nominal

O **complemento nominal** liga-se a certos nomes de sentido incompleto. Por ser obrigatoriamente regido de preposição, assemelha-se ao objeto indireto; contudo, o objeto indireto completa o sentido de um **verbo** e o complemento nominal, de um **substantivo**, **adjetivo** ou **advérbio**.

Observe os exemplos:

### Complemento nominal de substantivos

Liga-se a substantivos de significação incompleta. Observe as suas características:

a) o substantivo de significação incompleta sempre é abstrato;

b) geralmente o substantivo de significação incompleta é derivado de verbo transitivo;

c) o complemento nominal sempre apresenta valor passivo e corresponde ao objeto (direto ou indireto) ou ao adjunto adverbial do verbo de que deriva. Exemplos:

É fundamental publicar bons livros.

É fundamental a publicação de bons livros.

Devemos obedecer às leis.

Devemos obediência às leis.

Vocês devem permanecer na biblioteca.

Exigimos a sua permanência na biblioteca.

## Complemento nominal de adjetivos e de advérbios

Todo termo preposicionado dependente de um adjetivo ou advérbio exerce a função de complemento nominal:

Os guerreiros estavam dispostos a tudo.

O deputado era contrário ao projeto.

O deputado votou contrariamente ao projeto.

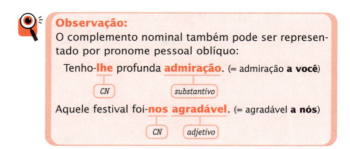

## 3. Agente da passiva

É o termo obrigatoriamente preposicionado que indica o elemento representante da ação expressa por um verbo na voz passiva analítica. (Reveja *Vozes do verbo* na página 172).

Condições e processo da voz passiva analítica:

a) somente verbos transitivos diretos ou transitivos diretos e indiretos podem ser apassivados;
b) o objeto direto da voz ativa, na passiva, torna-se sujeito paciente;
c) o sujeito da voz ativa, na passiva, torna-se agente da passiva;
d) o verbo, na voz passiva, figura no particípio em locução verbal com um verbo auxiliar (**ser**, **estar** ou **ficar**).

Veja as transformações:

| voz ativa | O público aplaudiu os bailarinos.<br>*sujeito* — *TD* — *OD* |
|---|---|
| voz passiva analítica | Os bailarinos **foram aplaudidos pelo público**.<br>*sujeito paciente* — *locução verbal* — *agente da passiva* |

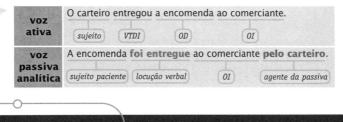

## >> Testes

1. **(TJ-SP)** O pronome oblíquo representa a combinação das funções de objeto direto e indireto em:

   a) Apresentou-se agora uma boa ocasião.
   b) A lição, vou fazê-la ainda hoje mesmo.
   c) Atribuímos-lhes agora uma pesada tarefa.
   d) A conta, deixamo-la para ser revisada.
   e) Essa história, contar-lha-ei assim que puder.

   Na última alternativa, o verbo "contar", nesse período, é transitivo direto e indireto (quem conta, conta algo a alguém). O pronome oblíquo "a", que recupera o objeto direto "Essa história", contrai-se com o objeto indireto "lhe", resultando a forma "lha". Por isso, a resposta correta é a "e".

2. **(TJ-SP)** Marque a única alternativa cujo termo em destaque não é objeto indireto:

   a) O filho dera muitas alegrias **à sua velhice**.
   b) Senhor, rogai **por nós**.
   c) A mãe não **lhe** negaria o perdão.
   d) **Desta água** não beberei.
   e) Nunca **te** pedi dinheiro.

   Em "Desta água não beberei", o termo grifado é objeto direto preposicionado do verbo "beber", que é transitivo direto. A preposição foi empregada para indicar partitividade, ou seja, "parte da água não será bebida". Por isso, a resposta correta é a "d".

3. **(TJ-SP)** Identifique a alternativa em que o termo em destaque é **agente da passiva**:
   a) Os ilhéus estavam cercados **por jacarés**.
   b) Não estou duvidando **de sua bondade**.
   c) Foram claras as respostas **às nossas dúvidas**.
   d) Não deves consentir **nisso**...
   e) **Esta honra**, tive-a eu.

   Em "b", "de sua bondade" é "objeto indireto" do verbo transitivo indireto "duvidar"; em "c", "às nossas dúvidas" é complemento nominal do substantivo abstrato "respostas"; em "d", "nisso..." é objeto indireto do verbo transitivo indireto "consentir"; em "e", "Esta honra" é objeto direto do verbo transitivo direto "ter", repetido pleonasticamente no pronome "a". A frase "Os ilhéus estavam cercados por jacarés" está na voz passiva analítica. A voz ativa correspondente é: "Jacarés cercavam os ilhéus". Na passagem da ativa para a passiva, o objeto direto "os ilhéus" torna-se sujeito paciente, e o sujeito da ativa "Jacarés" torna-se agente da passiva. Por isso, a resposta correta é a "a".

4. **(Cetesb-SP)** Transpondo-se a oração — *O calor intenso quebra as moléculas dos minerais contidos na água...* — para a voz **passiva**, obtém-se:
   a) As moléculas dos minerais quebram o calor intenso contido na água.
   b) As moléculas dos minerais contidos na água são quebradas pelo calor intenso.
   c) O calor intenso é quebrado pelas moléculas dos minerais contidos na água.
   d) Os minerais contidos nas moléculas foram quebrados pelo calor intenso.
   e) Os minerais contidos nas moléculas seriam quebrados pelo calor intenso.

   A voz passiva correspondente é "As moléculas dos minerais contidos na água são quebradas pelo calor intenso", porque o núcleo do sujeito (moléculas) é paciente, ou seja, recebe a ação, e o termo "pelo calor intenso" é agente da passiva, isto é, o responsável pela ação. Por isso, a resposta correta é a "b".

5. **(TRT-MG)** As guerras são sempre atrozes, cabe **evitar as guerras** a qualquer custo, pois uma vez que alguém **desencadeia as guerras**, não há como **deter as guerras**.

Evitam-se as viciosas repetições da frase acima, substituindo-se os elementos sublinhados, respectivamente, por:

a) evitá-las — lhes desencadeia — deter-lhes
b) evitá-las — as desencadeia — as deter
c) evitar-lhes — as desencadeia — deter a elas
d) as evitar — desencadeia-as — lhes deter
e) evitar a elas — a elas desencadeia — detê-las

Todos os termos grifados no texto acima funcionam como objeto direto de seus respectivos verbos transitivos diretos. Na primeira ocorrência, o pronome átono "a" assume a forma "la" porque o verbo "evitar" termina com "-r" (letra que desaparece); na segunda e terceira ocorrências, os pronomes átonos "as" posicionam-se antes dos verbos devido à harmonia estabelecida pela presença respectiva das palavras "alguém" e "como", que exigem a chamada "próclise". (Esse assunto estudaremos mais adiante, no capítulo destinado à "Colocação pronominal".) Por isso, a resposta correta é a "b".

**6.** (TJ-SP) Assinale a alternativa em que a expressão destacada é corretamente substituída pela expressão entre parênteses.

a) A balança irá representar *a Justiça*. (representá-la)
b) Os instrumentos completam *a tradição*. (completam-a)
c) A balança indicou *ponderação*. (indicou-na)
d) O advogado põe *a justiça* a serviço de todos. (põe-la)
e) O advogado apresentou *ao réu* o símbolo da justiça. (apresentou-o)

A alternativa "a" apresenta um verbo terminado por "-r". Quando isso ocorre, o *r* desaparece, e o pronome átono assume a forma "la". Em "b" "completam a tradição" = "completam-na": com verbo terminado por fonema nasal (-am), o pronome átono assume a forma "na"; em "c", "indicou ponderação" = "indicou-a": com verbo terminado por fonema oral, emprega-se normalmente o pronome átono "a"; em "d", "põe a justiça" = "põe-na": com verbo terminado por fonema nasal (-õe), o pronome átono assume a forma "na"; em "e", "apresentou ao réu" = "apresentou-lhe": o termo "ao réu" exerce a função de objeto indireto, substituível, portanto, pelo pronome átono "lhe". Por isso, a resposta correta é a "a".

**7.** (ESPM-SP) Observe as frases abaixo:

As empresas globais têm condições de melhorar **os produtos**.

Os portugueses romperam **o monopólio das cidades**.

O *chip* acabará tendo **o mesmo preço**.

Substituindo-se o termo grifado em cada frase pelo pronome correspondente, têm-se, respectivamente:

a) lhes — lhe — lo
b) lo — lhe — o
c) los — no — o
d) lhes — no — lo
e) los — o — lhe

Os termos destacados nos três períodos exercem a função de objeto direto. Na primeira ocorrência, o pronome "os" assume a forma "los" porque o verbo termina pela letra *r* (que desaparece); na segunda, o pronome oblíquo "o" assume a forma "no" porque o verbo termina por vogal nasal ("-am"); na terceira, empregou-se normalmente o pronome "o" porque está posicionado depois de um verbo terminado por vogal oral. Por isso, a resposta correta é a "c".

**8.** (Unaerp-SP) A opção em que os termos entre parênteses **não** correspondem à função sintática das palavras destacadas é:

a) Tinha amor **à sua profissão**. (objeto indireto)
b) Vivia cercado **pelos mais respeitados mestres**. (agente da passiva)
c) Fumar faz mal **à saúde**. (complemento nominal)
d) Sempre gostei **de música**. (objeto indireto)
e) Não tinha muito interesse **por cinema**. (complemento nominal)

Em "Tinha amor à sua profissão", o termo em destaque funciona como complemento nominal porque é alvo da ação expressa pelo substantivo abstrato "amor". Por isso, a resposta correta é a "a".

**9.** (FGV-SP) Em cada uma das alternativas abaixo, está destacado um termo iniciado por preposição. Assinale a alternativa em que este termo não é objeto indireto.

a) O rapaz aludiu **às histórias passadas**, quando nossa bela Eugênia ainda era praticamente uma criança.
b) Quando voltei da Romênia, o Brasil todo assistia **à novela da Globo**, todos os dias.
c) Quem disse **a Joaquina** que as batatas deveriam cozer-se devagar?
d) Com a aterrissagem, o aviador logo transmitiu **ao público** a melhor das impressões.
e) Foi fiel **à lei** durante todos os anos que passou nos Açores.

Na última alternativa, o termo "à lei", apesar de apresentar preposição, não é objeto indireto; é complemento nominal do adjetivo "fiel". Nas outras alternativas, os termos grifados são objetos indiretos das formas verbais "aludiu", "assistia", "disse" e "transmitiu", respectivamente. Por isso, a resposta correta é a "e".

**10. (Unifor-CE)** "Dinheiro é **a coisa mais importante do mundo**".

Os termos destacados, tanto na frase acima quanto nas alternativas, exercem a mesma função sintática, **exceto** em:

a) Homens ricos têm **enormes apetites sociais**.
b) Toda mulher não é **um romance**.
c) A vida deveria ser **boa** para toda gente.
d) Esse apetite social é **raríssimo**.
e) Um amigo meu estava **ofendido**.

Na primeira alternativa, o termo em destaque é objeto direto, já que o verbo "ter" é transitivo direto; nas demais alternativas, os termos em destaque funcionam como predicativo do sujeito porque todos os verbos são de ligação. Por isso, a resposta correta é a "a".

**11. (Ufscar-SP)** A oração *Vasculhou os bolsos o loiro sueco*, com a substituição do complemento verbal por um pronome oblíquo, equivale a:

a) Vasculhou-o os bolsos.
b) Vasculhou-se o loiro sueco.
c) Vasculhou-lhe os bolsos.
d) Vasculhou-lhes o loiro sueco.
e) Vasculhou-os o loiro sueco.

O termo "os bolsos" é objeto direto do verbo "vasculhar", sendo, portanto, substituível pelo pronome oblíquo átono "os". Convém observar que "o loiro sueco" é o sujeito desse verbo. Na ordem direta, tem-se: "O loiro sueco vasculhou os bolsos". Por isso, a resposta correta é a "e".

**12. (Esan-SP)** Passando para a voz ativa a frase: "A prova será corrigida por um professor especializado na matéria", obtém-se a forma verbal:

a) fará a correção
b) corrigir-se-á
c) corrigirá
d) deve corrigir
e) pode corrigir

A frase apresentada encontra-se na voz passiva analítica. Na conversão para a voz ativa, o agente da passiva ("por um professor especializado na matéria") torna-se sujeito agente, e o sujeito paciente ("A prova") torna-se objeto direto; como o verbo auxiliar "ser" encontra-se no futuro do presente, o verbo principal "corrigir", na voz ativa, também deve figurar no futuro do presente: "Um professor especializado na matéria corrigirá a prova". Por isso, a resposta correta é a "c".

# TERMOS ACESSÓRIOS DA ORAÇÃO

## 1. Adjunto adnominal

O **adjunto adnominal** é o termo acessório que se associa a um substantivo, delimitando o seu significado. Tem esse nome porque *ad*, em latim, significa "ao lado de", ou seja, é um termo ou locução que está junto (adjunto), ao lado de um nome (adnominal), ou seja, de um substantivo.

Morfologicamente, é representado por:

a) **artigo** (**definido** ou **indefinido**):

"O seu balançado é mais que um poema..."

Tom Jobim/Vinicius de Moraes

b) **pronome adjetivo**:

"Vi a minha força amarrada no seu passo." (Peninha)

c) **numeral adjetivo**:

"Desde os cinco anos merecera eu a alcunha de menino diabo (...)" (Machado de Assis)

"Perdemos seis homens e temos uns cinco feridos."

Erico Verissimo

d) **adjetivo**:

"Pássaros leves e negros voavam nítidos no ar puro..."

Clarice Lispector

e) **locução adjetiva**:

"Mergulhei numa comprida manhã de inverno."

Graciliano Ramos

**Observação:** Os pronomes oblíquos **me**, **te**, **lhe(s)**, **nos** e **vos** também exercem a função de adjunto adnominal quando têm valor possessivo:

"Dói-**me** a cabeça." (Augusto dos Anjos)

(= *minha*)

"Os caixeiros, os comerciantes e o proprietário tiravam-**lhe** o couro..." (Graciliano Ramos)

(= *seu*)

### Distinção entre complemento nominal e adjunto adnominal

Para distinguir a função entre esses dois termos, observe os exemplos:

A crítica **ao treinador** foi contundente.

A crítica **do treinador** foi contundente.

No primeiro exemplo, o termo **ao treinador** apresenta noção **passiva**, ou seja, o treinador é o alvo da ação indicada pelo substantivo abstrato **crítica**. Trata-se, portanto, de um **complemento nominal**.

No segundo exemplo, o termo **do treinador** apresenta noção **ativa**, já que o treinador é o agente da ação indicada pelo substantivo abstrato **crítica**. Nesse caso, **do treinador** exerce a função de **adjunto adnominal**.

**Observação:** Quando o substantivo é **concreto**, geralmente o termo preposicionado ligado a ele exerce a função de **adjunto adnominal**:

As **ruas da cidade** amanheceram alagadas.
O **jornal do bairro** noticiou a fraude.

## 2. Adjunto adverbial

É o termo que indica a circunstância do fato expresso pelo verbo ou intensifica o sentido de um **verbo**, **adjetivo** ou **advérbio**.

Morfologicamente, o adjunto adverbial é representado por advérbio ou locução adverbial:

Ele resolvia tudo **apressadamente**.
*advérbio*

Ele resolvia tudo **às pressas**.
*locução adverbial*

São muitas a circunstâncias expressas pelo adjunto adverbial. As mais comuns são:

| Circunstância | Exemplo |
| --- | --- |
| de tempo | Hoje é feriado, mas amanhã irei trabalhar. |
| de lugar | Moro neste bairro há anos. |
| de modo | Os romeiros caminhavam vagarosamente. |
| de causa | Todos tremíamos de frio. |
| de assunto | Discutíamos sobre política. |
| de meio | É agradável viajar de navio. |
| de instrumento | Arrombaram a porta com um pé de cabra. |
| de afirmação | Certamente cumpriremos nosso trato. |
| de negação | Não dirija na contramão. |
| de dúvida | Talvez chova no final da tarde. |
| de intensidade | O lavrador trabalhou bastante. |
| de fim, finalidade | Devemos trabalhar para nosso progresso. |
| de companhia | Ele sempre viveu com os pais. |
| de condição | Não saiam sem minha permissão. |
| de concessão | Sempre saía sozinha apesar do medo. |

## 3. Aposto

É o termo que explica, especifica, amplia ou resume outro termo fundamental da oração. Retirando-se o fundamental, o aposto assume a função do termo retirado. Observe:

"Sinhá Vitória, **sua mulher**, era culpada de tudo." (Graciliano Ramos)

Retirando-se o sujeito, o aposto assume essa função:

**Sua mulher** era culpada de tudo.
*sujeito*

### >> Tipos de aposto

- **Aposto explicativo** — amplia o significado do termo fundamental. Aparece isolado por vírgula, travessão ou após dois-pontos:

    D. Pedro II, **último imperador do Brasil**, morreu em 1891.

    O vinho — **produto apreciadíssimo** — deve ser consumido com moderação.

    Só desejo isto: **o apoio de todos**.

- **Aposto especificativo** — geralmente é um substantivo próprio que individualiza um substantivo comum, ligando-se a este sem vírgula ou por meio de preposição:

    O **poeta** Manuel Bandeira nasceu em Recife.

    Essa é uma **comédia** de Dias Gomes.

- **Aposto enumerativo** — enumera as partes que constituem o termo fundamental. Figura depois de dois-pontos, vírgula ou travessão:

> Homero deixou-nos duas grandes epopeias: a *Ilíada* e a *Odisseia*.

> Vários presidentes, Getúlio, Jânio, Jango e Collor, não terminaram o mandato.

> A matéria-prima tem diversas origens — animal, mineral e vegetal.

- **Aposto resumidor** — sintetiza, por meio de um pronome, o que foi expresso anteriormente:

> Um vulto, um ruído, uma voz, tudo nos apavorava.
>
> Homens e mulheres, velhos e crianças, todos trabalhavam no canavial.

- **Aposto de oração** — refere-se a uma oração inteira. É representado pelo pronome demonstrativo **o** ou por palavras como **fato**, **coisa**, **episódio**, **situação** etc.:

> O enfermo se recuperou rapidamente, o que espantou a todos.
>
> O temporal devastou tudo, fato lamentável.

## 4. Vocativo

O **vocativo** não pertence à estrutura sintática da frase, ou seja, não se liga a outros termos da oração. É usado para colocar em evidência o ser chamado ou ao qual se apela, podendo aparecer antecedido de uma interjeição: **ó**, **ô**, **olá** etc.

> "Nem tu sabes, Moreninha,
> O quanto te achei gentil." (Casimiro de Abreu)

> "Quantas noivas ficaram por casar
> Para que fosses nosso, ó mar!" (Fernando Pessoa)

## >> Testes

1. **(Cetesb-SP)** "Em seu relato revelou também que nosso cururu já possuía **nessa altura** inteira influência afro, pois levava dendê, palmeira de origem africana que no Brasil tem nome de dendezeiro."

   A expressão **nessa altura** estabelece sentido de:
   a) tamanho
   b) tempo
   c) posse
   d) lugar
   e) modo

   O termo "nessa altura" estabelece uma relação de tempo com o verbo "possuir". Trata-se, sintaticamente, de um adjunto adverbial de tempo, equivalendo a "naquele tempo", "naquele momento", "naquela época". Por isso, a resposta correta é a "b".

2. **(Cetesb-SP)** A alternativa que apresenta oração com ideia de intensidade é:
   a) A grande maioria das marcas é gaseificada artificialmente.
   b) Estão situadas em regiões onde ocorrem vulcões.
   c) De qualquer forma, as águas gasosas podem apresentar teor de gás carbônico.
   d) O processo natural de formação de água carbogasosa surge do aquecimento subterrâneo.
   e) Isso torna mais fácil agregá-los ao líquido.

   No período "Isso torna mais fácil agregá-los ao líquido", a ideia de intensidade é expressa pelo advérbio "mais", que intensifica o sentido do adjetivo "fácil". Esse advérbio, sintaticamente, exerce a função de adjunto adverbial de intensidade. Por isso, a resposta correta é a "e".

3. **(TJ-SP)** Analise o termo em destaque:

   A Avenida **Paulista** é uma avenida muito famosa.
   a) adjunto adnominal
   b) núcleo do sujeito
   c) aposto
   d) vocativo
   e) complemento nominal

O termo em destaque é um "aposto especificativo" que se prende ao substantivo anterior ("Avenida") a fim de individualizá-lo. Esse tipo de aposto liga-se ao substantivo sem marcação de sinais de pontuação (vírgulas, travessões ou dois-pontos). Cuidado para não confundi-lo com adjunto adnominal e marcar a alternativa "a". Por isso, a resposta correta é a "c".

4. (TJ-SP) Assinale a alternativa em que o termo em destaque é um adjunto adnominal.

a) Voltaremos **cedo** para casa.
b) Coragem, **amigos**, não desanimem!
c) Onde estão **os** alunos.
d) Encontrei-o muito **animado** ontem.
e) Ele parece ter ódio **do rapaz**.

Em "a", "cedo" é um adjunto adverbial de tempo; em "b", "amigos" é vocativo; em "c", a palavra "os" é um artigo definido, e a única função que os artigos (definidos ou indefinidos) exercem é a de adjunto adnominal; em "d", "animado" é predicativo do objeto direto "o", em "encontrei-o" (Eu o encontrei. Ele estava muito animado ontem.); por fim, em "e", "do rapaz" é um complemento nominal. Por isso, a resposta correta é a "c".

5. (TJ-SP) Indique o termo em destaque sem relação sintática com qualquer outro elemento da oração:

a) As crianças chegaram **do colégio**.
b) Pegue esse prato **de porcelana**.
c) **As crianças**, eu as vi no jardim.
d) **Ó tu**, que iluminas o céu, vem alegrar-me este momento.
e) Pedro II, **Imperador do Brasil**, morreu no exílio.

Em "a", "do colégio" é um adjunto adverbial de lugar. Em "b", "de porcelana" é um adjunto adnominal. Em "c", "As crianças" é objeto direto (note que esta alternativa pode levar o estudante a se confundir, pois contém um objeto direto pleonástico — o "as", que retoma "as crianças". A estranheza causada pela duplicidade de objetos pode levar a crer, erroneamente, que "as crianças" não tem relação sintática com outro termo na oração ou funciona como vocativo, principalmente pela existência da vírgula depois do termo. É preciso ter em mente que o que classifica sintaticamente um termo na oração é a função dele e a relação que ele tem com os demais). Em "Ó tu, que iluminas o céu, vem alegrar-me este momento", a expressão "Ó tu" é vocativo, forma linguística independente da estrutura sintática da frase, ou seja, não pertence nem ao sujeito nem ao predicado. Em "e", "Imperador do Brasil" é um aposto explicativo (se for retirado do período, não prejudica seu significado). Por isso, a resposta correta é a "d".

## >> PARTE 3

6. **(BB)** "Beijou-**lhe** as mãos com respeito."

   Função sintática do pronome **lhe**:

   a) objeto direto
   b) objeto indireto
   c) adjunto adnominal
   d) complemento nominal
   e) adjunto adverbial

   Nessa oração, o pronome "lhe" exerce a função de adjunto adnominal porque apresenta valor possessivo. Equivale à frase: "Beijou as mãos dele/dela com respeito". Usa-se esse recurso porque, em referência a partes do corpo, não se empregam os pronomes possessivos. Muitos estudantes são levados a crer que, neste caso, o pronome "lhe" seja objeto indireto do verbo "beijar" se o entenderem como transitivo direto e indireto (sendo "as mãos" o objeto direto). Mas, conforme vimos na ordem direta da frase ("Beijou as mãos dele/dela com respeito"), não há aqui nenhum objeto indireto, sendo o verbo "beijar" apenas transitivo direto. Por isso, a resposta correta é a "c".

7. **(Esaf)** As expressões sublinhadas desempenham a função sintática de adjuntos adverbiais, **exceto** em:

   a) Eram 75 linhas que jorravam da máquina de escrever <u>com regularidade mecânica</u>.
   b) (...) ele escrevia sempre <u>de manhã</u>.
   c) <u>Na capital</u>, era um excêntrico.
   d) <u>Antes do meio-dia</u>, a coluna estava pronta.
   e) (...) longas frases <u>de raras vírgulas</u>.

   Em "a", o termo destacado é adjunto adverbial de modo; em "b" e "d", de tempo; em "c", de lugar; e, em "e", o termo sublinhado é adjunto adnominal, porque restringe o significado do substantivo concreto "frases". Por isso, a resposta correta é a "e".

8. **(ESPM-SP)** Leia o trecho: "Vieira aponta posições **que** parecem 'reservadas' aos negros, enquanto **outras lhes** são 'vetadas'. Para uma posição que não pressupõe muita habilidade intelectual, como a de 'zagueiro raçudo', é comum ouvir que o ideal é um 'negão', afirma".

   Os pronomes destacados referem-se no texto respectivamente a:

   a) posições, Vieira, negros
   b) Vieira, posições, negros
   c) posições, posições, negros
   d) posições, reservadas, jogadores
   e) reservadas, posições, posições

**245 >>**

Os três termos destacados no texto são anafóricos, ou seja, recuperam outros termos mencionados anteriormente. Os pronomes "que" e "outras" recuperam o termo "posições"; "lhes" recupera o termo "negros". Por isso, a resposta correta é a "c".

**9.** (PUC-SP) Nos trechos "(...) numa homenagem também aos salgueirenses que, **no Carnaval de 1967**, entraram pelo cano..." e "(...) deslumbram, saboreiam, **de Madureira à Gávea**, na unidade do prazer desencadeado...", assinale a alternativa que indica a função sintática de adjunto adverbial dos termos que, entre vírgulas, exprimem circunstância de:

a) tempo / lugar
b) tempo / modo
c) lugar / assunto
d) companhia / tempo
e) intensidade / lugar

O adjunto adverbial "no Carnaval de 1967" modifica o verbo "entraram", exprimindo circunstância de tempo, embora muitos estudantes sejam levados a interpretá-lo como lugar, o que não é correto. "Carnaval" não é um lugar, mas um evento anual, portanto, exprime tempo; o adjunto adverbial "de Madureira à Gávea" modifica os verbos "deslumbram" e "saboreiam", exprimindo circunstância de lugar (ou de limite), pois são bairros da cidade do Rio de Janeiro. Por isso, a resposta correta é a "a".

**10.** (PUC-SP) Indique a alternativa correta no que se refere ao sujeito da oração: "Da chaminé da usina subiam para o céu nuvens de fumaça".

a) Simples, tendo por núcleo **chaminé**.
b) Simples, tendo por núcleo **nuvens**.
c) Composto, tendo por núcleo **nuvens de fumaça**.
d) Simples, tendo por núcleo **fumaça**.
e) Simples, tendo por núcleo **usina**.

Para que se confirme a função de sujeito, basta transpor a frase para a ordem direta: "nuvens de fumaça subiam para o céu". O termo "chaminé" é núcleo do adjunto adverbial de lugar "da chaminé"; em "nuvens de fumaça", a preposição "de" faz parte da locução "de fumaça", que funciona como adjunto adnominal do substantivo "nuvens"; a palavra "usina" faz parte da locução adjetiva "da usina", que funciona como adjunto adnominal do substantivo "chaminé". Por isso, a resposta correta é a "b".

## >> PARTE 3

**11. (Unifil-PR)** *"Mesmo pessoas que aparentemente superaram a inibição apresentaram hiperatividade na amídala, o centro do medo, (...)"*. O termo isolado por vírgulas na oração destacada:

a) explica o que foi dito e sintaticamente funciona como vocativo;
b) explica o que foi dito anteriormente e sintaticamente funciona como aposto;
c) explica o que foi dito anteriormente e sintaticamente funciona como sujeito;
d) explica o que foi dito anteriormente e sintaticamente funciona como objeto direto;
e) explica o que foi dito anteriormente e sintaticamente funciona como vocativo e aposto.

Por explicar o que foi anteriormente dito, tem função de aposto. Trata-se, no caso, de um aposto explicativo. Por isso, a resposta correta é a "b".

**12. (Unitau-SP)**

"**Ó pedaço de mim**,
Ó metade afastada de mim,
Leva **o teu olhar**,
Que a saudade é o pior tormento,
É pior do que o esquecimento,
É pior do que se entrevar."

(Chico Buarque de Holanda)

Os termos em negrito no poema exercem, respectivamente, a função sintática de:

a) sujeito — objeto direto
b) sujeito — sujeito
c) aposto — objeto direto
d) aposto — sujeito
e) vocativo — objeto direto

O termo exclamativo "Ó pedaço de mim" exerce a função de vocativo porque chama e coloca em evidência o ser personificado "pedaço de mim". Esse termo é sintaticamente independente porque não faz parte nem do sujeito nem do predicado. O termo "teu olhar" funciona como objeto direto do verbo "levar", que é transitivo direto (quem leva, leva algo ou alguém). Neste caso, o sujeito é oculto "Ó pedaço de mim, leva (tu) o teu olhar". Por isso, a resposta correta é a "e".

## capítulo 2

# As estruturas do período composto

Como vimos anteriormente, o período pode ser formado por apenas uma oração ou por um conjunto de orações. Dependendo do número de orações que apresenta, o período pode ser:

a) **simples** — formado por apenas uma oração, também chamada de **oração absoluta**:

"Hoje a poesia **veio** ao meu encontro." (Paulo César Pinheiro)

b) **composto** — formado por duas ou mais orações:

"**Amo**-te muito; **adoro**-te, **confesso**." (Humberto de Campos)

O período composto pode ser formado por:

a) **coordenação** — as orações são independentes sintaticamente, ou seja, são ordenadas lado a lado, sem que uma exerça função sintática em relação à outra:

"Verso **canta**-se, **urra**-se, **chora**-se. (Mário de Andrade)

b) **subordinação** — as orações são dependentes sintaticamente de outra, isto é, uma exerce função de termo em relação à outra oração, denominada **oração principal**:

"Vadinho **morreu** quando **sambava** num bloco." (Jorge Amado)

1ª oração   2ª oração

>> 248

Nesse período, a 2ª oração exerce a função de **adjunto adverbial** em relação ao verbo **morrer** da 1ª oração, pois especifica *quando* a ação de morrer aconteceu. Além disso, não pode ser lida sozinha, pois seu sentido depende da 1ª oração. Trata-se, portanto, de uma oração **subordinada** à anterior, que é a **principal**.

c) **coordenação e subordinação** — período misto que contém as duas estruturas sintáticas apresentadas acima:

"Devolva-me o Neruda que você me tomou e nunca leu."

Chico Buarque

No período acima, a 2ª oração subordina-se ao substantivo **Neruda** da 1ª oração, que é a **principal**; a 3ª é **coordenada** em relação à 2ª. Trata-se, portanto, de um período misto.

> **Observação:** Por questões didáticas, iniciaremos o estudo deste capítulo pela subordinação.

# PERÍODO COMPOSTO POR SUBORDINAÇÃO

O período composto por subordinação é formado por uma ou mais orações dependentes de uma outra oração.

Chama-se **principal** a oração que possui outra oração exercendo uma função sintática em relação a ela. Observe nos exemplos seguintes:

Todos desejam o seu regresso.

*objeto direto*

Nesse período, o termo grifado exerce a função de **objeto direto** do verbo **desejar**. Em seu lugar, pode-se usar uma oração com a mesma função sintática:

Todos desejam que você regresse.
or. principal | or. sub. substantiva

Do mesmo modo, temos:

Suicida-se lentamente o homem **fumante**.
adj. adnominal

Nessa oração, o adjetivo **fumante** funciona como **adjunto adnominal** do substantivo **homem**. Num período composto, pode ser representado pela oração destacada em:

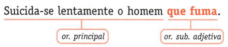

Suicida-se lentamente o homem que fuma.
or. principal | or. sub. adjetiva

Analisemos outro exemplo:

Ninguém progride **sem esforço**.
adj. adv. de condição

O **adjunto adverbial** dessa oração pode ser expresso pela oração destacada no período seguinte:

Ninguém progride sem que se esforce.
or. principal | or. sub. adverbial

Portanto, dependendo das funções sintáticas que exercem em relação à outra oração, as orações subordinadas podem ser **substantivas**, **adjetivas** ou **adverbiais**.

# 1. Orações subordinadas substantivas

As orações subordinadas substantivas exercem as funções sintáticas próprias de um substantivo. De acordo com essas funções, são classificadas como **subjetivas**, **objetivas diretas**, **objetivas indiretas**, **completivas nominais**, **predicativas** ou **apositivas**.

Geralmente, as orações subordinadas substantivas são introduzidas pelas conjunções subordinativas integrantes **que** ou **se**:

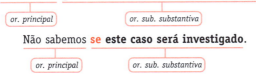

**Observação:**
Para classificarmos uma oração subordinada substantiva, podemos recorrer ao seguinte artifício:
a) substituímos a oração subordinada pelo pronome **isso**, regido, quando necessário, de preposição;
b) a função que o pronome **isso** exercer na oração substituta será a função da oração substituída.
Observe os exemplos:

## Classificação das orações subordinadas substantivas

- **Subjetivas** — exercem a função de **sujeito** do verbo da oração principal:

> **Cuidado!**
> No segundo período acima, a palavra **se** é um pronome apassivador, e não índice de indeterminação do sujeito, pois a função de sujeito é exercida pela segunda oração. Se transformamos o período composto em um simples, isso fica mais evidente. Veja:
>
>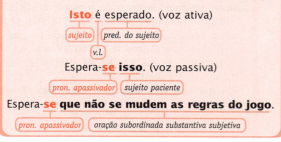

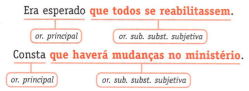

- **Objetivas diretas** — exercem a função de **objeto direto** do verbo da oração principal:

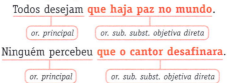

Todos desejam que haja paz no mundo.
- or. principal / or. sub. subst. objetiva direta

Ninguém percebeu que o cantor desafinara.
- or. principal / or. sub. subst. objetiva direta

- **Objetivas indiretas** — exercem a função de **objeto indireto** do verbo da oração principal:

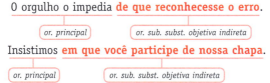

O orgulho o impedia de que reconhecesse o erro.
- or. principal / or. sub. subst. objetiva indireta

Insistimos em que você participe de nossa chapa.
- or. principal / or. sub. subst. objetiva indireta

- **Completivas nominais** — exercem a função de **complemento nominal** de um **substantivo**, **adjetivo** ou **advérbio** da oração principal:

(substantivo) Temos **necessidade** de que algumas leis sejam alteradas.
- or. principal / or. sub. subst. completiva nominal

(adjetivo) Sou **contrário** a que se contratem novos funcionários.
- or. principal / or. sub. subst. completiva nominal

(advérbio) Opinei **favoravelmente** a que o escolhessem.
- or. principal / or. sub. subst. completiva nominal

- **Predicativas** — exercem a função de **predicativo do sujeito** da oração principal. Figuram sempre depois do verbo de ligação **ser**:

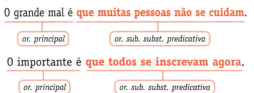

- **Apositivas** — exercem a função de **aposto**. Geralmente vêm depois de dois-pontos:

  O réu declarou apenas isto: que agira em legítima defesa.

  Nosso grande receio é este: que você não cumpra com a palavra.

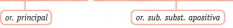

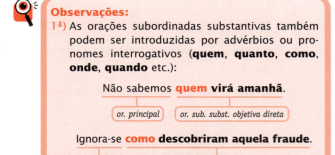

**Observações:**
1ª) As orações subordinadas substantivas também podem ser introduzidas por advérbios ou pronomes interrogativos (**quem, quanto, como, onde, quando** etc.):

Não sabemos **quem** virá amanhã.

Ignora-se **como** descobriram aquela fraude.

>> PARTE 3

2ª) Embora não conste da Nomenclatura Gramatical Brasileira, o **agente da passiva** também pode aparecer em forma oracional:

Isto deve ser feito **por quem sabe**.

| or. principal | or. sub. subst. agente da passiva |

Fui ultrajado **por quem sempre apoiei**.

| or. principal | or. sub. subst. agente da passiva |

>> as estruturas do período composto

## >> Testes

**1.** **(TJ-SP)** Identifique a afirmativa verdadeira:
a) As orações subordinadas ou são adjetivas ou adverbiais.
b) A preposição que introduz uma oração subordinada nunca pode ser omitida.
c) Duas orações subordinadas podem estar coordenadas entre si.
d) Uma oração se denomina principal porque vem primeiro que as outras.
e) O período composto por subordinação só pode ter duas orações.

Em "a", as orações podem ser subordinadas substantivas, adjetivas ou adverbiais; em "b", é possível suprimir preposições em orações subordinadas. Por exemplo, "Necessito (de) que todos me apoiem". Em "c", é possível coordenar duas orações subordinadas entre si. Por exemplo, "Desejo que você estude e se torne um grande homem". A primeira oração (Desejo) é a principal; a segunda e a terceira são subordinadas substantivas objetivas diretas em relação à principal e figuram coordenadas pela conjunção coordenativa "e". Em "d", a oração principal pode figurar em qualquer posição no período. Por fim, em "e", o período composto pode ter duas ou mais orações. Por isso, a resposta correta é a "c".

255 >>

**2. (SRF)** Há oração subordinada substantiva subjetiva no período:

a) Decidiu-se que a microinformática seria implantada naquele município.
b) Um sistema tributário obsoleto não permite que haja conscientização dos contribuintes.
c) A prefeitura necessitava de que os computadores fossem instalados com urgência.
d) Ninguém duvida de que a microinformática racionaliza o sistema tributário.
e) Alguns prefeitos temiam que a utilização do computador gerasse emprego.

Em "Decidiu-se que a microinformática seria implantada naquele município", a segunda oração é subordinada substantiva subjetiva por estar ligada a um verbo transitivo direto apassivado pelo pronome "se" (voz passiva sintética). Para entender melhor a função de sujeito que essa oração tem, basta analisarmos a voz passiva analítica correspondente: "Ficou decidido que a microinformática seria implantada naquele município." (= Isso ficou decidido ou "Decidiu-se isso"). Em "b", a segunda oração é subordinada substantiva objetiva direta do verbo transitivo direto "permitir"; em "c", é subordinada substantiva objetiva indireta do verbo transitivo indireto "necessitar"; em "d", "de que a microinformática..." é uma oração subordinada substantiva objetiva indireta do verbo transitivo indireto "duvidar"; e, em "e", a segunda oração é subordinada substantiva objetiva direta do verbo transitivo direto "temer". Por isso, a resposta correta é a "a".

**3. (TJ-SP)** Em: "Eu faço **o mesmo**.", assinale o item em que a oração subordinada exerce função semelhante ao termo destacado:

a) Não é certo que ele retorne.
b) Fizeram um só pedido: que cuidássemos bem do jardim.
c) Eles precisavam de que eu os ajudasse.
d) Todos esperam que ela volte logo.
e) Eu tinha esperança de que brilharia como o sol.

Na frase "Eu faço o mesmo", o termo destacado exerce a função de objeto direto do verbo transitivo direto "fazer". A oração que exerce essa mesma função é "Todos esperam que ele volte logo", em que a segunda oração ("que ele volte logo") é subordinada substantiva objetiva direta em relação ao verbo transitivo direto "esperar". Em "a", a segunda oração é subordinada substantiva subjetiva; em "b", substantiva apositiva; em "c", substantiva objetiva indireta; em "e", substantiva completiva nominal. Por isso, a resposta correta é a "d".

>> PARTE 3

**4. (TJ-SP)** Indique o único período em que há uma oração dependente sintaticamente da outra.

a) Estudou bastante, mas não foi aprovado.
b) Não falte à reunião, pois quero falar com você.
c) Trabalhava durante o dia e estudava à noite.
d) Chegou, desceu do carro, entrou rapidamente na loja.
e) Todos querem que você colabore.

Com exceção da última alternativa, nas demais todas as orações são independentes sintaticamente, pois não exercem função sintática umas sobre as outras. Em "a", a segunda oração é uma coordenada sindética adversativa; em "b", explicativa; em "c", aditiva; e, em "d", todas as orações são assindéticas. Em "Todos querem que você colabore", a segunda oração é dependente do verbo transitivo direto "querer" da oração anterior. Trata-se, portanto, de uma oração subordinada substantiva objetiva direta. Por isso, a resposta correta é a "e". Veja mais sobre este assunto em *Período composto por coordenação*, na página 281.

**5. (SSP-SP)** No período "Consideramos, por fim, **que é um bom tema para a reflexão**", a oração destacada tem, em relação à primeira, valor de:

a) adjetivo e função sintática de predicativo do sujeito;
b) advérbio e função sintática de adjunto adverbial de modo;
c) substantivo e função sintática de sujeito;
d) substantivo e função sintática de objeto direto.

A oração destacada tem valor de substantivo e exerce a função de objeto direto do verbo transitivo direto "considerar". Trata-se de uma oração subordinada substantiva objetiva direta. Por isso, a resposta correta é a "d".

**6. (Faap-SP)** Em "Parece que a solidão alarga os limites.", a oração grifada é:

a) subordinada substantiva subjetiva;
b) subordinada substantiva predicativa;
c) subordinada substantiva objetiva direta;
d) subordinada substantiva completiva nominal;
e) subordinada substantiva apositiva.

A oração em destaque liga-se a um verbo na 3ª pessoa do singular que não admite a inclusão do pronome "ele". Funciona, portanto, como sujeito desse verbo. Podemos confirmar essa função substituindo a oração grifada pelo pronome "isso": "Isso parece.". Confirmamos, portanto, que se trata de uma oração subordinada substantiva subjetiva. Por isso, a resposta correta é a "a".

>> as estruturas do período composto

**7. (Omec-SP)** Assinale o período em que há oração subordinada substantiva predicativa:

a) Lembre-se de que tudo passa neste mundo.
b) Estava ansioso por que ela viesse.
c) Meu ideal é fazer bem a todos.
d) Meu ideal é este: fazer bem a todos.
e) Não sei onde ele está.

Em "a", a oração subordinada é objetiva indireta; em "b", completiva nominal; em "c", "Meu ideal é fazer bem a todos", a oração grifada é subordinada substantiva predicativa porque figura depois do verbo de ligação "ser", cujo sujeito é o termo "Meu ideal"; em "d", apositiva; em "e", objetiva direta. Há uma "pegadinha" neste teste: a aparente semelhança entre as alternativas "c" e "d". Note que o fato de, na alternativa "d", haver o pronome demonstrativo "este", que funciona como predicativo do sujeito, já modifica a função sintática da oração subordinada "fazer bem a todos". Nessa alternativa ela é apositiva por se referir justamente ao pronome "este" (ou seja, ao predicativo do sujeito), explicando-o. Na terceira alternativa, "fazer bem a todos" equivale ao "este" da alternativa "d", daí sua função predicativa. Por isso, a resposta correta é a "c".

**8. (PUC-SP)** Em "Considerei, por fim, **que assim é o amor...**", a oração em destaque tem, em relação à oração não destacada:

a) valor de adjetivo e função sintática de predicativo do sujeito;
b) valor de advérbio e função sintática de adjunto adverbial de modo;
c) valor de substantivo e função sintática de objeto direto;
d) valor de substantivo e função sintática de sujeito;
e) valor de adjetivo e função sintática de adjunto adnominal.

A oração em destaque tem valor de substantivo e exerce a função de objeto direto do verbo transitivo direto "considerar". (= "Considere-o, por fim.") Por isso, a resposta correta é a "c".

**9. (UEA-AM)** A frase em que ocorre oração substantiva subjetiva é:

a) Haverá ainda esperança de que a Terra se torne azul?
b) Certo astronauta declarou isto: A terra é azul.
c) Creiamos que a Terra é mesmo azul.
d) Já se afirmou que a Terra é azul.
e) Quem nos dera que a Terra fosse azul!

Em "a", a segunda oração é subordinada substantiva completiva nominal; em "b", apositiva; em "c" e "e", objetivas diretas. Em "Já se afirmou que a Terra é azul", a oração destacada funciona como sujeito do verbo transitivo direto "afirmar" empregado na voz passiva sintética. A voz passiva analítica correspondente é "Já foi afirmado que a Terra é azul" (= Isso já foi afirmado). Portanto, a oração destacada é subordinada substantiva subjetiva. Por isso, a resposta correta é a "d".

**10.** **(FGV-SP)** "Nota-se facilmente **que nunca perceberam o papel secundário** que exercem naquele período." A oração em destaque é:

a) substantiva objetiva direta
b) substantiva completiva nominal
c) substantiva predicativa
d) substantiva subjetiva
e) n.d.a.

A segunda oração do período é sujeito do verbo transitivo direto "notar" empregado na voz passiva sintética. A passiva analítica correspondente é "É notado facilmente que nunca receberam o papel secundário que exercem naquele período" (= Isso é notado). Como é um sujeito oracional (em forma de oração), classifica-se como oração subordinada substantiva subjetiva. É comum, entretanto, o estudante ser levado a pensar que se trata de uma subordinada objetiva direta. Geralmente, quando não presta atenção na existência da partícula apassivadora "se" (em "Nota-se"), enxerga o verbo "notar" como transitivo direto ("nota algo"; logo, "alguém" nota algo. Se "alguém" é o sujeito, "algo" é objeto direto). Tem seu equivocado pensamento praticamente confirmado pela primeira alternativa do teste, que o leva a marcar a resposta por impulso. Cuidado. Por isso, a resposta correta é a "d".

**11.** **(Cefet-MG)** Em "Já era noite. Parecia viável **que todos entendessem** que, naquele momento, deviam-se lembrar de **que nada é eternamente assim**, mas nada acontecia. A verdade é **que todos estavam extasiados** e certos **de que não há prazeres no mundo**", as orações destacadas são, respectivamente, subordinadas substantivas:

a) subjetiva, subjetiva, subjetiva, completiva nominal;
b) subjetiva, objetiva direta, subjetiva e completiva nominal;
c) objetiva direta, subjetiva, predicativa e objetiva indireta;
d) subjetiva, objetiva indireta, predicativa e completiva nominal;
e) objetiva direta, objetiva indireta, predicativa e objetiva indireta.

Em "Parecia viável que todos entendessem...", a oração grifada é sujeito do verbo "parecer", que se encontra na 3ª pessoa do singular, sem admitir a inclusão do pronome "ele" (= Isso parecia.); em "... deviam-se lembrar de que nada é eternamente assim", a segunda oração é objeto indireto do verbo transitivo indireto "lembrar-se"; em "A verdade é que todos estavam extasiados...", a segunda oração funciona como predicativo do sujeito da oração anterior, a ele ligado pelo verbo de ligação "ser"; no trecho "... certos de que não há prazeres no mundo.", a oração grifada funciona como complemento nominal do adjetivo "certos" da oração anterior. Por isso, a resposta correta é a "d".

**12.** (Fesp-SP) "Convém **que todos se concentrem nesse problema.**"

A oração grifada é:

a) subordinada substantiva subjetiva;
b) subordinada substantiva objetiva direta;
c) subordinada substantiva completiva nominal;
d) subordinada substantiva predicativa;
e) subordinada substantiva objetiva indireta.

A oração destacada funciona como sujeito do verbo que constitui a oração principal (Convém). Isso pode ser confirmado trocando-se a oração em destaque pelo pronome "isso" (= Isso convém.). Observe-se, também, que o verbo da oração principal está na 3ª pessoa do singular, sem admitir a inclusão do pronome "ele", o que caracteriza um caso de oração subordinada substantiva subjetiva. Por isso, a resposta correta é a "a".

## 2. Orações subordinadas adjetivas

As orações subordinadas adjetivas exercem a função sintática própria de um adjetivo, referindo-se a um substantivo ou pronome da oração principal. Observe o seguinte exemplo:

Os casais **briguentos** devem manter a calma.

O adjetivo **briguentos** exerce a função sintática de adjunto adnominal do substantivo **casais**. Esse adjetivo pode ser substituído por uma oração de sentido equivalente:

Os casais **que brigam** devem manter a calma.

As orações subordinadas adjetivas são introduzidas por pronomes relativos: **que**, **o qual** (e flexões), **quanto**, **onde**, **como**, **cujo** (e flexões).

## Classificação das orações subordinadas adjetivas

As orações subordinadas adjetivas, quanto ao sentido, são classificadas como **restritivas** ou **explicativas**.

- Restritivas — especificam ou limitam o sentido do substantivo ou pronome da oração principal. Por serem indispensáveis para a compreensão do termo antecedente, não são isoladas, na escrita, por meio de vírgula:

    A doença **que surgiu nos últimos anos** tem matado muita gente.

- Explicativas — funcionam como uma espécie de informação secundária a respeito do termo antecedente, podendo ser suprimidas sem prejudicar o sentido do período. São sempre separadas da oração principal por meio de vírgula:

    A aids, **que é um flagelo da humanidade**, tem matado muita gente.

O emprego ou não da vírgula nas orações adjetivas é de fundamental importância na escrita. Observe o sentido das frases seguintes:

Ele visitará o irmão **que mora no interior**.
(Ele tem mais de um irmão; apenas um deles mora no interior — restritiva.)

Ele visitará o irmão, **que mora no interior**.
(Ele tem apenas um irmão, e este mora no interior — explicativa.)

## Funções sintáticas dos pronomes relativos

A função sintática do pronome relativo pode ser facilmente reconhecida quando o substituímos por seu termo antecedente. Após a substituição, o pronome relativo assume a mesma função sintática do termo retirado. Observe:

O pronome relativo **que** pode exercer as seguintes funções:

a) **sujeito**:

"Olhou as sombras movediças **que** enchiam a campina."

Graciliano Ramos

(= **As sombras movediças** enchiam a campina.)

*sujeito*

b) **objeto direto**:

"Já se avistava o contorno da serra **que** iriam subir."

José Lins do Rego

(= Iriam subir **o contorno da serra**.)

*OD*

c) **objeto indireto**:

Chegaram as informações **de que** vocês necessitam.
(= Vocês necessitam **das informações**.)

*OI*

d) **complemento nominal**:

Reconheçamos os sacrifícios **de que** nossos pais são capazes.

(= Nossos pais são capazes **de sacrifícios**.)

e) **predicativo do sujeito**:

"Reduzo-me ao pó **que** fui." (Cecília Meireles)

(= Fui **pó**.)

*predicativo do sujeito*

f) **agente da passiva**:

Reencontrei o velho padre **por quem** fui batizado.

(Fui batizado pelo **velho padre**)

*agente da passiva*

g) **adjunto adverbial**:

"Era esta a hora **em que** as duas costumavam ir para o caramanchão." (Lygia F. Telles)

(= As duas costumavam ir para o caramanchão **nesta hora**.)

*adj. adv. de tempo*

"A cadeira **em que** se sentou era uma velha cadeira de espaldar de couro..." (Machado de Assis)

(= Sentou-se **na cadeira**.)

*adj. adv. de lugar*

Observem o jeitinho **como** ela se requebra.

(= Ela se requebra **com jeitinho**.)

*adj. adv. de modo*

h) **adjunto adnominal** (função exercida somente pelo pronome relativo "**cujo**" e flexões):

"Há pessoas **cuja** aversão e desprezo honram mais que os seus louvores e amizade." (Marquês de Maricá)

"Vós, poderoso Rei, **cujo** alto Império
O Sol logo em nascendo vê primeiro."

Luís Vaz de Camões

## >> Testes

**1.** (Cetesb-SP) Em "... Von Martius participou de uma refeição indígena próximo ao rio Madeira, **em que** os nativos comiam um manjar...", a expressão em destaque, **em que**, pode ser substituída, sem alteração de sentido, por:

a) cujos
b) aonde
c) quando
d) que
e) na qual

O pronome relativo "em que" tem como antecedente o termo "uma refeição" e exerce a função de adjunto adverbial de tempo (Os nativos comiam um manjar na refeição, durante a refeição.). Sem prejuízo de sentido, "em que" pode ser substituído por "na qual" ("... Von Martius participou de uma refeição indígena próximo ao rio Madeira, na qual os nativos comiam um manjar..."). Por isso, a resposta correta é a "e".

**2.** (Cetesb-SP) Assinale a alternativa que completa, correta e respectivamente, as lacunas das orações, quanto ao uso do pronome relativo.

I – O motorista _____ paguei pelo transporte ainda não chegou.
II – A secretária _____ me informei sobre a reunião não está disponível.
III – Os funcionários _____ crachás foram devolvidos não poderão mais entrar.
IV – Este é o projeto _____ ele participará.

>> 264

a) de que — cuja — cujos — com o qual
b) a quem — a qual — dos quais — que
c) que — da qual — com os quais — onde
d) a quem — com a qual — cujos — de que
e) por que — onde — cujos — do qual

Em I, o certo é "O motorista a quem paguei pelo transporte ainda não chegou", pois paga-se algo *a* alguém; em II, usa-se "com a qual", pois informa-se *com* alguém; em III, usa-se "cujos", porque "cujo" liga-se ao substantivo seguinte sem palavras intermediárias e há uma relação de posse (os crachás pertencem aos funcionários); por fim, em IV, "de que" preenche corretamente a lacuna, uma vez que participa-se *de* algo. Por isso, a resposta correta é a "d".

3. (**SRF**) "Eis o que eu era, um homem sem critérios que gostava de experimentar uma maior conta com a vida." (Márcio Souza)

   **Que**, em "...que gostava...", exerce função sintática de:

   a) objeto direto
   b) sujeito
   c) objeto indireto
   d) predicativo
   e) complemento nominal

   O pronome relativo "que", nesse trecho, substitui o termo antecedente "homem", exercendo a função de sujeito do verbo "gostar". Observe a montagem: "Um homem sem critérios gostava de experimentar uma maior conta com a vida". Por isso, a resposta correta é a "b".

4. (**Esaf**) Em "Usando o direito que lhe confere a Constituição.", as palavras sublinhadas exercem a função, respectivamente, de:

   a) objeto direto e objeto indireto
   b) sujeito e objeto indireto
   c) objeto indireto e sujeito
   d) sujeito e sujeito
   e) objeto indireto e objeto direto

   O pronome relativo "que" tem como antecedente o termo "o direito", exercendo a função de objeto direto do verbo "conferir", que é transitivo direto e indireto. O pronome oblíquo "lhe" funciona como objeto indireto desse verbo. Se remontarmos a frase, obteremos: "A constituição lhe confere o direito". Por isso, a resposta correta é a "a".

**5. (SSP-SP)** Indique a alternativa em que o pronome relativo foi empregado de forma incorreta.

a) Naquela rua estreita, há uma casa onde nasci.
b) Tenho uma caneta cuja a pena é de ouro.
c) Quero viver numa fazenda em que possa trabalhar.
d) Aqui está o técnico em eletricidade

O erro ocorre na frase "Tenho uma caneta cuja a pena é de ouro", porque entre o pronome relativo "cujo" e seu substantivo imediato não pode haver nenhum termo de permeio. A frase correta é: "Tenho uma caneta cuja pena é de ouro". Por isso, a resposta correta é a "b".

**6. (SSP-SP)** No período "São Paulo, que é uma das maiores cidades do mundo, não para de crescer", qual é a função sintática da palavra **que**?

a) conjunção
b) adjunto adverbial
c) sujeito
d) adjunto adnominal

O pronome relativo "que" tem como antecedente o termo "São Paulo". Remontando-se o trecho, obtém-se: "São Paulo é uma das maiores cidades do mundo". A palavra "que", substituta do termo "São Paulo" na frase original, exerce a função de sujeito do verbo "ser". Por isso, a resposta correta é a "c".

**7. (UFV-MG)** "O médico sabia piano e tocava agradavelmente; a sua conversa era animada; sabia esses mil modos **que entretêm geralmente as senhoras** quando elas não gostam..." (Machado de Assis)

A oração destacada no período desempenha a função sintática de:

a) predicado nominal
b) aposto
c) predicativo
d) complemento nominal
e) adjunto adnominal

A oração destacada no período apresentado é subordinada adjetiva restritiva. Esse tipo de oração, como vimos, possui o mesmo valor de adjetivo e, sintaticamente, exerce a função de adjunto adnominal de um termo situado na oração anterior (no caso, o substantivo "modos"). Por isso, a resposta correta é a "e".

**8. (PUCCamp-SP)** Assinale o período em que há uma oração adjetiva restritiva:

a) A casa onde estou é ótima.
b) Brasília, que é capital do Brasil, é linda.
c) Penso que você é de bom coração.
d) Vê-se que você é de bom coração.
e) Nada obsta a que você se empregue.

Em "A casa onde estou é ótima", a oração introduzida pelo pronome relativo "onde" é adjetiva restritiva porque determina o sentido do termo a que se refere. Por essa razão, não se separa da oração principal por meio de vírgulas.
Em "b", a oração entre vírgulas é adjetiva explicativa; em "c", há uma substantiva objetiva direta; em "d" e "e", trata-se de substantivas subjetivas. Por isso, a resposta correta é a "a".

**9. (ITA-SP)** "Tem gente que junta os trapos, outros juntam os pedaços."

O **que**, empregado como conectivo, introduz uma oração:

a) substantiva
b) adverbial causal
c) adverbial consecutiva
d) adjetiva explicativa
e) adjetiva restritiva

O pronome relativo "que" (= a qual) substitui o substantivo "gente" da oração anterior e exerce a função de sujeito do verbo "juntar" (= Gente junta os trapos.). A oração introduzida por esse pronome é adjetiva restritiva porque limita, restringe ou determina o sentido do termo a que se refere, não sendo, por isso, separada da principal por meio de vírgula, o que ocorreria se fosse uma oração adjetiva explicativa. Por isso, a resposta correta é a "e".

**10. (Mackenzie-SP)** Em "Desconheço as marcas de carro **pelas quais** não tenho interesse", a função sintática do termo em destaque é:

a) objeto direto
b) sujeito
c) predicativo do sujeito
d) complemento nominal
e) adjunto adnominal

Trata-se de um pronome relativo retomando o substantivo "marcas" da oração anterior (= Não tenho interesse pelas marcas de carro). Como integra o sentido do substantivo abstrato "interesse", é um complemento nominal. Por isso, a resposta correta é a "d".

## 11. (Faap-SP) Vamos analisar sintaticamente dois pronomes relativos:

"Arrulhos doces e saudosos com **que** se despede do dia a cascata **que** parecia quebrar a aspereza de sua queda..."

Temos, respectivamente:

a) agente da passiva / objeto direto
b) aposto / objeto indireto
c) adjunto adnominal / complemento nominal
d) adjunto adverbial / sujeito
e) vocativo / predicativo

O primeiro "que", regido da preposição "com" retoma o substantivo anterior "arrulhos" e exerce a função de adjunto adverbial de meio; o segundo retoma o antecedente "cascata", exercendo a função sintática de sujeito do verbo "quebrar" (= "A cascata, com seus arrulhos doces e saudosos, parecia quebrar a aspereza de sua queda..."). Por isso, a resposta correta é a "d".

## 12. (Fuvest-SP)

"O caso triste, e digno da memória
Que do sepulcro os homens desenterra,
Aconteceu da mísera e mesquinha
Que depois de ser morta foi rainha."

Para o **correto** entendimento desses versos de Camões, é necessário saber que o sujeito do verbo **desenterra** é:

a) os homens (por licença poética);
b) ele (oculto);
c) o primeiro **que**;
d) o caso triste;
e) sepulcro

O pronome relativo "que" exerce a função sintática de sujeito porque retoma, na oração subordinada adjetiva, o termo antecedente "memória" (= A memória desenterra os homens do sepulcro.). Aqui, o entendimento da sutileza da pontuação é fundamental para responder corretamente o teste. Como há uma vírgula depois de "triste", isso indica que o que vem depois dela, neste caso, é um aposto ("e digno da memória que do sepulcro os homens desenterra") explicativo de "caso triste". É nesse aposto que está o verbo do enunciado do exercício. Como não se separa o sujeito do verbo por vírgula (veja pontuação na página 436), o sujeito de "desenterra" não pode ser "o caso triste", como sugere a alternativa "d". Por isso, a resposta correta é a "c".

>> **268**

## 3. Orações subordinadas adverbiais

As orações subordinadas adverbiais são classificadas de acordo com a circunstância adverbial que exprimem e recebem os mesmos nomes das conjunções ou locuções subordinativas que já apresentamos na página 185.

### Classificação das orações subordinadas adverbiais

De acordo com as circunstâncias que exprimem, são classificadas como:

- **Causais** — exprimem o motivo, a causa da ocorrência expressa na oração principal:

    "Eu canto **porque o motivo existe**..." (Cecília Meireles)

    "...**como não tive que responde**r, desviei-me da questão."
    Joaquim M. de Macedo

- **Consecutivas** — exprimem a consequência da intensidade da ação, do estado ou da qualidade apresentados na oração principal:

    "Tantas vezes te iludi, **que é legítimo o teu receio**."
    Machado de Assis

    "Silêncio, Musa... Chora e chora tanto
    **Que o pavilhão se lave no seu pranto**."
    Castro Alves

- **Comparativas** — exprimem uma comparação de igualdade, superioridade ou inferioridade em relação à oração anterior:

    "Teus olhos suportam o mundo
    E ele não pesa mais **que a mão de uma criança**."
    Carlos Drummond de Andrade

    "Ele era simples, simples
    **que nem uma criança de peito**."
    Afonso Frederico Schimidt

- **Conformativas** — exprimem uma circunstância de modo ou conformidade em relação ao fato expresso em outra oração:

    "Negro Pastinha segurou o rapaz, **como era seu costume**..."
    Jorge Amado

    "Terminado o espetáculo, foi ele, **segundo costumava**, assistir à saída das senhoras..." (Machado de Assis)

- **Condicionais** — estabelecem uma condição para que um determinado fato expresso em outra oração se realize:

    "Tudo vale a pena, **se a alma não é pequena**."
    Fernando Pessoa

    "Não importa; eu suportarei tudo, **contanto que me ame**."
    Machado de Assis

- **Concessivas** — indicam uma espécie de obstáculo que não impede a realização do fato expresso em outra oração:

    "**Mesmo que levasse aquele gadinho para a terra dele**, fazia outro negócio..." (João Guimarães Rosa)

    "E **ainda que a sua delicadeza me condene**, estou certo de que há em seu coração misericórdia de sobra."
    Machado de Assis

- **Temporais** — indicam o momento em que ocorre o fato expresso em outra oração:

    "**Quando a gente gosta**, é claro que a gente cuida." (Peninha)

    "Dorme **enquanto eu velo**..." (Fernando Pessoa)

- **Proporcionais** — exprimem uma circunstância de proporção em relação ao que foi expresso em outra oração:

    "**À proporção que eles subiam**, morriam as vozes da cachoeira." (Graça Aranha)

    "**À medida que envelheço**, vou me desfazendo dos adjetivos." (Carlos Drummond de Andrade)

- **Finais** — indicam circunstância de fim, entendido como o objetivo a ser alcançado:

    "... acho bom esperá-los, para que eles também tomem parte da confraternização." (Monteiro Lobato)

    "Quantas noivas ficaram por casar
    Para que fosses nosso, ó mar!"
    Fernando Pessoa

## 4. Orações reduzidas

As orações subordinadas podem aparecer, sem prejuízo das respectivas funções sintáticas que exercem, sob um aspecto peculiar: com o verbo numa das formas nominais. Nesse caso, as orações são chamadas de **reduzidas**.

Dois são os aspectos marcantes que tornam possível o reconhecimento da oração reduzida:

a) a oração reduzida não apresenta **conjunção subordinativa** ou **pronome relativo** (conectivos subordinativos);

b) o verbo da oração reduzida aparece sob uma forma nominal (**infinitivo**, **particípio** ou **gerúndio**).

De modo geral, a oração reduzida pode ser desdobrada numa correspondente com o verbo numa forma modal (indicativo ou subjuntivo) e introduzida por conectivo. Observe:

É importante **você opinar** sobre o nosso projeto.
É importante **que você opine** sobre o nosso projeto.

No primeiro período, a oração em destaque é *subordinada substantiva subjetiva*, *reduzida de infinitivo*; não há conectivo e o verbo encontra-se em forma nominal (infinitivo).

No segundo período, de sentido idêntico ao anterior, a oração é *subordinada substantiva subjetiva* (conectiva ou desenvolvida); há conectivo subordinativo (**que**) e o verbo está numa forma modal (**presente do subjuntivo**).

Como a oração reduzida corresponde a uma desenvolvida, classifica-se a reduzida como se faz com a desenvolvida. Veja outros exemplos:

- **Reduzidas de infinitivo**

"Como é possível **morrer-se tão sem dor**?" (Cecília Meireles)
*substantiva subjetiva*

"... hoje é preciso **refletir um pouco**." (Chico Buarque)
*substantiva subjetiva*

*substantiva objetiva indireta*
"... lembrei-me **de lhe emprestar um romance**."
Dinah Silveira de Queiroz

"Sempre tive vontade **de ter um relógio desses**." (Fernando Sabino)
*substantiva completiva nominal*

*adjetiva restritiva*
"... faziam uma algazarra **de doer os ouvidos**."
Manuel Antônio de Almeida

"Não sou homem **de inventar coisas**." (Rubem Braga)
*adjetiva restritiva*

*adjetiva restritiva*
"Copacabana, princesinha do mar,
Pelas manhãs tu és a vida **a cantar**."
João de Barro/Alberto Ribeiro

"...cobria a cabeça com o lençol
**para não ouvir os gritos de uma gata amorosa**." (Dalton Trevisan)
*adverbial final*

"**Antes de eu nascer** tu velavas sobre mim." (Murilo Mendes)
— *adverbial temporal*

"O marido fez-lhe um gesto **para calar-se**."
— *adverbial final*
Carlos Drummond de Andrade

- **Reduzidas de particípio**

*adjetiva explicativa*
"A trouxa, **arrastada no chão**, ia deixando pelo caminho alguns de seus pertences." (Fernando Sabino)

"O menino, **assustado**, arrepiou carreira." (Fernando Sabino)
— *adjetiva explicativa*

*adverbial causal*
"**Distraído**, o pai não reparou que ele juntara ação às palavras (...)" (Fernando Sabino)

"**Despertada pelas vozes**, Cordélia olhou esbaforida."
— *adverbial causal*
Clarice Lispector

"**Furada de unhas**, a bola de estopa arrastava-se pelo chão (...)"
— *adverbial causal*
Dalton Trevisan

"**Passado o primeiro momento**, voltou o barulho infernal."
— *adverbial temporal*
Stanislaw Ponte Preta

"**Terminada a procissão**, retiraram-se os convidados."
— *adverbial temporal*
Manuel Antônio de Almeida

- **Reduzidas de gerúndio**

*adjetiva restritiva*

"Era o regente da orquestra **ensinando a marcar o compasso**."

Manuel Antônio de Almeida

"Havia ali um bêbado **tresvariando em voz alta**." (Graciliano Ramos)

*adjetiva restritiva*

*adverbial temporal*

"**Entrando em casa de D. Plácida**, vi um papelinho dobrado sobre a mesa." (Machado de Assis)

*adverbial condicional*

"**Responsabilizando qualquer deles**, meu pai me esqueceria."

Graciliano Ramos

*adjetiva restritiva*

"Ó solidão do boi no campo,
homens **torcendo-se calados**!"

Carlos Drummond de Andrade

*adverbial causal*

"**Não tendo prova clara**, limito-me a defender a nossa gama."

Mário Donato

## >> Testes

1. **(Crea-SP — adapt.)** Indique a alternativa em que ocorre relação de finalidade entre a oração subordinada e a principal.
   a) Para ter acesso aos escritórios, é preciso se identificar e fazer uma fotografia digital.
   b) Mesmo assim, os assaltantes não tiveram dificuldade ao passar pela portaria e entrar no elevador junto com o empresário.
   c) Assim que a vítima deixou o elevador, com o dinheiro em uma sacola, foi abordada pelo assaltante.
   d) Com a reação do empresário, os outros três assaltantes que estavam no elevador sacaram uma arma.
   e) Com a exibição de filmes na 29ª Mostra Internacional de Cinema, a frequência aumentou 25%.

   Em "a", "Para ter acesso aos escritórios" é uma oração subordinada adverbial final, reduzida de infinitivo. Em "b", há duas orações subordinadas adverbiais temporais, reduzidas de infinitivo e coordenadas entre si pela conjunção aditiva "e"; em "c", a primeira oração é subordinada adverbial temporal; em "d", a oração "que estavam no elevador" é adjetiva restritiva; em "e", o período é simples, portanto, tem apenas uma oração. Por isso, a resposta correta é a "a".

2. **(TJ-SP)** Em "A eleição, no entanto, só passou a ser secreta mais de dois séculos depois, por decisão de Gregório X — para evitar que pressões externas pudessem influenciar na escolha, **como** ocorreu em sua própria eleição", a expressão destacada estabelece sentido de:
   a) causa
   b) comparação
   c) conclusão
   d) conformidade
   e) concessão

A conjunção subordinativa "como", nessa frase, tem o mesmo valor de "conforme", "segundo". Expressa, portanto, circunstância de finalidade, e a oração por ela introduzida classifica-se como subordinada adverbial conformativa. Tome cuidado para não confundir a adverbial conformativa com a adverbial comparativa, o que é muito comum. Neste teste, não se está comparando a eleição em geral com a eleição de Gregório X, mas apontando-se uma concordância entre elas. Para evitar a confusão, substitua sempre a conjunção pela palavra "conforme". Se a ideia da oração for mantida, sem alteração de sentido, tratar-se-á de uma adverbial conformativa. Por isso, a resposta correta é a "d".

**3.** (Cetesb-SP) A locução conjuntiva **por mais que** em "**Por mais que** sejam convincentes esses argumentos, críticas feitas ao projeto são inquietantes", estabelece entre as orações a ideia de:

a) conclusão
b) comparação
c) consequência
d) concessão
e) explicação

A locução conjuntiva "por mais que" estabelece com a outra oração uma espécie de oposição ou obstáculo, sem contudo impedir a realização do fato. Exprime, portanto, a ideia de concessão (de um obstáculo), introduzindo uma oração subordinada adverbial concessiva. Por isso, a resposta correta é a "d".

**4.** (Polícia Rodoviária Federal) "'Mas esse garoto é um sábio!', sobressaltei, ouvindo a palavra final." A oração reduzida sublinhada só **não** pode equivaler semanticamente a:

a) ...porquanto ouvia a palavra final.
b) ...quando ouvi a palavra final.
c) ...após ouvir a palavra final.
d) ...enquanto ouvia a palavra final.
e) ...depois de ouvir a palavra final.

A ideia expressa pela oração em destaque é de tempo (oração subordinada adverbial temporal, reduzida de gerúndio). Essa ideia está presente em todas as alternativas, exceto na primeira, cujo conectivo "porquanto" exprime explicação. Por isso, a resposta correta é a "a".

**5.** (BB) No seguinte período, classifique a oração reduzida, assinalando a única resposta certa.

"O soldado arrastava a perna ferida pelo inimigo."

a) subordinada substantiva subjetiva
b) subordinada adjetiva
c) subordinada adverbial
d) subordinada substantiva predicativa
e) subordinada substantiva apositiva

Desenvolvendo o período, obtém-se "O soldado arrastava a perna que foi ferida pelo inimigo". Trata-se, portanto, de uma oração subordinada adjetiva restritiva. Por isso, a resposta correta é a "b".

**6.** (**Esaf**) Assinale o período em que a oração sublinhada indica a consequência do que foi declarado na oração anterior.

a) Compareceram ao encontro conforme haviam combinado.
b) Esperamos o resultado dos exames embora nos pareça muito demorado.
c) Falou mais alto a fim de que todos o ouvissem melhor.
d) As casas ficaram alagadas porque a chuva foi muito intensa.
e) Trabalha tanto, que não dispõe de tempo para o lazer.

Em "a", a oração é adverbial conformativa; em "b", adverbial concessiva; em "c", adverbial final; em "d", adverbial causal. Em "Trabalha tanto, que não dispõe de tempo para o lazer", a segunda oração indica a consequência do fato expresso anteriormente. Classifica-se, portanto, como oração subordinada adverbial consecutiva. Por isso, a resposta correta é a "e". É preciso ter bem clara a diferença entre adverbial consecutiva, final e causal, pois é comum confundi-las. O que as diferencia é a semântica, ou seja, é pelo significado, pela ideia que a oração adverbial expressa que é possível classificá-la adequadamente. Muitos estudantes decoram as conjunções usadas em cada oração adverbial e se baseiam nisso para classificá-las. Esquecem-se, entretanto, de que uma mesma conjunção pode ser usada em diferentes orações adverbiais (o "como" e o "porque" são exemplos disso).

**7.** (**Anatel**) Neste período de Machado de Assis: "Todos nós havemos de morrer, basta estarmos vivos", a oração **estarmos vivos** denomina-se:

a) subordinada substantiva, reduzida de infinitivo
b) coordenada sindética aditiva
c) subordinada adjetiva
d) coordenada sindética conclusiva

"... basta estarmos vivos" corresponde a "... basta que estejamos vivos". A oração em destaque liga-se ao verbo "bastar", que se encontra na 3ª pessoa do singular sem sujeito expresso. Trata-se, portanto, de uma oração subordinada substantiva subjetiva (= Isso basta). Por isso, a resposta correta é a "a".

**8.** **(Alerj)** "Um vírus, **para sobreviver**, tem de se instalar numa célula."

A expressão destacada no período acima indica ideia de:

a) comparação
b) finalidade
c) condição
d) causa
e) modo

A oração destacada no período é subordinada adverbial final, reduzida de infinitivo. A oração desenvolvida correspondente é "para que sobreviva", indicando a circunstância de finalidade em relação ao que está expresso na oração principal. Por isso, a resposta correta é a "b".

**9.** **(UEL-PR)** Sua displicência era tanta que não comunicou o horário da partida do trem.

A oração grifada exprime:

a) tempo
b) consequência
c) causa
d) explicação
e) concessão

A oração destacada no período é subordinada adverbial consecutiva. Entre a oração principal e a subordinada existe uma relação de causa ("Sua displicência era tanta...") e consequência ("... que não comunicou o horário da partida do trem."). Por isso, a resposta correta é a "b".

**10. (FMPA-MG)** Todas as orações destacadas nos itens abaixo são subordinadas reduzidas. Assinale o item cuja oração destacada se classifica como subordinada reduzida de particípio adverbial condicional:

a) "Feita a partilha, o leão tomou a palavra."
b) "Armado com tais provas, até eu a enfrentaria."
c) "A tropa, acampada às margens do Iguaçu, foi surpreendida."
d) "Ernestina estava certa de ser amiga."
e) "Transposto o rio, seguimos viagem."

Em "a", a oração reduzida é adverbial temporal ("Assim que foi feita a partilha..."); em "c", adjetiva explicativa ("A tropa, que estava acampada,..."); em "d", substantiva completiva nominal ("Ernestina estava certa de que era amiga"); em "e", adverbial temporal ("Assim que o rio foi transposto..."). Na segunda alternativa, desenvolvendo-se a oração em "Caso estivesse armado com tais provas, até eu a enfrentara.", fica clara a ideia de condição. Por isso, a resposta correta é a "b".

**11. (Mackenzie-SP)** Em relação às frases destacadas:
I – O exame foi difícil **a ponto de provocar revolta nos alunos**.
II – **Não obtendo resultado**, fustigou-o com a bainha da faca.

a) Só II é subordinada reduzida.
b) I é oração subordinada adverbial consecutiva, reduzida de infinitivo.
c) I é oração subordinada adverbial conclusiva.
d) II não é subordinada.
e) Tanto I como II são orações subordinadas substantivas.

Em I, a oração em destaque indica a consequência do fato expresso na oração anterior; em II, a oração destacada exprime a causa do que se afirma na oração seguinte. Desenvolvendo essas orações em conectivas, temos, respectivamente, "O exame foi tão difícil que (em consequência) provocou a revolta dos alunos." e "Como (Já que) não obteve resultado, fustigou-o com a bainha da faca". Por isso, a resposta correta é a "b".

**12. (Fuvest-SP)** "É possível discernir no seu percurso momentos de rebeldia contra a estandardização e o consumismo", a oração grifada é:

a) subordinada adverbial causal, reduzida de particípio;
b) subordinada objetiva direta, reduzida de infinitivo;
c) subordinada objetiva direta, reduzida de particípio;
d) subordinada substantiva subjetiva, reduzida de infinitivo;
e) subordinada substantiva predicativa, reduzida de infinitivo.

A oração destacada é reduzida de infinitivo e funciona como sujeito da oração principal ("É possível..."), o que pode ser percebido pela substituição da oração grifada pelo pronome "isso" (Isso é possível). Observe-se, também, que o verbo da oração principal encontra-se na 3ª pessoa do singular sem sujeito expresso. A ideia de tratar-se de uma oração predicativa se desfaz pelo fato de a oração principal já apresentar o predicativo do sujeito (o adjetivo "possível"). Por isso, a resposta correta é a "d".

**13. (F. S. Judas Tadeu-SP)** Leia os períodos abaixo:
I – **Estando em boa fase**, não fez grande partida.
II – Não veio **por estar muito ocupado**.
III – **Feitas as ressalvas**, encerramos a reunião.

As orações em destaque apresentam, respectivamente, as seguintes circunstâncias:

a) condição — consequência — finalidade
b) concessão — explicação — proporcionalidade
c) proporcionalidade — causa — concessão
d) condição — consequência — tempo
e) concessão — causa — tempo

Em I, a oração é subordinada adverbial concessiva, reduzida de gerúndio ("Não fez grande partida porque estava em boa fase"); em II, subordinada adverbial causal, reduzida de infinitivo ("Não veio porque estava muito ocupado"); em III, subordinada adverbial temporal, reduzida de particípio ("Encerramos a reunião assim que foram feitas as ressalvas"). Por isso, a resposta correta é a "e".

**14.** (Acafe-SC) A alternativa em que **não** há correspondência de sentidos entre as orações destacadas é:

a) "**Julgando inúteis as cautelas**, curvei-me à fatalidade". / "**Como julguei inúteis as cautelas**, curvei-me à fatalidade".
b) **Contendo as despesas**, o governo reduzirá a inflação. / **Desde que contenha as despesas**, o governo reduzirá a inflação.
c) "Abomina o espírito da fantasia, **sendo um dos que mais o possuem**". / Abomina o espírito da fantasia, **embora seja um dos que mais o possuem**".
d) **Equacionado o problema**, a solução será mais fácil. / **Depois que equacionar o problema**, a solução será mais fácil.
e) **Tendo tantos amigos**, não achou quem o apoiasse. / **Visto que tivesse muitos amigos**, não achou quem o apoiasse.

Em "a", as duas orações são subordinadas adverbiais causais; a primeira é reduzida de gerúndio; a segunda, desenvolvida. Em "b", as orações são subordinadas adverbiais condicionais; a primeira é reduzida de gerúndio; a segunda, desenvolvida. Na alternativa "c", ambas as orações são subordinadas adverbiais concessivas; a primeira é reduzida de gerúndio; a segunda, desenvolvida. Em "d", as duas orações são subordinadas adverbiais temporais; a primeira é reduzida de gerúndio; a segunda, desenvolvida. Por fim, em "e", a primeira oração em destaque é subordinada adverbial concessiva, reduzida de gerúndio; a segunda, subordinada adverbial causal desenvolvida. Por isso, a resposta correta é a "e".

# PERÍODO COMPOSTO POR COORDENAÇÃO

As orações coordenadas, como vimos, são independentes sintaticamente. Não exercem nenhuma função sintática em relação a outra dentro do período.

Quando não são introduzidas por conjunções coordenativas, classificam-se como **assindéticas**. Geralmente, figuram precedidas por vírgula ou ponto e vírgula:

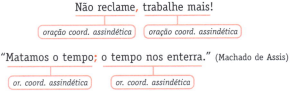

## 1. Orações coordenadas sindéticas

Quando apresentam conjunções coordenativas, classificam-se como **sindéticas**, recebendo o nome das conjunções coordenativas que as introduzem (**aditivas**, **adversativas**, **alternativas**, **conclusivas** ou **explicativas**).

### Classificação das orações coordenadas sindéticas

- **Aditivas** — exprimem fatos sucessivos ou simultâneos. As principais conjunções aditivas são: **e**, **nem** e a locuções **mas também**, **como também**, **mas ainda**.

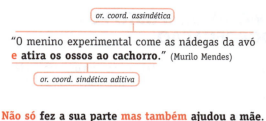

"O menino experimental come as nádegas da avó **e atira os ossos ao cachorro.**" (Murilo Mendes)

**Não só** fez a sua parte **mas também** ajudou a mãe.

<sub>or. coord. sindética aditiva</sub>   <sub>or. coord. sindética aditiva</sub>

- **Adversativas** — exprimem oposição mútua entre dois fatos. As principais conjunções adversativas são: **mas**, **porém**, **todavia**, **contudo**, **entretanto** e a locução **no entanto**.

- **Alternativas** — exprimem dois fatos que se alternam ou se excluem reciprocamente. A principal conjunção alternativa é **ou** (empregada isoladamente ou em duplas: **ou... ou**). Além delas empregam-se as duplas **ora... ora**, **quer... quer**, **seja... seja**, **já... já**, **talvez... talvez**.

"**Ou** você me engana, **ou** ainda não está madura." (Peninha)

<sub>or. coord. sindética alternativa</sub>   <sub>or. coord. sindética alternativa</sub>

**Ora** é gentil e educado, **ora** é de extrema dureza.

*or. coord. sindética alternativa* — *or. coord. sindética alternativa*

- **Conclusivas** — exprimem uma conclusão lógica sobre um raciocínio expresso anteriormente. As principais conjunções conclusivas são: **logo**, **portanto**, **pois** (esta última posicionada depois do verbo) e as locuções **por conseguinte**, **por isso**.

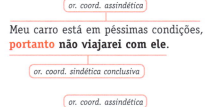

Meu carro está em péssimas condições, **portanto** não viajarei com ele.

Muitos políticos pouco fazem pelo povo; deveriam, **pois**, deixar seus cargos.

- **Explicativas** — justificam uma opinião ou ordem expressa anteriormente. As principais conjunções explicativas são: **que**, **porque**, **pois** (esta última posicionada antes do verbo).

Vamos embora, **que** a chuva já vai desabar.

Rompa com teu sócio, **pois** ele anda te enganando.

## Orações intercaladas ou interferentes

As orações **intercaladas** ou **interferentes** são independentes da estrutura sintática do período. São empregadas com o objetivo de inserir no período uma opinião, observação, ressalva ou advertência do emissor. Aparecem sempre isoladas por vírgulas, travessões ou parênteses. Observe alguns exemplos:

"A rosa, **disse o Gênio,** é a tua infância." (Augusto Meyer)

"Deverás, **repito-o,** adquirir antes boa compreensão de ti."

Fernando Namora

"Estão vendo — **disse** — O Getúlio com esta carta varre a sua testada." (Erico Verissimo)

"Beba um gole d'água — **ofereceu Luísa.**" (Jorge Amado)

"Marcela compreendeu a causa do meu silêncio **(não era difícil)**, e só hesitou, **creio eu,** em decidir o que dominava mais, se o assombro do presente, se a memória do passado." (Machado de Assis)

## Testes

1. (TJ-SP) Em "A eleição, **no entanto**, só passou a ser secreta mais de dois séculos depois...", a expressão destacada **no entanto** pode ser substituída, sem alteração de sentido, por:
   a) enquanto
   b) embora
   c) todavia
   d) logo
   e) conquanto

A ideia estabelecida pela locução conjuntiva "no entanto" é de ressalva. Introduz uma oração coordenada sindética adversativa, cujos conectivos são "mas", "porém", "todavia", "contudo", "no entanto". Em "a", "enquanto" é uma conjunção subordinativa temporal (<u>Enquanto</u> uns choram, outros morrem de rir.); em "b", "embora" é uma conjunção subordinativa concessiva (<u>Embora</u> estivesse frio, fomos à praia.); em "d", "logo" é advérbio de tempo (Espero que você volte <u>logo</u> para casa); em "e", "conquanto" é uma conjunção subordinativa concessiva (<u>Conquanto</u> seja pobre, ele aparenta riqueza.). Por isso, a resposta correta é a "c".

**2.** **(Cetesb-SP)** Na frase "Especialistas dizem que os estudos para a obra privilegiaram a questão da quantidade de água a ser desviada do rio, **mas** o governo teria negligenciado a avaliação do impacto socioeconômico da transposição sobre a região", a conjunção **mas** poderia ser substituída por:

a) já
b) visto que
c) pois
d) à medida que
e) porém

A ideia estabelecida pela conjunção coordenativa "mas", no texto, é de oposição, adversidade, ressalva. Introduz uma oração coordenada sindética adversativa, cujos conectivos são "porém", "todavia", "contudo", "entretanto", "no entanto". Em "a", "já" pode ser um advérbio de tempo (<u>Já</u> chegaram os políticos para o comício.) ou uma conjunção alternativa (<u>Já</u> chora, <u>já</u> ri, <u>já</u> se enfurece.); em "b", "visto que" é uma locução conjuntiva causal (<u>Visto que</u> vai chover, não iremos ao estádio.); em "c", "pois" é uma conjunção coordenativa explicativa (Fique quieto, <u>pois</u> você está incomodando!) ou conclusiva (Nosso goleiro está contundido, não poderá, <u>pois</u>, ser escalado.); em "d", "à medida que" é uma locução conjuntiva proporcional (<u>À medida que</u> ia crescendo, iam-lhe ensinando bons modos.). Por isso, a resposta correta é a "e".

**3.** **(TJ-SP)** Qual a afirmação falsa sobre orações coordenadas?

a) As coordenadas, quando separadas por vírgula, se ligam pelo sentido geral do período.
b) Uma oração coordenada muitas vezes é sujeito ou complemento de outra.
c) As coordenadas sindéticas subdividem-se de acordo com o sentido e com as conjunções que as ligam.
d) As coordenadas conclusivas encerram a dedução ou conclusão do raciocínio.
e) No período composto por coordenação, as orações são independentes entre si quanto ao relacionamento sintático.

As orações coordenadas são sintaticamente independentes, ou seja, simplesmente se colocam lado a lado, sem funcionar como termos de outras orações do período. A alternativa "e" conceitua bem esse tipo de oração. Por isso, a resposta correta é a "b".

### 4. (Esaf) Assinale o item que **não** preenche a lacuna do texto com coesão e coerência.

Os historiadores dizem que a troca de *e-mails*, o *download* de fotos dos amigos ou as reservas para as férias feitas pelo computador talvez sejam divertidos, _____ a Internet não pode ser comparada a inovações como a invenção da imprensa, o motor a vapor ou a eletricidade. (Adaptado de *Negócios Exame*, p. 94)

a) contudo
b) no entanto
c) entretanto
d) todavia
e) porquanto

A lacuna do texto pode ser preenchida pelos conectivos "contudo", "no entanto", "entretanto", "todavia", que exprimem ideia de oposição, adversidade. Introduzem oração coordenada sindética adversativa. A conjunção "porquanto" é subordinativa causal, portanto não estabelece coesão entre as partes do texto apresentado. Por isso, a resposta correta é a "e".

### 5. (Anatel) "O amor não só faz bem **como** alimenta." A palavra em destaque é uma conjunção:

a) coordenativa adversativa
b) subordinativa integrante
c) subordinativa integrante
d) coordenativa aditiva
e) subordinativa comparativa

A conjunção "como" na frase apresentada faz correlação com a expressão "não só" da oração anterior. Como exprime ideia de soma, adição entre as duas orações, introduz uma oração coordenada sindética aditiva. Por isso, a resposta correta é a "d".

### 6. (Cespe) Analise o trecho abaixo.

"João, Francisco, Antônio desde pequenos vêm sendo construtivos; enfrentam as maiores dificuldades, ajudam os pais, amparam os irmãos, realizam breves alegrias entre mil sombras."

Do ponto de vista da construção sintática, é correto afirmar que esse período é composto por:

a) subordinação, apresentando três orações
b) coordenação, apresentando quatro orações
c) coordenação, apresentando cinco orações
d) subordinação, apresentando cinco orações
e) coordenação e subordinação, apresentando mais de cinco orações

O período contém cinco orações, pois apresenta uma locução verbal ("vêm sendo") e quatro verbos ("enfrentam", "ajudam", "amparam" e "realizam"). Como essas orações são independentes sintaticamente entre si, formam um período composto por coordenação. Por isso, a resposta correta é a "c".

**7.** (**Mackenzie-SP**) Em relação a "Eles venceram e o sinal está fechado para nós, que somos jovens." (Belchior), é correto afirmar:

a) é um período composto só por coordenação, em que a 3ª oração é sindética
b) é um período composto só por coordenação
c) é um período composto somente por orações assindéticas
d) é um período composto por coordenação e subordinação, em que a 3ª oração é subordinada
e) a segunda oração é subordinada à primeira

O período apresenta três orações: a primeira ("Eles venceram") é a principal; a segunda ("e o sinal está fechado para nós") é coordenada sindética aditiva em relação à primeira e principal em relação à terceira; esta última é subordinada adjetiva explicativa em relação à segunda. Trata-se, portanto, de um período misto. Por isso, a resposta correta é a "d".

**8.** (**Uniceub**) No período "... põe a caixa debaixo do braço, dirige-se para o lavabo social, despeja todo o seu conteúdo no vaso sanitário, puxa a corrente da descarga...", encontramos:

a) quatro orações adverbiais
b) quatro orações coordenadas
c) quatro orações subordinadas
d) uma oração principal e três orações adjetivas
e) duas orações subordinadas e duas orações coordenadas

Há quatro orações no período, cujos verbos são "põe", "dirige-se", "despeja" e "puxa". Essas orações são coordenadas porque cada uma tem sentido completo, não exercendo função sintática em relação a outras. Por isso, a resposta correta é a "b".

## 9. (UCDB-MT) "Podemos falar qualquer coisa: estou absolutamente calmo."

Os dois-pontos do período acima poderiam ser substituídos pela conjunção:

a) e
b) portanto
c) logo
d) pois
e) mas

Os dois-pontos antecedem uma oração que exprime a ideia de explicação, justificação ou confirmação do que foi expresso na oração anterior. Em "a", "b", "c" e "e", os conectivos não estabelecem nexo significativo entre as orações apresentadas. O conectivo substituto dos dois-pontos no período em questão é "pois", que introduz uma oração coordenada sindética explicativa. Por isso, a resposta correta é a "d".

## 10. (UFRGS) "As palavras, afinal, vivem na boca do povo. São faladíssimas. Algumas de baixíssimo calão. Não merecem o mínimo respeito." (Luis Fernando Verissimo)

Reescrevemos a passagem grifada de cinco maneiras diferentes. A alternativa em que o sentido permanece substancialmente o mesmo é:

a) Algumas são de baixíssimo calão; não merecem, **porém**, o mínimo respeito.
b) **Caso** algumas sejam de baixíssimo calão, não merecem o mínimo respeito.
c) Algumas são de baixíssimo calão, **porque** não merecem o mínimo respeito.
d) **Embora** algumas sejam de baixíssimo calão, não merecem o mínimo respeito.
e) Algumas são de baixíssimo calão; não merecem, **pois**, o mínimo respeito.

Em "Algumas são de baixíssimo calão; não merecem, pois, o mínimo respeito", a segunda oração conclui a afirmação feita anteriormente. Trata-se, portanto, de uma oração coordenada sindética conclusiva. Em "b", a conjunção subordinativa "caso" introduz uma oração subordinada adverbial condicional; em "a", "c" e "d", os conectivos não estabelecem nexo significativo entre as orações apresentadas. Por isso, a resposta correta é a "e".

**11. (Unimep-SP)** No período: "No dia em que eu partir, eu me sentirei mais livre do que todos, **e gozarei de um infantil sentimento de superioridade**...", a oração destacada é:

a) coordenada sindética conclusiva
b) coordenada sindética adversativa
c) coordenada sindética aditiva
d) coordenada assindética
e) coordenada sindética explicativa

A oração destacada no período estabelece uma relação de simultaneidade, soma, adição com a ideia expressa na oração anterior. Classifica-se, pois, como oração coordenada sindética aditiva. Por isso, a resposta correta é a "c".

**12. (Faap-SP)**

### Outrora e Hoje

Meu dia outrora principiava alegre;
No entanto à noite eu chorava. Hoje, mais velho
Nascem-me em dúvidas os dias, mas
Findam sagrados, serenamente.

(Manuel Bandeira)

A oração **No entanto eu chorava** é:

a) subordinada adverbial concessiva
b) coordenada sindética adversativa
c) coordenada sindética explicativa
d) subordinada adverbial consecutiva
e) coordenada sindética conclusiva

A oração em questão exprime uma oposição mútua entre dois fatos. Trata-se, portanto, de oração coordenada sindética adversativa. Por isso, a resposta correta é a "b".

## 13. (Enem)

**O mundo é grande**

O mundo é grande e cabe
Nesta janela sobre o mar.
O mar é grande e cabe
Na cama e no colchão de amar.
O amor é grande e cabe
No breve espaço de beijar.

(Carlos Drummond de Andrade. *Poesia e prosa*.
Rio de Janeiro: Nova Aguilar, 1983.)

Nesse poema, o poeta realizou uma oposição estilística: a reiteração de determinadas construções e expressões linguísticas, como o uso da mesma conjunção, para estabelecer a relação entre as frases. Essa conjunção estabelece, entre as ideias relacionadas, um sentido de:

a) oposição
b) comparação
c) conclusão
d) alternância
e) finalidade

A conjunção "e", em cada oração que encabeça, está em relação de oposição com a oração anterior. A conjunção "e", em cada par de orações em que está inserida, pode ser substituída por "mas". Por exemplo, "O mundo é grande, mas cabe nesta janela sobre o mar". Portanto, todas as orações iniciadas por "e" são coordenadas sindéticas adversativas e, assim, cada oração introduzida pela conjunção "e" estabelece uma ideia de oposição com a oração que a antecede. Por isso, a resposta correta é a "a".

## 14. (PUC-SP)
No trecho "Se Leonardo se aflige do modo que acabamos de ver pelo contratempo que sobreviera com o aparecimento e com as disposições de José Manuel, o padrinho não se incomodava menos com isso...", a última oração funciona como um argumento em relação à primeira. Esse argumento indica:

a) causa em relação à primeira oração, justificando a ideia proposta
b) condição em relação à primeira oração, apresentando uma hipótese diante da ideia proposta
c) fim em relação à primeira oração, mostrando a finalidade da ideia proposta
d) oposição em relação à primeira oração, invertendo a ideia proposta
e) acréscimo em relação à primeira oração, reforçando a ideia proposta

Para tornar mais clara e ideia de "acréscimo" (adição), basta transformar as orações em questão no seguinte período: "Leonardo se afligia pelo contratempo, e o padrinho não se incomodava menos com isso". Trata-se, portanto, de uma oração coordenada sindética aditiva. Por isso, a resposta correta é a "e".

## capítulo 3

## >> Sintaxe de regência

Chama-se **regência** a parte da gramática que cuida das relações de dependência existentes entre os termos na oração ou entre as orações no período composto. Chamam-se **regentes** os termos que exigem a presença de outros que lhes completem o sentido; os que completam o sentido dos regentes recebem o nome de **regidos**. Observe essas relações no quadro seguinte:

| regentes | regidos |
|---|---|
| Aguardo | sua visita. |
| Observo | o luar. |
| Acredito | em você. |
| Alheio | aos fatos. |
| Desejoso | de vitória. |
| Digno | de elogios. |

Em português, há dois tipos de regência:

a) **regência nominal** — o termo regente é um nome (substantivo, adjetivo ou advérbio):

Agiu <u>contrariamente</u> **ao regulamento**.

*termo regente* — *termo regido*

**Observação:** Na **regência nominal**, o termo regido sempre é preposicionado.

b) **regência verbal** — o termo regente é um **verbo**:

Os guardas de trânsito <u>ajudam</u> **os pedestres**.

*termo regente* — *termo regido*

A criança **necessita** **de proteção**.

*termo regente* — *termo regido*

**Observação:** Na **regência verbal**, o termo regido pode ou não ser preposicionado.

## 1. Regência nominal

Muitos substantivos e adjetivos podem figurar regidos de diferentes preposições:

Ele parece ter **ódio contra** todos.

Sinto **ódio aos** desonestos.

Não estou **acostumado com** este clima.

Ele está **acostumado a** trabalhos pesados.

293 >>

## Regência de alguns nomes

| | |
|---|---|
| acessível **a, para, por** | curioso **de, por** |
| acostumado **a, com** | desatento **a** |
| adequado **a, com, para** | descontente **com** |
| afável **com, para com** | desejoso **de** |
| alheio **a, de** | desfavorável **a** |
| ambicioso **de** | desleal **a** |
| amor **a, para com, por** | devoto **a, de** |
| análogo **a** | devoção **a, para com, por** |
| ansioso **de, por** | diferente **de** |
| anterior **a** | difícil **de** |
| apto **para, a** | digno **de** |
| atentado **a, contra** | dócil **a** |
| atento **a, em, para** | dotado **de** |
| aversão **a, para, por** | doutor **em** |
| avesso **a, de, em** | duro **de** |
| ávido **de** | dúvida **acerca de, em, sobre** |
| benéfico **a** | empenho **de, em, por** |
| capaz **de, para** | entendido **em** |
| certo **de** | erudito **em** |
| compatível **com** | escasso **de** |
| comum **a, de** | essencial **para** |
| constante **de, em** | estranho **a** |
| constituído **de, por, com** | exato **em** |
| contente **com, de, em, por** | fácil **a, de, para** |
| contemporâneo **de, a** | falho **de, em** |
| contíguo **a** | favorável **a** |
| contrário **a** | feliz **com, de, em, por** |
| constituído **de, por, com** | fértil **de, em** |
| cruel **com, para com** | fiel **a** |
| cuidadoso **com** | firme **em** |

>> **294**

| | |
|---|---|
| forte **de, em** | nocivo **a** |
| fraco **para, com, de, em** | obediente **a** |
| furioso **com, de** | objeção **a** |
| generoso **com** | obsequioso **com** |
| grato **a** | orgulhoso **com, para com** |
| hábil **em** | parco **em, de** |
| habituado **em** | parecido **a, com, em** |
| horror **a** | passível **de** |
| hostil **a, para com** | peculiar **a, de** |
| idêntico **a** | perito **em** |
| imbuído **de, em** | pernicioso **a** |
| impaciência **com** | pertinaz **em** |
| imune **a, de** | piedade **com, de, para, para com, por** |
| importante **contra, para** | |
| impróprio **para** | pobre **de** |
| incapaz **de, para** | poderoso **para, com** |
| inclinação **a, para, por** | possível **de** |
| inclinado **a, para, sobre** | posterior **a** |
| incompatível **com** | proeminência **sobre** |
| indeciso **em** | prestes **a, para** |
| indiferente **a** | prodígio **de, em** |
| indigno **de** | pronto **para, em** |
| inerente **a** | propenso **a, para** |
| insensível **a** | propício **a, para** |
| intolerante **com, para com** | próprio **para, de** |
| leal **a** | próximo **a, de** |
| liberal **com** | residente **em** |
| misericordioso **com, para com** | responsável **por** |
| morador **em** | rico **de, em** |
| necessário **a, em, para** | sábio **em, para** |
| negligente **em, com** | seguro **de, em** |
| nobre **de, em, por** | semelhante **a** |

| sensível **a, para**         | útil **a, para**         |
| sito **em, entre**           | versado **em**           |
| solícito **com, para com**   | vizinho **a, de, com**   |
| suspeito **a, de**           | visível **a**            |
| temível **a, para**          |                          |

## >> Testes

1. **(IBGE)** Assinale a opção em que todos os adjetivos devem ser seguidos pela mesma preposição.

   a) ávido / bom / inconsequente
   b) indigno / odioso / perito
   c) leal / limpo / oneroso
   d) orgulhoso / rico / sedento
   e) oposto / pálido / sábio

   Em "a", a regência de "ávido" pode ser "de" ou "por"; de "bom" é "a" ou "para"; e de "inconsequente" pode ser "com" ou "em". Em "b", usa-se "indigno de", "odioso a, para, por" e "perito em". Em "c", "leal a, com, em, para", "limpo de" e "oneroso a, para". Em "d", todos os adjetivos são regidos pela preposição "de" (exemplos: "orgulhoso de si", "rico de saúde", "sedento de informação"). Em "e", a regência adequada é "oposto a, de, em", "pálido de" e "sábio em, para". Por isso, a resposta correta é a "d".

2. **(Cetesb-SP)** No trecho "O projeto está propenso a críticas inquietantes", trocando o adjetivo **propenso** por **imbuído**, tem-se, segundo as regras de regência:

   a) O projeto está imbuído de críticas inquietantes.
   b) O projeto está imbuído a críticas inquietantes.
   c) O projeto está imbuído sobre críticas inquietantes.
   d) O projeto está imbuído à críticas inquietantes.
   e) O projeto está imbuído entre críticas inquietantes.

Dependendo do contexto, o adjetivo "imbuído" rege a preposição "de" ("Ele é uma pessoa imbuída de preconceitos") ou "em" ("Sempre viveu imbuído em doutrinas e preceitos religiosos"). Por isso, a resposta correta é a "a".

**3. (TJ-SP)** Que frase apresenta **erro** na regência nominal?

a) Ninguém está imune a influências.
b) Ela já está apta para dirigir.
c) Tinha muita consideração por seus pais.
d) Ele revela muita inclinação com as artes.
e) Era suspeito de ter assaltado a loja.

Na penúltima alternativa, o substantivo "inclinação", dependendo do contexto, rege a preposição "a", "para" ou "por": "É grande sua inclinação ao mal."; "Ele tem inclinação para as coisas do espírito."; "Ela revela muita inclinação pelas artes". Por isso, a resposta correta é a "d".

**4. (SSP-SP)** Indique a alternativa incorreta quanto à regência nominal:

a) Acompanhado do técnico da seleção, o meio-campista entrou para atuar no amistoso.
b) O advogado viu-se forçado a pedir mais tempo para ressarcimento das dívidas de seu cliente.
c) O jornalista sequestrado sofreu torturas análogas com os atos e crimes do passado.
d) O gosto pela rotina justifica o cardápio falho na variação dos pratos nos restaurantes chineses.

Na penúltima alternativa, o adjetivo "análogo" (= semelhante, comparável) rege a preposição "a". Essa frase corrigida é "O jornalista sequestrado sofreu torturas análogas aos atos e crimes do passado". Por isso, a resposta correta é a "c".

**5. (TCE-RO)** Marque o item sublinhado que apresenta erro gramatical ou de ortografia.

Conforme a designação contida na (A) folha 377, compareçemos ao Órgão (B) para a execução dos trabalhos. Da análise realizada, consoante (C) aos critérios (D), parâmetros e técnicas acima descritos (E), identificamos os pontos seguintes.

a) a    c) c    e) e
b) b    d) d

A palavra "consoante" empregada no texto apresentado é uma conjunção e não admite uma preposição depois dela. A frase correta, portanto, é "Da análise realizada, consoante os critérios, parâmetros e técnicas acima descritos, identificamos os pontos seguintes". Por isso, a resposta correta é a "d".

**6. (TRT-SC)** Assinale a oração que apresenta regência nominal incorreta:
a) O tabagismo é prejudicial à saúde.
b) Estava inclinado em aceitar o convite.
c) Sempre foi muito intolerante com o irmão.
d) É lamentável sentir desprezo por alguém.
e) Em referência ao assunto, prefiro nada dizer.

Dependendo do contexto, o adjetivo "inclinado" rege as preposições "a", "para" ou "sobre". No contexto apresentado, a preposição deve ser "a": "Estava inclinado a aceitar o convite". Por isso, a resposta correta é a "b".

**7. (Mackenzie-SP)** Assinale a alternativa que apresente um desvio no domínio da regência nominal:
a) Estava ansiosa para saber se podia gerar filhos.
b) Ela precisava domar os caprichos, dirigir suas forças para se sentir apta àquela situação conjugal.
c) Bernardo moera com alegria o punhado de milho no salão contíguo à fazenda.
d) Ávido de esperanças, abandonou seu abrigo e lançou-se entre os perseguidores.
e) Com o espírito ambicioso com verdades, aplacou a ira daquele momento.

O adjetivo "ambicioso" rege a preposição "de". A frase correta é "Com o espírito ambicioso de verdades, aplacou a ira daquele momento". Por isso, a resposta correta é a "e".

**8. (UFS)** "Apesar de muito sensível _____ censuras, ela não fez objeção _____ minha crítica."
a) de — de
b) por — para com
c) com — para
d) a — a
e) às — de

O adjetivo "sensível" rege a preposição "a" (= "sensível a censuras"); o substantivo "objeção" também rege a preposição "a" (= "objeção a minha crítica"). Por isso, a resposta correta é a "d".

>> PARTE 3

9. **(Cefet-PR)** Assinale a alternativa que indica, dentre as orações abaixo, as com erro de regência nominal:
   1) Sou avesso aos abusos de certas autoridades.
   2) Ele é versado com arte de enganar os trouxas.
   3) Sua mente é escassa de boas ideias.
   4) Os inseticidas são nocivos às aves que se alimentam de sementes e insetos.
   5) Esta função não é compatível de sua dignidade.

   a) 1 — 2
   b) 3 — 4
   c) 2 — 5
   d) 3 — 5
   e) 2 — 3

   O adjetivo "versado" rege a preposição "em" (= "Ele é versado em arte"); o adjetivo "compatível" rege a preposição "com" (= "compatível com sua dignidade"). Por isso, a resposta correta é a "c".

10. **(Fesp-SP)** Sua avidez _____ lucros, _____ riquezas, não era compatível _____ seus sentimentos de amor _____ próximo.

    a) por — por — em — do
    b) de — de — com — para o
    c) de — de — por — para com o
    d) para — para — de — pelo
    e) por — por — com — ao

    O substantivo "avidez" rege a preposição "por" (= "Sua avidez por lucros, por riquezas"); o adjetivo "compatível" rege a preposição "com" (= "compatível com seus sentimentos"); o substantivo "amor" rege a preposições "a", "para com" ou "por" (= "sentimentos de amor ao — ou 'pelo' ou 'para com o' — próximo"). Por isso, a resposta correta é a "e".

11. **(Unisinos-RS)** Ocorre regência nominal **inadequada** em:
    a) Ele sempre foi insensível a elogios.
    b) Estava sempre pronta a falar.
    c) Sempre fui solícito com a moça.
    d) Estava muito necessitado em carinho.
    e) Era impotente contra tantas maldades.

    O adjetivo "necessitado" rege a preposição "de", portanto, a frase corrigida é: "Estava muito necessitado de carinho". Por isso, a resposta correta é a "d".

>> sintaxe de regência

**12. (Ufal)** Tinha aptidão _____ trabalho; era, porém, inclinado _____ farras.

a) para o — à
b) com o — as
c) para o — a
d) ao — as
e) pelo — em

O substantivo "aptidão" rege a preposição "para", e o adjetivo "inclinado" rege a preposição "a": "Tinha aptidão para o trabalho; era, porém inclinado a farras". Por isso, a resposta correta é a "c".

## 2. Regência verbal

Conforme já vimos no estudo do período simples, as relações dos verbos com seus complementos podem ou não ocorrer com auxílio de preposição.

É importante observar que a mudança de regência de um determinado verbo às vezes acarreta mudança do sentido de uma frase. Observe:

Este aparelho serve para **aspirar** o pó. (= sorver, sugar)

Comerciantes gananciosos apenas **aspiram** ao lucro.
(= desejam, almejam)

Apresentamos, a seguir, em dois grupos, alguns verbos que comumente oferecem dúvidas quanto à regência.

### >> Grupo I

• **Verbos que indicam deslocamento ou estaticidade**

Verbos que indicam *deslocamento* (chegar, ir, voltar etc.) constroem-se com a preposição **a**; os que indicam *estaticidade* (morar, residir etc.) constroem-se com a preposição **em**:

Os alunos devem **chegar** cedo **a**o colégio.
O presidente **voltou a** Brasília com toda a comitiva.
Ele **reside em** Portugal desde que se formou.

- **abraçar**

a) **transitivo direto** no sentido de *cingir com os braços, ocupar-se de, seguir*:

> A avó **abraçava** os netinhos com ternura.
> O jovem advogado **abraçou** a causa com confiança.
> Muitos ainda **abraçam** as ideias comunistas.

b) empregado como pronominal, no sentido de *cingir com os braços*, rege a preposição **a** (**transitivo indireto**):

> O bêbado **abraçava-se a**o poste para não cair.
> Chorando, a noiva **abraçou-se a**o pai.

- **agradar**

a) **transitivo direto** no sentido de *acariciar, afagar, fazer agrados*:

> A garotinha **agradava** o ursinho de pelúcia.
> **Agradava** o filho com presentes caros.

b) **transitivo indireto** no sentido de *satisfazer, ser agradável*:

> O filme não **agradou a**o público.

- **aludir**

Esse verbo, sinônimo de *referir-se*, é **transitivo indireto** e rege a preposição **a**. Não admite o pronome átono lhe(s), mas apenas as formas tônicas **a ele(s)**, **a ela(s)**:

> Preferi não **aludir a** desagradável incidente.

- **ansiar**

a) **transitivo direto** no sentido de *angustiar, oprimir*:

> A falta de espaço **ansiava** o prisioneiro.

b) geralmente é empregado como **transitivo indireto** (regendo a preposição **por**) no sentido de *desejar, almejar*:

> O povo brasileiro **anseia por** dias melhores.

>> sintaxe de regência

> **Observação:**
> No sentido de *desejar*, *almejar*, alguns autores empregam esse verbo como **transitivo direto**:
> "O seu coração **anseia** um confidente."
> Camilo Castelo Branco

- **aspirar**

a) **transitivo direto** no sentido de *respirar, sorver, pronunciar guturalmente*:

> No interior, **aspiramos** o ar puro da manhã.
> Ao falar, os ingleses **aspiram** o agá.

b) **transitivo indireto** no sentido de *almejar, pretender*. Não admite como complemento o pronome átono **lhe(s)**. Empregam-se somente as formas tônicas **a ele(s)**, **a ela(s)**:

> — Muitos **aspiram a** um cargo público?
> — Sim, muitos **aspiram a ele**.

- **assistir**

a) **transitivo direto** ou **transitivo indireto** no sentido de *prestar assistência, confortar, socorrer*:

> A enfermeira **assistia** os enfermos.
> ou
> A enfermeira **assistia a**os enfermos.

> "Eu mesmo, em pessoa, **lhe assistirei** por enfermeiro e médico." (Pe. Bernardes)

b) **transitivo indireto** no sentido de *ver, presenciar*. O objeto indireto deve ser regido pela preposição **a**; se for expresso por pronome de 3ª pessoa, exigirá as formas **a ele(s)**, **a ela(s)**, e não **lhe(s)**:

> Todo dia ele **assiste a**o noticiário esportivo.

> "Algumas famílias, de longe, na calçada, **assistiam a**o espetáculo." (Machado de Assis)

> **Observação:**
> Nota-se, no Brasil, forte tendência para o emprego do verbo **assistir**, na acepção de *ver*, como transitivo direto:
>
> Vovó só **assiste** a novela das seis.
>
> "Só a menina estava perto e **assistiu** tudo estarrecida." (Clarice Lispector)

c) **transitivo indireto** o sentido de *caber*, *pertencer* ou *favorecer*:

> **Assiste aos** cidadãos o direito do voto.
> **Assiste ao** consumidor o direito de reclamar

d) **intransitivo** acompanhado de **adjunto adverbial de lugar** empregado no sentido de *morar*, *estar presente*. Constrói-se com a preposição **em**:

> Meus avôs sempre **assistiram n**a capital.
> Deus **assiste n**este lar.

- chamar

a) **transitivo direto** no sentido de *convocar*, *convidar*, *pedir a presença de alguém*:

> O patrão mandou **chamar** todos os empregados.
> Devido ao tumulto, **chamaram** a polícia.
> **Chamei** meus vizinhos para um churrasco.

b) **transitivo direto** ou **transitivo indireto** no sentido de *denominar* ou *qualificar alguém*. Nesse caso, o predicativo do objeto pode ser preposicionado ou não:

> **Chamei-o** hipócrita.
> **Chamei-o de** hipócrita.
> **Chamei-lhe** hipócrita.
> **Chamei-lhe de** hipócrita.

- **custar**

a) **transitivo indireto** no sentido de *ser custoso, difícil*. Emprega-se apenas na 3ª pessoa e, geralmente, possui como sujeito uma oração reduzida de infinitivo, precedida ou não da preposição **a**:

**Custa-me** conviver com pessoas falsas.
**Custa-me a** conviver com pessoas falsas.

> **Observação:**
> Embora gramáticos mais exigentes não abonem, alguns autores atribuem a esse verbo um sujeito representado por pessoa ou nome não personificado:
>
> "**Amaro custara** muito a chegar ao fim."
> Graciliano Ramos
> "**Custas** a vir e, quando vens, não te demoras." (**tu**)
> Cecília Meireles
> "**A pedra custou** a chegar ao fundo."
> Mário Palmério

b) **transitivo direto e indireto** no sentido de *acarretar consequências*:

O estudo **custou a**o candidato anos de sacrifícios.

c) **intransitivo** no sentido de *determinar preço* ou *valor*:

Esse apartamento **custa** cem mil reais.

- **esquecer**

Esse verbo admite três construções:

**Esqueci** o seu aniversário.
**Esqueci-me d**o seu aniversário.
**Esqueceu-me** o seu aniversário.

O que nas duas primeiras construções é **objeto** (direto ou indireto) passa a **sujeito** na terceira: *O seu aniversário fugiu-me da lembrança.*

>> PARTE 3

**Observação:** O verbo **lembrar** segue a mesma regência do verbo **esquecer**.

## >> Testes (I)

**1.** (MP-RS) Assinale a alternativa em que está **correta** a regência verbal.

a) Nossa campanha visa sensibilizar aos pais sobre o problema das drogas.
b) Conheces o edifício que resido?
c) Cientifique de que deverão prestar novas provas.
d) A cidade a que iremos possui ótimos bares.
e) Avise de que sua documentação está disponível.

Em "a", o correto é "Nossa campanha visa sensibilizar os pais " (veja a regência deste verbo na página 313). Em "b", "o edifício em que resido"; em "c", "Cientifique-os de que deverão prestar..." ou "Cientifique-lhe que deverão prestar ..."; em "d", verbos que exprimem deslocamento (ir, vir, chegar, dirigir-se etc.) constroem-se com a preposição "a"; e, em "e", o certo é "Avise-o de que..." ou "Avise-lhe que...". Por isso, a resposta correta é a "d".

**2.** (MP-RS) Assinale a alternativa em que a regência está **incorreta**.

a) Assiste em Brasília desde 1980.
b) Aquele espetáculo, assisti-lhe em pé.
c) Não assisti ao espetáculo circense.
d) O advogado assiste o cliente.
e) Vários advogados lhe assistem.

O verbo "assistir", empregado na acepção de "ver", "presenciar", não admite como complemento um pronome oblíquo átono "lhe". A construção correta é "... assisti a ele em pé". Por isso, a resposta correta é a "b".

305 >>

3. **(SSP-SP)** Assinale a alternativa em que o verbo não admite o pronome oblíquo **lhe**:
   a) A TV Bandeirantes aspira ao poder da transmissão de novelas. (aspira-lhe)
   b) Os pesquisadores da instituição sucederam aos investigadores da comunicação de massa. (sucederam-lhe)
   c) Muitas imagens televisivas serviram de escudo aos brasileiros. (serviram-lhe de escudo)
   d) Esse tema de reflexão sobre a vigência da democracia coube a muitos cidadãos brasileiros. (coube-lhe)

O verbo "aspirar" (= almejar, desejar) não admite o emprego do pronome átono "lhe". Deve-se empregar a forma tônica "a ele" (aspira a ele). Os verbos das demais alternativas admitem o emprego da forma átona "lhe". Por isso, a resposta correta é a "a".

4. **(PM-RJ)** "Leve-os para Cabo Frio, leve-os para Arembepe, aspire-os delicadamente nas montanhas de Correas."
   Assinale a alternativa em que o verbo **aspirar** tem o mesmo sentido do trecho.
   a) Faz mal aspirar tanta poluição.
   b) Não aspire às rosas do jardim do vizinho.
   c) Todos aspiramos aos prazeres da vida.
   d) Os homens aspiram a belas contas bancárias.
   e) Vale a pena se aspirar ao futuro.

O verbo "aspirar" na frase apresentada significa "inspirar", "inalar". Nessa acepção é verbo transitivo direto. Esse mesmo sentido encontra-se na frase da primeira alternativa: "Faz mal aspirar tanta poluição". Nas demais, o verbo "aspirar" é transitivo indireto porque está empregado com o sentido de "almejar", "desejar". Por isso, a resposta correta é a "a".

5. **(SSP-SP)** Assinale a alternativa em que o significado do verbo entre parênteses não corresponde à sua regência.
   a) Com sua postura séria, o diretor assistia todos os funcionários dos departamentos da empresa. (ajudar)
   b) No grande auditório, o público assistiu às apresentações da Orquestra Experimental. (ver)

c) Esta é uma medida que assiste aos moradores da Vila Olímpia. (caber)
d) Estudantes brasileiros assistem na Europa durante um ano. (observar)

O verbo "assistir", empregado no sentido de "morar", "residir", é intransitivo seguido de adjunto adverbial de lugar antecedido da preposição "em". Por isso, a resposta correta é a "d".

**6.** (CJF) A frase que apresenta **erro** de regência do verbo **assistir** é:
   a) Não fui ver o filme, embora quisesse assistir-lhe.
   b) Não lhe assiste o direito de humilhar ninguém.
   c) Ele assiste às aulas sempre com muita seriedade.
   d) Aqueles médicos assistem os doentes com dedicação.
   e) Assistiu aos jogos da Seleção sem nenhum entusiasmo.

O verbo "assistir" empregado no sentido de "ver", "presenciar", é transitivo indireto e não admite como complemento o pronome átono "lhe". Deve-se empregar a forma tônica "a ele". A frase corrigida, portanto, é: "Não fui ver o filme, embora quisesse assistir a ele". Por isso, a resposta correta é a "a".

**7.** (Esaf) Assinale a alternativa **incorreta**:
   a) Chamei-lhe incompetente, pois jamais soube compreender-me.
   b) O presidente assiste em Brasília desde que foi eleito.
   c) Os alunos custarão muito para entender as exceções da ortografia.
   d) No sertão as pessoas são mais saudáveis porque podem aspirar o ar puro, sem qualquer tipo de poluição.
   e) Sempre hei de querer-lhe como se fosse minha própria irmãzinha.

Na terceira alternativa, o verbo "custar", empregado no sentido de "ser custoso, difícil", é transitivo indireto e só se emprega na 3ª pessoa do singular. Possui como sujeito uma oração reduzida de infinitivo. A frase correta, recomendada pela língua culta, é: "Custará muito aos alunos entender as exceções da ortografia". Por isso, a resposta correta é a "c". Veja, na página 304, a regência do verbo "custar" determinada por gramáticos mais exigentes.

**8.** (TJ-SP) Que frase não apresenta erro de regência verbal?
   a) Avisei-lhe da hora da reunião.
   b) Quando iremos na empresa?
   c) Reclamava muito, mas ninguém o ajudava.
   d) Proíbo-lhe de sair sem autorização.
   e) Lembrei de suas palavras.

Em "a", o certo é "Avisei-o da hora da reunião"; em "b", "Quando iremos à empresa?"; em "d", "Proíbo-o de sair sem autorização"; e, em "e", "Lembrei-me de suas palavras". Por isso, a resposta correta é a "c", na qual o verbo "ajudar" é transitivo direto.

**9.** **(Faap-SP)** "Em torno a filharada, silenciosa agora, queda-se expectante, assistindo <u>ao desdobrar da concepção</u>..."

Com o pronome no lugar da expressão grifada, escreveríamos assim:

a) assistindo a ele.
b) assistindo à ele
c) assistindo-o
d) assistindo-a
e) assistindo-lhe

O verbo "assistir" empregado no sentido de "ver", "presenciar", "estar presente", é transitivo indireto, não admitindo como complemento o pronome átono "lhe". O objeto indireto desse verbo deve ser substituído pelo pronome oblíquo tônico "a ele". Por isso, a resposta correta é a "a".

**10.** **(UFPR)** Assinale a alternativa que substitui **corretamente** as palavras destacadas:

1. Assistimos *a inauguração da piscina*.
2. O governo assiste *os flagelados*.
3. Ele aspirava *a uma posição de maior destaque*.
4. Ele aspirava *o aroma das flores*.
5. O aluno obedece *aos mestres*.

a) lhe, os, a ela, a ele, lhes
b) a ela, os, a ela, o, lhes
c) a ela, os, a, a ele, os
d) a ela, a eles, lhe, lhe, lhes
e) lhe, a eles, a ela, o, lhes

O verbo "assistir" (= "ver", "presenciar") é transitivo indireto; rege a preposição "a" e não admite o pronome átono "lhe(s)". Empregado no sentido de "socorrer", "prestar assistência", pode ser transitivo direto ou transitivo indireto. "Aspirar" (= "almejar", "desejar") é transitivo indireto e não admite o pronome átono "lhe(s)"; no sentido de "inspirar", "sorver", é transitivo direto. O verbo "obedecer" (como veremos mais adiante), é transitivo indireto e sempre rege a preposição "a", admitindo como complemento as duas formas de pronomes oblíquos ("lhe" ou "a ele"). Por isso, a resposta correta é a "b".

## 11. (Mackenzie-SP) Assinale a alternativa **incorreta** quanto à regência verbal.

a) Ele custará muito para me atender.
b) Hei de querer-lhe como se fosse minha filha.
c) Em todos os recantos do sítio, as crianças sentem-se felizes, porque aspiram o ar puro.
d) O presidente assiste em Brasília há quatro anos.
e) Chamei-lhe de sábio, pois sempre soube decifrar os enigmas da vida.

O verbo "custar" (= "ser custoso, difícil") é transitivo indireto e possui como sujeito uma oração reduzida de infinitivo. De acordo com a linguagem culta, não se emprega em outras pessoas gramaticais que não a 3ª. A construção correta, portanto, deve ser: "Custar-lhe-á muito entender-me". Em "b", o verbo "querer" (= "estimar", "amar"), como veremos mais adiante, é transitivo indireto e admite o pronome átono "lhes"; em "c", "aspirar" (= "inspirar", "sorver") é transitivo direto; em "d", "assistir" (= "residir", "morar") é intransitivo indireto acompanhado de adjunto adverbial de lugar; em "e", "chamar" (= "cognominar", "apelidar") pode ser empregado como transitivo direto ou transitivo indireto. Por isso, a resposta correta é a "a".

## 12. (Mackenzie-SP)

I – Certifiquei-o _____ que uma pessoa muito querida aniversaria neste mês.
II – Lembre-se _____ que, baseada em caprichos, não obterá bons resultados.
III – Cientificaram-lhe _____ que aquela imagem refletia a alvura de seu mundo interno.

De acordo com a regência verbal, a preposição **de** cabe:

a) nos períodos I e II
b) apenas no período II
c) nos períodos I e III
d) em nenhum dos três períodos
e) nos três períodos

Em I, o verbo "certificar" é transitivo direto e indireto, podendo haver a inversão dos objetos: "Certifiquei-o de que..." ou "Certifiquei-lhe que..."; em II, o verbo "lembrar", quando é pronominal, rege a preposição "de": "Lembre-se de que, baseada em caprichos..."; em III, o verbo "certificar" já figura acompanhado do objeto indireto "lhe" e do objeto direto "...que aquela imagem refletia a alvura de seu mundo interno". Nesta última oração, portanto, não é possível inserir a preposição "de". Por isso, a resposta correta é a "a".

**13. (Cesgranrio-RJ)** Assinale a opção em que o verbo exige a mesma preposição que **referir-se** em "... a boneca de pano a que me referi".

a) O homem _____ quem conversei há pouco.
b) O livro _____ que lhe falei há pouco.
c) A criança _____ quem aludi há pouco.
d) O tema _____ que escrevi há pouco.
e) A fazenda _____ que estive há pouco.

O verbo "aludir" possui a mesma regência do verbo "referir-se", ou seja, rege a preposição "a". Em "a", deve ser "O homem com quem conversei há pouco"; em "b", "O livro de que lhe falei há pouco"; em "c", "A criança a quem aludi há pouco"; em "d", "O tema que escrevi há pouco"; e, em "e", "A fazenda em que estive há pouco". Como o verbo "referir-se" rege a preposição "a", a resposta correta é a "c".

**14. (Fumec-MG)** Com referência ao verbo **assistir**, todas as alternativas estão corretas, **exceto** em:

a) Assistimos ontem um belo filme na televisão.
b) Os médicos assistiram os feridos durante a guerra.
c) O médico assistiu os jogadores no treino.
d) Assistiremos amanhã a uma missa do sétimo dia.
e) Machado de Assis assistia em Botafogo.

Em "a", o verbo "assistir" empregado na acepção de "ver", "presenciar" rege a preposição "a", pois, nesse sentido, é transitivo indireto. A frase correta deve ser: "Assistimos ontem a um belo filme na televisão". Em "b", "assistir" é transitivo direto, empregado no sentido de "socorrer", "ajudar"; em "c", também transitivo direto, significa "dar assistência"; em "d", é transitivo indireto, e quer dizer "ver", "estar presente"; por fim, em "e", é intransitivo, sendo empregado no sentido de "residir", "morar". Por isso, a resposta correta é a "a".

**15. (Aman-RJ)** Escolha, abaixo, a exata regência do verbo **chamar**.

a) Chamá-lo inteligente.
b) Chamá-lo de inteligente.
c) Chamar-lhe inteligente.
d) Chamar-lhe de inteligente.
e) Todas as regências acima são corretas.

O verbo "chamar" empregado no sentido de "denominar", "cognominar", admite as múltiplas construções acima: com objeto direto + predicativo do objeto (preposicionado ou não) ou com objeto indireto + predicativo do objeto (preposicionado ou não). Por isso, a resposta correta é a "e".

## Grupo II

- **implicar**

a) **transitivo direto** no sentido de *acarretar, demandar, envolver*, devendo-se evitar o emprego da preposição **em**:

> O estudo **implica** anos de sacrifícios.
> A criação artística **implica** muita dedicação.

b) **transitivo indireto** no sentido de *ter implicância, mostrar má disposição*:

> A sogra costumava **implicar com** o genro.

c) **transitivo direto e indireto** no sentido de *comprometer-se, enredar-se, envolver-se em situações embaraçosas*:

> Muitos políticos **implicam-se em** negociatas.

- **informar**

Esse verbo é **transitivo direto e indireto**, admitindo as seguintes construções e regendo as preposições **de** ou **sobre**:

> **Informaram a**o chefe o que se passara.
> ou
> **Informaram** o chefe **d**o (ou **sobre** o) que se passara.

**Observação:**
Os verbos **avisar**, **certificar**, **notificar** e **prevenir** apresentam a regência de **informar**.

- **obedecer** e **desobedecer**

São verbos **transitivos indiretos** sempre empregados com a preposição **a**:

> Sempre **obedeçam a**os mais experientes.
> Não **desobedeçam a**os sinais de trânsito.

- **pagar**

Emprega-se esse verbo com **objeto direto** em relação a coisas e **objeto indireto** em relação a pessoas:

>**Paguei** todas as minhas dívidas.
>**Paguei a**os meus credores.
>**Paguei** todas as minhas dívidas **a**os meus credores.

> **Observação:**
> Os verbos **agradecer** e **perdoar** seguem o esquema do verbo **pagar**.

- **preferir**

a) **transitivo direto** no sentido de *dar primazia*:

Confere ao homem o direito de **preferir** o bem ou o mal.

b) **transitivo direto e indireto** no sentido de *escolher uma entre duas ou mais coisas*. Não admite expressões indicativas de intensidade (mais, menos, mil vezes etc.), bem como a posposição de **que** ou **do que**:

Os meninos **preferem** o futebol **a**os demais esportes.

- **proceder**

a) **intransitivo** no sentido de *ter fundamento*, *portar-se*:

>Seus argumentos não **procedem**.
>Seus filhos sempre **procederam** bem.

b) **transitivo indireto** no sentido de *dar início*, *realizar*, e, com a preposição **de**, no sentido de *provir*, *originar-se*, *descender* etc.:

O médico **procedeu a** um rigoroso exame no paciente.
Este vinho **procede d**a Itália.

- **querer**

a) **transitivo direto** no sentido de *desejar, pretender*:

> Os trabalhadores **querem** um reajuste salarial.

b) **transitivo indireto** no sentido de *gostar, estimar, ter afeição*:

> **Quero** muito **a**os meus pais.

- **ser**

Na linguagem culta, esse verbo não admite a preposição **em**. É incorreto, portanto, dizer: "Em casa somos em seis". Deve-se dizer: "Em casa somos seis".

- **simpatizar** e **antipatizar**

São **transitivos indiretos**, regendo a preposição **com**:

> **Simpatizo com** esse time.
> A classe **antipatizou com** o novo professor.

> **Observação:**
> Esses verbos não são pronominais. É incorreto, portanto, dizer: "**Simpatizei-me** com ela", "**Antipatizei-me** com seu amigo". Deve-se dizer: "**Simpatizei** com ela", "**Antipatizei** com seu amigo".

- **visar**

a) **transitivo direto** no sentido de *dirigir o olhar para, apontar arma contra, pôr o sinal de visto*:

> Do alto da serra, a garota **visava** o mar.
> **Visou** o alvo com um tiro certeiro.
> O gerente **visou** os meus cheques.

b) **transitivo indireto** no sentido de *ter em vista, objetivar, pretender*:

O bom governante deve **visar a**o bem-estar da comunidade.

**Observação:**
Nesse último sentido, a tendência de alguns autores é empregar o verbo **visar** como **transitivo direto**:

"...e, se por acaso **visa** algum bem, será unicamente o seu próprio bem."
Rachel de Queirós

"Estas lições **visam** o estudo da linguagem."
Evanildo Bechara

**Observação final:**
De acordo com o padrão culto, não se deve dar um único complemento (objeto direto ou objeto indireto) a verbos de regimes diferentes. É incorreto, portanto, frases do tipo "Assisti e gostei do filme", porque "assistir" (= "ver", "presenciar") rege a preposição **a**, e "gostar" rege a preposição **de**. A frase correta é: "Assisti ao filme e gostei dele".

## >> Testes (II)

1. **(MP-RS)** Assinale a alternativa em que está **incorreta** a regência verbal.
   a) Vimos convidá-lo para a solenidade de posse.
   b) Pergunte se quer que o auxiliemos no estudo.
   c) Vamos proceder a um profundo estudo sobre o tema.
   d) Não o quero enganar, senhor, mas ele será condenado.
   e) Não aprovo assistir a cenas de violência na televisão.

Na segunda alternativa, o verbo "perguntar", empregado no sentido de "indagar", "inquirir", é transitivo direto e indireto. A oração corrigida, portanto, é "Pergunte-lhe (= objeto indireto) se quer (= objeto direto oracional) que o auxiliemos no estudo". Por isso, a resposta correta é a "b".

**2.** (**MP-RS**) Há erro de regência em:

a) O garoto obedeceu ao pedido do pai.
b) Todos preferem mais o certo do que o errado.
c) Estas são as verdades em que acredito.
d) O atleta aspirava ao primeiro lugar.
e) Alguém deveria assistir o rapaz ferido.

O verbo "preferir" não admite expressão que indique intensidade (mais, menos, muito, mil vezes etc.), portanto, a frase deveria ser "Todos preferem o certo *ao* errado". Por isso, a resposta correta é a "b".

**3.** (**TJ-SP**) Leia as frases:

I – Este caso de homicídio é idêntico com o outro.
II – Prefiro este juiz àquele outro.
III – O advogado chamou ao réu.
IV – Assistimos ao julgamento com atenção.

Quanto à regência verbal, estão corretas apenas as frases:

a) I e III
b) II e III
c) I e IV
d) II e IV
e) III e IV

Em I, o correto é "Este caso de homicídio é idêntico ao outro", pois o adjetivo "idêntico" rege a preposição "a"; em II, o verbo "preferir" é transitivo direto e indireto: objeto direto = "este juiz", objeto indireto = "àquele outro"; em III, deveria ser "O advogado chamou o réu", uma vez que o verbo "chamar", no sentido de "convocar", é transitivo direto, ou seja, seu objeto direto, nesse caso, é "o réu". Em IV, o verbo "assistir", empregado no sentido de "ver", "presenciar", é transitivo indireto, tendo como objeto indireto "ao julgamento". Por isso, a resposta correta é a "d".

**4.** (**Nossa Caixa-SP**) Substitua na frase abaixo o verbo **gostar** por **preferir** e assinale a alternativa **correta**, de acordo com a norma culta.

"*Os jovens gostam mais do* rock *que do samba.*"

>> sintaxe de regência

315 >>

a) Os jovens preferem mais do *rock* que do samba.
b) Os jovens preferem o *rock* ao samba.
c) Os jovens preferem muito mais o *rock* que o samba.
d) Os jovens preferem o *rock* do que o samba.
e) Os jovens preferem mais o *rock* que o samba.

O verbo "preferir" não admite expressões indicativas de intensidade ("mais", "menos", "mil vezes" etc.), bem como a posposição de "que" ou "do que". O emprego correto desse verbo é: "Os jovens preferem o *rock* ao samba". Por isso, a resposta correta é a "b".

**5.** (MF) Assinale a opção em que o verbo **informar** não está corretamente empregado:

a) Vimos por esta informá-lo de que...
b) Vimos por esta informar-lhe que...
c) Vimos por esta informá-lo sobre...
d) Vimos por esta informar-lhe de que...

Não é correto atribuir dois objetos diretos ou dois objetos indiretos a um único verbo. Devem-se empregar um objeto direto e um objeto indireto, ou vice-versa, como nas construções das orações "a", "b" e "c". Por isso, a resposta correta é a "d".

**6.** (BB) *Implicar* prejuízo significa:

a) avaliar danos
b) contabilizar déficit
c) acarretar perda
d) prevenir a perda
e) impedir gastos

No contexto da frase apresentada, o verbo "implicar" é transitivo direto, significando "acarretar", "provocar", "resultar". Nesse sentido, não admite o emprego da preposição "em", o que é muito comum na linguagem coloquial. Por isso, a resposta correta é a "c".

**7.** (SSP-RJ) Houve um erro de regência em qual opção?

a) Carlos aspirava a um mundo melhor.
b) Os motoristas desobedeceram os sinais de trânsito.
c) Esse assunto não lhe assiste.
d) A secretária pagou a conta ao padeiro.
e) Perdoei-lhe o abuso.

Na segunda alternativa, o verbo "desobedecer", assim como o antônimo "obedecer", é transitivo indireto, exigindo a preposição "a". A frase corrigida, portanto, é: "Os motoristas desobedeceram aos sinais de trânsito". Por isso, a resposta correta é a "b".

**8.** **(Prefeitura Municipal de Guarulhos-SP)** Assinale a alternativa correta, no que se refere à regência de acordo com a norma culta.

a) Em Cubatão, aspira-se a um ar poluído.
b) O bancário visou ao cheque para que pudesse ser descontado.
c) Prefiro o carro branco do que o preto.
d) Eu me simpatizo com você.
e) A enfermeira assistia os doentes.

Em "a", "aspirar", no sentido de "inspirar", "inalar", é transitivo direto ("aspira-se um ar poluído"); em "b", "visar", empregado como "rubricar", também é transitivo direto ("O bancário visou o cheque"); em "c", "preferir" é transitivo direto e indireto e não admite expressões indicativas de intensidade — "mais", "menos", "mil vezes" etc. —, bem como a posposição de "que" ou "do que" ("Prefiro o carro branco ao preto"); em "d", "simpatizar" não é verbo pronominal. Não admite, portanto, o pronome "me" ("Eu simpatizo com você"). Em "e", o verbo "assistir" foi empregado no sentido de "socorrer", "cuidar", "prestar assistência", tradicionalmente classificado como transitivo direto, embora alguns autores também o aceitem como transitivo direto ou transitivo indireto. Por isso, a resposta correta é a "e".

**9.** **(TJ-SP)** Assinale a opção em que ocorre **erro** de regência:

a) Também já é possível assistir a alguns programas ao vivo.
b) Prefiro aspirar a uma posição honesta a ficar aqui.
c) Custa-me muito entender as tuas evasivas.
d) Não os obedecemos, enquanto forem presunçosos.
e) Anseiam por novos amigos.

Na penúltima alternativa, o verbo "obedecer" é transitivo indireto, cujo objeto direto deve ser regido pela preposição "a": "Não lhes obedecemos, enquanto forem presunçosos". Por isso, a resposta correta é a "d".

**10.** **(TAC-SP)** Assinale a alternativa correta quanto à regência verbal.

a) Prefiro esforçar-me hoje do que lamentar amanhã.
b) Não lhe procurei mais desde a última briga.
c) Chame os funcionários e pague-os os meses atrasados.
d) Ele aspira pouco progresso na carreira.
e) Venha assistir à palestra do diretor.

Em "a", o verbo "preferir" não admite a posposição da expressão "do que" ("Prefiro esforçar-me hoje a lamentar amanhã"); em "b", o verbo "procurar" é transitivo direto ("Não o procurei mais desde a última briga"); em "c", o verbo "pagar" é transitivo indireto quando o seu complemento se refere a pessoas ("Chame os funcionários e pague-lhes os meses atrasados"); em "d", o verbo "aspirar", empregado no sentido de "almejar", "desejar", rege a preposição "a" ("Ele aspira a pouco progresso na carreira"); em "Venha assistir à palestra do diretor", o verbo "assistir" rege a preposição "a", que se contrai com o artigo feminino "a" admitido pelo substantivo "palestra" (esse fenômeno recebe o nome de "crase", que estudaremos no capítulo seguinte). Por isso, a resposta correta é a "e".

**11.** (UFV-MG) Assinale a alternativa que preenche **corretamente** as lacunas abaixo:

A enfermeira procede _____ exame no paciente.
O gerente visa _____ cheque do cliente.
A equipe visa _____ primeiro lugar no campeonato.
O conferencista aludiu _____ fato.
Não podendo lutar, preferiu morrer _____ viver.

a) ao, o, ao, ao, a
b) ao, ao, o , a, do que
c) ao, a, o, o, que
d) o, a, ao, ao, à
e) a, ao, o, ao, que

O verbo "proceder" empregado no sentido de "realizar", "executar" é transitivo indireto e rege a preposição "a": "A enfermeira procede ao exame no paciente"; "visar", empregado no sentido de "pôr o visto", "rubricar", é transitivo direto ("O gerente visa o cheque do cliente"); no sentido de "almejar", "pretender", é transitivo indireto e rege a preposição "a" ("A equipe visa ao primeiro lugar no campeonato"); o verbo "aludir", por sua vez, é sinônimo de "referir-se" e, como tal, rege a preposição "a" ("O conferencista aludiu ao fato"); por último, "preferir" é transitivo direto e indireto. Não admite expressões indicativas de intensidade — "mais", "menos", "mil vezes" etc. —, bem como a posposição de "que" ou "do que" ("Não podendo lutar, preferiu morrer a viver"). Por isso, a resposta correta é a "a".

**12.** (Mackenzie-SP) Aponte a alternativa em que a regência do verbo **pagar** contraria a norma culta:

a) Aliviando-se de um verdadeiro pesadelo, o filho pagava ao pai a promessa feita no início do ano.

b) O empregado pagou-lhe as polias e tachas roídas pela ferrugem para amaciar-lhe a raiva.
c) Pagou-lhe a dívida, querendo oferecer-lhe uma espécie de consolo.
d) O alto preço dessa doença, paguei-o com as moedas de meu hábil esforço.
e) Paguei-o, com ouro, todo o prejuízo que sofrera com a destruição da seca.

Na última alternativa, o verbo "pagar", quando tem por complemento uma palavra que denota coisa, é transitivo direto; quando tem como complemento uma palavra que denota pessoa, é transitivo indireto e rege a preposição "a". Neste último caso, admite como complemento o pronome átono "lhe" ou o pronome tônico "a ele". A oração corrigida, portanto, deve ser: "Paguei-lhe (ou paguei a ele), com ouro, todo o prejuízo que sofrera com a destruição da seca". A opção que pode confundir o estudante e levá-lo a errar é a "d", por apresentar um objeto direto pleonástico (o "o", de "paguei-o", que retoma o objeto direto "o alto preço dessa doença", ou seja, "paguei o alto preço dessa doença com moedas de meu hábil esforço"). Pelo fato de a oração já começar com o objeto direto do verbo "pagar", e sabendo-se que não é correto atribuir dois objetos diretos ou indiretos a um único verbo, o estudante pode ser levado a procurar na oração um objeto indireto, sendo levado a crer que "paguei-lhe" seria a forma correta. Cuidado com esta armadilha. Por isso, a resposta correta é a "e".

**13.** (Fuvest-SP) Assinale a alternativa que preencha **corretamente** os espaços:

"Posso informar _____ senhores _____ ninguém, na reunião, ousou aludir _____ tão delicado assunto."

a) aos, de que, o
b) aos, de que, ao
c) aos, que, à
d) os, que, à
e) os, de que, a

O verbo "informar" é transitivo direto e indireto, admitindo a inversão dos objetos ("Posso informar os senhores de que ninguém...") ou ("Posso informar aos senhores que ninguém..."); "aludir" (= referir-se) é transitivo indireto e rege a preposição "a" ( "... ousou aludir a tão delicado assunto."). Por isso, a resposta correta é a "e".

>> sintaxe de regência

319 >>

**14.** (PUCCamp-SP) As sentenças abaixo, **exceto** uma, apresentam desvios relativos à regência verbal vigente na língua culta. Assinale a que **não** apresenta esses desvios.

a) Vi e gostei muito do filme apresentado na Sessão de Gala de ontem.
b) Eu me proponho a dar uma nova chance, se for o caso.
c) Deve haver professores que preferem negociar do que trabalhar, devido os vencimentos serem irrisórios.
d) Com o empréstimo compulsório, não se pode dar luxo de ficar trocando de carro.
e) A importância que eu preciso é vultosa.

Em "a", o certo é: "Vi o filme apresentado na Sessão de Gala de ontem e gostei muito dele"; em "c", "Deve haver professores que preferem negociar a trabalhar, devido aos vencimentos irrisórios"; em "d", "Com o empréstimo compulsório, não se pode dar ao luxo de ficar trocando de carro"; em "e", "A importância de que eu preciso é vultosa". Por isso, a resposta correta é a "b".

**15.** (Fuvest-SP) A chamada jornalística que apresenta um par de verbos com regências incompatíveis é:

a) Exposição mostra como a moda interfere e molda a figura da mulher.
b) O MST foi criado e mantido num tempo de impunidade.
c) Israel ataca e invade o QG de Arafat.
d) Estudo comprova que TV incita e amplifica atos de violência.
e) Tecnologia digital faz "E.T." voltar e encantar com imagens inéditas.

Na primeira alternativa, os verbos "interferir" e "moldar" apresentam regências diferentes: "interferir" é transitivo indireto, exigindo a preposição "em"; "moldar" é transitivo direto. A frase correta, portanto, deve ser: "Exposição mostra como a moda interfere na figura da mulher e a molda". Por isso, a resposta correta é a "a".

>> **capítulo 4**

# >> Crase

Dá-se o nome de **crase** à fusão de dois fonemas vocálicos idênticos, marcada, na escrita, pelo acento grave.

Para que se confirme a ocorrência da crase, é fundamental sempre considerar os conceitos de **termo regido** e **termo regente**, já apontados no capítulo anterior.

Em especial, o fenômeno da crase ocorre com a fusão da preposição **a** com:

a) o artigo definido feminino **a(s)**:

Iremos **à** biblioteca.
(= Iremos **a** + **a** biblioteca.)

b) o pronome demonstrativo **a(s)** (= **aquela(s)**):

Sua gravata é semelhante **à** que comprei.

(= Sua gravata é semelhante **a** + **a** [= **aquela**] que comprei.)

c) a letra **a** inicial dos pronomes demonstrativos **aquele(s)**, **aquela(s)** ou **aquilo**:

Refiro-me **à**quele rapaz. (= Refiro-me **a** + **aquele** rapaz.)

d) a letra **a** antecedente do **pronome relativo qual (quais)**:

Essa é a pessoa **à qual** fiz referência.
(= Essa é a pessoa **a** + **a qual** fiz referência.)

321 >>

# 1. Casos em que ocorre a crase

A crase ocorre obrigatoriamente nos seguintes casos:

a) quando o termo regente exige a preposição **a**, e o termo regido admite o artigo feminino **a** ou **as**. Compare:

Dirija-se à biblioteca da escola.
(O verbo **dirigir-se** exige a preposição **a**, e o substantivo **biblioteca** admite o artigo feminino **a**.)

Reformaram a biblioteca da escola.
(O verbo **reformar**, entretanto, não exige a preposição **a**. A letra **a** que antecede o substantivo **biblioteca** é apenas artigo feminino.)

Referimo-nos à ANP. (Agência Nacional do Petróleo)
(O verbo **referir-se** exige a preposição **a**, e a sigla **ANP** admite o artigo feminino.)

Visitaremos a ANP.
(O verbo **visitar**, porém, não exige a preposição **a**. A letra **a** que antecede a sigla **ANP** é apenas o artigo feminino.)

Iremos à França.
(O verbo **ir** exige a preposição **a**, e o substantivo **França** admite o artigo feminino.)

Conheceremos a França.
(O verbo **conhecer**, todavia, não exige a preposição **a**. A letra **a** que antecede o substantivo **França** é apenas artigo feminino.)

É fácil confirmar a ocorrência ou não da crase empregando-se os seguintes recursos:

a) troca-se a palavra **feminina** por uma **masculina** correlata. Se, após a troca, resultar a combinação **ao(s)** (preposição **a** + artigo definindo masculino **o(s)**), a crase estará confirmada:

> O fumo é prejudicial à **saúde**.
> O fumo é prejudicial ao **organismo**.
> (preposição **a** + artigo feminino **a** → crase confirmada)

> O fumo prejudica a **saúde**.
> O fumo prejudica o **organismo**.
> (ocorre apenas artigo → crase não confirmada)

> Dirigimo-nos à **Fatec**. (Faculdade de Tecnologia)
> Dirigimo-nos ao **ITA**. (Instituto Tecnológico de Aeronáutica)
> (preposição **a** + artigo feminino **a** → crase confirmada)

> Visitamos a **Fatec**.
> Visitamos o **ITA**.
> (ocorre apenas artigo → crase não confirmada)

b) com topônimos (nomes próprios de cidades, estados ou países), substitui-se o verbo da frase pelo verbo **voltar**. Se resultar a contração **da**, a crase estará confirmada:

> Viajaremos à **Itália**.
> Voltaremos da **Itália**.
> (preposição **de** + artigo feminino **a** → crase confirmada)

Se resultar apenas a preposição **de**, não ocorrerá a crase:

> Viajaremos a **Mariana**.
> Voltaremos de **Mariana**.

Se o topônimo que não admite artigo aparecer modificado por um adjunto adnominal, ocorrerá a crase.

> Viajaremos à **histórica Mariana**.
> Voltaremos da **histórica Mariana**.

b) quando a preposição **a** se contrai com a letra inicial dos pronomes demonstrativos **aquele(s)**, **aquela(s)** ou **aquilo**:

Sempre dou conselhos **àquele** rapaz. (= **a** + **aquele**)

Fiz críticas **àquilo** que fracassou. (= **a** + **aquilo**)

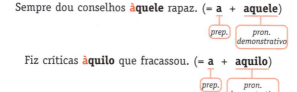

c) antes dos pronomes relativos **que**, **qual** ou **quais**, desde que a letra **a** possa ser substituída por **ao**:

Esta capa é semelhante **à que** lhe dei.
(Compare: Este boné é semelhante **ao que** lhe dei.)

Eis a pessoa **à qual** devo um favor.
(Compare: Esse é o rapaz **ao qual** devo um favor)

d) com a letra a inicial de **locuções femininas**:
- **locuções adverbiais:** às claras, às ocultas, à noite, às pressas, às vezes, à risca, à direita, à esquerda, à vontade, à beça, à deriva, à revelia, à toa etc.
- **locuções prepositivas:** à espera de, à frente de, à procura de, à beira de, à mercê de, à custa de, à sombra de, à moda de, à maneira de, à vista de etc.
- **locuções conjuntivas:** à medida que, à proporção que (apenas essas duas).

**Observações:**
1ª) **Não** ocorre crase nas locuções adverbiais formadas por palavras repetidas:

Percorremos a praia de **ponta a ponta**.
Salvou-o a respiração **boca a boca**.

**2ª)** Quando as locuções prepositivas **à moda de** ou **à maneira de** ficam subentendidas, ocorre normalmente a crase:

> O mestre-sala vestia-se **à Luís XV**.
> (= à moda de Luís XV)
> Fiz um gol **à** Pelé. (= à maneira de Pelé)

Alguns gramáticos consideram optativo o emprego do acento grave em locuções adverbiais indicativas de **meio** ou **instrumento**, a não ser que o seu uso sirva para evitar duplo sentido. Observe:

> Feriu o rapaz **a faca**. (**a faca** = sujeito)
> Feriu o rapaz **à faca**.
> (**à faca** = adjunto adverbial de instrumento)

Não havendo a possibilidade de duplo sentido, é recomendável, como já é tradição, empregar sempre o acento grave em locuções femininas, como **à mão**, **à máquina**, **à bala**, **à força**, **à vista** etc.

## 2. Ocorrências facultativas da crase

O acento grave ocorre facultativamente nos seguintes casos:

a) diante de **nomes próprios femininos** quando denotam um certo grau de intimidade:

> Fiz alusão **a** (ou **à**) Claudinha.

Com nomes próprios adjetivados, ocorre a crase:

> Fiz alusão **à** encantadora Claudinha.

Quando o nome feminino não se refere à pessoa íntima, não se usa o acento grave:

> Fiz referência **a** Joana D'Arc.
> (Compare: Fiz referência a Tiradentes.)

É conveniente acrescentar que, se os nomes próprios femininos, embora não denotando intimidade, aparecerem modificados por adjunto adnominal, ocorrerá a crase:

> Fiz referência **à mártir** Joana D'Arc.
> (Compare: Fiz referência **ao mártir** Tiradentes)

b) diante de **pronomes possessivos femininos** no singular, desde que antecedam um substantivo:

> Pedi ajuda a (ou **à**) **minha** professora.
> (Compare: Pedi ajuda **a** [ou **ao**] **meu** professor.)

c) após a preposição **até**, pelo fato de que se pode empregar indiferentemente a preposição **até** ou a locução **até a**:

> Iremos até a (ou **à**) chácara.
> (Compare: Iremos até **o** [ou **ao**] sítio.)

## 3. Casos em que não ocorre crase

a) diante de palavras masculinas:

> Pintei um quadro **a óleo**.

b) diante de verbos:

> O bom estudante passa o dia **a estudar**.

c) diante de pronomes que rejeitam artigo:

> Não me referi **a ela** nem **a você**.
> Faço este pedido **a Vossa Senhoria**.

Mas, diante dos pronomes **senhora**, **senhoria** e **madame**, ocorre a crase:

> Mandei flores **à senhora** (**senhorita**) Iracema.
> "Fradique dera **à madame** Lobrinska o nome de Libusca..."
>
> Eça de Queirós

d) diante de numeral que rejeita artigo:

        O número de feridos chegou **a vinte**.

Quando o numeral indica **horas**, tem-se locução adverbial feminina; logo, ocorre a crase:

        O trem partirá **às vinte horas**.

e) diante da palavra **casa** não especificada:

        Após o trabalho, volto **a casa** bastante exausto.

Havendo especificação, ocorre a crase:

        Irei **à casa de meus avós**.

f) diante da palavra **terra**, em linguagem náutica, empregada em oposição a "bordo":

        Os turistas já retornaram **a terra**.
        (Compare: Os turistas já retornaram **a bordo**)

Quando a palavra **terra** admite artigo ou se refere ao nosso planeta (com inicial maiúscula), ocorre a crase:

        Os imigrantes voltaram **à terra de seus antepassados**.
        A astronave retornou **à Terra** no dia previsto.

g) diante de **palavras femininas no plural** antecedidas de **a**:

        Ele não está acostumado **a críticas**.
        Não ligo **a intrigas**.

**Observação:** Não confunda o emprego de **há** com **a**:
a) **Há** é presente do indicativo do verbo **haver**. Emprega-se em substituição a **existe(m)** ou **faz** (tempo decorrido):

"**Há** no meu ser crepúsculos e auroras."
Raul de Leoni

"Faz frio. **Há** bruma. Agosto vai em meio."
Vicente de Carvalho

b) **A** é **artigo definido** ou **preposição**. Emprega-se quando não é possível a substituição por **faz**:

"Tem **a** saúde, **a** firmeza, **a** força."
Eça de Queirós

"Tinha dado **a** Dona Plácida cinco contos de réis..."
Machado de Assis

## >> Testes

**1.** **(TJ-SP)** Assinale a alternativa cujas palavras completam, correta e respectivamente, a frase dada.

Quanto _____ perfil desejado, com vistas _____ qualidade dos candidatos, a franqueadora procura ser mais criteriosa ao contratá-los, pois eles devem estar aptos _____ comercializar seus produtos.

a) ao – a – à
b) àquele – à – à
c) àquele – à – a
d) ao – à – à
e) àquele – a – a

Na expressão "quanto a", a letra "a" é preposição que se contrai com a letra "a" inicial do pronome "aquele", resultando "àquele"; o termo "vistas" exige complemento regido da preposição "a", que se contrai com o artigo "a" admitido pelo substantivo "qualidade"; o último "a" é apenas preposição, exigida pelo adjetivo "aptos", já que antes de verbos não se usa artigo. Por isso, a resposta correta é a "c".

**2.** **(TJ-SP)** Assinale a alternativa que preenche corretamente as lacunas da frase:

Foi obrigado _____ embarcar no trem que saía _____ onze horas, mas mostrou _____ todos seu descontentamento.

>> 328

a) a – as – à     c) a – às – a     e) a – às – à
b) à – as – à     d) à – às – a

"Foi obrigado a embarcar..." (antes de verbo não se emprega artigo, portanto não ocorre a crase); "... saía às onze horas..." (acentua-se o "a" inicial de locução adverbial feminina); "... mostrou a todos..." (diante de pronomes indefinidos não se emprega artigo, logo não é possível ocorrer a crase). Por isso, a resposta correta é a "c".

**3.** **(TJ-SP)** Em que alternativa é facultativo o uso de sinal de crase?

a) Estiveram na minha casa às duas horas da madrugada.
b) Meu amor aumenta à medida que o tempo passa.
c) Eles foram até à cidade comprar mantimentos.
d) Fiz uma redação à Machado de Assis.
e) Na próxima semana irei à Olinda dos saudosos carnavais.

Em "a", a crase ocorre porque se acentua o "a" inicial de locução adverbial feminina; em "b", porque se acentua o "a" inicial de locução conjuntiva feminina. Em "Eles foram até à cidade comprar mantimentos", a ocorrência (ou não) da crase nesse caso justifica-se pelo fato de que se pode usar indiferentemente apenas a preposição "até" ou a locução "até a". Compare: "Vou até a (à) cidade" / "Vou até o (ao) centro". Em "d", porque a locução prepositiva "à maneira de" está subentendida. Aqui, pelo fato de Machado de Assis ser um nome masculino, o estudante pode se confundir e achar que a crase não existe, até pelo fato de tratar-se de uma construção pouco usual. Cuidado. Em "e", o verbo "ir" exige a preposição "a" e o topônimo "Olinda" admite artigo por estar adjetivado. Por isso, a resposta correta é a "c".

**4.** **(Fesp-SP)** O único caso em que o **a** leva acento indicando crase é:

a) Meu filho, não dá atenção **a** futilidades.
b) Após andarmos **a** cavalo, fomos almoçar.
c) Ontem, assistimos **a** uma cena desagradável.
d) **A** essa hora você não encontrará mais ninguém.
e) Nossa esperança está ligada **a** de nossos pais.

Em "a", não ocorre crase no "a" singular que antecede palavra no plural. Nesse caso, o "a" é apenas preposição; em "b", não se acentua o "a" que inicia locução adverbial masculina; em "c", não ocorre crase antes de artigo indefinido; em "d", o pronome demonstrativo "essa" não admite artigo, portanto não ocorre a crase. Na última alternativa, o adjetivo "ligada" rege a preposição "a", que se contrai com o artigo "a", determinante do substantivo feminino "esperança", subentendido na frase "Nossa esperança está ligada à esperança de nossos pais". Portanto, a oração corrigida é: "Nossa esperança está ligada à de nossos pais". Por isso, a resposta correta é a "e".

**5. (IBGE)** A frase abaixo em que o acento grave indicativo da crase está mal empregado é:

a) O governo deve enfrentar à dívida de forma corajosa.
b) A dívida nacional está à beira do caos.
c) O Brasil foi à ONU para negociar a dívida.
d) A maior parte da dívida é atribuída à má gestão do governo atual.
e) A referência à arrecadação de impostos incomoda os cidadãos.

Na frase "O governo deve enfrentar a dívida de forma corajosa", o verbo "enfrentar" é transitivo direto, não admitindo, portanto, a preposição "a". O "a" diante do substantivo "dívida" é apenas um artigo definido. Em "b", acentua-se o "a" inicial de locução prepositiva feminina; em "c", o verbo "ir" exige a preposição "a", e a sigla "ONU" (Organização das Nações Unidas) admite artigo, pois ele se refere à palavra "Organização"; em "d", o adjetivo "atribuída" exige a preposição "a", e "má gestão" admite artigo; e, em "e", o substantivo "referência" exige a preposição "a", e o substantivo "arrecadação" admite artigo. Por isso, a resposta correta é a "a".

**6. (IBGE)** A frase abaixo em que o acento grave indicativo da crase está mal empregado é:

a) O censo é necessário à organização administrativa do país.
b) Os entrevistadores foram à localidades distantes.
c) Os questionados foram encaminhados à direção.
d) Alguns dados foram enviados à coordenação do censo.
e) As respostas não foram levadas às pessoas entrevistadas.

Em "a", o adjetivo "necessário" exige a preposição "a", e o substantivo "organização" admite artigo (compare: "O leite é necessário à saúde"/"O leite é necessário ao organismo"; em "b", não ocorre a crase no "a" singular que antecede substantivo plural empregado em sentido genérico. O "a", nesse caso, é simples preposição, portanto é impossível ocorrer crase (compare: "Não ligo a [preposição] mentiras"/"Não ligo a [preposição] boatos"); em "c", a locução "foram encaminhados" exige a preposição "a", e o substantivo "direção" admite artigo (compare: "encaminhados à direção"/"encaminhados ao diretor"); em "d", a locução "foram enviados" exige a preposição "a", e o substantivo "coordenação" admite artigo (compare: "foram enviados à coordenação"/"foram enviados ao coordenador"); em "e", a locução "foram levadas" exige a preposição "a", e o termo regido "pessoas entrevistadas" admite artigo (compare: "foram levadas às pessoas entrevistadas"/"foram levadas aos cidadãos entrevistados"). Por isso, a resposta correta é a "b".

>> PARTE 3

**7. (Fesp-SP)** A alternativa que apresenta **erro** no emprego do acento grave, indicativo da crase, é:

a) Preciso ir à Copacabana.
b) Ele chegou à uma e meia.
c) Seja rápido na sua ida à França.
d) Nada mais confere legitimidade à Nação.
e) Apenas o STF pode impor a jurisprudência à legislação ordinária.

Na primeira alternativa, o substantivo "Copacabana" não admite artigo e não está adjetivado, de modo que a letra "a" que o antecede é apenas preposição. Compare: "Vou a Copacabana"/"Volto de Copacabana"; em "b", ocorre a crase porque se acentua o "a" inicial de locução adverbial feminina; em "c", o substantivo "ida" exige a preposição "a", e o substantivo "França" admite artigo (compare: "Minha ida à França"/"Minha volta da França"); em "d", o verbo "conferir", que é transitivo direto e indireto, exige a preposição "a", e o substantivo "nação" admite artigo (compare: "Confere legitimidade à Nação"/"Confere legitimidade ao país"); e, em "e", o verbo "impor", transitivo direto e indireto, exige a preposição "a", e o substantivo "legislação" admite artigo (compare: "Impor a jurisprudência à legislação"/"Impor a jurisprudência ao conjunto de leis"). Por isso, a resposta correta é a "a".

**8. (SSP-SP)** Em qual frase ocorre a crase?

a) Essa é a mulher a quem fiz referência.
b) Saiu a andar a pé.
c) Ele está aqui desde as sete horas.
d) Respondi as que me perguntaram.
e) Refiro-me a todas as alunas.

Em "a" não ocorre a crase antes do pronome relativo "quem"; em "b", em relação a "a andar", não ocorre crase antes de verbo; com referência a "a pé", não se acentua o "a" inicial de locução adverbial masculina; em "c", não ocorre crase depois de preposição "desde" (é muito frequente a dúvida quanto à colocação ou não do acento indicativo da crase em orações que contêm horas. Se esta mesma oração fosse, por exemplo, "Cheguei às sete horas", haveria crase. Compare: "Cheguei ao meio-dia". Portanto, tome cuidado para não decorar simplesmente regras relacionadas ao emprego do acento grave, prestando sempre atenção ao sentido das orações para detectar se há ou não o artigo feminino e a preposição, necessárias à fusão que origina a crase); em "d", na oração "Respondi às que me perguntaram", o verbo "responder" exige a preposição "a", que se contrai com o pronome demonstrativo feminino "as" (= aquelas); em "e", o pronome indefinido "todas" não admite artigo; logo, é impossível ocorrer crase. Por isso, a resposta correta é a "d".

>> crase

**9.** (FGV-SP) Assinale a alternativa em que o sinal indicativo de crase foi empregado de acordo com a norma culta.
a) Graças à essa nova visão de ensino, o professor desenvolve atividades inovadoras.
b) De aluno dedicado à profissional reconhecido; eis aí um homem de sucesso.
c) Ele se dedica à várias espécies de pesquisa experimental.
d) É sempre à partir da experiência que se aprende?
e) O curso se destina àqueles que valorizam o saber que advém da experiência.

Na primeira alternativa, não ocorre crase porque o pronome demonstrativo "essa" não admite artigo; em "b", o correto é "dedicado a profissional reconhecido", visto que diante de nome masculino não se usa artigo feminino, por isso é impossível ocorrer crase; em "c", não há crase em "se dedica a várias espécies", pois o "a" singular anteposto a palavra no plural é apenas preposição (compare: "dedicar-se a várias espécies de pesquisa"/"dedicar-se a vários estudos de pesquisa"); em "d", usa-se "a partir da experiência" porque antes de verbo nunca se emprega artigo, portanto é impossível ocorrer crase; em "e", o uso do sinal indicativo de crase está correto porque o verbo "destinar" exige a preposição "a", que se contrai com a letra "a" inicial do pronome demonstrativo "aquele". Por isso, a resposta correta é a "e".

**10.** (PUC-PR) Assinale a alternativa que preenche corretamente as lacunas.
I – Viu-se frente _____ frente com o inimigo.
II – Observava, _____ distância, o que estava acontecendo.
III – Não se referira _____ nenhuma das presentes.
IV – Desandou _____ correr ladeira abaixo.
V – Chegou _____ uma hora da madrugada.

a) à, à, à, à, à
b) à, à, a, a, à
c) à, à, a, a, à
d) a, a, a, à, a
e) a, a, a, a, à

Na oração I, não ocorre crase em "frente a frente" porque o "a" intercalado em palavras repetidas é apenas preposição (compare: "frente a frente"/ "lado a lado"); em II, "a distância" não apresenta crase pois, segundo alguns gramáticos, não ocorre crase antes da palavra "distância" empregada sem determinação, a não ser que a crase seja indispensável para impedir ambiguidade; em III, "a nenhuma das presentes" é o correto, uma vez que o pronome indefinido "nenhuma" não admite artigo, logo é impossível ocorrer crase; em IV, deve ser "a correr ladeira abaixo", pois antes de verbo não se emprega artigo, o que impede a ocorrência de crase; por último, em V, há crase em "à uma hora da madrugada", porque se acentua o "a" inicial de locução adverbial feminina. Por isso, a resposta correta é a "e".

>> PARTE 3

**11.** (Fuvest-SP) Assinale a alternativa que preenche corretamente as lacunas:
"_____ noite, todos os operários voltaram _____ fábrica e só deixaram o serviço _____ uma hora da manhã".

a) Há, à, à
b) A, a, a
c) À, à, à
d) À, a , há
e) A, à, a

Em "À noite", acentua-se o "a" inicial de locução adverbial feminina; em "voltaram à fábrica", o verbo "voltar" exige a preposição "a", e o substantivo "fábrica" admite artigo feminino (compare: "Voltaram à fábrica"/"Voltaram ao serviço"); em "à uma hora" acentua-se o "a" inicial de locução adverbial feminina. Por isso, a resposta correta é a "c".

**12.** (Unaerp-SP) Levando-se em conta que alguns nomes de lugar admitem a anteposição do artigo, assinale a alternativa em que a crase foi empregada corretamente.

a) Ele nunca foi à Berlim.
b) Ele nunca foi à Paris.
c) Ele nunca foi à Portugal.
d) Ele nunca foi à Roma.
e) Ele nunca foi à China.

Com exceção da última, nas demais alternativas não ocorre crase porque os substantivos "Berlim", "Paris", "Portugal" e "Roma" não admitem artigo ("Volto de Berlim, de Paris, de Portugal e de Roma", mas "Volto da China"). Em "Ele nunca foi à China", ocorre crase porque o verbo "ir" exige a preposição "a" e o substantivo "China" admite artigo. Por isso, a resposta correta é a "e".

**13.** (Faap-SP) Assinale a alternativa que completa corretamente as lacunas da seguinte frase: Ficaram frente _____ frente, _____ se olharem, pensando no que dizer uma _____ outra.

a) à, à, a
b) a, à, a
c) a, a, à
d) à, a, a
e) à, a, à

Com relação a "frente a frente", não se acentua o "a" de locução com palavras repetidas; em "a se olharem", não ocorre crase antes de verbos. A curiosidade, no entanto, está em "uma à outra", pois, apesar de "outra" ser um pronome indefinido, é preciso levar em conta que o verbo "dizer", aqui, é transitivo direto e indireto — "dizer algo a alguém" — e, além disso, pelo contexto, entende-se tratarem-se de pessoas específicas — "a outra pessoa", "aquela outra". Pensemos: se, para ocorrer a crase, é necessária a fusão do artigo definido feminino com a preposição "a", é preciso que a palavra à qual a crase se refere seja específica, definida. A "pegadinha" aqui é puramente semântica, pois, morfologicamente, a palavra "outra" é um pronome indefinido. O estudante certamente vai ser levado a pensar, com razão, que é paradoxal definir (com a crase) o que é

333 >>

indefinido (o pronome). Mas a definição é semântica, ou seja, se dá no campo do significado (a outra pessoa é específica, certamente já foi determinada anteriormente no texto de onde o fragmento da questão foi retirado), enquanto a indefinição é morfológica (o pronome, ou seja, a classe gramatical da palavra é que é indefinida). Por isso é possível a crase aqui: "dizer o quê àquela outra pessoa" → "o que dizer uma à outra". Mais uma vez é preciso "pensar" a crase, entendendo a lógica de seu uso, em vez de apenas decorar as regras. Por isso, a resposta correta é a "c".

14. (Cásper Líbero-SP) Das alternativas abaixo, somente uma não apresenta erro de crase:

a) A espera de novas soluções, não tomaremos nenhuma iniciativa precipitada.
b) Ficava à quatro quilômetros de distância do porto.
c) Levaremos à cada candidato o nosso apoio.
d) Serão oferecidos brindes à crianças acima de dois anos.
e) Para chegar àquilo que almejamos é necessário muito estudo.

Em "a", ocorre crase em "À espera de novas soluções" visto acentuar-se o "a" inicial de locução prepositiva feminina; em "b", "Ficava a quatro quilômetros" não apresenta crase porque o "a" inicial de locução adverbial masculina é apenas preposição; em "c", o correto é "Levaremos a cada candidato", pois não ocorre crase antes de pronome indefinido; o "a" que o antecede é apenas preposição; em "d", não há crase em "Serão oferecidos brindes a crianças", uma vez que o "a" singular posicionado diante de substantivo plural é apenas preposição (compare: "Oferecer brindes a crianças"/"Oferecer brindes a adultos"). Na última alternativa, a preposição "a", regida pelo verbo "chegar", contrai-se com a letra "a" do pronome demonstrativo "aquilo", o que configura a crase. Por isso, a resposta correta é a "e".

15. (Cásper Líbero-SP) Andar **a** cavalo é mais difícil que andar de bicicleta.

Nas alternativas abaixo, somente uma frase não tem a vogal **a** com a mesma função apresentada na frase acima.

a) Ele deve chegar a casa antes do meio-dia.
b) A loja fica aberta de segunda a sexta-feira.
c) Aquela foi uma noite regada a vinho.
d) Aprender a lição requer paciência.
e) O fogão a gás precisa ser consertado.

Em "Aprender a lição requer paciência", o "a" é artigo definido, determinante do substantivo "lição", objeto direto do verbo "aprender". Nas demais alternativas, o "a" é apenas preposição. Por isso, a resposta correta é a "d".

**16. (Cásper Líbero-SP)** Não dedicamos este trabalho _____ uma pessoa, mas _____ todas que nele encontrarem soluções. Nossos leitores são _____ recompensa maior. _____ que se lançarem _____ releitura descobrirão muito mais _____ cada página.

Assinale a alternativa em que os acentos de crase aparecem empregados corretamente:

a) à, à, a, Àqueles, à, à
b) a, à, a, Àqueles, a, à
c) a, a, a, Àqueles, à, a
d) a, a, a, Aqueles, à, a
e) à, à, a, Aqueles, à, a

Em "a uma pessoa" é impossível ocorrer crase antes de artigo indefinido; em "mas a todas que", não ocorre crase antes de pronome indefinido, já que este não admite artigo; na terceira lacuna, "são a recompensa maior", o "a" é apenas artigo definido, determinante do substantivo "recompensa". No início do período seguinte, "Aqueles que se lançarem", o pronome "aqueles" exerce função de sujeito, termo que não admite preposição; em "lançarem à releitura", o verbo "lançar" rege a preposição "a", e o substantivo "releitura" admite artigo; por fim, em "a cada página", a palavra "cada", pronome indefinido, não admite artigo, daí a impossibilidade de ocorrer crase. Por isso, a resposta correta é a "d".

**17. (Fuvest-SP)** A manchete de jornal que está correta quanto ao emprego do acento grave (crase) é:

a) Em represália à prisões, MST invade terras de amigo de FHC.
b) Senador se opõe à veto presidencial.
c) Embaixador pede apoio à Inglaterra para força de paz.
d) Atores negros foram premiados em meio à bastante entusiasmo.
e) Advogado de médico o aconselha à manter silêncio.

Em "a", o correto é "represália a prisões", pois o "a" singular anteposto a substantivo plural é apenas preposição, portanto não ocorre crase (compare: "represália a prisões"/"represália a encarceramentos"); em "b", não há crase em "senador se opõe a veto" porque substantivo masculino não admite artigo feminino. O "a", no caso, é simples preposição; em "c", na oração "Embaixador pede apoio à Inglaterra para força de paz", o verbo "pedir" rege a preposição "a", que se contrai com o artigo "a" admitido pelo substantivo "Inglaterra"; em "d", "em meio a bastante entusiasmo", a crase não ocorre porque não se acentua o "a" inicial de locução prepositiva masculina; por último, em "e", "a manter silêncio", é necessário observar que antes de verbo não se emprega artigo, portanto não ocorre crase. Por isso, a resposta correta é a "c".

**18. (F. C. Chagas)** O fenômeno ____ que aludi é visível ____ noite ____ olho nu.

a) a, a, a
b) a, à, à
c) a, à, a
d) à, a, à
e) à, à, a

Em "a que aludi", não ocorre crase antes do pronome relativo "que", já que esse pronome não vem precedido de artigo. Em certas orações, porém, poderá ocorrer crase antes do pronome relativo "que" quando tal pronome vier precedido do pronome demonstrativo "a(s)" = aquela(s), e o termo regente do pronome demonstrativo exigir a preposição "a". Por exemplo: "Esta história é igual às que [= a + aquelas que] vovó contava."; em "visível à noite", acentua-se o "a" inicial de locução adverbial feminina, daí o porquê do acento grave; em "a olho nu", não se usa acento grave no "a" inicial de locução adverbial masculina. Por isso, a resposta correta é a "c".

**19. (ITA-SP)** Assinale a alternativa que preenche corretamente as lacunas. Quando ____ dias disse ____ ela que ia ____ Itália para concluir meus estudos, pôs-se ____ chorar.

a) a, a, a, a
b) há, à, à, a
c) a, à, a, à
d) há, a, à, a
e) há, a, a, à

A primeira lacuna se completa com o verbo "haver" ("há dias"), pois ele é empregado como sinônimo de "fazer"; o correto é "disse a ela" porque não ocorre crase antes de pronome pessoal; em "ia à Itália", o verbo "ir" rege a preposição "a", e o substantivo Itália admite artigo (compare: "Vou à Itália"/"Volto da Itália"); a última lacuna deve ser completada com um "a" ("pôs-se a chorar"), pois antes de verbo não se emprega artigo; o "a" que o antecede é apenas preposição, portanto não ocorre crase. Por isso, a resposta correta é a "d".

**20. (UEL-SP)** Preencha as lacunas com a alternativa correta:
Daqui ____ pouco ele dirá por que não chegou ____ tempo de entregar ____ moças o material que encomendaram.

a) há – a – àquelas
b) a – à – àquelas
c) à – à – aquelas
d) há – à – aquelas
e) a – a – àquelas

Em "Daqui a pouco" e "não chegou a tempo", não se acentua o "a" inicial de locução adverbial masculina; quanto a "entregar àquelas moças o material", o verbo "entregar" (transitivo direto e indireto) exige a preposição "a", que se contrai com a letra "a" inicial do pronome demonstrativo "aquelas" (= "entregar a + aquelas moças o material"). Por isso, a resposta correta é a "e".

## PARTE 3

**21. (Acafe-SC)** Assinale a alternativa que completa a frase:

Trouxe ____ mensagem ____ Vossa Senhoria e aguardo ____ resposta, ____ fim de levar ____ pessoa que me enviou.

a) a, a, à, a, a
b) a, à, a, à, a
c) à, à, à, à, a
d) a, a, a, a, à
e) a, à, a, a, à

O verbo "trazer" é transitivo direto e indireto; "mensagem" é objeto direto, portanto o "a" que antecede essa palavra não recebe acento grave por ser apenas artigo definido; a letra "a" anteposta ao pronome de tratamento "Vossa Senhoria" não pode ser acentuada por ser apenas preposição. Lembre-se de que pronome de tratamento não admite artigo (exceto "senhora", "senhorita" e "madame"); a palavra "resposta" é objeto direto do verbo transitivo direto "aguardar", por isso o "a" que antecede o complemento desse verbo não recebe acento por ser somente artigo definido; "a fim de" é locução prepositiva masculina, assim o "a" inicial dessa locução não deve receber acento; o verbo "levar" rege a preposição "a", e o substantivo "pessoa" admite artigo, daí a ocorrência da crase. Por isso, a resposta correta é a "d".

**22. (FGV-SP)** Observe a palavra sublinhada na frase:

"A campanha de meus adversários interpõe-se **à** dos meus parceiros."

Assinale a alternativa que **justifica** o uso do sinal de crase:

a) Interpor-se rege preposição a e subentende-se um objeto indireto feminino.
b) Interpor-se rege preposição a e dos meus parceiros é masculino.
c) Interpor-se rege preposição a e subentende-se um objeto direto feminino.
d) Interpor-se rege preposição a e o objeto direto explícito é masculino.
e) Interpor-se é verbo intransitivo e dos meus parceiros é adjunto masculino.

A primeira alternativa justifica o motivo da ocorrência da crase. A palavra "campanha" está subentendida: "A campanha de meus adversários interpõe-se à campanha dos meus parceiros". Por isso, a resposta correta é a "a".

>> crase

## >> capítulo 5

## >> Sintaxe de concordância

**Concordância** é o princípio sintático segundo o qual as palavras se acomodam umas às outras na frase. Há, na gramática, dois tipos de concordância:

a) **nominal**: é a adaptação em gênero e número que ocorre entre artigo, adjetivo, pronome adjetivo, numeral adjetivo ou particípio (palavras determinantes) e o substantivo ou pronome substantivo (palavras determinadas);

b) **verbal**: é a adaptação em número e pessoa que ocorre entre o verbo e o sujeito (ou, às vezes, o predicativo).

# CONCORDÂNCIA NOMINAL

## 1. Regra geral

O adjetivo e as palavras adjetivas concordam em gênero e número com o substantivo ou pronome a que se referem:

aluno esforçado — aluna esforçada<br>
alunos esforçados — alunas esforçadas

## 2. Casos especiais

- Adjetivo, na função de adjunto adnominal de dois ou mais substantivos, admite várias possibilidades:

a) substantivos do mesmo gênero: o adjetivo fica no singular ou vai para o plural:

>Agiu com força e **paciência** notável.
>Agiu com **força e paciência** notáveis.

b) substantivos de gêneros diferentes: o adjetivo concorda com o núcleo mais próximo ou vai para o masculino plural:

>Invocamos a sabedoria e o **poder** divino.
>Invocamos **a sabedoria e o poder** divinos.

c) adjetivo anteposto a dois ou mais substantivos: a concordância se faz com o núcleo mais próximo:

>Visitei belíssimos **museus** e bibliotecas.
>Visitei belíssimas **bibliotecas** e museus.

> **Observação:**
> Se o adjetivo se referir a nomes de pessoas, deverá ir para o plural:
>
> Estudamos os **notáveis Guimarães Rosa e Mário de Andrade**.

- Vários adjetivos referindo-se a um único substantivo: são possíveis as seguintes concordâncias:

a) coloca-se no plural o substantivo e omite-se o artigo antes dos adjetivos:

>Estudamos **os predicados** verbal, nominal e verbo-nominal.

b) mantém-se o substantivo no singular e usa-se o artigo a partir do penúltimo adjetivo:

>Estudamos **o predicado** verbal, o nominal e o verbo-nominal.

- Adjetivo, na função de predicativo do sujeito composto, concorda com o gênero dominante dos núcleos do sujeito:

    **As portas e janelas** amanheceram **arrombadas**.
    **O calor e a poluição** eram **intensos**.

**Observação:**
Dependendo do número do verbo de ligação iniciando a frase, há duas possibilidades de concordância:

**Foi criticado** o técnico e a equipe.
ou
**Foram criticados** o técnico e a equipe.

- Adjetivo, na função de predicativo do objeto composto, concorda com o gênero dominante dos núcleos do objeto:

    O comerciante encontrou **o cofre e as gavetas arrombados**.

**Observação:**
Se o predicativo se antepuser ao objeto composto, a concordância poderá ser feita com o núcleo mais próximo ou com a totalidade dos núcleos:

O comerciante encontrou **arrombado o cofre** e **as gavetas**.
ou
O comerciante encontrou **arrombados o cofre** e **as gavetas**.

- As palavras **mesmo, próprio, obrigado, quite, só, anexo, junto, leso, meio, bastante** e **particípios verbais** concordam normalmente com o termo a que se referem:

    **As crianças mesmas** escolheram os brinquedos.
    Repetirei suas **próprias** palavras.
    "Muito **obrigada**", respondeu-me **a recepcionista**.

>> 340

(**Nós**) Estamos **quites** com nossos credores.
**Meus pais** não gostam de viajar **sós**.
Seguem **anexas as notas** de seu filho.
**Mãe e filha** passeiam **juntas**.
Isso é um crime de **lesa**-arte.
Já é meio-dia e **meia** (**hora**).
Enfrentamos **bastantes obstáculos** pelo caminho.
**Terminada a cerimônia**, o noivo desmaiou.

> **Observações:**
> 1ª) as palavras **meio** e **bastante**, empregadas como **advérbios**, permanecem invariáveis:
>
> As atletas estavam **meio** suadas. ( = um pouco)
> Suas propostas são **bastante** interessantes.
> (= extremamente)
>
> 2ª) a palavra **só** permanece invariável quando equivale a **somente**:
>
> Não devemos escolher profissões
> **só** pelas vantagens financeiras.
> **Só** você não quis participar de nossa festa.

- Dois ou mais numerais precedidos de artigo podem ser acompanhados de um substantivo no singular ou plural:

  Dançaremos a primeira e **a segunda valsa**.
  Dançaremos **a primeira e a segunda valsas**.

- Se apenas o primeiro numeral for precedido de artigo, o substantivo deverá ir para o plural:

    Dançaremos **a primeira** e **segunda** valsas.

- O adjetivo **possível**, em expressões superlativas (**o mais possível**, **o menos possível**, **o melhor possível**, **o pior possível** etc.), deve concordar em número com o artigo:

    Descobriram-se irregularidades **o** mais grave possível.
    Descobriram-se irregularidades **as** mais graves possíveis.

- Adjetivo empregado em referência a um sujeito de sentido genérico (sem determinante) permanece invariável:

    É **necessário liberdade**.
    **Loção** é **bom** para o corpo.

    Havendo determinante, a concordância ocorre regularmente:

    É **necessária a** liberdade.
    **Esta** loção é **boa** para o corpo.

- Adjetivos adverbializados permanecem invariáveis:

    A professora agiu **duro** com os alunos. (= duramente)
    As alunas foram **direto** para a diretoria. (= diretamente)

- As palavras **alerta**, **menos**, **pseudo** e **monstro** são invariáveis:

    Os soldados vigiavam **alerta** o quartel.
    Esse nadador ganhou **menos** medalhas que o irmão.
    No Maracanã já ocorreram espetáculos **monstro**.
    Os **pseudo**artistas jamais alcançam a glória.

> **Observação:**
> A palavra **alerta** é variável quando empregada como adjetivo ou substantivo:
>
> Soldados **alertas** circulavam a praça.
> Ouviram-se vários **alertas** das sentinelas.

>> PARTE 3

## >> Testes

>> sintaxe de concordância

1. **(CMB)** Em apenas uma das opções a frase é completada corretamente com a palavra entre parênteses. Marque-a.

    a) Todos entrariam no departamento exatamente ao meio-dia e _____ . (meia)
    b) Era preciso mais amor e _____ intolerância para viver melhor. (menas)
    c) Ela _____ fará toda a tarefa. (mesmo)
    d) Os desenhos das cédulas seguem _____ na próxima semana. (anexas)
    e) Os candidatos estudavam _____ satisfeitos com o resultado. (bastantes)

    Em "a", o correto é "Todos entrariam no departamento exatamente ao meio-dia e meia", pois o numeral "meia" concorda com a palavra subentendida "hora" (= meio-dia e meia hora). Em "b", deve-se usar "menos" ("mais amor e menos intolerância"), uma vez que o pronome indefinido "menos" é sempre invariável. Em "c", o correto é "mesma" ("Ela mesma"), pois a palavra "mesma" concorda em gênero e número com o pronome pessoal "Ela". Em "d", o adjetivo "anexos" concorda em gênero e número com o substantivo "desenhos" ("Os desenhos das cédulas seguem anexos"). Por fim, na última alternativa, a palavra "bastante" é advérbio porque modifica o verbo "estudavam", portanto é invariável ("estudavam bastante satisfeitos..."). Por isso, a resposta correta é a "a".

2. **(SSP-SP)** Assinale a alternativa que preenche, correta e respectivamente, as lacunas:
    "Ela _____ preparou as provas. Por isso, teve que estudar as literaturas _____ e _____."

    a) mesma – portuguesas – espanholas
    b) mesmo – portuguesa – espanhola
    c) mesma – portuguesa – espanholas
    d) mesma – portuguesa – espanhola
    e) mesmo – portuguesas – espanhola

343 >>

Em "Ela mesma preparou as provas. Por isso, teve que estudar as literaturas portuguesa e espanhola", a palavra "mesma" concorda em gênero e número com o pronome pessoal "Ela"; e dois ou mais adjetivos (portuguesa e espanhola) empregados em referência a um único substantivo (literaturas) permanecem invariáveis numericamente. Por isso, a resposta correta é a "d".

**3.** (SSP-SP) Assinale a alternativa que preenche, correta e respectivamente, as lacunas:

"Seguem _____ as encomendas que me pediu. Agora estou _____ com você."

a) anexo – quite;
b) anexa – quites;
c) anexo – quites;
d) anexas – quites;
e) anexas – quite.

O adjetivo "anexas" concorda em gênero e número com o substantivo "encomendas"; o adjetivo "quite" concorda em número com o sujeito singular elíptico "eu". Logo, a concordância nominal deve ser: "Seguem anexas as encomendas que me pediu. Agora estou quite com você". Por isso, a resposta correta é a "e".

**4.** (MM) Assinale a alternativa que completa, corretamente, na sequência, as frases abaixo:

Todos os quartéis estavam _____.
Vitamina é _____ para a saúde.
Era meio-dia e _____ quando chegou o trem.

a) alertas – bom – meia
b) alertas – boa – meio
c) alerta – bom – meio
d) alerta – bom – meia
e) alertas – bom – meio

A palavra "alerta" empregada como advérbio (= em estado de alerta) é invariável ("Todos os quartéis estavam alerta"); o predicativo "bom" permanece invariável porque o sujeito "vitamina" está empregado em sentido genérico, sem determinante ("Vitamina é bom para a saúde"); o numeral "meia" concorda em gênero e número com o substantivo subentendido "hora" ("Era meio-dia e meia quando chegou o trem"). Por isso, a resposta correta é a "d".

**5.** (TCE-RJ) Assinale a opção incorreta quanto à concordância nominal.

a) Colecionava jornais e revistas antigas.
b) Ao meio-dia e meia desceram para o almoço.
c) Tinha pelo computador sincero respeito e admiração.
d) Quaisquer que sejam as dificuldades, tudo será resolvido.
e) Ela mesmo se negara a conhecê-lo melhor.

>> 344

Em "a", adjunto adnominal posposto a dois ou mais substantivos concorda com o núcleo mais próximo ou com a totalidade dos núcleos, portanto não há problema em concordar "antigas" com "revistas"; em "b", o numeral "meia" concorda em gênero e número com o substantivo subentendido "hora"; em "c", adjunto adnominal anteposto a dois ou mais substantivos concorda com o núcleo mais próximo, daí a concordância de "sincero" com o substantivo "respeito"; em "d", o pronome indefinido "quaisquer" concorda em número com o substantivo "dificuldades"; na última alternativa, no entanto, a palavra "mesma" deveria concordar em gênero com o pronome pessoal "ela" ("Ela mesma se negara a conhecê-lo melhor"). Por isso, a resposta correta é a "e".

**6. (TCE-RJ)** Indique a opção em que não é possível colocarmos na lacuna o adjetivo "novos".
a) Doei à firma XIS duas mesas e um computador _____.
b) Adaptei ao meu automóvel antigo freios e ar-condicionado _____.
c) Aprecio _____ autoras de teatro e escritores de novelas quando surgem.
d) Conheci ontem _____ médicos e enfermeiras do Hospital geral.
e) Comprei um caminhão e dois automóveis _____.

Em "a" e "b", pode-se utilizar tanto "novo" quanto "novos", pois adjunto adnominal posposto a dois ou mais substantivos concorda com o núcleo mais próximo ou com a totalidade dos núcleos; em "c", só há uma forma de fazer a concordância nominal: "novas autoras de teatro e escritores de novelas", porque o adjunto adnominal está anteposto aos substantivos e, assim, deve concordar com o mais próximo; a mesma justificativa se aplica à alternativa "d", mas, no caso, o substantivo mais próximo é masculino plural ("médicos"), daí a possibilidade de utilizar "novos", como sugere o enunciado do teste. Por último, em "e", o adjunto adnominal "novos" pode ficar no plural porque o núcleo mais próximo "automóveis" também figura no plural. Por isso, a resposta correta é a "c".

**7. (Esaf)** Aponte a opção cuja sequência preenche corretamente as lacunas deste período:
"Muito _____, disse ela. Vocês procederam _____, considerando meu ponto de vista e minha argumentação _____."
a) obrigado – certos – sensata
b) obrigada – certo – sensatos
c) obrigada – certos – sensata
d) obrigada – certos – sensatos
e) obrigado – certo – sensatos

O adjetivo "obrigada" concorda em gênero e número com o sujeito "ela"; o adjetivo "certo" está adverbializado, portanto permanece invariável; o predicativo do objeto "sensatos" está posposto a núcleos de gêneros diferentes, logo deve ser empregado no masculino plural ("Muito obrigada, disse ela. Vocês procederam certo, considerando meu ponto de vista e minha argumentação sensatos"). Por isso, a resposta correta é a "b".

## 8. (BB) Assinale a opção que preenche corretamente as lacunas:

I – Justiça entre os homens é _____.
II – É _____ a entrada de pessoas estranhas.
III – A água gelada sempre é _____.

a) necessário – proibida – gostosa
b) necessária – proibida – gostosa
c) necessário – proibida – gostoso
d) necessária – proibido – gostoso
e) necessário – proibido – gostosa

Em I, o predicativo "necessário" permanece invariável porque o sujeito "Justiça" está empregado em sentido genérico, sem determinante ("Justiça entre os homens é necessário"); em II, o predicativo "proibida" deve concordar com o sujeito "entrada" porque este aparece determinado pelo artigo definido "a" ("É proibida a entrada de pessoas estranhas"); por último, em III, o predicativo "gostosa" concorda com o sujeito "A água" porque este está determinado pelo artigo definido "A" ("A água gelada sempre é gostosa"). Por isso, a resposta correta é a "a".

## 9. (Esaf) Assinale a opção de concordância nominal indiscutível:

a) É um relógio que torna inesquecível todas as horas.
b) Elas mesmo providenciaram os atestados anexos.
c) Manifestaram dor e pesar profundos.
d) Enviaram anexo as procurações solicitadas.
e) As mulheres das áreas rural são discriminadas por todos.

Em "a", predicativo do objeto ("inesquecíveis") deve concordar com o núcleo do objeto ("horas"), ou seja, o correto é "torna inesquecíveis todas as horas"; em "b", a palavra "mesmas" precisa concordar em gênero e número com o pronome "elas" ("Elas mesmas providenciaram..."); em "c", a concordância é indiscutível porque o adjunto adnominal posposto a dois ou mais substantivos pode concordar com a totalidade dos núcleos (no caso, com "dor" e "pesar") ou com o elemento mais próximo (apenas "pesar"); em "d", o adjetivo "anexas" deve concordar em gênero e número com o substantivo "procurações" ("Enviaram anexas as procurações solicitadas"); em "e", o adjetivo "rurais" concorda em gênero e número com o substantivo "áreas" ("As mulheres das áreas rurais..."). Por isso, a resposta correta é a "c".

## >> PARTE 3

**10. (TJ-SP)** Considerando a concordância nominal, assinale a frase correta:

a) Ela mesmo confirmou a realização do encontro.
b) Foi muito criticado pelos jornais a reedição da obra.
c) Ela ficou meia preocupada com a notícia.
d) Muito obrigada, querido, falou-me emocionada.
e) Anexos, remeto-lhes nossas últimas fotografias.

Na primeira alternativa, a palavra "mesmo" deve concordar em gênero com o pronome "ela" ("Ela mesma confirmou..."); em "b", a reedição da obra é que recebeu a crítica dos jornais, logo, o particípio "criticada" concorda em gênero e número com o substantivo "reedição" ("Foi muito criticada pelos jornais a reedição da obra"). Aqui, a inversão da ordem natural dos elementos da oração ("A reedição da obra foi muito criticada pelos jornais") pode confundir o estudante; em "c", há um erro muito comum cometido por muitos falantes da língua portuguesa, isto é, o emprego da palavra "meio" como numeral em vez de advérbio. Nesta oração ("Ela ficou meio preocupada"), a palavra "meio" é advérbio e, portanto, permanece invariável; em "d", a concordância está correta, pois o adjetivo "obrigada" concorda regularmente com o sexo da pessoa que fala (no caso, alguém do sexo feminino). Por último, em "e", o adjetivo "anexas" deve concordar em gênero e número com o substantivo "fotografias" ("Anexas, remeto-lhes nossas últimas fotografias"). Por isso, a resposta correta é a "d".

**11. (UFSC)** Assinale a alternativa em que a concordância nominal não é adequada.

a) Obrigava sua corpulência a exercício e evolução forçada.
b) Obrigava sua corpulência a exercício e evolução forçados.
c) Obrigava sua corpulência a exercício e evolução forçadas.
d) Obrigava sua corpulência a forçado exercício e evolução.
e) Obrigava sua corpulência a forçada evolução e exercício.

Quando o adjunto adnominal (no caso, a palavra "forçado") está posposto a dois substantivos de gêneros diferentes (por exemplo, "exercício" e "evolução"), concorda com o núcleo mais próximo (como em "a") ou pode ser empregado no masculino plural (o que ocorre em "b"). Quando anteposto a esses substantivos, caso das duas últimas alternativas, concorda obrigatoriamente com o mais próximo. A terceira alternativa, portanto, apresenta erro de concordância, pois o adjunto adnominal não condiz com nenhuma dessas regras. Por isso, a resposta correta é a "c".

>> sintaxe de concordância

**347 >>**

**12. (UEL-PR)** Está adequadamente flexionada a forma destacada na frase:
a) Ele não deixou satisfeito nem a crítica, nem o público.
b) Todos achamos difíceis, nas provas de Física e Matemática, a resolução das questões finais.
c) O sofá e a banqueta ganharam outro aspecto depois de consertado.
d) A culpa deles aparecia como que inscritas em suas feições, denunciando-os.
e) Ele considerou inúteis, na atual circunstância, as medidas que ela sugeria.

Na primeira alternativa, a concordância do adjetivo "satisfeito" pode ser feita apenas com o substantivo "crítica" ou tanto com "crítica" quanto com "público" ("Ele não deixou satisfeita/satisfeitos nem a crítica, nem o público"), pois o predicativo do objeto anteposto a dois ou mais substantivos concorda com o núcleo mais próximo ou com o gênero dominante dos núcleos. Em "b", o que é "difícil" é a "resolução das questões", não "as questões", daí o fato de a concordância ser no singular ("Todos achamos difícil, ... , a resolução das questões finais"), uma vez que o predicativo do objeto ("difícil") concorda com o núcleo do próprio objeto ("resolução"); em "c", o predicativo do sujeito ("consertados") concorda com o gênero dominante (no caso, o masculino) dos núcleos do sujeito composto "sofá e banqueta" ("O sofá e a banqueta ganharam outro aspecto depois de consertados"); em "d", o que está "inscrita" (predicativo do sujeito) é a "culpa" (núcleo do sujeito), não as "feições" ("A culpa deles aparecia como que inscrita em suas feições"). A última alternativa, no entanto, apresenta concordância nominal adequada, pois o predicativo do objeto "inúteis" concorda em número com o núcleo do objeto "medidas". Por isso, a resposta correta é a "e".

**13. (Ufac)** Assinalar a alternativa em que a concordância nominal está correta.
a) Os fatos falam por si só.
b) Seus apartes eram sempre o mais pertinentes possíveis.
c) O relógio bateu meio-dia e meio.
d) Todos se moviam cautelosamente, preocupado com o perigo.
e) Chegada a sua hora e a sua vez, intimidou-se.

Em "a", o adjetivo "só" deve concordar com o substantivo "fatos" ("Os fatos falam por si sós"); em "b", o adjetivo "possível", em expressões superlativas (o mais, o menos, os mais, os menos etc.), deve concordar com o artigo anteposto ao advérbio ("Seus apartes eram sempre os mais pertinentes possível"); em "c", o numeral "meia" concorda com a palavra subentendida "hora" ("meio-dia e meia"); em "d", o predicativo do sujeito "preocupados" concorda com o sujeito plural "todos" ("Todos se moviam cautelosamente, preocupados com o perigo"); em "e", o particípio "chegada" está anteposto a dois substantivos, logo deve concordar com o núcleo mais próximo, que é o que ocorre. Por isso, a resposta correta é a "e".

## 14. (Inatel) Assinale a alternativa em que a concordância nominal está errada:

a) Submetia sua frieza a exagerada postura e controle.
b) Submetia sua frieza a postura e controle exagerados.
c) Submetia sua frieza a postura e controle exageradas.
d) Submetia sua frieza a exagerado controle e postura.
e) Submetia sua frieza a postura e controle exagerado.

O adjunto adnominal posposto a dois ou mais substantivos de gêneros diferentes (caso de "postura" e "controle") concorda com o núcleo mais próximo, o que ocorre na alternativa "e", ou vai para o masculino plural, como em "b". Se anteposto a esses substantivos, concorda obrigatoriamente com o mais próximo, o que se dá nas alternativas "a" e "d". A terceira alternativa foge a essas regras e, portanto, apresenta erro de concordância. Por isso, a resposta correta é a "c".

## 15. (Inatel) Fazia _____ elogios, embora as saudações fossem agora _____ enfáticas para uns e talvez _____ evasivas para outros.

A opção que completa corretamente as lacunas da frase acima é:

a) bastante / menos / meio
b) bastantes / menas / meia
c) bastante / menos / meia
d) bastantes / menas / meio
e) bastantes / menos / meio

Na oração, a palavra "bastante" é um pronome indefinido, não um advérbio, motivo de concordar em número com o substantivo "elogios". O plural de "bastante" causa estranhamento porque dificilmente é utilizado na fala, o que pode levar o estudante a pensar ser errado. Entretanto, se substituirmos "bastante" pelo equivalente "muito", ficará evidente tratar-se de pronome, que requer a flexão de número ("Fazia muitos elogios"). O pronome indefinido "menos" é sempre invariável, assim como a palavra "meio" empregada como advérbio. Então, a oração completa é "Fazia bastantes elogios, embora as saudações fossem agora menos enfáticas para uns e talvez meio evasivas para outros". Por isso, a resposta correta é a "e".

## 16. (Inatel) Todas as frases estão corretas em relação à concordância, exceto em:

a) É bom pipoca com sorvete.
b) É necessário a presença de uma autoridade na reunião.
c) São necessárias muitas horas para concluir o estágio.
d) É proibido entrada de pessoas sem identificação.
e) É apropriada a negociação para a melhoria salarial.

Quando o sujeito está antecedido por um determinante (um artigo ou um pronome), caso das alternativas "b", "c" e "e", seu predicativo deve concordar com a palavra determinante. Assim, em "b", "a presença" é "necessária"; em "c", "muitas horas" são "necessárias"; e, em "e", "a negociação" é "apropriada". Em "a" e "d", como não há palavra determinante, o predicativo permanece invariável, porque o sujeito está empregado em sentido genérico. De acordo com essas regras, o erro de concordância aparece na segunda alternativa. Por isso, a resposta correta é a "b".

### 17. (UFV-MG) Todas as alternativas abaixo estão corretas quanto à concordância nominal, exceto:

a) Foi acusado de crime de lesa-justiça.
b) As declarações devem seguir anexas ao processo.
c) Eram rapazes os mais elegantes possível.
d) É necessário cautela com os pseudolíderes.
e) Seguiram automóveis, cereais e geladeiras exportados.

Em "a", o adjetivo "lesa" (= lesada) concorda com o substantivo feminino "justiça"; em "b", o adjetivo "anexas" concorda com o substantivo "declarações"; em "c", a oração apresentará a concordância adequada se o adjetivo "possível" concordar com o artigo "os" ("os mais elegantes possíveis"); em "d", o predicativo "necessário" deve permanecer invariável porque o sujeito "cautela" está empregado em sentido genérico (sem determinante); em "e", o adjunto adnominal posposto a vários substantivos de gêneros diferentes concorda com o gênero dominante dos núcleos; também seria possível, nesse caso, efetuar a concordância com o núcleo mais próximo ("automóveis, cereais e geladeiras exportadas"). Por isso, a resposta correta é a "c".

### 18. (USF-SP) "Quando chegou à reunião, ele já trazia _____ as indicações de novos investimentos _____ pela diretoria." A alternativa que preenche corretamente as lacunas é:

a) relacionadas – solicitadas
b) relacionados – solicitados
c) relacionado – solicitado
d) relacionados – solicitadas
e) relacionadas – solicitado

Os adjetivos "relacionadas" e "solicitadas" concordam em gênero e número com o substantivo "indicações". O perigo aqui é querer concordar o particípio de "solicitar" com o substantivo "investimentos". Preste atenção, porque o que está sendo solicitado são as "indicações". Assim, a oração completa é "Quando chegou à reunião, ele já trazia relacionadas as indicações de novos investimentos solicitadas pela diretoria". Por isso, a resposta correta é a "a".

**19. (UFPB)** Quanto à concordância nominal, as lacunas das frases:

"Era talvez meio-dia e _____ quando fora preso."

"Decepção é _____ para fortalecer o sentimento patriótico."

"Apesar da superlotação do alojamento, havia acomodações _____ para os homens."

"Os documentos dos candidatos seguiram _____ às listas de inscrição."

"As fisionomias dos homens eram as mais desoladas _____ naquele cortejo."

São preenchidas, respectivamente, por:

a) meia – bom – bastantes – anexos – possíveis
b) meio – bom – bastantes – anexo – possíveis
c) meia – boa – bastante – anexo – possível
d) meio – boa – bastante – anexos – possível
e) meia – bom – bastantes – anexo – possível

Na primeira oração, o numeral "meia" concorda com o substantivo subentendido "hora" ("meio-dia e meia"); na segunda, o predicativo "bom" permanece invariável porque o sujeito "decepção" está empregado em sentido genérico (sem determinante); na terceira, o pronome indefinido "bastantes" concorda em número com o substantivo "acomodações" ("havia acomodações bastantes"), pois trata-se de pronome indefinido, podendo ser substituído pelos equivalentes "muitas" ou "suficientes" ("havia muitas acomodações para os homens"/"havia acomodações suficientes para os homens"), o que comprova a necessidade do plural; na penúltima oração, o adjetivo "anexos" concorda com o substantivo "documentos" ("Os documentos dos candidatos seguiram anexos às listas"); e, por fim, a última oração apresentará a concordância adequada se o adjetivo "possível" concordar com o artigo "as" ("as mais desoladas possíveis"). Por isso, a resposta correta é a "a".

**20. (Ufac)** Observando a concordância nominal nas frases abaixo:

I – É necessário compreensão.
II – A compreensão é necessária.
III – Compreensão é necessário.
IV – Para quem a compreensão é necessário?

Verificamos que:
a) apenas a I e a IV estão erradas.
b) apenas a II e a III estão erradas.
c) apenas a IV está errada.
d) apenas a II está errada.
e) todas estão certas.

Em I e III o predicativo "necessário" permanece invariável porque o sujeito "compreensão" está empregado em sentido genérico, sem determinante; em II, o predicativo "necessária" concorda normalmente com o sujeito "a compreensão" por este estar determinado pelo artigo "a". No entanto, em IV, o predicativo "necessário" deveria concordar normalmente com o sujeito "a compreensão" por este estar determinado pelo artigo "a" ("Para quem a compreensão é necessária?"). Por isso, a resposta correta é a "c".

# CONCORDÂNCIA VERBAL

O verbo concorda, geralmente, com o respectivo sujeito em número e pessoa, conforme esquematizamos no quadro seguinte:

| Eu | sigo meu caminho. |
|---|---|
| Tu | segues teu caminho. |
| Ele (Você) | segue seu caminho. |
| Nós | seguimos nosso caminho. |
| Vós | seguis vosso caminho. |
| Eles (Vocês) | seguem seu caminho. |

## 1. Ocorrências gerais de concordância verbal

### Sujeito simples

- O verbo concorda em número e pessoa com o núcleo do sujeito simples:

Este **processo caminha** para mais uma absolvição injusta.
As **ideias fugiam**-lhe da mente.

- Se o sujeito é representado por substantivo coletivo, o verbo concorda regularmente com o núcleo do sujeito:

    A **boiada passou** levantando poeira.
    Grandes **caravanas atravessavam** o deserto.

> **Observação:**
> Se o coletivo for acompanhado de **adjunto adnominal** no plural, o verbo poderá ficar no singular, concordando com o núcleo do sujeito, ou ir para o plural, referindo-se ao adjunto adnominal:
>
> Uma **manada** de búfalos **pastava** mansamente.
> Uma manada de **búfalos pastavam** mansamente.

- Se o sujeito é representado por expressões partitivas (**uma porção de**, **a maioria de**, **um grupo de** etc.) seguidas de substantivo no plural, o verbo fica no singular, concordando com a expressão partitiva, ou pode ir para o plural, referindo-se ao substantivo plural:

    **A maioria** dos atletas **participou** do desfile.
    A maioria dos **atletas participaram** do desfile.

- Se o sujeito é representado por expressões aproximativas (**cerca de**, **perto de**, **menos de** etc.), o verbo concorda com o substantivo determinado por essas expressões:

    Cerca de dez **jogadores entraram** na briga.
    Perto de quarenta **grevistas agrupavam-se** na praça.
    Menos de dez **modelos farão** o desfile.

- Se o sujeito é introduzido pela expressão **mais de um**, o verbo fica no singular:

    **Mais de um** atleta **representará** o Brasil no torneio.

**Observação:** Quando a expressão **mais de um** aparece repetida ou se associa a um verbo exprimindo ação recíproca, o verbo vai para o **plural**:

**Mais de um** deputado, **mais de um** senador **perceberam** aquela manobra.

**Mais de um** fã **acotovelam**-se na plateia.

- Se o sujeito é formado por locuções pronominais (**alguns de**, **muitos de**, **quais de** etc.) seguidas dos pronomes pessoais **nós** ou **vós**, o verbo pode concordar com o primeiro pronome ou com o pronome pessoal:

**Alguns** de nós **farão** companhia a ele.
Alguns de **nós faremos** companhia a ele.

**Quais** de vós **abandonarão** a luta?
Quais de **vós abandonareis** a luta?

**Observação:** Se o primeiro pronome dessas locuções for empregado no singular, o verbo deverá concordar com ele:

**Algum** de nós **fará** companhia a ele.
**Qual** de vós **abandonará** a luta?

- Se o sujeito é formado pela expressão **um dos... que**, **uma das... que**, o verbo vai para o plural:

Ele foi **um dos** atletas brasileiros **que** mais **conquistaram** prêmios.

**Observação:** Quando se deseja enfatizar apenas um dos elementos do grupo, o verbo fica no singular:

Foi **um dos** seus filhos **que jantou** comigo ontem.

"**Um dos** homens **que** mais **logrou** dos bens deste mundo foi Salomão." (Pe. Manuel Bernardes)

>> 354

- Se o sujeito é realçado pela palavra **que**, o verbo concorda com o antecedente dessa palavra:

    Sou **eu que** mais defendo essa ideia.
    És **tu que** tens o dom de irritar-me.
    Fomos **nós que** fizemos tais denúncias.

- Se o sujeito é representado pela palavra **quem**, o verbo fica, de preferência, na 3ª pessoa do singular. Contudo, também é aceitável a concordância com o antecedente da palavra **quem**:

    "... fui **eu quem** te apresentou ao comendador."
    Camilo Castelo Branco
    "Não sou **eu quem** está no jogo." (Erico Verissimo)
    "És **tu quem** dás frescor à mansa brisa." (Gonçalves Dias)

- Se o sujeito é formado por numeral indicativo de **porcentagem**, o verbo pode concordar com o **numeral** ou com o **substantivo** determinado pelo numeral:

    **80%** da população gostam de samba.
    80% da **população** gosta de samba.

> **Observação:** Com numeral antecedido de determinante, o verbo vai para o plural:
>
> **Os 10%** daquele elenco **atuaram** profissionalmente pela primeira vez.
>
> **Esses 15%** do eleitorado **justificaram** a ausência nas últimas eleições.

- Sujeito representado por nome próprio no plural:

    a) com artigo no plural, o verbo vai para o plural:

    **Os** Estados Unidos enviaram tropas à zona de conflito.
    **Os** Andes separam a Argentina do Chile.

b) sem artigo ou com artigo no singular, o verbo fica no singular:

> Campinas **revelou** grandes artistas.
> **O** Amazonas **possui** vários afluentes.

> **Observação:** Com nomes próprios relativos a obras, o verbo **ser** concorda com o predicativo no singular:
>
> *As Meninas* **é uma bela obra** de Lygia Fagundes Telles.

## Sujeito composto

- Se anteposto ao verbo, este vai para o plural:

    **O técnico e os atletas retornaram** ao Brasil.

- Se posposto ao verbo, este vai para o plural ou pode concordar com o núcleo mais próximo:

    **Retornaram** ao Brasil **o técnico e os atletas**.
    **Retornou** ao Brasil **o técnico** e os atletas.

- Se o sujeito composto é constituído de pessoas gramaticais diferentes, o verbo concorda com o plural da pessoa de primazia, assim:

    a) se entre as pessoas houver a 1ª (**eu** ou **nós**), o verbo irá para a primeira pessoa do plural:

    Eu, tu e os demais turistas **visitaremos** o museu.
    (= **Nós** visitaremos o museu.)

    b) se entre as pessoas não houver a 1ª (**eu** ou **nós**), o verbo poderá ser flexionado na **2ª** ou na **3ª pessoa do plural**:

    Tu e os demais turistas **visitareis** o museu.
    (= **Vós** visitareis o museu.)
    Tu e os demais turistas **visitarão** o museu.
    (= **Vocês** visitarão o museu.)

- Se o sujeito composto é constituído de palavras sinônimas ou ordenadas em gradação, o verbo pode ficar no singular ou ir para o plural:

    **A sua angústia, o seu desespero** não comoveu a ninguém.
    **A sua angústia, o seu desespero** não comoveram a ninguém.

    **A sua ajuda, o seu empenho, o seu apoio** muito me ajudou.
    **A sua ajuda, o seu empenho, o seu apoio** muito me ajudaram.

## 2. Outras ocorrências de concordância verbal

- Se o sujeito é ligado pela preposição **com**, o verbo vai para a 3ª pessoa do plural:

    O ministro **com** seus assessores analisaram o projeto.

> **Observação:** Quando se deseja enfatizar a ação apenas do primeiro elemento, reduzindo o segundo a condição de adjunto adverbial de companhia (entre vírgulas), o verbo fica no singular:
>
> O ministro, **com** seus assessores, analisou o projeto.

- Sujeito ligado por **ou**:

    a) o verbo vai para o plural quando o fato expresso pela conjunção **ou** abrange todos os núcleos:

    **O fumo ou a bebida** em excesso não fazem bem à saúde. (ambos são nocivos)

    b) o verbo fica no singular quando a conjunção **ou** indica **exclusão**:

    **Pedro ou Paulo** será nosso próximo síndico.
    (apenas um deles será o próximo síndico)

c) quando os núcleos designam pessoas gramaticais diferentes ou a conjunção **ou** indica retificação, probabilidade, o verbo concorda com o núcleo mais próximo:

**Você ou eu** acompanharei os formandos.
**O autor ou autores** do crime não deixaram vestígios.

- Se o sujeito é constituído por **um e outro**, o verbo vai para o plural ou pode ficar no singular:

    **Um e outro** cientista pesquisaram esse fenômeno.
    **Um e outro** cientista pesquisou esse fenômeno.

> **Observação:** Quando há ideia de reciprocidade, o verbo vai para o plural:
> **Um e outro** colega se comunicam pela Internet.

- Se o sujeito é constituído por **um ou outro** ou **nem um nem outro**, o verbo fica no singular:

    **Um ou outro** advogado defenderá o acusado.
    "**Nem um nem outro** havia idealizado previamente este encontro." (Tasso da Silveira)

- Se o sujeito é seguido de **aposto resumidor** (**tudo**, **nada**, **ninguém**, **todos** etc.), o verbo concorda com o aposto:

    Fama, dinheiro, poder, **nada** mudou-lhe o comportamento.
    Velhos, mulheres, crianças, **todos** corriam perigo.

- Verbo acompanhado da palavra **se**:

    a) quando o **se** é **índice de indeterminação do sujeito**, o verbo fica na **3ª pessoa do singular**. Isso ocorre com verbos **intransitivos**, **transitivos indiretos** ou **de ligação**:

    Morria-**se** de tédio naquele lugarejo.
    Necessita-**se** de balconistas com prática.
    Era-**se** mais feliz nos anos dourados.

b) Quando o **se** é **pronome apassivador**, o verbo concorda normalmente com o sujeito paciente. Isso ocorre com **verbos transitivos diretos** ou **transitivos diretos e indiretos** empregados na voz passiva sintética:

**Viam**-se, ao longe, **os primeiros sinais de vida**.
*(sujeito paciente)*

(= **Os primeiros sinais de vida** eram vistos ao longe.)
*(sujeito paciente)*

**Ofereceu**-se **um grande jantar** aos visitantes.
*(sujeito paciente)*

(= **Um grande jantar** foi oferecido aos visitantes.)
*(sujeito paciente)*

- Sujeito representado por infinitivos:

    a) quando não há determinante, o verbo fica no singular:

    "**Olhar** e **ver** era para mim um ato de defesa."
    
    José Lins do Rego

    b) havendo determinante, o verbo irá para o plural:

    **O lutar** e **o vencer** constituem a nossa meta.

    c) quando os infinitivos exprimem ideias opostas, o verbo vai para o plural:

    **Rir** e **chorar** quase sempre contagiam.

- Concordância do verbo **parecer**:

    Seguido de um infinitivo, pode-se flexionar o verbo **parecer** ou o **infinitivo**:

    Aquelas montanhas parecem tocar as nuvens.
    Aquelas montanhas parece tocarem as nuvens.

- Concordância da expressão **haja vista**:

  Essa expressão, no português contemporâneo, deve permanecer invariável. Corresponde à 3ª pessoa do imperativo do verbo **ver**:

  **Haja vista** os últimos atos de corrupção.

  (= Veja os últimos atos de corrupção)

- Concordância dos **verbos impessoais**:

  Por não possuírem sujeito, ficam na 3ª pessoa do singular os seguintes verbos:

  a) os que indicam **fenômenos da natureza**:

  **Choveu** muito naquela região.
  **Ventava** durante o desfile.

  b) **fazer** e **estar** empregados em referência a tempo decorrido ou clima:

  **Faz** horas que estamos viajando.
  **Está** tarde e frio.

  c) **haver** empregado no sentido de "existir", "ocorrer", ou na indicação de tempo decorrido:

  **Havia** notas falsas na praça.
  **Houve** acidentes naquela rodovia.
  **Havia** meses que não nos víamos.

**Cuidado:** Nas locuções verbais, a impessoalidade do verbo principal é transferida para o verbo auxiliar:

**Deve fazer** uns cinco anos que estive em Paris.
**Poderá haver** opositores a nossas ideias.
Nas redações, não **pode haver** ideias desconexas.

- Concordância especial do verbo **ser**:
  a) na indicação de horas, datas ou distâncias, embora seja impessoal, o verbo **ser** concorda com a expressão a que se refere:

     Já **são três horas** da madrugada.
     "O quê! Já **são 29 de agosto**?" (Eça de Queirós)
     Daqui até o centro **são dez quilômetros**.

  b) havendo sujeito e predicativo, o verbo **ser** concorda com certas palavras que exercem prevalência sobre outras. Esse tipo de prevalência apresentamos no seguinte quadro:

| entre | | prevalece | exemplos |
|---|---|---|---|
| pessoa | coisa | pessoa | **Amélia é** minhas noites de insônia. |
| nome próprio | nome comum | nome próprio | **Pelé era** as glórias dos estádios. |
| plural | singular | plural | A causa da briga **foram as joias**. |
| pronome reto | qualquer palavra | pronome reto | O verdadeiro herói agora **és tu**. |

  c) quando o sujeito é uma expressão numérica, e o predicativo indica insuficiência, suficiência ou excesso, o verbo **ser** deve concordar com o predicativo:

     Trezentos e oitenta reais por mês
     **é pouco** para uma família.
     Três quilos de carne **é suficiente** para nós.
     Vinte quilômetros **é muito** para uma caminhada.

  d) predicativo singular prevalece sobre sujeito plural não antecedido de artigo ou pronome demonstrativo:

     Comentários falsos **é veneno**.
     Panelas vazias **é sinal** de fome.

e) quando o sujeito é representado pelos pronomes **tudo**, **nada**, **isto** ou **aquilo**, o verbo **ser** pode concordar com o sujeito ou com o predicativo:

"Eram tudo **travessuras** de crianças." (Machado de Assis)
"E **tudo** é chuvas que orvalham..." (Fernando Pessoa)

- Concordância irregular ou ideológica:

Quando a concordância (nominal ou verbal) se faz de acordo com o sentido contido na frase, e não segundo as regras da sintaxe, ocorre a concordância irregular ou ideológica. Esse tipo de concordância recebe o nome de **silepse**.
Há três tipos de silepse: **de gênero**, **de número** e **de pessoa**.

a) **Silepse de gênero** — ocorre quando a concordância se faz com o gênero gramatical subentendido:

A **criança** levou um tombo e ficou tonto.

Nesse exemplo, a concordância ocorre com o substantivo **menino** implícito na palavra **criança**.

b) **Silepse de número** — ocorre quando a concordância se faz com o número gramatical subentendido:

A **multidão** dispersou e saíram a gritar.

Nessa frase, a concordância ocorre com a ideia contida no coletivo multidão (**pessoas**).

c) **Silepse de pessoa** — ocorre quando a concordância se faz com a pessoa gramatical subentendida:

Dizem que **os paulistanos** nascemos para o trabalho.

Nesse caso, o verbo está na 1ª pessoa do plural porque o emissor se inclui entre os paulistanos (= **nós**).

>> PARTE 3

## >> Testes

>> sintaxe de concordância

1. **(TJ-SP)** Assinale a alternativa gramaticalmente correta de acordo com a norma culta.
   a) Bancos de dados científicos terão seu alcance ampliado. E isso trarão grandes benefícios às pesquisas.
   b) Fazem vários anos que essa empresa constrói parques, colaborando com o meio ambiente.
   c) Laboratórios de análise clínica tem investido em institutos, desenvolvendo projetos na área médica.
   d) Havia algumas estatísticas auspiciosas e outras preocupantes apresentadas pelos economistas.
   e) Os efeitos nocivos dos recifes de corais surge para quem vive no litoral ou aproveitam férias ali.

   Em "a", o verbo "trazer", da segunda oração, deve concordar com o pronome "isso" ("E isso trará grandes benefícios"); em "b" ocorre um erro muito comum entre os falantes da língua portuguesa, que é a flexão do verbo "fazer" no sentido de tempo decorrido, o que a norma culta condena. Assim, o correto é "Faz vários anos". Em "c", o erro é bem sutil: falta o acento diferencial no verbo "ter", que precisa existir no presente do indicativo da 3ª pessoa do plural para diferenciá-la da do singular ("Laboratórios de análises clínicas têm investido"). Em "d", o verbo "haver", empregado na acepção de "existir", é impessoal, devendo permanecer sempre na 3ª pessoa do singular. Por fim, em "e", há dois erros de concordância: o verbo "surgir" deve concordar com "os efeitos", e o verbo "aproveitar" deve concordar com a palavra "quem": "Os efeitos nocivos dos recifes de corais surgem para quem vive no litoral e aproveita férias ali". Por isso, a resposta correta é a "d".

2. **(TJ-SP)** Assinale a alternativa correta quanto à concordância verbal.
   a) O que é audácias, irresponsabilidades, imprevidências?
   b) Devem haver outras formas de vida coletiva mais humanas para regular as ações dos homens.
   c) O aventureiro ou trabalhador encarnam-se entre os povos caçadores e lavradores.
   d) Energias e esforços, nada o faziam chorar.
   e) Vê-se, por aí, trabalhadores e aventureiros.

363 >>

Em "a", o verbo "ser" concorda com o predicativo no plural quando o sujeito não indica pessoa ("O que são audácias, irresponsabilidades, imprevidências?"); em "b", o verbo "haver", empregado no sentido de "existir", é impessoal, devendo permanecer sempre invariável. Como forma locução verbal com o verbo "dever", este também não deve ser flexionado ("Deve haver outras formas de vida"); em "c", o sujeito composto ligado por "ou" leva o verbo para a 3ª pessoa do plural quando ocorre ideia de reciprocidade, como é o caso da oração; em "d", quando o sujeito composto é resumido por um pronome indefinido (aposto resumidor, no caso, a palavra "nada"), o verbo deve concordar com este último ("Energias e esforços, nada o fazia chorar"); e, em "e", verbo apassivado pelo pronome "se" concorda regularmente com o sujeito, que é composto: "trabalhadores e aventureiros" ("Veem-se, por aí, trabalhadores e aventureiros"). Por isso, a resposta correta é a "c".

**3. (Esaf)** Quanto à concordância verbal escreva (1) nas orações corretas e (2) nas incorretas.

(   ) Aquele romance foi um dos que mais me agradaram.
(   ) Não se ouvia murmúrios no salão de festas.
(   ) Se não me engano, faz dois anos hoje que fui contratada.
(   ) Durante a reunião, falou o diretor, o secretário e o motorista.
(   ) Que seria de nós se não fosse os amigos.

A sequência correta dos números nos parênteses é:

a) 1, 2, 1, 1, 2
b) 1, 2, 2, 2, 1
c) 2, 1, 2, 2, 1
d) 1, 1, 1, 2, 2
e) 2, 2, 2, 1, 1

A primeira oração está correta porque, quando o sujeito é formado pela expressão "um dos que", leva o verbo para o plural; a segunda oração apresenta erro de concordância verbal porque, nela, o verbo "ouvir", que está apassivado pelo pronome "se", deve concordar com o sujeito, que é "murmúrios" ("Não se ouviam murmúrios"); a terceira oração apresenta concordância adequada, visto que o verbo "fazer", empregado na indicação de tempo decorrido, é impessoal, portanto fica sempre na 3ª pessoa do singular; a penúltima oração, talvez a que suscite mais dúvida no estudante, admite dupla concordância, isto é, o verbo "falar", anteposto ao sujeito composto ("o diretor, o secretário e o motorista") pode concordar com o núcleo mais próximo (no caso, "o diretor") ou ir para a 3ª pessoa do plural. A última oração, por sua vez, apresenta erro de concordância porque o verbo "ser" concorda em pessoa e número com o núcleo do sujeito "amigos". Por isso, a resposta correta é a "a".

**4. (Esaf)** Assinale o item em que há erro de concordância verbal segundo a norma culta.

a) Diríamos que há importantes distinções a fazer entre discurso e história.
b) Haveremos de refletir sobre o lugar particular do índio na cultura.
c) Os missionários já haviam amansado o índio e o tornado submisso.
d) Há vários séculos as línguas indígenas têm tradição apenas oral.
e) Devem haver vantagens para o índio no contato com a civilização...

Em "a", o verbo "haver", empregado no sentido de "existir", é mesmo impessoal, tendo sido corretamente empregado na 3ª pessoa do singular; já na alternativa "b", esse mesmo verbo foi empregado como auxiliar e, portanto, recebe a pessoalidade do verbo principal ("refletir"), concordando em pessoa e número com o sujeito elíptico "nós"; em "c", ocorre o mesmo, isto é, o verbo "haver" é auxiliar na locução verbal "haviam amansado", concordando com o sujeito "missionários"; em "d", o verbo "haver" indica tempo decorrido e, neste caso, é impessoal, tendo sido apropriadamente empregado na 3ª pessoa do singular. A última alternativa, entretanto, apresenta erro de concordância verbal porque, nela, o verbo "haver" tem sentido de "ocorrer", sendo impessoal e devendo ser empregado somente na 3ª pessoa do singular. A sua impessoalidade é transferida para o verbo auxiliar "dever" ("Deve haver vantagens para o índio..."). Por isso, a resposta correta é a "e".

**5. (SRF)** Assinale a alternativa correta quanto à concordância verbal:

a) Soava seis horas no relógio da matriz quando eles chegaram.
b) Apesar da greve, diretores, professores, funcionários, ninguém foram demitidos.
c) José chegou ileso a seu destino, embora houvessem muitas ciladas em seu caminho.
d) O impetrante referiu-se aos artigos 37 e 38 que ampara sua petição.
e) Fomos nós quem resolvemos aquela questão.

Na primeira alternativa, o verbo "soar" deve concordar em pessoa e número com o núcleo do sujeito "horas" ("Soaram seis horas"). A alternativa "b" apresenta um aposto resumidor ("ninguém") do sujeito composto ("diretores, professores, funcionários"). Quando isso ocorre, o verbo deve concordar com o aposto ("ninguém foi demitido"). Na terceira alternativa, o verbo "haver" foi empregado no sentido de "existir" e, portanto, deveria ser impessoal ("embora houvesse muitas ciladas"). Em "d", o verbo "amparar" concorda em número e pessoa com o núcleo do sujeito, "artigos", retomado pelo pronome relativo "que" (a petição é amparada pelos artigos). A última alternativa, entretanto, apresenta concordância verbal adequada porque, com sujeito representado pelo pronome "quem", o verbo concorda no singular com essa palavra ou pode concordar com o seu antecedente ("Fomos nós quem resolveu/resolvemos aquela questão"). Por isso, a resposta correta é a "e".

**6.** **(TRF-RJ)** Ainda que _____ imprevistos, não _____ motivos para que se mantenham _____ os acordos.

a) hajam – faltará – presentes
b) haja – faltarão – presentes
c) haja – faltará – presente
d) hajam – faltarão – presentes
e) hajam – faltará – presente

O verbo "haver" no sentido de "ocorrer" é impessoal, devendo ser empregado somente na 3ª pessoa do singular; o verbo "faltar" concorda em pessoa e número com o sujeito "motivos"; o predicativo do sujeito "presentes" concorda em número com o núcleo do sujeito passivo "acordos". Então, teremos: "Ainda que haja imprevistos, não faltarão motivos para que se mantenham presentes os acordos". Por isso, a resposta correta é a "b".

**7.** **(Crea-SP)** Pode-se dizer, sobre o uso do verbo *haver*, conforme se verifica no trecho *houve pânico e correria*, de acordo com a norma culta, que esse verbo:

a) concorda com o termo mais próximo.
b) não vai para o plural porque é verbo auxiliar.
c) está no singular, pois apresenta sujeito composto.
d) não é flexionado no plural, pois é verbo impessoal.
e) concorda com o termo *pânico e correria*, pois ambos estão no singular.

O verbo "haver", quando é empregado no sentido de "existir" ou "ocorrer", é impessoal, isto é, não possui sujeito, portanto nunca pode ser flexionado no plural. Por isso, a resposta correta é a "d".

## >> PARTE 3

8. **(TRT-15ª-SP)** A concordância está feita de acordo com a norma culta em:
   a) A utilização de computadores são de fundamental importância para atender a velocidade de informações da vida moderna.
   b) Como se tratasse de prazos muito curtos, foram convocados vários funcionários que terminariam os serviços rapidamente.
   c) Ocorre algumas vezes certos problemas que parece ser insolúvel à primeira vista, mas com calma se resolvem.
   d) A rotina de vida de muitas pessoas tornam-se uma série interminável de compromissos que os torna sempre mais tensos.
   e) Tem sido descoberto, em todo o país, vários casos de trabalhadores submetidos a trabalho sem o respeito à legislação.

Em "a", o verbo "ser" concorda em pessoa e número com o núcleo do sujeito "utilização" ("A utilização de computadores é de fundamental importância"); em "b", o verbo transitivo indireto "tratar" está acompanhado do índice de indeterminação do sujeito "se" ("se tratasse"), por isso permanece na 3ª pessoa do singular; o verbo "ser", na locução "foram convocados", concorda em pessoa e número com o núcleo do sujeito paciente "funcionários"; o verbo "terminar" concorda em pessoa e número com esse mesmo núcleo do sujeito "funcionários", retomado pelo pronome relativo "que". Na terceira alternativa, o verbo "ocorrer" deve concordar em pessoa e número com o núcleo do sujeito "problemas"; "parecer" precisa concordar em pessoa e número com o mesmo núcleo do sujeito "problemas", mas retomado pelo pronome relativo "que"; e o predicativo do sujeito "insolúveis" tem de concordar em número também com o núcleo do sujeito "problemas" ("Ocorrem algumas vezes certos problemas que parecem ser insolúveis"). Na penúltima alternativa, o verbo "tornar-se" deve concordar em pessoa e número com o núcleo do sujeito "rotina"; e o pronome pessoal deve ser "as" (e não "os"), assim como o adjetivo, que precisa ser "tensas" (e não "tensos"), pois ambos concordam em gênero e número com o substantivo "pessoas". Por último, em "e", faltou não só o acento diferencial no verbo "ter", pois a forma composta "têm sido descobertos" concorda em pessoa e número com o núcleo do sujeito paciente "casos", que está no plural, como também o morfema -s, indicador de plural em "descobertos". Por isso, a resposta correta é a "b".

9. **(TRT-15ª-SP)** "_____ as aparências enganosas de exatidão."
   Preenche-se corretamente a lacuna por:
   a) Devem ser evitado
   b) Devem ser evitadas
   c) Deve ser evitado
   d) Deve serem evitadas
   e) Deve ser evitadas

Como o núcleo do sujeito "aparências" está na 3ª pessoa do plural, a locução verbal "Devem ser evitadas" concorda com ele em número e pessoa. Por isso, a resposta correta é a "b".

**10. (TRT-MS)** Para se atender às normas de concordância, é preciso corrigir a forma verbal sublinhada na frase:
a) Não nos <u>parece</u> que sejam irrelevantes quaisquer medidas que visem à preservação de línguas utilizadas pelas minorias.
b) Que não se <u>meça</u> esforços para se preservar ou resgatar um fato cultural que ajude a compreender o nosso passado histórico.
c) <u>Tem</u> havido muitas pressões para garantir os direitos das minorias, tais como a utilização e a veiculação de línguas que resistem ao desaparecimento.
d) As populações a quem <u>interessa</u> preservar seus direitos históricos devem unir-se e mobilizar-se contra medidas autoritárias.
e) Caso politicamente não <u>convenha</u> às autoridades do Ministério das Comunicações proibir o programa "Nheegatu", este será mantido em sua forma original.

Na frase "b", o verbo transitivo direto "medir", apassivado pelo pronome "se" deve concordar em pessoa e número com o sujeito paciente "esforços". Portanto: "Que não se <u>meçam</u> esforços...". Por isso, a resposta correta é a "b".

**11. (TRF-RJ)** As normas de concordância verbal estão inteiramente respeitadas na frase:
a) O pessoal que não quiserem malhar tem agora mais razões para ficar acomodado num sofá.
b) Comprovam-se que os efeitos dos exercícios físicos e das drogas têm algo em comum.
c) A privação da endorfina e da dopamina podem levar a estados depressivos.
d) Existem, além das complicações físicas, a possibilidade de alterações no plano social.
e) Sempre haverá atletas compulsivos, pois sempre existirão pessoas ansiosas.

Na oração da alternativa "a", o verbo "querer" deve concordar em pessoa e número com o núcleo do sujeito "pessoal" ("O pessoal que não quiser malhar");

>> **368**

em "b", como o verbo "comprovar", apassivado pelo pronome "se", constitui a oração principal de uma oração subordinada substantiva subjetiva, como tal só pode figurar na 3ª pessoa do singular ("Comprova-se que os efeitos dos exercícios físicos"); em "c", o verbo "poder", auxiliar de "levar", precisa concordar em pessoa e número com o núcleo do sujeito "privação", pois não é a "endorfina" e a "dopamina" que podem levar a estados depressivos, mas "a privação" dessas substâncias ("A privação da endorfina e da dopamina pode levar a estados depressivos"); em "d", o verbo "existir" deve concordar em pessoa e número com o núcleo do sujeito "possibilidade" ("Existe, além das complicações físicas, a possibilidade"); e, em "e", o verbo "haver", como foi usado no sentido de "existir", é impessoal, tendo sido empregado adequadamente na 3ª pessoa do singular; o verbo "existir", pessoal, segue a norma culta e concorda em pessoa e número com o núcleo do sujeito "pessoas". Por isso, a resposta correta é a "e".

**12.** **(Nossa Caixa-SP)** Assinale a alternativa correta quanto à concordância.
a) Passados quase noventa anos, permanece inalterados as razões que levaram o escritor a escrever sobre a seca.
b) No sertão nordestino, vive hoje cerca de vinte e cinco milhões de pessoas espalhadas por oito estados.
c) O surpreendente é que a construção de açudes e barragens eficientes não garantem o suprimento de água.
d) O que impede que outras áreas da região se transforme num oásis semelhante às terras irrigadas do Vale do São Francisco?
e) Existem poucas coisas tão previsíveis como a seca.

Na primeira alternativa, há dois erros de concordância, porque tanto o verbo "permanecer" quanto o predicativo do sujeito "inalterados" devem concordar em pessoa e número com o núcleo do sujeito "razões" ("permanecem inalteradas as razões"); em "b", "vinte e cinco milhões de pessoas" é plural, e, além disso, "cerca de" trata-se de um sujeito representado por expressão indicativa de quantidade aproximada. Então, o verbo também vai para o plural ("vivem hoje cerca de vinte e cinco milhões de pessoas"). A terceira alternativa apresenta um dos principais obstáculos ao correto emprego da concordância verbal: o sujeito extenso. É muito comum e equívoco de concordar o verbo com um dos adjuntos componentes de sujeitos extensos, quando o correto é ater-se sempre ao núcleo do sujeito. Assim, em "c", o verbo "garantir" deve concordar em pessoa e número com a palavra "construção", não com "açudes e barragens eficientes", que é o que está mais próximo ao verbo ("a construção de açudes e barragens eficientes não garante"). A penúltima alternativa também apresenta erro de concordância porque o verbo "transformar", apassivado pelo pronome "se", precisa concordar em pessoa e número com o núcleo do sujeito paciente "áreas" ("outras áreas da região se transformem"). Por fim, na última alternativa, o verbo "existir" concordou adequadamente em pessoa e número com o núcleo do sujeito "coisas". Por isso, a resposta correta é a "e".

**13. (UEA-AM)** Assinale a alternativa em que a concordância verbal destoa da norma culta.
a) Mais de 40% da população cumpre uma jornada de 45 horas semanais.
b) Mantêm-se ainda no Brasil vergonhosos índices de desigualdade social.
c) Devem ocorrer surpresas no próximo censo.
d) Estima-se haver mais de 11 milhões de desempregados no país.
e) Trinta milhões de analfabetos são um índice social deplorável para o país.

Quando o sujeito indica quantidade — caso de "trinta milhões" — e o predicativo indica insuficiência, suficiência ou excesso — o que ocorre com "índice social deplorável" —, o verbo "ser" deve concordar com o predicativo: "Trinta milhões de analfabetos é um índice social deplorável para o país". Por isso, a resposta correta é a "e".

**14. (FGV-SP)** Considere o trecho e as afirmações para responder a esta questão.

Quase metade das grandes descobertas científicas surgiu não da lógica, do raciocínio ou do uso de teoria, mas da simples observação.

Afirma-se:
I – A norma culta admite também o emprego de "surgiram", na frase, concordando com descobertas científicas.
II – Na substituição de "quase metade" por "cinquenta por cento", torna-se obrigatória a concordância no plural: "surgiram".
III – A flexão no singular ("surgiu") decorre da concordância com a palavra mais próxima do verbo ("lógica"), núcleo do sujeito composto.

Dessas afirmações, somente

a) I está correta.
b) II está correta.
c) I e II estão corretas.
d) I e III estão corretas.
e) II e III estão corretas.

O erro está na afirmação III, porque, na verdade, o verbo "surgir" está no singular para concordar com o núcleo do sujeito ("metade"), e não com a palavra "lógica", que é núcleo do objeto indireto. Por isso, a resposta correta é a "c".

## >> PARTE 3

**15. (Unifesp)** Assinale a frase **correta** quanto à concordância.
a) Existem possibilidades de o médico não fazer o tratamento adequado, caso não tenha informações adequadas.
b) É possível que os médicos não façam o tratamento adequado, caso não tenha a informação adequada.
c) Sem que hajam informações adequadas, o médico pode não fazer o tratamento correto.
d) Como não têm as informações adequadas, existe a possibilidade de o médico não fazer o tratamento correto.
e) Vislumbra-se possibilidades de os médicos não fazer o tratamento adequado, se não tiver as informações adequadas.

Na primeira alternativa, o verbo "existir" é pessoal, portanto, concorda em pessoa e número com o núcleo do sujeito "possibilidades". Em "b", o verbo "ter" deveria concordar com o núcleo do sujeito "médicos" expresso na oração anterior ("caso não tenham a informação"). Em "c", o verbo "haver" tem o sentido de "existir" e, portanto, é impessoal, podendo ser empregado apenas na 3ª pessoa do singular ("Sem que haja informações adequadas"). Em "d", o verbo "ter" deve figurar no singular, pois se refere ao núcleo do sujeito "médico", expresso na oração seguinte ("Como não tem as informações adequadas, o médico pode..."). A última alternativa apresenta erro de concordância porque o verbo "vislumbrar", empregado na voz passiva sintética, concorda com o sujeito paciente "possibilidades", e os verbos "fazer" e "ter" concordam com o núcleo do sujeito "médicos" ("Vislumbram-se possibilidades de os médicos não fazerem o tratamento adequado, se não tiverem as informações adequadas"). Por isso, a resposta correta é a "a".

**16. (Vunesp)** De acordo com a gramática normativa, a alternativa **correta** quanto à concordância verbal com o emprego do pronome **se** é:
a) "Para **agilizar**-se as exportações (criando empregos e desenvolvendo nossa indústria) não é necessário alterar a Constituição nem esperar o novo governo."
b) "Quem estiver convencido de que é preciso que se **efetue** alterações profundas na Constituição é porque não conhece direito."
c) "Não se **constroem** partidos sérios com políticos tão oportunistas e fisiológicos."
d) "Depois de tantas experiências democráticas, ainda não se **definiu** projetos de estabilidade democrática."
e) "**Diz**-se tantas mentiras em períodos de eleição que o povo fica desorientado."

Na primeira oração, o verbo "agilizar" deve figurar no plural, pois concorda com "exportações" ("Para agilizarem-se as exportações"); em "b", o verbo "efetuar" se refere a "alterações profundas" e com esse termo é que deve concordar ("é preciso que se efetuem alterações profundas"); em "d", o verbo "definir" deve concordar com "projetos de estabilidade democrática" ("ainda não se definiram projetos"), assim como em "e", o verbo "dizer" deve concordar com "mentiras". Tudo porque, nessas alternativas, trata-se de verbos transitivos diretos empregados na voz passiva sintética e, portanto, devem concordar com o núcleo do sujeito paciente. Esse foi o princípio adotado na terceira alternativa, em que o verbo "construir" concorda com o sujeito plural "partidos sérios". Por isso, a resposta correta é a "c".

**17. (ESPM-SP)** Para preencher de modo correto a lacuna da frase dada, o verbo entre parênteses deverá obrigatoriamente adotar uma forma do plural em:

a) O que nos dizeres do anúncio _____ (parecer) enigmático ao rapaz era o fato de que tal mensagem não se ajustava ao seu portador.

b) A rotina das experiências interioranas vividas pelo rapaz não o _____ (preparar) para aquela visão.

c) As necessidades de uma emergência _____ (levar) aquele que precisa a se desfazer das joias mais modestas.

d) Se alguém ainda acha que nunca _____ (haver) provas efetivas da insensibilidade humana, que atente para os homens-sanduíches.

e) O chapéu velhíssimo, os sapatos deformados, a calça puída, tudo isso _____ (indicar) as agruras da vida do homem sanduíche.

Na primeira oração, o verbo "parecer" concorda com o sujeito "o que", não com "dizeres do anúncio", como o estudante pode ser levado a pensar. Tudo porque "nos dizeres do anúncio" é um adjunto adverbial de lugar, isto é, não faz parte do sujeito. Tanto é assim que pode ser deslocado na oração sem prejuízo de sentido ("O que parecia enigmático ao rapaz, nos dizeres do anúncio, era o fato..."). Na segunda oração, a "pegadinha" está no sujeito extenso, que, no caso, é "rotina das experiências interioranas vividas pelo rapaz". Atenha-se sempre ao núcleo do sujeito ("rotina"), porque é com ele que o verbo deve concordar: "A rotina das experiências interioranas vividas pelo rapaz não o preparou...". Já a alternativa "c" exige um verbo no plural, visto que o sujeito "as necessidades" encontra-se na 3ª pessoa do plural, com a qual deve concordar o verbo "levar" ("As necessidades de uma empresa levam aquele..."). Em "d", o verbo "haver" tem sentido de "existir", o que o classifica como impessoal e o obriga a ser empregado sempre na 3ª pessoa do singular ("que nunca houve provas efetivas"). Em "e", apesar de o sujeito ser composto, o que pode levar a flexionar o verbo em número, há um aposto resumidor do sujeito, que é a palavra "tudo", com a qual deve concordar o verbo ("O chapéu velhíssimo, os sapatos deformados, a calça puída, tudo isso indica..."). Por isso, a resposta correta é a "c".

**18. (ESPM-SP)** Indique a frase inteiramente correta quanto à concordância verbal:

a) A propaganda, nas classes em que estão os muito pobres, não terão como vender seus produtos.

b) As pessoas do povo, sempre a seu modo, tem conseguido assimilarem mensagens e formas publicitárias.

c) Não deixará de acender sua vela a Nossa Senhora da Aparecida aqueles torcedores atraídos pela mídia eletrônica.

d) As suadas prestações mensais são o sacrifício que fazem os consumidores mais pobres.

e) Às pessoas do povo parecem conveniente assimilar de outro modo as formas e mensagens da propaganda.

Em "a", o verbo "ter" deve concordar com o núcleo do sujeito "propaganda" ("A propaganda não terá como vender"). Cuidado para não se confundir com o aposto existente entre o sujeito e o verbo, o que pode levar à concordância equivocada do verbo "ter" com a palavra "pobres". Em "b", faltou o acento diferencial indicativo de plural para o verbo "ter" na 3ª pessoa ("elas"), pois ele deve concordar com o núcleo do sujeito "pessoas" ("As pessoas do povo têm conseguido assimilar"). Em "c", o problema reside no fato de os termos da oração estarem fora da ordem normal (sujeito + verbo + complemento), o que pode levar a uma concordância verbal equivocada. Veja: "Aqueles torcedores atraídos pela mídia eletrônica não deixarão de acender sua vela a Nossa Senhora da Aparecida". Em "d", havendo sujeito plural ("as suadas prestações mensais") e predicativo singular ("sacrifício que fazem os consumidores"), o verbo "ser" deve concordar com o sujeito, com quem também concorda o verbo "fazer". Na última alternativa, o verbo "parecer" fica no singular ("Às pessoas do povo parece conveniente") porque constitui a oração principal do sujeito oracional "assimilar de outro modo ...". Por isso, a resposta correta é a "d".

**19. (Fuvest-SP)** Qual a frase com erro de concordância?

a) Para o grego antigo, a origem de tudo se deu com o caos.
b) Do caos, massa informe, nasceu a terra, ordenadora e mãe de todos os seres.
c) Com a terra tem-se assim o chão, a firmeza de que o homem precisava para seu equilíbrio.
d) Ela mesma cria um ser semelhante que a protege: o céu.
e) Do céu estrelado, em amplexo com a terra, é que nascerá todos os seres viventes.

Na primeira oração, o verbo "dar" concorda com o núcleo do sujeito "seres"; em "b", "nascer" concorda com o núcleo do sujeito "terra"; em "c", o verbo "ter" concorda com o núcleo do sujeito "chão". Note que "a firmeza de que o homem precisava..." é um aposto, isto é, está explicando a palavra "chão". Uma leitura pouco atenta pode levar a crer que o sujeito é composto ("o chão e a firmeza"), o que levaria o verbo para o plural ("têm-se"), caracterizando esta alternativa como a resposta do teste. No entanto, como vimos, ela apresenta a concordância verbal correta. Em "d", o verbo "criar" concorda com o sujeito "ela", e "proteger", com o pronome relativo "que", o qual retoma o substantivo singular "ser". Porém, na última alternativa, o verbo "nascer" deveria concordar com o núcleo do sujeito "seres" ("... é que nascerão todos os seres viventes"). Por isso, a resposta correta é a "e".

**20. (Faap-SP)** "... e por ali não existia sinal de comida".

Com o substantivo grifado no plural, também é correto escrever:

a) ... e por ali não existia sinais de comida.
b) ... e por ali não haviam sinais de comida.
c) ... e por ali não poderia existir sinais de comida.
d) ... e por ali não poderia haver sinais de comida.
e) ... e por ali não ia existir sinais de comida.

A substituição sugerida na primeira alternativa não é possível porque o verbo "existir" não é impessoal (não confunda! A impessoalidade é do verbo "haver" *no sentido* de "existir", isto é, ele deve concordar com o núcleo do sujeito "sinais" ("não existiam sinais de comida"). A alternativa "b" também apresenta erro de concordância porque, ao contrário da "a", o verbo "haver" foi flexionado, quando, aqui, é impessoal, devendo ser empregado na 3ª pessoa do singular ("não havia sinais de comida"). A terceira alternativa, igualmente, não condiz com a regra de concordância verbal porque apresenta o verbo pessoal "existir", transferindo essa suposta pessoalidade ao verbo auxiliar "poder", que forma a locução verbal. Ora, se "existir" não é impessoal e deve concordar com "sinais", essa flexão passa para

>> **374**

o verbo auxiliar "poder": "não poderiam existir sinais de comida". A alternativa "d", por sua vez, apresenta o verbo "haver" empregado adequadamente: no sentido de "existir", é impessoal, portanto, permanece na 3ª pessoa do singular, impessoalidade essa transferida para o auxiliar "poder", que forma a locução verbal ("poderia haver"). Na última alternativa ocorre o mesmo problema exposto em "c", ou seja, a pessoalidade de "existir" deveria ter sido transferida para o verbo "ir" ("não iam existir sinais de comida"). Por isso, a resposta correta é a "d".

**21. (Fatec-SP)** Assinale a alternativa em que, mesmo posta no plural a expressão grifada, mantém-se o verbo no singular.

a) ... este caso insignificante (...) talvez haja desviado o curso dela.
b) Escapava-me a significação da réplica.
c) O meu protagonista enleara-se nesta obsessão.
d) Devia existir uma razão econômica...
e) ... que na acusação houvesse algum fundamento.

Na primeira alternativa, o verbo "haver" tem o sentido de "ter", não de "existir", portanto, é pessoal. Como forma uma locução verbal, assume a pessoalidade do verbo principal "desviar" caso o sujeito vá para o plural ("estes casos insignificantes (...) talvez hajam desviado o curso dela"). Em "b" e "c", o verbo deve concordar com o núcleo do sujeito, que, se estiver no plural, forçará a flexão do verbo ("Escapavam-me as significações da réplica" e "Os meus protagonistas enlearam-se nesta obsessão", respectivamente). Em "d", o verbo "existir" transfere a pessoalidade para o verbo auxiliar "dever", que precisa concordar com o núcleo do sujeito "razões" ("Deviam existir umas razões econômicas"). Na última alternativa, no entanto, o verbo "haver" continuará na 3ª pessoa do singular ainda que o núcleo do sujeito vá para o plural ("... que na acusação houvesse alguns fundamentos"), pois, nesse caso, é impessoal, visto ter sido empregado no sentido de "existir". Por isso, a resposta correta é a "e".

**22. (FEI-SP)** Observe as frases abaixo:

1) Quais de vós dirias a verdade?
2) Tudo eram alegrias naquela casa.
3) Como é bom cerveja gelada no verão!
4) Bateu dez horas agora mesmo na Catedral.

Assinale a alternativa **correta** quanto à concordância:

a) 2 e 4 estão corretas.
b) 2 e 3 estão corretas.
c) Todas estão corretas.
d) 1 e 3 estão corretas.
e) n.d.a.

A regra de concordância que deveria prevalecer na primeira oração é a de que, quando o sujeito é representado por uma locução pronominal, o verbo pode concordar com o primeiro pronome ou com o pronome pessoal, desde que o primeiro figure no plural ("Quais de vós diriam/diríeis a verdade?"). A oração 2 está correta porque, quando o sujeito é representado pelo pronome "tudo", o verbo "ser" pode concordar com o sujeito ou com o predicativo. A terceira oração também apresenta concordância verbal adequada, pois, quando o sujeito não é determinado por artigo, o predicativo permanece invariável. A última oração deveria apresentar o verbo "bater" flexionado, pois ele concorda com o núcleo do sujeito "horas" ("Bateram dez horas agora mesmo"). Por isso, a resposta correta é a "b".

## 23. (Unifesp)

João vem!
E há de estar triste ou alegre... (Mário Quintana)

Substituindo-se *João* por *Eles*, obtém-se:
a) Eles vem! E hão de estarem tristes ou alegres.
b) Eles veem! E hão de estar tristes ou alegres.
c) Eles vêm! E hão de estar triste ou alegre.
d) Eles vêm! E hão de estar tristes ou alegres.
e) Eles vem! E hão de estar tristes ou alegres.

No texto de Mário Quintana, os verbos "vir" e "haver" estão na 3ª pessoa do singular em concordância com o sujeito singular "João". Substituindo-se o sujeito "João" pelo pronome "Eles", obtém-se as formas "vêm" (plural de "vem") e "hão", respectivamente. O verbo "haver", nesse caso, é auxiliar do verbo "estar", portanto, deve concordar com o sujeito plural "Eles", proposto pelos examinadores. Observe-se, também, que os predicativos "tristes" e "alegres" estão em perfeita harmonia com o sujeito "Eles". Por isso, a resposta correta é a "d".

## 24. (UFV-MG) Assinale a alternativa cuja sequência enumera corretamente as frases:

(1) concordância verbal **correta**
(2) concordância verbal **incorreta**

( ) Ireis de carro tu, vossos primos e eu.
( ) O pai ou o filho assumirá a direção do colégio.
( ) Mais de um dos candidatos se insultaram.
( ) Os meninos parece gostarem de brincar.
( ) Faz dez anos todos esses fatos.

a) 1, 2, 2, 2, 1
b) 2, 2, 2, 1, 2
c) 1, 1, 2, 1, 1
d) 1, 2, 1, 1, 2
e) 2, 1, 1, 1, 2

A primeira oração está incorreta porque a 1ª pessoa "eu" possui primazia sobre as demais. Além disso, emprega-se a forma "teus" para manter a uniformidade com a 2ª pessoa "tu" ("Iremos de carro tu, teus primos e eu"). Na segunda oração o verbo permanece no singular porque a conjunção "ou" exprime exclusão, isto é, ou um ou outro será diretor do colégio. Na terceira oração, há a expressão "mais de um", que exprime reciprocidade. Logo, está correto o verbo no plural. A quarta oração, apesar de soar de maneira estranha, está correta também, porque o verbo "parecer" pode relacionar-se de duas maneiras com o infinitivo. Veja: "Os meninos **parecem** gostar de brincar" ou "Os meninos parece gostarem de brincar". Na primeira frase, o verbo "parecer" é auxiliar de "gostar", formando com este último uma locução verbal num período simples. Na segunda construção, temos um período composto. "Parece" é o verbo de uma oração principal cujo sujeito é uma oração subordinada substantiva subjetiva reduzida de infinitivo. O desdobramento dessa oração reduzida em conectiva gera a seguinte construção: "Parece que os meninos gostam de brincar." = "Isso parece.". A estranheza causada ao ler a oração, pelo fato de essa regra não ser seguida na oralidade, pode levar o estudante a achar que a oração está incorreta, o que não é verdade. A última oração, por sua vez, apresenta uma "pegadinha", porque todo mundo se lembra imediatamente da regra do verbo "fazer" no sentido de tempo decorrido, quando, então, ele é invariável. Mas ele só é invariável quando impessoal. Aqui, ao contrário, há um sujeito, que é a palavra "fatos" ("Todos esses fatos fazem dez anos". Compare: "João e Maria fizeram sete anos de casados"). Por isso, a resposta correta é a "e".

**25.** (FGV-SP) Observe a concordância dos verbos *existir* e *haver* nas frases abaixo:

I – Existem livros antigos maravilhosos.
II – Há tanta coisa que é escrita hoje simplesmente para defender os interesses do autor ou grupo que dissemina essa ideia.

É correto afirmar:
a) Se fosse empregado *haver*, na frase I, ele seria flexionado no plural, visto tratar-se de sinônimo de *existir*.
b) Se fosse empregada a forma plural *tantas coisas*, na frase II, o verbo *haver* permaneceria no singular.
c) Se fosse empregado *dever* como verbo auxiliar de *existir*, na frase I, aquele seria conjugado no singular: *deve existir livros maravilhosos*.

d) *Haver* tem, na frase II, o mesmo sentido que tem na frase *havia escrito coisas importantes*, por isso a flexão no singular.
e) Na frase II, se fosse empregado o verbo *existir* e o plural *tantas coisas*, seria indiferente empregar o verbo no singular ou no plural (*existe* ou *existem*).

O verbo "haver", quando empregado no sentido de "existir", é impessoal, ou seja, não possui sujeito e só pode figurar na 3ª pessoa do singular. O verbo "existir", porém, é pessoal e deve concordar com seu respectivo sujeito. Portanto, no caso do verbo "haver", o que existe é objeto direto, e não sujeito. Se ocorrer verbo auxiliar, este deverá ser flexionado se o verbo principal for "existir", mas deverá permanecer na 3ª pessoa do singular se o verbo principal for "haver", já que o verbo principal transfere ao auxiliar sua pessoalidade ou impessoalidade. No caso da alternativa "d", o verbo "haver" não está empregado na acepção de "existir", mas sim como auxiliar de "escrever". Por isso, a resposta correta é a "b".

**26. (ITA-SP)** Assinale a alternativa correta a respeito das seguintes frases:

1) Joaquim é um banana.
2) Os médicos, muitas vezes, agimos como conselheiros dos pacientes.
3) Vossa Excelência é o responsável por esse tipo de decisão.

a) Todas as frases são consideradas incorretas, pois apresentam erro de concordância.
b) Na frase 3, a concordância irregular é de número.
c) Na frase 2, a concordância irregular é de número.
d) Na frase 2, a concordância irregular é de gênero.
e) Na frase 1, a concordância irregular é de gênero.

As três frases apresentam silepse, ou seja, figura de construção em que a concordância ocorre com a ideia implícita, e não com a forma gramatical expressa na frase. Na frase 1, ocorre silepse de gênero, porque "Joaquim" é nome próprio masculino e "banana" é substantivo feminino; na frase 2, a silepse é de pessoa, pois o verbo está na 1ª pessoa do plural e o sujeito, na 3ª pessoa do plural; na terceira frase, a silepse é de gênero, porque "Vossa Excelência" é expressão feminina, e "o responsável", masculina. Por isso, a resposta correta é a "e".

## >> capítulo 6

# >> Colocação pronominal

Observe, no quadro abaixo, os pronomes pessoais oblíquos átonos:

|  | singular | plural |
|---|---|---|
| 1ª pessoa | me | nos |
| 2ª pessoa | te | vos |
| 3ª pessoa | o, a, lhe, se | os, as, lhes, se |

Esses pronomes, como todos os vocábulos monossílabos átonos, apoiam-se na tonicidade da palavra vizinha. Assim, em relação ao verbo, tais pronomes podem ocupar três posições:

a) **antes do verbo — próclise** (pronome **proclítico**):

"Já **se diz** há muito ano que honra e proveito não cabem num saco." (Almeida Garrett)

b) **no meio do verbo — mesóclise** (pronome **mesoclítico**):

"Como era boa de cama, **pagar-lhe-iam** muito bem."

Clarice Lispector

c) **depois do verbo — ênclise** (pronome **enclítico**):

"**Canta-me** cantigas, manso, muito manso..."

Guerra Junqueiro

## 1. Ocorrências da próclise

A **próclise** será obrigatória nos seguintes casos:

a) em orações com **advérbio** anteposto ao verbo:

> "**Não** me enfado contigo nunca, filha;
> e **nunca** me afliges, querida." (Almeida Garrett)

> "**Nem** tu sabes, Moreninha, / O **quanto** te achei gentil."
> Casimiro de Abreu

> **Observação:** Se houver pausa depois do advérbio (assinalada por vírgula na escrita), prevalecerá a ênclise:
>
> Depois, **encaminhei-me** para ele decidido a tudo.

b) em orações com **pronome indefinido, relativo ou demonstrativo**:

> "A dúvida foi esclarecida numa livraria, para onde **todos** se dirigiam." (Fernando Sabino)

> "A maneira **como** o receberam era um aviso."
> Alcântara Machado

> **Aquilo** nos aborreceu profundamente.

c) nas **orações subordinadas** introduzidas por **conectivos** (**conjunções**) subordinativos:

> "Alguém mais sugeriu **que** se acrescentasse a ela o nome de outro poeta." (Fernando Sabino)

> "Confesso **que** me bambeou a perna." (Rubem Braga)

> "Todas as palavras são inúteis,
> **desde que** se olha para o céu."
> Cecília Meireles

>> 380

d) nas **orações exclamativas** iniciadas por palavras exclamativas, bem como nas **orações optativas** (as que exprimem desejo).

> "**Quantas** ideias finas **me** acodem então!"
> Machado de Assis

> "**Como lhe** fica bem o preto." (Almeida Garrett)
> "Deus **te** perdoe o mal que me fazes!" (Almeida Garrett)

e) nas **orações interrogativas** iniciadas por palavras interrogativas.

> "**Quem me** roubou a minha dor antiga...?" (Fernando Pessoa)
> Por que **te** afliges tanto, meu rapaz?

f) com **verbos no gerúndio** regidos da preposição **em** ou antecedidos de **advérbio**:

> **Em se tratando** de saúde, sejamos cautelosos.
> **Não nos provando** a verdade, você será processado.

g) com **verbos no infinitivo pessoal** regidos de preposição:

> "Vivi a melhor das vidas **sem me faltarem** os amigos."
> Machado de Assis

## 2. Ocorrência da mesóclise

A **mesóclise** só ocorre com verbos empregados no **futuro do presente** ou no **futuro do pretérito**, desde que não haja algum fator de próclise:

> "**Dir-vos-ei** que as nações semelham os indivíduos."
> Gonçalves Dias

> "Quando fosse sacrifício, **fá-lo-ia** de boa cara; mas não é."
> Machado de Assis

**Observações:**

1ª) Se houver algum fator de próclise, logicamente não ocorrerá a mesóclise:

**Ninguém nos** calará a voz.
**Quem te** desmentiria?

2ª) É erro grosseiro colocar o pronome átono depois de verbos no futuro do indicativo:

**Direi-te** a verdade. / **Diria-te** a verdade. (errado)
**Dir-te-ei** a verdade. / **Dir-te-ia** a verdade. (correto)

## 3. Ocorrências da ênclise

Não havendo condições para o uso da próclise ou da mesóclise, a posição normal dos pronomes átonos é depois do verbo.

A ênclise, portanto, ocorre nos casos seguintes:

a) com verbos no **início da oração**:

"**Amo-te** muito; **adoro-te**, confesso." (Humberto de Campos)

"**Queixou-se** duma dor de cabeça que a torturava."

Eça de Queirós

b) com verbo no **imperativo afirmativo**:

"**Deixa-me** dormir no teu seio.
**Dá-me** o teu mel — violeta!" (Casimiro de Abreu)

c) com **verbo no gerúndio**, desde que não esteja precedido da preposição **em**:

"... disse ele, **voltando-se** para o crítico." (Fernando Sabino)
Logo de manhã, **levantando-se** da cama, sentiu-se mal.

d) com verbo no **infinitivo impessoal** regido da preposição **a**:

"Aspirava com ânsia, como se aquele ambiente tépido não bastasse **a saciá-lo**." (Alexandre Herculano)

Sem motivo algum, começou **a maldizer-me**.

## 4. Colocação dos pronomes átonos nas locuções verbais

Toda locução verbal tem um verbo principal antecedido de um verbo auxiliar. O verbo principal sempre está no infinitivo, no gerúndio ou no particípio. Não sofre variação. É o verbo auxiliar que deve ser conjugado em qualquer tempo ou modo.

Nas locuções verbais em que o verbo principal figura no **infinitivo** ou no **gerúndio**, ocorrem as seguintes possibilidades de colocação do pronome átono:

a) não havendo fator de próclise, o pronome átono poderá ficar **depois do verbo auxiliar** ou **depois do verbo principal**:

**Devo-lhe ouvir** com paciência.
**Devo ouvir-lhe** com paciência.

**Estou-lhe ouvindo** com paciência.
**Estou ouvindo-lhe** com paciência.

b) havendo fator de próclise, o pronome átono poderá ficar **antes do verbo auxiliar** ou **depois do verbo principal**:

Não **lhe devo fazer** nenhum favor.
Não **devo fazer-lhe** nenhum favor.

Não **lhe estou fazendo** nenhum favor.
Não **estou fazendo-lhe** nenhum favor.

Nas locuções verbais com o verbo principal no **particípio**, ocorre o seguinte:

a) havendo fator de próclise, o pronome átono ficará obrigatoriamente **antes do verbo auxiliar**:

Não **lhe havia feito** nenhum favor.

b) não havendo fator de próclise, o pronome átono ficará obrigatoriamente **depois do verbo auxiliar**:

Maria **havia-lhe feito** um favor.

**Observação:**
É grave erro colocar o pronome átono depois de verbos no particípio:

**Havia falado-lhe toda a verdade**. (errado)
**Havia-lhe falado toda a verdade**. (correto)

**Observação final:**
Quando ocorre a intercalação de palavra ou palavras entre o verbo e o pronome átono, a colocação do pronome recebe o nome especial de **apossínclise**.

"Quem rosas colhe sem **lhe** a mão sangrar?"
Antero de Quental

em vez de

Quem rosas colhe sem a mão **lhe** sangrar?

"Já se **me** a luz de todo anuviava." (João de Deus)
em vez de

Já a luz de todo se **me** anuviava.

## >> Testes

**1.** (TJ-SP) Assinale a alternativa em que se colocam os pronomes de acordo com o padrão culto.

a) Quando possível, transmitirei-lhes mais informações.
b) Estas ordens, espero que cumpram-se rigorosamente.
c) O diálogo a que me propus ontem continua válido.
d) Sua decisão não causou-lhe a felicidade esperada.
e) Me transmita as novidades quando chegar de Paris.

Na primeira alternativa, como o verbo está no futuro do indicativo e não há fator de próclise, exige-se mesóclise ("transmitir-lhes-ei mais informações"); em "b", a conjunção integrante "que" exige a colocação proclítica ("espero que se cumpram"), o que também ocorre em "c"; em "d", o advérbio "não", usado sem pausa em relação ao verbo, é fator de próclise ("Sua decisão não lhe causou a felicidade esperada"). Por fim, em "e", a norma culta proíbe que se inicie oração com pronome oblíquo átono ("Transmita-me as novidades"). Por isso, a resposta correta é a "c".

**2.** (TJ-SP) Assinale a única frase que ficará **incorreta** se o pronome oblíquo que está entre parênteses for colocado depois do verbo.

a) Seus argumentos vão convencer facilmente. (me)
b) Atualmente, fala muita coisa errada sobre ele. (se)
c) A umidade está infiltrando pelas paredes. (se)
d) Não houve jeito de localizar no meio da multidão. (te)
e) Alguns amigos haviam convidado para uma festa. (nos)

Em "a" e "c" há uma locução verbal, com verbo principal no infinitivo e no gerúndio, respectivamente. Quando isso ocorre e não há fator de próclise, o pronome átono pode colocar-se depois do verbo auxiliar ou depois do verbo principal ("vão-me convencer" ou "vão convencer-me", "está-se infiltrando" ou "está infiltrando-se", respectivamente). Se, no entanto, o mesmo ocorresse numa locução verbal com o verbo principal no particípio, seria possível apenas uma forma de colocação pronominal, depois do verbo auxiliar, visto que o padrão culto não admite a colocação de pronome oblíquo átono depois de verbos no particípio, como ficaria a alternativa "e" se o pronome "nos" fosse colocado depois do verbo principal, conforme sugerido pelo enunciado da questão (o correto é

"Alguns amigos haviam-nos convidado"). Em "b", havendo vírgula depois do advérbio, o pronome átono posiciona-se após o verbo ("Atualmente, fala-se muita coisa..."). Em "d", com verbo no infinitivo regido de preposição, o pronome átono coloca-se depois do verbo ("jeito de localizá-lo"). Por isso, a resposta correta é a "e".

3. **(TJ-SP)** Indique a opção que preenche de forma correta as lacunas da frase:

   "Os projetos que _____ estão em ordem; _____ ainda hoje, conforme _____".

   a) enviaram-me / devolvê-los-ei / lhes prometi
   b) enviaram-me / os devolverei / lhes prometi
   c) enviaram-me / os devolverei / prometi-lhes
   d) me enviaram / devolvê-los-ei / lhes prometi
   e) me enviaram / os devolverei / prometi-lhes

A primeira lacuna é corretamente preenchida por "me enviaram", pois o pronome relativo "que" é fator de próclise; na segunda lacuna deve figurar "devolvê-los-ei", porque, com verbos no futuro do indicativo e não havendo fator de próclise, ocorre a mesóclise. Por último, deve-se utilizar "lhes prometi", pois a conjunção subordinativa "conforme" é fator de próclise. Por isso, a resposta correta é a "d".

4. **(TJ-SP)** A colocação pronominal está de acordo com a norma culta em:

   a) Se lavaram e saíram às pressas.
   b) Ele sabe que todos receber-me-ão com alegria.
   c) Eu não direi-lhe o que aconteceu.
   d) Ao dirigir-me a palavra, baixou os olhos.
   e) Ele sempre afirma que fala-me a verdade.

Em "a", a colocação pronominal está errada porque, de acordo com a norma culta, não se iniciam orações com pronomes átonos. Nesses casos, ocorre a ênclise ("Lavaram-se e saíram"). Em "b", o pronome indefinido "todos" é fator de próclise ("todos me receberão"); em "c", o advérbio "não" exige a próclise ("Eu não lhe direi"); em "d", a ênclise ocorre porque o infinitivo "dirigir" está regido da preposição "ao"; e, em "e", a conjunção subordinativa "que" é fator de próclise ("afirma que me fala"). Por isso, a resposta correta é a "d".

5. **(TJ-SP)** Assinale a alternativa correta quanto à colocação pronominal, de acordo com a norma culta.

   a) O processo da eleição me tem desagradado.
   b) Ninguém se lembrou de que o conclave estava previsto para o dia 18.

c) Os cardeais não deixaram-lhe opção de escolha.
d) Em tratando-se de eleição, o voto deve ser secreto.
e) Quem garante-me o sucesso da votação?

Na primeira alternativa a colocação pronominal está inadequada porque, em locução verbal com verbo principal no particípio ("tem desagradado"), o pronome átono prende-se ao verbo auxiliar ("tem-me desagradado"). Em "b", ocorre a próclise por influência do pronome indefinido "ninguém", o que também ocorre com o advérbio "não", na alternativa "c" ("não lhe deixaram opção"). Em "d", há um verbo no gerúndio ("tratando") regido da preposição "em", o que exige próclise ("Em se tratando"). Em "e", há uma oração interrogativa iniciada por pronome interrogativo, o que também exige próclise ("Quem me garante"). Por isso, a resposta correta é a "b".

**6.** **(MP-SP)** Assinale a alternativa correta quanto à colocação pronominal, de acordo com a norma culta.

a) Por que expulsaram-se os holandeses que vieram ao Brasil?
b) Nada compara-se à contribuição de *Post* à pintura e, principalmente, à arquitetura.
c) As colônias da Holanda, o governo não as comandava diretamente.
d) A ocupação de Pernambuco, foi o conde Maurício de Nassau que comandou-a.
e) Ninguém esqueceu-se do episódio da dominação holandesa.

Em "a", o pronome "se" deveria estar antes do verbo "expulsaram" ("Por que se expulsaram os holandeses"), pois oração interrogativa iniciada por locução interrogativa exige próclise; em "b", o pronome indefinido "nada" é fator de próclise ("Nada se compara"); em "c", a próclise é justificada pela presença do advérbio "não"; o mesmo deveria acontecer em "d" e "e", visto que tanto o pronome relativo "que" ("que a comandou") quanto o pronome indefinido "ninguém" ("Ninguém se esqueceu") são, respectivamente, fatores de próclise. Por isso, a resposta correta é a "c".

**7.** **(MP-SP)** Assinale a alternativa correta quanto à colocação pronominal, de acordo com a norma culta.

a) Sempre cumprimentaram-na pelo seu aniversário.
b) Poucos se negaram a participar da ação voluntária.
c) Este é o autor a que referiu-se o comentarista.
d) Me acusaram daquele ato de covardia.
e) Nunca diga-lhe que estive aqui.

Todas as alternativas, com exceção da "d", só seriam corretas se houvesse próclise, porque o advérbio "sempre" (em "a"), o pronome indefinido "poucos" (em "b"), o pronome relativo "que" (em "c") e o advérbio "nunca" (em "e") exigem a colocação proclítica ("Sempre a cumprimentaram"; "poucos se negaram"; "autor a que se referiu" e "Nunca lhe diga", respectivamente). Em "d", oração iniciada por verbo que não esteja no futuro do indicativo exige ênclise ("Acusaram-me"). Portanto, a resposta correta é a "b".

### 8. (Nossa Caixa-SP) Assinale a frase correta quanto ao emprego de pronome e à colocação pronominal.

a) Chocam outros contos para não usarem-os.
b) Chocam outros contos para não lhes utilizarem.
c) Chocam outros contos para não usufruírem eles.
d) Chocam outros contos para não os gastarem.
e) Chocam outros contos para não empregarem-lhes.

Para a resolução deste teste, é preciso estar atento ao enunciado. Não se está querendo apenas a oração correta quanto à colocação pronominal, como ocorre na maioria dos testes, mas, também, a oração correta quanto ao emprego do pronome, o que não acontece em "b", "c" e "e", visto que os verbos "utilizar", "usufruir" e "empregar", respectivamente, são transitivos diretos, exigindo, portanto, o pronome "os", que deve se colocar antes do verbo pelo fato de o advérbio "não" ser um fator de próclise ("Chocam outros contos para não os utilizarem/usufruírem/empregarem"). Em "a", o pronome está correto, mas a colocação pronominal deveria ser proclítica ("para não os usarem"), e não enclítica, pelo mesmo motivo exposto acima. A única alternativa que condiz com a regra de colocação pronominal e apresenta o pronome correto é a penúltima. Por isso, a resposta correta é a "d".

### 9. (Nossa Caixa-SP) Assinale a alternativa em que o pronome, substituindo a expressão grifada, deveria ficar obrigatoriamente antes do verbo da oração.

a) O famoso cineasta já colocou suas unhas no seguro.
b) Do caixão informou ao presidente.
c) Em ocupar as unhas do mestre do terror.
d) Em convidar Zé do Caixão.
e) Para ocupar o cargo.

Em "b", o objeto indireto "ao presidente" deve ser substituído pelo pronome "lhe", que permanece em posição enclítica porque não há fator de próclise na oração ("Do caixão informou-lhe"). Em "c", "e" e "d", há verbos no infinitivo ("ocupar" e "convidar") regidos por preposição, o que justifica a ênclise ("Em/Para ocupá-las"; "Em convidá-lo"). No entanto, na primeira alternativa, o advérbio "já" é fator de próclise, e, substituindo-se "suas unhas" pelo pronome "as", a colocação pronominal adequada seria "já as colocou no seguro". Por isso, a resposta correta é a "a".

## >> PARTE 3

**10. (Cetesb-SP)** Assinale a alternativa correta quanto à colocação pronominal.

a) Pouco sabe-se a respeito da origem do cururu.
b) Os indígenas não comiam-o com espinafre e ervas.
c) Não sabemos como preparava-se o cururu.
d) Jamais se viu um prato tão saboroso quanto o cururu.
e) Me ensinaram a preparar o cururu com camarão.

Em "a", o advérbio "pouco" é fator de próclise ("Pouco se sabe"). O mesmo ocorre com os advérbios "não", na alternativa "b" ("Os indígenas não o comiam"), "como", em "c" ("Não sabemos como se preparava"), e "jamais", em "d". Em "e", há uma oração iniciada por verbo que não está no futuro do indicativo, o que requer ênclise ("Ensinaram-me a preparar"). Por isso, a resposta correta é a "d".

**11. (F. C. Chagas)** "Se ninguém _____ a verdade, e se precisei lutar para _____ nada _____ a respeito."

a) disse-me — a encontrar — se falou
b) disse-me — encontrá-la — se falou
c) me disse — a encontrar — falou-se
d) disse-me — encontrá-la — falou-se
e) me disse — encontrá-la — se falou

A primeira lacuna é corretamente completada por "me disse", pois o pronome indefinido "ninguém" é fator de próclise; "encontrá-la" preenche a segunda lacuna, porque, com verbo no infinitivo ("encontrar") regido de preposição ("para") ocorre ênclise; por último, o pronome indefinido "nada" é fator de próclise, portanto, a última lacuna deve ser completada com "se falou". Por isso, a resposta correta é a "e".

**12. (Efoa-MG)** "... nossos escritores **filiaram-se** ao naturalismo."

A colocação do pronome átono empregada com a forma verbal destacada acima se tornou **incorreta** em:

a) Nossos escritores filiar-se-ão ao naturalismo.
b) Nossos escritores jamais se filiarão ao naturalismo.
c) Oxalá nossos escritores se filiem ao naturalismo!
d) Nossos escritores talvez filiem-se ao naturalismo.
e) Nossos escritores filiavam-se ao naturalismo.

389 >>

Na primeira alternativa, o verbo está no futuro do presente e a oração não apresenta nenhum fator que justifique a próclise, portanto, a mesóclise está correta; em "b", embora o verbo também esteja no futuro do presente, há um advérbio ("jamais") que é fator de próclise. Em "c", frase optativa (que exprime desejo) exige próclise, mas, em "d", o advérbio "talvez" exige a colocação proclítica ("Nossos escritores talvez se filiem ao naturalismo"). A última alternativa apresenta ênclise porque não há fator de próclise na oração. Por isso, a resposta correta é a "d".

**13. (UEL-PR)** Logo que você _____, é claro que eu _____ da melhor maneira possível, ainda que isso _____ o serviço.

a) me chamar — atendê-lo-ei — me atrase
b) chamar-me — atendê-lo-ei — atrase-me
c) me chamar — o atenderei — me atrase
d) me chamar — o atenderei — atrase-me
e) chamar-me — atenderei-o — atrase-me

"Me chamar" completa adequadamente a primeira lacuna por tratar-se de uma oração subordinada introduzida por locução subordinativa ("logo que"), a qual exige próclise. Na segunda lacuna, deve figurar "o atenderei", porque, apesar de o verbo estar no futuro do presente, o que pode levar o estudante a decidir-se pela mesóclise, a oração subordinada em questão também é iniciada por conjunção subordinativa "que", requerendo a próclise. Por fim, "me atrase" completa a oração, próclise justificada pelo mesmo motivo (locução subordinativa "ainda que"). Por isso, a resposta correta é a "c".

**14. (Unipar-PR)** Há erro de colocação pronominal em uma das alternativas. Assinale-a.

a) Em se tratando de perfumes, ainda prefiro os franceses.
b) Deus vos ouça e vos dê boas inspirações!
c) Não vás arrepender-te de haver-me esperado.
d) Tinha esquecido-se de conferir o resultado da loteria.
e) Quando nos viu, afastou-se e nem sequer nos cumprimentou.

A alternativa "a" está correta quanto à colocação pronominal porque verbo no gerúndio regido da preposição "em" exige próclise; "b" também está certa, pois orações optativas (as que exprimem desejo) também exigem próclise. A terceira alternativa apresenta dois casos de colocação pronominal: no primeiro, "Não vás arrepender-te", uma locução verbal, com o verbo principal no infinitivo, havendo fator de próclise, admite o pronome após o infinitivo ou antes do verbo auxiliar ("Não te vás arrepender"); no segundo, "haver-me esperado", igualmente uma locução verbal, o verbo principal está no particípio, então, o pronome átono subordina-se ao verbo auxiliar.

Essa mesma regra se aplica à alternativa "d", pois não se pode colocar o pronome átono após verbo no particípio. O correto, então, seria "Tinha se esquecido de conferir o resultado da loteria". Na última alternativa, há três casos de colocação pronominal: o primeiro, "Quando nos viu", é uma oração subordinada introduzida por conjunção subordinativa "quando", o que exige a próclise. No segundo, "afastou-se", a oração é iniciada por verbo, caso que requer a ênclise; e o terceiro, "e nem sequer nos cumprimentou", a próclise se justifica pelo fato de a oração ter sido iniciada por palavra negativa, que exige a próclise. Por isso, a resposta correta é a "d".

**15.** (Anhembi-Morumbi-SP) Em "Você nunca **me** viu sozinho" e "Você nunca **me** viu chorar", os pronomes assinalados estão empregados corretamente de acordo com as regras de colocação pronominal. Assinale a alternativa que esteja de acordo com a norma culta da língua:

a) **Nos** explicaram que tudo era mentira.
b) Explicariam-**nos** que nem tudo era mentira?
c) Essa é a pessoa que explicou-**me** toda a verdade.
d) Não explicarei-**lhe** mais nada sobre o assunto.
e) Explicar-**nos**-ia o que aconteceu naquela noite?

Não se inicia oração com pronome átono, erro que pode ser constatado em "a", pois verbo em início de oração, não estando no futuro do indicativo, exige ênclise ("Explicaram-nos que tudo era mentira"); em "b", o verbo está no futuro do pretérito do indicativo, e, como não há fator de próclise, a colocação pronominal adequada é a mesóclise ("Explicar-nos-iam..."). Em "c", o pronome relativo "que" justifica a colocação proclítica ("que me explicou"); em "d", a próclise também se justifica pela existência do advérbio "não", que requer o pronome antes do verbo ("Não lhe explicarei"). A última alternativa, entretanto, apresenta a colocação pronominal certa, pois o verbo está no futuro do pretérito, o que requer a mesóclise. Por isso, a resposta correta é a "e".

**16.** (UFPB) Quanto à colocação de pronomes átonos, está conforme a norma da língua escrita o período:

a) "... ninguém me venha dizer que a imaginação não é outra realidade." (A. Nery)
b) "Foi o Araguaia que facilitou-lhe a viagem." (Mário de Andrade)
c) "Não ter-se-á o leitor esquecido de que AG ficará às voltas com os tamoios." (Araripe Jr.)
d) "Me vejo dividida em duas..." (Lygia Fagundes Teles)
e) "Conheci que não amava-me, como eu desejava." (José de Alencar)

Em "c" e "e", o advérbio "não" é fator de próclise ("Não se terá o leitor esqueci-do..." e "Conheci que não me amava...", respectivamente). Em "b", a segunda oração é subordinada introduzida por pronome relativo "que", o qual configura a próclise ("Foi o Araguaia que lhe facilitou"). A alternativa "d", por sua vez, para obedecer à norma culta, deveria apresentar ênclise, pois a oração inicia-se com um verbo ("Vejo-me dividida"). A primeira alternativa, entretanto, devido ao pronome indefinido "ninguém", que é fator de próclise, apresenta a colocação pronominal adequada. Por isso, a resposta correta é a "a".

**17. (Mackenzie-SP)** Assinale a alternativa **incorreta** quanto à colocação pronominal.

a) Às vezes, o afasto dos insípidos conselhos da tia velha.
b) Pode ser arriscado, mas não é sem arriscar que se ganha.
c) Que mal lhe fizemos?
d) Não posso castigá-las, pois não desobedeceram às minhas ordens.
e) Garanto que há coerência no método que se lhe seguiu.

Em "b", "que" é uma conjunção subordinativa, e, como tal, justifica a próclise; em "c", a oração é interrogativa e iniciada por palavra interrogativa, o que também exige próclise, em "d", há uma locução verbal ("posso castigar") e o verbo principal está no infinitivo. Se houver fator de próclise, o pronome átono pode ficar enclítico ao verbo principal ("Não posso castigá-las") ou proclítico ao auxiliar ("Não as posso castigar"). Em "e", "que" é pronome relativo e, tal como a conjunção subordinativa, exige a colocação proclítica. Em "a", é preciso observar uma sutileza para detectar a colocação pronominal incorreta: a locução adverbial "Às vezes" deixou de ser fator de próclise por estar seguida de vírgula. Então, a ênclise seria o mais correto: "Às vezes, afasto-os dos insípidos". Por isso, a resposta correta é a "a".

**18. (UEM-PR)** O pronome oblíquo **o** coloca-se proclítico nos períodos abaixo, exceto em:

a) Deus ____ livre____ de um tropeço na prova!
b) Como ____ achou ____ ontem?
c) Não quis o rapaz aqui, ____ mandei ____ embora.
d) Talvez ____ encontre ____ na outra sala.
e) Nada ____ perturba ____ nas provas.

Em todas as alternativas exceto a terceira é possível a próclise. Em "a", por causa da oração optativa (que exprime desejo); em "b", devido à oração interrogativa iniciada por palavra interrogativa; em "d" e "e", porque o advérbio "talvez" e o pronome indefinido "nada", respectivamente, exigem o pronome antes do verbo. Em "c", o verbo está no início da oração e, como não se trata do futuro do indicativo, exige ênclise ("mandei-o embora"). Por isso, a resposta correta é a "c".

>> **392**

## 19. (UEL-PR)

I – Nem filhos, nem netos, ninguém lhe dava ouvidos.
II – Quando a viu na sala, dirigiu-lhe a palavra.
III – Me avisaram do acidente por telefone.

Nas frases anteriores, a colocação pronominal está correta em:

a) I, apenas
b) II, apenas
c) III, apenas
d) I e II, apenas
e) I, II e III

Em I, o pronome indefinido "ninguém" é fator de próclise; em II, há dois casos de colocação pronominal. No primeiro, "Quando a viu na sala", a conjunção subordinativa "quando" é fator de próclise; no segundo caso, "dirigiu-lhe a palavra", o verbo está no início da oração e, como não está no futuro do indicativo, exige a ênclise. Essa mesma regra deveria ser aplicada à oração III: "Avisaram-me do acidente por telefone". Por isso, a resposta correta é a "d".

## 20. (ITA-SP)
O pronome oblíquo está bem colocado em um só período. Qual?

a) Isto me não diz respeito! Respondeu-me ele, afetadamente.
b) Segundo deliberou-se na sessão, espero que todos apresentem-se na hora conveniente.
c) Me entenda! Lhe não disse isto!
d) Os conselhos que dão-nos os pais, levamo-los em conta tarde.
e) Amanhã contar-lhe-ei por que peripécias consegui não envolver-me.

A primeira alternativa, à primeira vista, soa estranha aos ouvidos. Tudo porque, nela, ocorre a intercalação da palavra "não" entre o verbo e o pronome átono "me". Como o pronome demonstrativo "isto" é fator de próclise, o pronome átono posicionou-se antes do advérbio "não". Esse raro tipo de colocação pronominal recebe o nome especial de "apossínclise". Na primeira oração da alternativa "b", a conjunção subordinativa "segundo" é fator de próclise ("Segundo se deliberou"); na segunda, tanto a conjunção subordinativa "que" quanto o pronome indefinido "todos" são fatores de próclise ("espero que todos se apresentem"). Em "c", o primeiro caso de colocação pronominal apresenta o verbo no imperativo afirmativo, o que justifica a próclise ("Entenda-me!"). No segundo, o advérbio "não" é fator de próclise ("Não lhe disse isto!"). Em "d", o pronome relativo "que" obriga à próclise ("Os conselhos que nos dão") e verbo iniciando a oração exige ênclise ("levamo-los em conta tarde"). Em "e", os advérbios "amanhã" e "não" são fatores de próclise ("Amanhã lhe contarei" e "não me envolver", respectivamente). Por isso, a resposta correta é a "a".

## >> capítulo 7

# >> As palavras "que" e "se"

Já vimos, nos capítulos destinados ao estudo dos pronomes e das conjunções, as várias classificações das palavras **que** e **se**.

Neste capítulo, retomamos a análise dessas importantes palavras, enfocando as particularidades que cada uma delas apresenta.

## 1. A palavra "que"

Morfologicamente, a palavra **que** pode ocupar todas as classes de palavras, exceto as de **verbo** e **artigo**.

São os seguintes os valores morfológicos dessa palavra:

### >> Substantivo

Apresenta sentido equivalente a **alguma coisa**. Deve ser acentuada graficamente e sempre aparece antecedida de determinante:

> Esse casarão tem um **quê** assustador.

> "Meu bem querer / Tem um **quê** de pecado..." (Djavan)

Nos casos acima, permanece invariável em gênero, podendo ir para o plural apenas quando se referir à décima sexta letra do nosso alfabeto:

> A palavra *quebra-quebra* possui dois **quês**.

## Pronome adjetivo interrogativo

Antepõe-se a substantivos em frases interrogativas, podendo ser substituído por **qual** ou **quais**:

> **Que** função sintática exerce essa palavra?
> **Que** equipes foram classificadas?

## Pronome substantivo interrogativo

Liga-se a verbos em frases interrogativas diretas ou indiretas:

> **Que** fazer numa situação dessas? (interrogação direta)
> Ainda não sabemos **que** hino cantaremos. (interrogação indireta)

## Pronome adjetivo indefinido

Liga-se a substantivos em frases exclamativas:

> "**Que** suplício que foi o jantar!" (Machado de Assis)
> **Que** mulher belíssima, meu caro!

## Pronome relativo

Relaciona duas orações, podendo, na prática, ser substituído por **o qual** (ou flexões). Pode exercer várias funções sintáticas como: sujeito, objeto direto, objeto indireto etc. Observe os exemplos:

*(sujeito)*
"Existem pessoas **que** não se entregam à paixão." (Rubem Fonseca)

(= **Pessoas** não se entregam à paixão.)

*(objeto direto)*
"Poucas eram as árvores **que** o inverno despira." (Erico Verissimo)

(= O inverno despira **as árvores**.)

**Observação:** É conveniente rever, no capítulo relativo às orações subordinadas adjetivas (p. 262), as funções sintáticas que o pronome relativo exerce na oração.

## Advérbio de intensidade

Intensifica o sentido de um **adjetivo** ou **advérbio**, equivalendo a **quão**:

"Os braços...; oh! os braços! **Que** bem-feitos!" (Machado de Assis)
**Que** longe está ela de mim!

## Preposição

Equivale à preposição **de** em locuções verbais formadas com o verbo auxiliar **ter**:

"Vocês vão ter **que** me engolir!" (Mário Lobo Zagallo)

"Se eu quiser falar com Deus,
Tenho **que** ficar a sós." (Gilberto Gil)

## Interjeição

Traduz um estado de espírito, uma emoção. Deve ser acentuada graficamente e seguida de ponto de exclamação:

**Quê**! Ela se casou novamente?!
**Quê**! Prenderam o coitado?!

## Partícula de realce ou expletiva

Pode ser retirada da frase sem lhe prejudicar o sentido. Aparece, muitas vezes, na locução **é que**:

"E que doido **que** eu fui." (Álvares de Azevedo)
"O perfume **é que** tem perfume no perfume da flor." (Alberto Caeiro)

## Conjunção

Como conjunção, a palavra **que** pode ser **coordenativa** ou **subordinativa**. Trata-se de um mero **conectivo** entre as orações de um período, não exercendo nenhuma função sintática. Observe os exemplos:

Aquele vendedor fala **que** fala!
*coordenativa aditiva (= e)*

*coordenativa adversativa (= mas)*
"Gabriela casara-se por conveniência, **que** não por obrigação."
Júlio Dinis

"Ó abre alas, **que** eu quero passar" (Chiquinha Gonzaga)
*coordenativa explicativa (= pois)*

"Sim, eu devera comprimir meu peito,
Conter meu coração,
**Que** não pulsasse." (Gonçalves Dias)
*subordinativa final (= para que)*

"Não ia fazer nada sozinho, **que** eu não sou bobo." (Adélia Prado)
*subordinativa causal (= porque, já que)*

"Ele era simples, simples, **que** nem uma criança." (Afonso Frederico Schmidt)
*subordinativa comparativa (= como, tal qual)*

*subordinativa temporal (= desde quando)*
"Porém já cinco sóis eram passados **que** dali nos partíramos..."
Luís Vaz de Camões

"Cinco contos **que** fossem, era um arranjo menor (...)" (Machado de Assis)
*subordinativa concessiva (= embora, ainda que)*

**397**

*subordinativa consecutiva (= que, em consequência)*

"A rapidez da máquina era tal, **que** escapava a toda compreensão."
Machado de Assis

"É provável **que** o tempo faça a ilusão recuar." (Paulo César Pinheiro)

*subordinativa integrante (introduz oração subordinada substantiva)*

## 2. A palavra "se"

Morfologicamente, a palavra **se** apresenta as seguintes classificações:

### >> Substantivo

Aparece antecedida de artigo ou qualquer outra palavra determinante.

O **se** é uma palavra monossilábica.
Um **se** mal colocado pode prejudicar a sua nota.

### >> Conjunção

Como conjunção, a palavra **se** é sempre **subordinativa**. Possui os seguintes valores:

a) **conjunção subordinativa integrante**: introduz oração subordinada substantiva. (Comprova-se essa classificação, substituindo-se a oração pelo pronome **isso**):

"Não sei, não sei. Não sei **se** fico ou passo." (Cecília Meireles)
(= Não sei **isso**.)

b) **conjunção subordinativa condicional**: tem o valor de **caso**:

"**Se** tivesse tido a chance de uma escola, muita gente de cartola lhe daria seu lugar." (Bily Blanco)

>> 398

## Índice de indeterminação do sujeito

Liga-se a verbos **intransitivos**, **transitivos indiretos** ou **de ligação** sempre conjugados na 3ª pessoa do singular:

"Com pouco **se vive** e com muito **se morre**." (Camilo Castelo Branco)

*verbo intransitivo* — *verbo intransitivo*

Neste país, já não **se confia** mais em ninguém.

*verbo transitivo indireto*

"Não **se é** feliz em parte alguma..." (Camilo Castelo Branco)

*verbo de ligação*

## Pronome apassivador

Liga-se a verbos **transitivos diretos** ou **transitivos diretos e indiretos** na voz passiva sintética. Uma maneira prática para reconhecer esse caso é tentar construir a voz passiva analítica equivalente. Observe:

Não **se** deve punir um inocente.
(= Um inocente não deve ser punido.)

Exigiam-**se** melhores salários. (Melhores salários eram exigidos.)

## Parte integrante do verbo

Faz parte de verbos essencialmente pronominais, ou seja, verbos que só se conjugam acompanhados de pronome pessoal oblíquo. Tais verbos, quase sempre, denotam sentimentos ou atitudes espontâneas do sujeito: **indignar-se**, **vangloriar-se**, **queixar-se**, **arrepender-se**, **orgulhar-se**, **suicidar-se** etc.:

"**Queixou**-**se** duma dor de cabeça que a torturava." (Eça de Queirós)
O técnico **vangloriava**-**se** com o sucesso do time.

## Partícula de realce ou expletiva

Pode ser retirada da frase sem que haja prejuízo de sentido. Liga-se a verbos **intransitivos**, enfatizando uma ação ou atitude do sujeito:

Os saltimbancos foram-**se** embora de manhãzinha.
Aquela garota morre-**se** de amores por meu irmão.

## Pronome reflexivo

Tem valor de **a si mesmo**, exercendo a função sintática de **objeto direto**, **objeto indireto** ou **sujeito de um verbo no infinitivo**:

"À porta do café, **olhou**-**se** no espelho com amizade e confiança."
Fernando Sabino

A atriz, orgulhosa, sempre **se atribuiu** muito valor.

**Observação:** Quando ocorre a ideia de **reciprocidade** (troca de ação entre os elementos do sujeito), o pronome **se** classifica-se como **pronome reflexivo recíproco**:

Os torcedores **agrediam**-**se** nas arquibancadas.
(= Agrediam uns aos outros.)

Os jogadores **davam**-**se as mãos** antes da partida.
(= Davam as mãos uns aos outros.)

Como **sujeito de um infinitivo**, a palavra **se** liga-se a verbos como: **deixar, sentir, fazer** etc. seguidos de um objeto direto em forma de oração reduzida de infinitivo:

*oração principal* — *or. sub. subst. obj. direta*

O rapaz deixou-**se** dominar pelo medo.

*suj. do infinitivo "dominar"*

## >> Testes

**1.** (TJ-SP) Assinale a alternativa em que a palavra que, em destaque, é pronome relativo.

a) Espero *que* todos os convidados cheguem logo.
b) Só sairei de casa hoje desde *que* haja necessidade.
c) Leia este bilhete *que* recebi ontem.
d) Venha logo a fim de *que* o problema seja resolvido.
e) Hoje a partida será mais difícil *que* a de ontem.

Em "a", a palavra "que" é conjunção subordinativa integrante, pois introduz uma oração subordinada substantiva objetiva direta, substituível pelo pronome "isso" (= Espero isso). Em "b", a palavra "que" faz parte da locução conjuntiva "desde que", introduzindo oração subordinada adverbial condicional. Em "c", na oração "Leia este bilhete que recebi ontem", o "que" é pronome relativo porque retoma a palavra "bilhete" da oração anterior. Pode ser substituído pelo relativo "o qual" (= Leia o bilhete "o qual" li ontem à noite). Em "d", o "que" faz parte da locução conjuntiva "a fim de que", introduzindo oração subordinada adverbial final. Em "e", a palavra "que" é conjunção subordinativa adverbial, introduzindo oração subordinada adverbial comparativa. Por isso, a resposta correta é a "c".

**2. (TJ-SP)** Analise sintaticamente o pronome reflexivo em destaque:

O caçador feriu-**se**.

a) sujeito
b) objeto direto
c) objeto indireto
d) complemento nominal
e) predicativo

O pronome "se" da frase em questão exerce a função sintática de objeto direto reflexivo do verbo transitivo direto "ferir" (= O caçador feriu a si mesmo). Por isso, a resposta correta é a "b".

**3. (SSP-SP)** Aponte a alternativa em que o **se** exerce a função de sujeito do infinitivo.

a) A televisão deixou-se ficar como um veículo de propaganda cultural.
b) Necessita-se de menos interferência crítica na formação da personalidade.
c) Discutiu-se, com veemência, sobre os valores éticos a serem preservados pela sociedade.
d) Os habitantes do território nacional reservaram-se o direito da livre iniciativa e expressividade.

Em "a", a palavra "se" liga-se ao verbo "deixar" e aparece seguida do infinitivo "ficar". Exerce, assim, a função de sujeito deste último verbo (= A televisão deixou que ela própria ficasse como um veículo de propaganda cultural); em "b" e "c", a palavra "se" é índice de indeterminação do sujeito porque está ligada, respectivamente, aos verbos "necessitar" (transitivo indireto) e "discutir" (transitivo direto); em "d", a palavra "se" é objeto indireto reflexivo do verbo transitivo direto e indireto "reservar" (= Os habitantes do território nacional reservaram a si mesmos o direito...). Por isso, a resposta correta é a "a".

**4. (TJ-SP)** Classifique o termo em destaque na frase:

Ele **se** impôs essa postura desde criança.

a) índice de indeterminação do sujeito
b) palavra de realce
c) pronome apassivador
d) objeto direto
e) objeto indireto

>> **402**

Na frase apresentada no comando da questão, a palavra "se" é objeto indireto do verbo transitivo direto e indireto "impor" (= Ele impôs a si mesmo essa postura desde criança). Por isso, a resposta correta é a "e".

**5. (Fesp-SP)** Aponte a alternativa que corresponde à seguinte descrição: **se – partícula apassivadora**.

a) O carro sumiu-se na poeira da estrada ao longe.
b) O operário se mutilara durante a realização de sua atividade diária.
c) Mulheres se odeiam subjetivamente.
d) Lavam-se cortinas e tapetes por preços módicos e facilitados.
e) Alunos queixavam-se, professores queixavam-se, só havia queixas...

Na primeira alternativa, a palavra "se" é partícula de realce ou expletiva, já que pode ser retirada da frase sem lhe prejudicar o sentido ("O carro sumiu na poeira da estrada ao longe"); em "b", o "se" é objeto direto reflexivo do verbo transitivo direto "mutilar", isto é, "O operário mutilara ele mesmo durante a realização de sua atividade diária" (note que, por questões didáticas, utilizamos no exemplo "mutilara ele mesmo" apenas para evidenciar que "mutilar" é um verbo transitivo direto. Gramaticalmente, entretanto, o pronome reto "ele" não pode exercer função de objeto direto). Em "c", a palavra "se" é objeto direto reflexivo recíproco do verbo "odiar" ("Mulheres odeiam umas às outras subjetivamente"); na oração "d", a palavra "se" liga-se a um verbo transitivo direto na voz passiva sintética. Essa oração, na voz passiva analítica, corresponde a "Tapetes e cortinas são lavados por preços módicos e facilitados"; em "e", nas duas ocorrências, a palavra "se" é parte integrante do verbo porque incorpora o verbo "queixar-se", que é essencialmente pronominal. Por isso, a resposta correta é a "d".

**6. (Esaf)** "O herdeiro, longe de compadecer-se, sorriu e, por esmola, atirou-lhe três grãos de milho." O **se** no trecho anterior é:

a) índice de indeterminação do sujeito
b) pronome (partícula) apassivador
c) pronome pessoal reflexivo
d) partícula expletiva
e) parte integrante do verbo

No período "O herdeiro, longe de compadecer-se, sorriu e, por esmola, atirou-lhe três grãos de milho", a palavra "se" é parte integrante do verbo essencialmente pronominal "compadecer-se". O estudante pode ficar em dúvida quanto à classificação morfológica da palavra "se" nessa oração se pensar em "longe de compadecer a si mesmo", acreditando, nesse caso, que a palavra "se" é um pronome pessoal reflexivo. Entretanto, se atentar para o fato de o verbo "compadecer", nesse contexto, estar na acepção de "condoer-se", chegará à conclusão de que, aqui, é essencialmente pronominal, e de que o "se" é mesmo parte integrante do verbo. Por isso, a resposta correta é a "e".

**7. (Alerj)** "Não **se** veem pessoas neste recinto."
A palavra sublinhada na frase acima é classificada como pronome:
a) relativo
b) reflexivo
c) apassivador
d) interrogativo
e) indeterminador do sujeito

Na frase "Não se veem pessoas neste recinto", a palavra "se" é pronome apassivador porque se liga a um verbo transitivo direto na voz passiva sintética. Convertendo-se tal frase na voz passiva analítica, obtém-se "Pessoas não são vistas neste recinto". Cuidado para não confundir pronome apassivador com índice de indeterminação do sujeito. Muitos estudantes podem pensar tratar-se aqui da alternativa "e" como resposta pelo fato de tentarem encontrar o sujeito da oração sem atentar para o fato de ela estar na voz passiva analítica. Não saber quem não está vendo pessoas no recinto não é razão para classificar o "se" como indeterminador do sujeito, visto que o sujeito do verbo "ver", aqui, é "pessoas". Não há nada indeterminado. Por isso, a resposta correta é a "c".

**8. (SEE-RJ)** O **se** na oração grifada "(...) rola para dentro e **se espalha**", funciona como:
a) sujeito
b) objeto direto
c) apassivador
d) objeto indireto
e) realce

Na frase apresentada, a palavra "se" exerce a função sintática de objeto direto reflexivo do verbo transitivo direto "espalhar", isto é, "espalha ele mesmo" (por questões didáticas, utilizamos "espalha ele mesmo" para evidenciar a transitividade direta de "espalhar", já que, gramaticalmente, o pronome reto "ele" não pode exercer função de objeto direto). Por isso, a resposta correta é a "b".

**9. (SEE-RJ)** No exemplo abaixo, classifique a conjunção, assinalando a única resposta certa:
"Não sabíamos **se** deveríamos tomar o trem ou o ônibus".
a) conjunção subordinativa concessiva
b) conjunção subordinativa condicional
c) conjunção subordinativa integrante
d) conjunção subordinativa conformativa
e) conjunção subordinativa causal

Na oração "Não sabíamos se deveríamos tomar o trem ou o ônibus", a partícula "se" é conjunção subordinativa integrante porque introduz uma oração subordinada substantiva objetiva direta em relação ao verbo transitivo direto "saber" (= Não sabíamos isso). Por isso, a resposta correta é a "c".

**10. (ECT)** Em: "Pedra que rola não cria limo", o **que** pode ser classificado como:
a) pronome interrogativo
b) pronome indefinido
c) pronome relativo
d) conjunção integrante

A palavra "que" no período apresentado é pronome relativo, já que retoma a palavra "pedra" inserida na oração anterior ("Pedra rola. Pedra não cria limo"). Tal pronome introduz uma oração subordinada adjetiva restritiva e exerce a função sintática de sujeito do verbo "rolar". Observe a estrutura num período simples: "Pedra rolante não cria limo". Por isso, a resposta correta é a "c".

**11. (Acafe-SC)** "Há um **se** empregado incorretamente nesse texto."
A alternativa em que a palavra **se** tem a função idêntica à da frase acima é:
a) Ela **se** afastou pensativa.
b) Não **se** queixaram de nada.
c) Quando **se** precisa, ninguém aparece.
d) Algum **se** ficou sem explicação?
e) Verei **se** posso ajudar.

A palavra "se", na oração apresentada, está empregada como substantivo, o que também ocorre com o "se" da alternativa "d"; em "a", a palavra "se" é pronome reflexivo (= Ela afastou a si mesma.); em "b", parte integrante do verbo essencialmente pronominal "queixar-se"; em "c", índice de indeterminação do sujeito por estar ligado ao verbo "precisar" empregado como intransitivo; em "e", a partícula "se" é conjunção subordinativa integrante, pois introduz uma oração subordinada substantiva objetiva direta (= Verei isso). Por isso, a resposta correta é a "d".

**12. (PUC-SP)** A partir dos seguintes trechos "... e nunca mais **se** soube o que era blasfêmia..." e "Dentro dos sons movem-**se** cores...", assinale a alternativa **correta**.
a) O pronome átono **se** exerce a função de partícula apassivadora na voz passiva analítica.
b) O pronome átono **se** exerce a função de partícula apassivadora na voz passiva pronominal.
c) O pronome átono **se** exerce a função de partícula apassivadora na voz ativa.
d) O pronome átono **se** é parte integrante do verbo.
e) O pronome átono **se** exerce a função de pronome reflexivo.

Nas duas ocorrências, a palavra "se" liga-se a verbos transitivos diretos na voz passiva sintética ou pronominal, o que tipifica caso de pronome apassivador. Na voz passiva analítica correspondente temos, respectivamente: "... e nunca mais foi sabido o que era blasfêmia..." e "Dentro dos sons cores eram movidas...". Se, entretanto, o estudante não perceber que as orações estão na voz passiva sintética ou pronominal, vai ser levado a crer que o "se" da primeira oração é índice de indeterminação do sujeito e que o "se" da segunda é um pronome reflexivo. O equívoco é confirmado pela ausência de uma alternativa que classifique o "se" dessas duas formas, pois todas as alternativas consideram o "se" em ambas as orações com a mesma função sintática. Por isso, a resposta correta é a "b".

**13. (Faap-SP)** No trecho:

"Ouves acaso quando entardece
Vago murmúrio que vem do mar."

a palavra **que** pode ser classificada como:

a) pronome interrogativo
b) pronome exclamativo
c) pronome integrante
d) pronome indefinido
e) pronome relativo

No trecho "Vago murmúrio que vem do mar", a palavra "que" é pronome relativo, já que retoma a palavra "murmúrio" citada anteriormente ("Ouves vago murmúrio quando entardece. Vago murmúrio vem do mar"). Exerce, no caso, a função de sujeito do verbo "vir". Observe: "Murmúrio vem do mar". Por isso, a resposta correta é a "e".

**14. (Imes-SP)** "Oh! **que** altos são os segredos da Providência divina." (Vieira)
A palavra destacada é:

a) conjunção subordinativa causal
b) conjunção subordinativa integrante
c) pronome relativo
d) pronome interrogativo
e) advérbio de intensidade

Na oração apresentada, a palavra em destaque é advérbio porque intensifica o sentido do adjetivo "altos", equivalendo a "tão" (= tão altos). Por isso, a resposta correta é a "e".

## >> PARTE 3

**15. (Faap-SP)** Assinale a alternativa cuja relação é *incorreta*:
a) Sorria às crianças *que* passam. – pronome relativo
b) Declaram *que* nada sabem. – conjunção integrante
c) *Que* alegre manifestação a sua. – advérbio de intensidade
d) *Que* enigmas há nessa vida! – pronome adjetivo indefinido
e) Uma ilha *que* não consta do mapa. – conjunção coordenativa explicativa

Em "a" e "e", a palavra "que" é pronome relativo porque recupera, respectivamente, as palavras "crianças" e "ilha", citadas anteriormente: "As crianças passam" e "Uma ilha não consta do mapa"; em "b", trata-se de conjunção integrante, introduzindo uma oração subordinada substantiva objetiva direta: "Declararam isso"; em "c", a palavra "que" é advérbio de intensidade, correspondendo a "tão": "Tão alegre manifestação a sua"; em "d", é pronome adjetivo indefinido (relaciona-se ao substantivo "enigmas"): "Tantos enigmas há nessa vida!". Por isso, a resposta correta é a "e".

**16. (UEA-AM)** Nos versos de Vinicius de Moraes:

"a beleza **que** não é só minha
**que** também passa sozinha"

os conectivos destacados classificam-se como:

a) pronome substantivado
b) conjunção integrante
c) conjunção causal
d) conjunção explicativa
e) pronome relativo

Nas duas ocorrências a palavra "que" é pronome relativo porque recupera termos anteriormente expressos = "a beleza não é só minha / (a beleza) também passa sozinha". Por isso, a resposta correta é a "e".

**17. (Mackenzie-SP)** "Sumiu-**se** por entre as matas e a cena não **se** pode descrever."

A palavra **se**, destacada no período acima, é respectivamente:

a) palavra de realce e pronome apassivador
b) pronome reflexivo e pronome apassivador
c) palavra de realce e pronome reflexivo
d) pronome apassivador e pronome reflexivo
e) pronome reflexivo e pronome reflexivo

>> as palavras "que" e "se"

407 >>

No período apresentado, o primeiro "se" é palavra (ou partícula) de realce porque está ligada a um verbo intransitivo, podendo ser retirada da frase sem lhe prejudicar o sentido ("Sumiu por entre as matas"). Na segunda ocorrência, é pronome apassivador, já que se liga a um verbo transitivo direto na voz passiva sintética. Na voz passiva analítica, corresponde a "... e a cena não pode ser descrita". Por isso, a resposta correta é a "a".

**18. (UFMT)** Leia o texto abaixo e assinale corretamente a função sintática do relativo **que**:

Menino **que** mora num planeta
azul feito a cauda de um cometa
quer se corresponder com alguém
de outra galáxia.

a) sujeito.
b) objeto direto.
c) adjunto adverbial.
d) predicativo.
e) n.d.a.

O pronome relativo "que" exerce a função sintática de sujeito do verbo "morar" porque retoma a palavra "menino" mencionada anteriormente: "Menino mora num planeta". Por isso, a resposta correta é a "a".

**19. (Cefet-MG)** Identifique a alternativa que classifica corretamente a função do **que** nas frases a seguir:

I – Espero **que** os homens pensem, com amor, em seu velho planeta.
II – A criança doente **que** chorava era a felicidade e a esperança da família.

a) pronome substantivo indefinido – preposição
b) conjunção integrante – pronome relativo
c) pronome relativo – substantivo
d) advérbio – pronome adjetivo indefinido
e) conjunção subordinativa causal – partícula expletiva

Em "Espero que os homens pensem...", a palavra "que" é conjunção subordinativa integrante, porque introduz uma oração subordinada substantiva objetiva direta (= "Espero isso"); no período "A criança doente que chorava...", o "que" é pronome relativo, pois retoma a palavra "criança" inserida na oração anterior: "A criança chorava.". Por isso, a resposta correta é a "b".

**>> PARTE 3**

**20. (Mackenzie-SP)** Assinale a alternativa que contém um **que** classificado morfologicamente como partícula expletiva (ou de realce):
a) "Oh! **que** revoada, **que** revoada de asas!"
b) "A vida é tão bela **que** chega a dar medo."
c) "O vento **que** vinha desde o princípio do mundo / Estava brincando com teus cabelos..."
d) "Nós é **que** vamos empurrando, dia a dia, sua cadeira de rodas."
e) "Havia uma escada **que** parava de repente no ar.

Em "a", nas duas ocorrências o "que" é pronome adjetivo indefinido porque se relaciona ao substantivo "revoada" numa frase exclamativa: "Oh! tanta revoada, tanta revoada de asas!"; em "b", a palavra "que" é conjunção subordinativa consecutiva: "A vida é tão bela que [em consequência] chega a dar medo"; em "c" e "e", a palavra "que" é pronome relativo porque recupera, respectivamente, os substantivos da oração anterior: "O vento vinha desde o princípio do mundo" e "Uma escada parava de repente no ar". Na frase da alternativa "d", "Nós é que vamos empurrando, dia a dia, sua cadeira de rodas", o "que" faz parte da locução "é que". Essa locução é expletiva porque pode ser retirada do período sem lhe prejudicar o sentido: "Nós vamos empurrando, dia a dia, a sua cadeira de rodas". Por isso, a resposta correta é a "d".

**>> as palavras "que" e "se"**

## capítulo 8

# Figuras de linguagem

São recursos linguísticos a que os autores recorrem para tornar a linguagem mais rica e expressiva. Esses recursos revelam a sensibilidade de quem os utiliza, traduzindo particularidades estilísticas do emissor.

Para utilizar corretamente as figuras de linguagem, é necessário entender os conceitos de **denotação** e **conotação**, ou seja, o uso de palavras ou expressões empregadas no sentido próprio ou figurado.

**Denotação** é o significado básico e objetivo de uma palavra, não permitindo mais de uma interpretação. Exemplos:

1. O goleiro bateu a **cabeça** na trave.
2. O lavrador possui as mãos bastante **ásperas**.

Nesses exemplos, as palavras **cabeça** e **ásperas** estão empregadas no sentido próprio, conhecido por todos. Assim, os referidos exemplos remetem o receptor à **denotação**, pois as palavras em destaque permitem apenas uma interpretação.

**Conotação** é o emprego de uma palavra no sentido figurado, associativo, possibilitando várias interpretações ao receptor. Dessa maneira, a conotação possui a propriedade de apresentar significados diferentes do sentido original da palavra, abrindo caminho para a subjetividade. Exemplos:

1. Conseguiram capturar o **cabeça** daquela quadrilha.
2. O pai dirigiu palavras **ásperas** ao filho respondão.

Já nesses exemplos, as palavras **cabeça** e **ásperas** ganham novos sentidos, sugerindo ao receptor a ideia de forma indireta. Nesse caso, dizemos que ocorre **conotação**, pois as palavras foram empregadas de acordo com a ideia que o emissor desejou sugerir. Esse recurso de linguagem consiste na possibilidade de proporcionar ao leitor ou ouvinte uma interpretação subjetiva do significado de determinadas palavras ou expressões.

## 1. Espécies de figuras de linguagem

As figuras de linguagem classificam-se em:
1) **Figuras de palavra** ou **semânticas**
2) **Figuras de construção** ou **de sintaxe**
3) **Figuras sonoras** ou **de harmonia**

**Observação:** Em concursos públicos, são raras as questões relativas às figuras de linguagem. Em vestibulares, no entanto, a ocorrência é bastante frequente.

### Figuras de palavra ou semânticas

Consistem no emprego de palavras ou expressões do ponto de vista conotativo, ou seja, em sentido diferente do que habitualmente são empregadas.

A semântica, que é a exploração do significado das palavras, gera as seguintes figuras:

• **Comparação** — aproximação entre dois elementos que se identificam, ligados por nexos comparativos explícitos (**como**, **tal qual**, **assim como**, **que nem**, **feito** etc.) ou por alguns tipos de verbos (**parecer**, **assemelhar-se**, **figurar-se** etc.):

"Você há de rolar **como** as pedras / Que rolam na estrada."
Lupicínio Rodrigues

"— Antônia, você **parece** uma lagarta listada." (Manuel Bandeira)

- **Metáfora** — substituição de um termo por outro a partir de uma relação de semelhança entre os elementos que tais termos designam. A metáfora também pode ser entendida como uma comparação abreviada, em que o nexo comparativo não está expresso, mas subentendido:

"Um beijo seria uma borboleta afogada em mármore."
Cecília Meireles

"O passado é uma roupa que não nos serve mais." (Belchior)

- **Catacrese** — espécie de metáfora em que se emprega uma palavra no sentido figurado por hábito ou esquecimento de sua etimologia:

"Ninguém coça as **costas da cadeira**.
Ninguém chupa a **manga da camisa**.
O **piano** jamais abana a **cauda**.
Tem **asa**, porém não voa, a **xícara**."
José Paulo Paes

- **Metonímia** — emprego de uma palavra por outra com a qual apresenta certa interdependência de sentido. Ocorre quando se emprega:

a) a causa no lugar do efeito:

Vivo do meu **trabalho**. (do produto do trabalho = alimento)

b) o efeito no lugar da causa:

Estão destruindo as nossas **sombras**. (sombras = matas)

c) o instrumento no lugar do usuário dele:

Os **microfones** corriam no gramado. (microfones = repórteres)

d) o autor no lugar da obra que compôs:

> Dei-lhe um **Paulo Coelho** de presente.
> (Paulo Coelho = uma obra de Paulo Coelho)

e) o continente no lugar do conteúdo que nele está:

> Tomei uma **taça** de um saboroso vinho.
> (taça = o conteúdo de uma taça)

f) o símbolo no lugar do simbolizado:

> A **coroa** foi disputada pelos irmãos. (coroa = poder)
> Não devemos nos afastar da **cruz**. (cruz = cristianismo)

g) o lugar de produção em vez do produto:

> Comprei uma garrafa de um legítimo **porto**.
> (porto = vinho produzido na cidade do Porto)

h) o inventor no lugar do invento:

> Comprou um **Graham Bell** antigo a preço de banana.
> (Graham Bell = inventor do telefone)

i) a parte em vez do todo:

> "O que **a boca** não diz, o que **a mão** não escreve?" (Olavo Bilac)
> (a boca, a mão = a pessoa)

j) o material no lugar do objeto dele feito:

> O **bronze** chamava os fiéis para a missa. (bronze = sino)

k) o singular em vez do plural:

> O **cidadão** possui direitos e deveres.
> (cidadão = todos os cidadãos)

l) a marca no lugar do produto que a carrega:

> "O **Ford** quase o derrubou e ele não viu o **Ford**." (Alcântara Machado)
> (Ford = automóvel)

>> figuras de linguagem

- **Antonomásia** — designação de uma **pessoa** por uma característica, feito ou fato que a tornou notória:

**O Poeta dos Escravos** denunciou em seus versos os horrores da crueldade. (Poeta dos escravos = Castro Alves)

- **Sinestesia** — cruzamento de sensações sensoriais diferentes:

"Sobre a **terra amarga**, caminhos têm sonho." (Antônio Machado)
(terra = visual; amarga = gustativo)

"... e veja, ouça a **doce** modulação do **canto**." (Autran Dourado)
(doce = gustativo; canto = sonoro)

- **Antítese** — emprego de palavras ou expressões de significados opostos:

"Hoje eu não vou falar **mal** nem **bem** de ninguém." (Ana Carolina)

"Buscas a **vida**, eu a **morte**. / Buscas a **terra**, eu os **céus**."

Gonçalves Dias

- **Eufemismo** — substituição de um termo rude, chocante ou inconveniente por outro mais suave ou atenuante:

"Levamos-te **cansado** ao teu **último endereço**." (Manuel Bandeira)
(cansado = morto; último endereço = sepultura)

"Era incapaz de **apropriar-se do alheio**." (José Américo)
(apropriar-se do alheio = roubar)

- **Gradação** — sequência de palavras que intensificam uma mesma ideia:

"Verso **canta-se**, **urra-se**, **chora-se**." (Mário de Andrade)

"O trigo... **nasceu**, **cresceu**, **espigou**, **amadureceu**, **colheu-se**, **mediu-se**." (Pe. Antônio Vieira)

- **Hipérbole** — engrandecimento, de forma exagerada, de uma afirmação, a fim de proporcionar uma imagem de impacto:

"Uma **nuvem de códigos** nos envolve." (Murilo Mendes)

"Chorou **lágrimas de esguicho**." (Nelson Rodrigues)

• **Prosopopeia** — empréstimo de ação, voz ou sentimento a seres inanimados ou imaginários:

"As árvores são fáceis de achar
Ficam plantadas no chão
**Mamam** do céu pelas folhas
E pela terra
Também **bebem** água
**Cantam** no vento
E recebem a chuva de galhos abertos."

Arnaldo Antunes

• **Paradoxo** ou **oxímoro** — emprego de ideias aparentemente absurdas por meio de palavras que parecem excluir-se mutuamente:

"O caminho da **verdade** é o da **falsidade**." (Pe. Antônio Vieira)

"Grito materno sim: até filho **surdo escuta**." (Alcântara Machado)

• **Perífrase** — designação de algo por meio de alguma característica ou fato que o notabilizou:

"Última **flor do Lácio**, inculta e bela, és a um tempo esplendor e sepultura." (Olavo Bilac)
(flor do Lácio = língua portuguesa)

Nas próximas férias visitaremos a **Veneza Brasileira**.
(Veneza Brasileira = Recife)

• **Ironia** — ato de afirmar o contrário do que se pensa, geralmente num tom depreciativo e sarcástico:

"Era um tatu. Nada mais que um tatu, bichinho que rivaliza com a prefeitura na arte de esburacar." (Stanislaw Ponte Preta)

"Será uma boa mãe de família segundo a doutrina de alguns padres-mestres da civilização, isto é, fecunda e ignorante."

Machado de Assis

## Figuras de construção ou de sintaxe

São os desvios que se evidenciam na construção normal do período. Ocorrem na concordância, na ordem e na construção dos termos da oração. Esses recursos são os seguintes:

• **Elipse** — omissão de termos facilmente identificáveis pelo contexto:

"Muita gente nas calçadas, nas portas e nas janelas dos palacetes, vendo o enterro." (Alcântara Machado)

(Elipse do verbo "haver" em "Havia muita gente nas calçadas...")

• **Zeugma** — omissão de termos já expressos no texto:

"Um trouxe cigarros, outro apenas seu pulmão." (Rubem Braga)

"Nossos bosques têm mais vida, / Nossa vida mais amores."
Gonçalves Dias

• **Pleonasmo** — repetição de uma ideia ou de uma função sintática. A sua finalidade é enfatizar a mensagem:

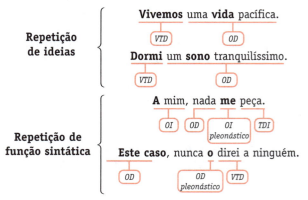

Outros exemplos:

Você ainda haverá de **chorar lágrimas** sentidas.

"**A esse**, Deus **lhe** dará uma vida de novo. (Jorge de Lima)

> **Observação:** O **pleonasmo**, quando perde o caráter enfático, é chamado **vicioso**. Esse tipo de pleonasmo será estudado mais adiante em **Vícios de Linguagem**.

• Assíndeto — supressão de um conectivo entre elementos coordenados:

"Nesse ponto Baleia arrebitou as orelhas, arregaçou as ventas, sentiu cheiro de preás, farejou um minuto, localizou-os no morro e saiu correndo." (Graciliano Ramos)

• Polissíndeto — repetição intencional de um conectivo coordenativo (geralmente a conjunção coordenativa aditiva **e**):

"... e planta, e colhe, e mata, e vive, e morre..." (Clarice Lispector)

"**E** o coração fugindo **e** o coração voltando
**e** os minutos passando **e** os minutos passando." (Vinicius de Moraes)

• Anacoluto — interrupção do segmento sintático de uma frase, ficando um termo desprovido de função dentro da estrutura oracional; é, contudo, semanticamente indispensável à compreensão do período. Observe:

"**Eles**, o seu único desejo é exterminar-nos!" (Almeida Garrett)

(O pronome "**Eles**", com aparência de sujeito, não se integra sintaticamente à oração.)

• Hipérbato — inversão da ordem normal dos termos na oração ou das orações no período.

"Raios não peço ao criador do mundo,
Tormentas não suplico aos ruídos dos mares..." (Bocage)

Note que a ordem direta dos termos dos dois versos anteriores seria:

> Não peço raios ao criador do mundo,
> Não suplico tormentas aos ruídos dos mares...

- **Hipálage** — atribuição, a um substantivo, de uma característica pertencente a outro da mesma frase:

"A **vaia amarela** dos papagaios / rompe o silêncio da despedida."
Carlos Drummond de Andrade

(Observe: o adjetivo **amarelo** caracteriza **papagaios**, e não **vaia**.)

"O sol ia subindo, por cima do **voo verde** das aves itinerantes."
João Guimarães Rosa

(Observe: o adjetivo **verde** caracteriza **aves**, e não **voo**.)

- **Anáfora** — repetição de uma palavra ou expressão no início de várias orações, períodos ou versos, com função enfática:

> "**Quando se vê**, já são seis horas!
> **Quando se vê**, já é sexta-feira...
> **Quando se vê**, já terminou o ano...
> **Quando se vê**, passaram-se 50 anos!"
Mario Quintana

- **Apóstrofe** — recurso que o escritor ou falante utiliza para interpelar seres reais ou imaginários. Corresponde, na análise sintática, ao vocativo:

"**Meu Deus**, por que não morri?" (Álvares de Azevedo)

"**Ó Mar salgado**, quanto do seu sal
São lágrimas de Portugal!" (Fernando Pessoa)

- **Silepse** — ato de fazer a concordância com a palavra implícita na mente de quem fala ou escreve, e não com a palavra explícita no enunciado. Há três tipos de silepse:

a) **de gênero** — a concordância se faz com o gênero gramatical implícito:

"Eu não devia dizer
mas essa lua
mas esse conhaque
botam **a gente comovido** como diabo."

Carlos Drummond de Andrade

b) **de número** — a concordância se faz com o número gramatical implícito:

"**Ninguém** tinha notícia do livro, nem **supunham** que valesse a pena gastar tempo com essas coisas." (José de Alencar)

c) **de pessoa** — a concordância se faz com a pessoa gramatical implícita:

"Quando Cristina acabou, **todos** a **quisemos** beijar."

Vergílio Ferreira

## Figuras sonoras ou de harmonia

Utilizam os efeitos que a linguagem realiza para reproduzir os sons emitidos pelos seres. São as seguintes:

• **Aliteração** — repetição ordenada de fonemas consonantais na frase:

"O **v**ento **v**arria as **f**olhas,
O **v**ento **v**arria os **f**rutos,
O **v**ento **v**arria as **f**lores..." (Cecília Meireles)

"Es**p**erando, **p**arada, **p**regada na **p**edra do **p**orto." (Chico Buarque)

"**R**ato que **r**ói a **r**oupa
Que **r**ói a **r**apa do **r**ei do mo**rr**o
Que **r**ói a **r**oda do ca**rr**o
Que **r**ói o ca**rr**o, que **r**ói o fe**rr**o
Que **r**ói o ba**rr**o, **r**ói o mo**rr**o
**R**ato que **r**ói o **r**ato
**R**a-**r**ato, **r**a-**r**ato
**R**oto que **r**i do **r**oto (...)" (Chico Buarque)

- **Assonância** — sequência ordenada de fonemas vocálicos ao longo da frase:

> "A bela bola
> rola:
> a bela bola do Raul
>
> Bola amarela,
> a da Arabela
>
> A do Raul,
> azul.
>
> Rola a amarela
> E pula a azul."
>
> Cecília Meireles

**Observação:** A aliteração e a assonância podem figurar no mesmo texto:

> "Viva a Bossa-sa-sa
> Viva a palhoça-ça-ça-ça-ça.
> (...)
> Viva Maria-iá-iá
> Viva Bahia-iá-iá-iá-iá.
> (...)
> Viva Iracema-ma-ma
> Viva Ipanema-ma-ma-ma-ma."
>
> Caetano Veloso

- **Paronomásia** — aproximação de palavras de sons parecidos, porém de significados diferentes:

> "Quem vê um **fruto**
> Não vê um **furto**." (Mário Quintana)

"**Bomba atômica** que aterra! **Pomba atônita** da paz!
**Pomba tonta**, **bomba atômica**." (Vinicius de Moraes)

• **Onomatopeia** — emprego de uma palavra ou conjunto de palavras que sugerem algum ruído.

"Não se ouvia mais que o **plic-plic-plic-plic** da agulha no pano."
Machado de Assis

"**Teco**, **teco**, **teco**, **teco** / na bola de gude / era o meu viver."
Pereira da Costa/Milton Vilela

## 2. Vícios de liguagem

São desvios das normas gramaticais do idioma, o desrespeito às regras da língua-padrão, em virtude do desconhecimento ou da má assimilação dessas regras por parte de quem fala ou escreve.

Dependendo da infração cometida, os vícios de linguagem recebem a seguinte classificação:

• **Barbarismo** — emprego de palavras ou expressões estranhas ao idioma. Existem os seguintes tipos de barbarismo:

a) **cacografia** — má grafia ou flexão de uma palavra:

a**de**vogado (em vez de a**d**vogado)

exce**ss**ão (em vez de exce**ç**ão)

mendi**n**go (em vez de mendi**go**)

inter**viu** (em vez de inter**veio**)

**uma** dó (em vez de **um** dó)

b) **silabada** — deslocamento do acento prosódico de uma palavra:

p**ú**dico (em vez de pu**di**co)

cat**é**ter (em vez de cate**ter**)

r**ú**brica (em vez de ru**bri**ca)

n**ó**bel (em vez de no**bel**)

- **Solecismo** — desvios de sintaxe quanto à concordância, regência ou colocação pronominal:

a) **de concordância**:

   **Falta** dez minutos para o fim do jogo. (em vez de **Faltam**)

b) **de regência**:

   Iremos assistir **o jogo** no telão do clube. (em vez de **ao jogo**)

c) **de colocação**:

   Ele **não conteve-se**, de tanto rir. (em vez de **não se conteve**)

- **Ambiguidade** ou **anfibologia** — é o duplo sentido de interpretação resultante da má construção da frase:

   Visitou o colega no hospital e depois saiu com sua namorada. (Namorada de quem?)

   Creio que a babá já saiu com sua filha. (Filha de quem?)

> **Observação:** Muitas vezes, jogos de palavras com duplo sentido caracterizam-se pela intenção e criatividade do emissor em enriquecer um texto, o que não configura vício de linguagem. Esse recurso é frequentemente explorado na linguagem publicitária:
>
> "Motor mal-educado: Você pisa, ele *responde*."
> (propaganda de fábrica automobilística)
> (*responde* = "corresponde", "obedece", "satisfaz" ou "ser respondão", "responder com aspereza")
>
> "Nosso negócio não é reflorestamento.
> Mas já estamos com 12 mil *troncos*."
> (propaganda de empresa telefônica)
> (*troncos* = "caules de árvores" ou "canais de telecomunicação")

• **Cacofonia** — união de duas os mais palavras que gera outra com som desagradável:

> Uns oram com **fé demais**, outros com **fé de menos**.
> Nun**ca gaste** mais mais do que pode.

• **Pleonasmo vicioso** — emprego de palavras ou expressões redundantes e desnecessárias:

> O garoto **subiu em cima** do telhado para apanhar a bola.
> Fabiano é o **principal protagonista** de *Vidas Secas*.

• **Eco** — efeito sonoro desagradável produzido por uma sequência de palavras com a mesma terminação:

> No fim da ses**são**, procederam à nomea**ção** da comis**são** para tratar da organiza**ção** de uma cole**ção** de selos para lei**lão**.

• **Colisão** — efeito sonoro desagradável produzido pela repetição de fonemas consonantais idênticos ou semelhantes:

> **M**inha **m**ãe **m**e **m**andou **m**elões, **m**angas e **m**exericas **m**aduras.

• **Hiato** — sequência de palavras com fonemas vocálicos que produzem um efeito sonoro desagradável:

> **O**u **o**uço-**o o**u mand**o**-**o o**uvir-me.
> V**o**u à **au**la dispost**o a o a**judar.

>> figuras de linguagem

## >> Testes

**1. (Nossa Caixa-SP)** Assinale a alternativa que apresenta frase com sentido figurado.
- a) Essencial para a sobrevivência, a água também determina a riqueza de uma nação.
- b) Na semana passada, que marcou o início do outono e o dia mundial da água...
- c) ... a única esperança estava em conter o vazamento, que faz uma enxurrada de diamantes literalmente escapar pelo ralo.
- d) Tão essencial à vida quanto o ar que se respira, a água não custa nada...
- e) Dono de quase 12% de toda a água doce, (...) o Brasil começa a cobrar pelo uso da água do rio Paraíba do Sul...

Na passagem "... faz uma enxurrada de diamantes literalmente escapar pelo ralo", a expressão "enxurrada de diamantes" está no sentido figurado porque remete o leitor à palavra água, elemento extremamente valioso para a vida, mantendo a unidade semântica do período, que apresenta outras palavras a ela relativas, como "vazamento" e "ralo". Trata-se de uma figura denominada "hipérbole", já que se faz uma afirmação de maneira exagerada. O que pode deixar o estudante em dúvida, entretanto, é a palavra "literalmente", que remete à denotação, ao passo que a figura de linguagem se relaciona ao sentido conotativo das palavras. Se, porém, o estudante analisar a relação das palavras no período, chegará à conclusão de que "literalmente" é um adjunto adverbial de "escapar pelo ralo", não de "enxurrada de diamantes". Nas demais frases, não há palavras empregadas no sentido figurado. Por isso, a resposta correta é a "c".

**2. (Cetesb-SP)** Assinale a alternativa que apresenta uma palavra com sentido figurado ou conotativo.
- a) O sistema seria mais eficiente que o armazenamento de água.
- b) Seria desejável que o governo adiasse a obra.
- c) O projeto suscita cada vez mais um mar de controvérsias.
- d) A obra deverá custar R$ 4,2 bilhões.
- e) Os estudos para a obra privilegiaram a questão da quantidade.

Como no teste anterior, a expressão "um mar de controvérsias" expressa uma ideia de forma exagerada. Trata-se, também, de uma hipérbole. Não há, nas demais frases, palavras empregadas no sentido conotativo. Por isso, a resposta correta é a "c".

**3. (SSP-SP)** *Silepse* é
a) redundância de expressão.
b) repetição desagradável de consonâncias iguais ou semelhantes.
c) expressão idiomática.
d) concordância irregular.

"Silepse" é a concordância irregular, ou seja, a concordância de palavras de acordo com o sentido e não segundo as regras da sintaxe. Pode ser de gênero, de número ou de pessoa. Reveja os tipos de silepse na página 418. Por isso, a resposta correta é a "d".

**4. (SSP-SP)** A frase *"Vi com os meus próprios olhos"* apresenta a seguinte figura de linguagem:
a) pleonasmo
b) anacoluto
c) elipse
d) zeugma

"Pleonasmo" é a redundância de termos ou de ideias. Em "Vi com os meus próprios olhos", ocorre pleonasmo porque a ideia de "ver" já está contida em "olhos" (são dois os pleonasmos: "ver com olhos" e "usar os próprios olhos"). Trata-se de um pleonasmo enfático porque o emissor deseja conferir à expressão mais vigor ou clareza; "anacoluto" é o rompimento da estrutura sintática da frase. O emissor inicia uma frase, interrompe-a, deixando-a sem seguimento: "Você, o que mais me incomoda é a sua antipatia"; "elipse" é a supressão de termos facilmente identificáveis na frase: "Gosto de viajar à noite" (elipse do sujeito "Eu"); "zeugma" é a omissão de um termo já expresso anteriormente no enunciado: "Os valorosos levam as feridas; os venturosos, os prêmios" (o verbo "levam" está subentendido na segunda oração porque já apareceu na primeira). Por isso, a resposta correta é a "a".

**5. (TRF-RJ)** A respeito do vocábulo destacado em *"O processo de paz derrapa na justa medida do desejo dos eternos descontentes."* (Jornal do Brasil, 1º/8/1997, p. 8), pode-se dizer que:
a) está empregado denotativamente.
b) o autor não o empregou em sentido figurado.
c) o autor explora a conotação desse vocábulo.
d) tem o mesmo sentido na frase citada em "o carro derrapa".
e) está empregada erroneamente, já que seu sentido, no texto, desvia-se de seu significado normal.

"Conotação" é o sentido figurado, às vezes de teor subjetivo, que uma palavra ou expressão pode apresentar paralelamente à acepção em que é empregada. Em "O processo de paz **derrapa** na justa medida do desejo dos eternos descontentes", o verbo destacado está em sentido conotativo porque remete o receptor à ideia de "ocorrência desfavorável ou inadequada a um determinado fim". Por isso, a resposta correta é a "c".

**6.** (MP-SP) Assinale a alternativa em que a palavra destacada está empregada em sentido conotativo.

a) A história colonial brasileira durou três **séculos**.
b) Foi no **século** passado que aconteceram as Grandes Guerras.
c) Um **século** tem cem anos.
d) Já estamos no **século** XXI.
e) Há **séculos** ele vem querendo entrar na faculdade.

Em "Há séculos ele vem querendo entrar na faculdade", a palavra "séculos" está empregada em sentido conotativo, ou seja, num sentido diferente do dicionarizado (nessa alternativa, não quer dizer "cem anos", mas "muito tempo"). Trata-se de uma figura denominada "hipérbole", que consiste em exprimir de forma exagerada uma afirmação. Por isso, a resposta correta é a "e".

**7.** (MP-SP) Assinale a alternativa em que o termo destacado está empregado em sentido conotativo.

a) O **tabagismo** encabeça a lista dos fatores de risco.
b) ... contribuem para o aparecimento do **câncer**.
c) ... aparece sobretudo na língua e no **assoalho** da boca.
d) ... ele começa em forma de pequenas feridas na **boca**.
e) ... ou escovar os **dente**s bruscamente.

Na frase "... aparece sobretudo na língua e no assoalho da boca", a palavra "assoalho" está empregada em sentido conotativo, configurando uma catacrese, figura de linguagem que consiste em empregar uma espécie de metáfora forçada, desgastada, quase sempre por falta de um termo próprio. Por isso, a resposta correta é a "c".

**8.** (Saae — Sorocaba-SP) Leia o trecho a seguir, colocado sobre a pia do banheiro de uma escola.

I – Uso racional de Água
II – Vai colaborar
ou
III – Vai lavar as mãos?
IV – Água. Usando Bem, Ninguém Fica Sem.

Há sentido próprio e figurado, ao mesmo tempo, apenas em:

a) I
b) II
c) III
d) II e III
e) III e IV

De acordo com o contexto, na oração "Vai lavar as mãos?", o verbo "lavar" pode ser interpretado no sentido próprio (tirar com água as impurezas das mãos) ou no sentido figurado (livrar-se de um compromisso ou fugir a uma responsabilidade). Essa ambiguidade é proposital, pois agrega mais significado à mensagem. Por isso, a resposta correta é a "c".

9. **(ESPM-SP)** O escritor Paulo Lins, em seu romance *Cidade de Deus*, expressa o avanço da violência no Brasil, nas últimas décadas, com a frase:

    **"Falha a fala. Fala a bala".**

    Nas duas frases só **não** se pode identificar a seguinte figura de linguagem:

    a) Paronomásia, pelo trocadilho ou jogo de palavras com apelo sonoro.
    b) Aliteração, pela repetição de fonemas consonantais.
    c) Assonância, pela repetição da vogal "a".
    d) Perífrase, pela substituição da palavra "violência" por um elemento que a compõe (bala).
    e) Personificação, pela característica humana atribuída à "bala".

Na frase apresentada só não ocorre "perífrase", figura que consiste em designar um ser por meio de uma expressão que o identifique facilmente, como "Cidade Eterna" em vez de "Roma"; "O rei dos animais" no lugar de "leão" etc. Na realidade, em "Fala a bala" ocorre metonímia (o símbolo no lugar daquilo que simboliza, ou seja, "bala" no lugar de "violência") e personificação, visto que "bala" não "fala". Nas demais alternativas, as figuras descritas estão de acordo com a frase em questão. Por isso, a resposta correta é a "d".

10. **(PUC-SP)** Observe o enunciado:

    "E enquanto todos *pulavam* no salão, o *dólar* pulava no câmbio".
    O verbo "pular" está empregado no primeiro caso no sentido denotativo; no segundo, o sentido é figurado. Também a palavra "dólar" é usada no sentido figurado. A figura de linguagem empregada no caso de "dólar" é:

a) antítese, porque, no enunciado, há ideias contrárias relacionadas aos seres representados.
b) eufemismo, porque, no enunciado, há ideias diminuídas relacionadas aos seres representados.
c) prosopopeia, porque, no enunciado, há a personificação do ser representado.
d) metonímia, porque, no enunciado, há relações de contiguidade entre os seres representados.
e) onomatopeia, porque, no enunciado, imitam-se as vozes dos seres representados.

Na segunda oração do período apresentado, configura-se uma prosopopeia, já que um substantivo inanimado, no caso a palavra "dólar", é tratado como um ser animado ou personificado. Por isso, a resposta correta é a "c".

**11. (Unirp-SP)** Indique a alternativa em que o exemplo de figura de linguagem **não** está corretamente classificado:

a) Com a alma purificada, ela partiu para a eternidade. (**eufemismo**)
b) Cai a tinta da treva sobre o mundo. (**metáfora**)
c) Em seu louvor hei de espalhar meu canto e rir meu riso e derramar meu pranto. (**assíndeto**)
d) As ondas do mar gritam e gemem ao encontro das pedras. (**prosopopeia**)
e) Rezo para esquecer o que vivo lembrando. (**antítese**)

Na frase "Em seu louvor hei de espalhar meu canto e rir meu riso e derramar meu pranto" existem três figuras: "polissíndeto", devido à repetição do conectivo aditivo "e"; "pleonasmo", no trecho "... rir meu riso...", e "antítese", ao exprimir ideias opostas no trecho "... espalhar meu canto e rir meu riso e derramar meu pranto". Assíndeto é a omissão do conectivo em períodos coordenados, o que não ocorre nesse caso. Nas demais alternativas, os conceitos estão de acordo com as frases apresentadas. Por isso, a resposta correta é a "c".

**12. (FEI-SP)** Assinalar a alternativa **correta**, correspondente à figura de linguagem presente nos fragmentos abaixo.

I – "Não te esqueças daquele amor ardente
Que já nos olhos meus tão puro viste."

II – "A moral legisla para o homem; o direito, para o cidadão."

III – "A maioria concordava nos pontos essenciais; nos pormenores, porém, discordavam."

IV – "Isaac a vinte passos, divisando o vulto de um, para, ergue a mão em viseira, firma os olhos."

a) anacoluto, hipérbato, hipálage, pleonasmo.
b) hipérbato, zeugma, silepse, assíndeto.
c) anáfora, polissíndeto, elipse, hipérbato.
d) pleonasmo, anacoluto, catacreses, eufemismo.
e) hipálage, silepse, polissíndeto, zeugma.

Em I, ocorre "hipérbato" (inversão da ordem natural dos termos da oração). Observe a ordem direta: "Não te esqueças daquele amor ardente tão puro que já viste nos olhos meus"; em II, "zeugma" (omissão do verbo "legisla" no segundo período, já mencionado na oração antecedente); em III, "silepse de número" porque o verbo "discordavam" concorda com a ideia contida no substantivo singular "maioria" (= muitas pessoas); em IV, "assíndeto", devido à omissão de conectivos aditivos entre as orações. Por isso, a resposta correta é a "b".

**13.** (ESPM-SP) Leia o trecho: "Só quando Albino surgiu na **boca do poço**, **o sarilho parou de gemer**. O rapaz estava que era **um monstro de lama**." (Mário de Andrade, "O Poço", *Contos Novos*).

No texto acima, temos respectivamente três figuras de linguagem:

a) catacrese, prosopopeia e comparação.
b) metonímia, personificação e metáfora.
c) metáfora, hipérbole e eufemismo.
d) sinestesia, pleonasmo e anacoluto.
e) prosopopeia, onomatopeia e metáfora.

Em "boca do poço", há catacrese porque, por falta de palavra específica para designar um substantivo, toma-se outra por empréstimo; na frase "o sarilho parou de gemer", há prosopopeia porque se atribui ao ser inanimado "sarilho" (cilindro em que se enrolam cordas, linhas, cabos elétricos etc.) um predicado que é próprio dos seres animados; no último segmento, existe uma comparação porque aparece um nexo comparativo ("que era" = "como"). Por isso, a resposta correta é a "a".

**14.** (Fuvest-SP) Na frase "(...) data da nossa independência política, e do meu primeiro cativeiro pessoal", ocorre o mesmo recurso expressivo de natureza semântica que em:

a) Meu coração / Não sei por que / Bate feliz, quanto te vê.
b) Há tanta vida lá fora, / Aqui dentro, sempre, / Como uma onda no mar.
c) Brasil, meu Brasil brasileiro, / Meu mulato inzoneiro, Vou cantar-te nos meus versos.
d) Se lembra da fogueira, / Se lembra dos balões, Se lembra dos luares dos sertões?
e) Meu bem querer / É segredo, é sagrado, / Está sacramentado / Em meu coração.

Na frase apresentada, existe uma antítese, configurada pelo emprego das expressões antônimas "independência política" e "cativeiro pessoal". A mesma figura aparece com as expressões "lá fora" e "aqui dentro" presentes na frase da alternativa "b". Na alternativa "a", ocorre prosopopeia em "Meu coração... bate feliz"; em "b", figuram apóstrofe e pleonasmo em "Brasil, meu Brasil brasileiro..."; em "d", existe anáfora na repetição da expressão "Se lembra"; no último verso da alternativa "e", há metonímia devido ao emprego da palavra "coração" (substantivo concreto "coração" no lugar do substantivo abstrato "sentimento"). Por isso, a resposta correta é a "b".

## 15. (Fuvest-SP) A enumeração de substantivos expressa gradação ascendente em:

a) "menino mais gracioso, inventivo e travesso".
b) "trazia-o amimado, asseado, enfeitado".
c) "gazear a escola, ir caçar ninhos de pássaros, ou perseguir lagartixas".
d) "papel de rei, ministro, general".
e) "tinha garbo (...), e gravidade, certa magnificência."

Em "a" e "b", os elementos enumerados são adjetivos, e não substantivos; em "c", ocorre uma simples enumeração, sem sentido gradativo; na alternativa "d", também ocorre uma sequência gradativa de substantivos, porém de sentido descendente; na frase da alternativa "e", ocorre uma gradação ascendente ao empregarem-se os substantivos "garbo", "gravidade" e "magnificência", elementos que aparecem enumerados em clímax, ou seja, vão "crescendo" quanto ao sentido. Por isso, a resposta correta é a "e".

## 16. (FGV-SP) Assinale a alternativa que indica a **correta** sequência das figuras encontradas nas frases a seguir.

"O bom rapaz buscava, no fim, do dia, negociar com os traficantes de drogas."

"Naquele dia, o presidente entregou a alma a Deus."

"Os operários sofriam, naquela mina, pelo frio em julho e pelo calor em dezembro."

"A população deste bairro corre grande risco de ser soterrada por esta montanha de lixo."

"A neve convidava os turistas que, receosos, a olhavam de longe."

a) ironia, eufemismo, antítese, hipérbole, prosopopeia.
b) reticências, retificação, gradação, apóstrofe, ironia.
c) antítese, hipérbole, personificação, ironia, eufemismo.
d) gradação, apóstrofe, personificação, reticências, retificação.
e) ironia, eufemismo, antítese, apóstrofe, gradação.

Na primeira oração, a ironia evidencia-se pela contraposição existente entre a característica de "bom rapaz" e a atividade de "negociar com os traficantes de drogas"; na segunda, o eufemismo está presente no abrandamento da ideia de "morte" devido ao emprego da expressão "entregou a alma a Deus"; na terceira, existe uma antítese por causa da contraposição das palavras antônimas "frio" e "calor"; na quarta, há hipérbole em decorrência da intensificação da expressão "montanha de lixo"; na última oração, ao atribuir-se ao substantivo inanimado "neve" a ação de "convidar os turistas", temos uma prosopopeia ou personificação. Por isso, a resposta correta é a "a".

**17.** (**FGV-SP**) Assinale a alternativa em que se identifica a figura de linguagem predominante no trecho:

"As rodas dentadas da pobreza, ignorância, falta de esperança e baixa autoestima se engrenam para criar um tipo de máquina do fracasso perpétuo que esmigalha os sonhos de geração a geração. Nós todos pagamos o preço de mantê-la funcionando. O analfabetismo é a sua cavilha".

a) eufemismo
b) antítese
c) metáfora
d) elipse
e) inversão

Nesse texto há uma série de metáforas ("rodas dentadas", "engrenam", "máquina do fracasso", "esmigalha os sonhos", "cavilha") compondo uma verdadeira alegoria a respeito dos fatores que condicionam a exclusão social do indivíduo. Por isso, a resposta correta é a "c".

## 18. (UEL-PR) Está usada em sentido denotativo a palavra destacada em:

a) **Embriagava-se** daquela paisagem de intensas cores e cheiros.
b) A cauda **batendo** com violência na anca, o animal se aproximava garbosamente.
c) Era a brisa do amanhecer que lhe **afagava** no peito uma tênue esperança.
d) A menção à sua beleza e encantos próprios **iluminou-se** o sorriso.
e) A freada fez o pneu **assobiar** no asfalto, mas nada houve além disso.

Na frase "A cauda batendo com violência na anca, o animal se aproximava garbosamente", o verbo "bater" está empregado no sentido denotativo, ou seja, no sentido próprio, dicionarizado. Nas demais alternativas, os verbos "embriagar", "afagar", "iluminar" e "assobiar" estão empregados no sentido conotativo, isto é, no sentido figurado. Por isso, a resposta correta é a "b".

## 19. (ITA-SP) "(...) defendemos a adoção de normas e o investimento na formação de brinquedistas*, pessoas bem mais preparadas para a função do que estagiários que têm jeito e paciência para cuidar de crianças." (Veja-SP, 13/08/2003)

\* brinquedistas — neologismo que designa as pessoas que brincam com as crianças em creches, escolas e brinquedotecas.

A ambiguidade desse texto deve-se:

a) às expressões de comparação "bem mais"/"do que"
b) à ausência de flexão do pronome relativo "que" em "que tem jeito"
c) à distinção das funções sintáticas de "brinquedistas" e de "estagiários"
d) à ausência de vírgula após a palavra "estagiários"
e) à ordem dos termos

A ambiguidade desse texto deve-se à ordem dos termos, pois a oração adjetiva "que tem jeito e paciência" refere-se a "brinquedistas" e deveria estar logo após esse termo ("...na formação de brinquedistas, que têm jeito e paciência para cuidar de crianças e são pessoas mais preparadas para a função do que estagiários"). Na posição em que se encontra, pode referir-se a "estagiários". Por isso, a resposta correta é a "e".

**20.** **(ITA-SP)** O emprego de "o mesmo", comumente criticado por gramáticos, é usado, muitas vezes, para evitar repetição de palavras ou ambiguidade. Aponte a opção em que o uso de "o mesmo" não assegura clareza na mensagem.
a) Esta agência possui cofre com fechadura eletrônica de retardo, não permitindo a abertura do mesmo fora dos horários programados. (Cartaz em uma agência dos Correios)
b) A reunião da Associação será na próxima semana. Peço a todos que confirmem a participação na mesma. (Mensagem, enviada por e-mail, para chamada dos associados para uma reunião)
c) Antes de entrar no elevador, verifique se o mesmo se encontra parado neste andar. (Lei 9.502)
d) Após o preenchimento do questionário para levantamento de necessidade de treinamento, solicito a devolução do mesmo a este Setor. (Ofício de uma instituição pública)
e) A grama é colhida, empilhada e carregada sem contato manual, portanto a manipulação fica restrita à descarga do caminhão manualmente ao lado do mesmo. (Folheto de instruções para plantio de grama na forma de tapete de grama)

No período "A reunião da Associação será na próxima semana. Peço a todos que confirmem a participação na mesma", o emprego de "na mesma" não assegura a clareza da mensagem, visto que essa expressão pode referir-se a "semana" ("na mesma semana" — adjunto adverbial de tempo), a "Associação" (indicando lugar) ou a "reunião", como deve ser o caso. Por isso, a resposta correta é a "b".

**21.** **(Cesgranrio-RJ)** Na frase "O fio da ideia cresceu, engrossou, e partiu-se", ocorre processo de gradação. Não há gradação em:
a) O carro arrancou, ganhou velocidade e capotou.
b) O avião decolou, ganhou altura e caiu.
c) O balão inflou, começou a subir e apagou.
d) A inspiração surgiu, tomou conta da sua mente e frustrou-se.
e) João pegou um livro, ouviu um disco e saiu.

Em "João pegou um livro, ouviu um disco e saiu", ocorre uma simples enumeração, sem sentido gradativo. Nas frases "a", "b", "c" e "d", todos os verbos são enumerados em clímax, ou seja, as ações são apresentadas em gradação ascendente quanto ao sentido. Por isso, a resposta correta é a "e".

## 22. (Feba-BA) Assinale a alternativa em que ocorre aliteração:

a) "Água de fonte... água de oceano... água de pranto." (Manuel Bandeira)

b) "A gente almoça e se coça e se roça e só se vicia." (Chico Buarque de Holanda)

c) "Ouço o tique-taque do relógio: apresso-me então." (Clarice Lispector)

d) "Minha vida é uma colcha de retalhos, todos da mesma cor." (Mario Quintana)

Na primeira alternativa, evidencia-se uma "anáfora" (repetição da expressão "água de"); em "c", a palavra "tique-taque" configura uma onomatopeia (emprego de uma palavra cuja pronúncia lembra o som natural da coisa significada: relógio); em "d" ("Minha vida é uma colcha de retalhos..."), tem-se uma metáfora; na segunda alternativa, na frase "A gente almoça e se coça e se roça e só se vicia", existe uma aliteração devido à repetição simetricamente disposta do fonema consonantal /s/, representado pelas letras "ç" e "c". Por isso, a resposta correta é a "b".

## 23. (Umesp-SP) "Descoberto em 1961, após 333 anos abaixo d'água, o navio foi retirado do mar e hoje, praticamente intacto, está aberto à visitação. Não é possível <u>entrar dentro</u> de suas instalações, mas nas salas ao redor há diversas exposições que reconstituem a história da embarcação, a saga de seus marinheiros e o processo de retirada do mar."

(Marcelo Lima, *Revista da Folha*, 5/10/03. p.32-33)

A expressão grifada no texto é um caso de:

a) assonância
b) hipérbole
c) ironia
d) pleonasmo
e) gradação

Em "entrar dentro", devido a um "cochilo" de revisão, configurou-se um vício de linguagem denominado "pleonasmo vicioso", já que o verbo "entrar" dispensa o emprego do advérbio "dentro". Por isso, a resposta correta é a "d".

**24. (Unitau-SP)** Em "Envie-me já o catálogo de vendas", temos:

a) ambiguidade
b) pleonasmo
c) barbarismo
c) colisão
d) cacófato

No segmento grifado em "Envie-**me já** o catálogo de vendas", ocorre um cacófato, já que a junção das duas sílabas resulta num som desagradável ou ridículo. Por isso, a resposta correta é a "d".

**25. (Ufop-MG)** Qual vício de linguagem que se observa na frase: "Eu não vi ele faz muito tempo"?

a) solecismo
b) arcaísmo
c) colisão
d) cacófato
e) barbarismo

Em "Eu vi ele" há um grave desvio de natureza sintática, já que nunca se pode empregar pronome pessoal reto como complemento verbal, no caso, objeto direto do verbo "ver". Além disso, não há correlação modo-temporal entre os verbos "ver" e "fazer". Para que essa correlação seja mantida, a frase deve ser reescrita assim: "Eu não o vejo faz muito tempo". Quanto ao erro cometido contra as regras da sintaxe, o nome do vício de linguagem é "solecismo". Por isso, a resposta correta é a "a".

## capítulo 9

# >> Pontuação

É o sistema de sinais gráficos que utilizamos, na escrita, a fim de tentar reproduzir determinadas características específicas da língua falada. Entre várias finalidades, a pontuação deve ser empregada para:

a) indicar a entonação que se deve dar à frase;
b) distinguir, num trecho, palavras, expressões ou frases;
c) assinalar graficamente as pausas que se devem observar na elocução, as quais podem resultar do relacionamento sintático dos elementos da frase ou da intenção de tornar enfático determinado termo.

A pontuação, portanto, é um recurso que a língua escrita utiliza para reconstituir os diferentes matizes de que a fala dispõe.

Os **sinais de pontuação** mais usados são:

| | |
|---|---|
| **ponto-final [.]** | **dois-pontos [:]** |
| **ponto de interrogação [?]** | **reticências [...]** |
| **ponto de exclamação [!]** | **travessão [—]** |
| **vírgula [,]** | **aspas [" "]** |
| **ponto e vírgula [;]** | **parênteses [( )]** |

Vejamos, a seguir, as situações em que empregamos esses sinais.

# 1. Ponto-final

É o sinal que indica a pausa natural no final de uma frase, de uma oração absoluta ou de um período composto de duas ou mais orações. Emprega-se:

a) para assinalar o fim de **oração absoluta** ou de **período simples**:

"Fabiano tinha ido à feira da cidade comprar mantimentos."
Graciliano Ramos

"Um país se faz com homens e livros." (Monteiro Lobato)

b) encerra orações independentes, dentro de um mesmo parágrafo:

"As cores da saúde voltariam à cara triste de Sinhá Vitória. Os meninos se espojariam na terra fofa do chiqueiro das cabras. Chocalhos tilintariam pelos arredores. A catinga ficaria verde." (Graciliano Ramos)

c) nas abreviaturas:

a.C. = antes de Cristo        av. = avenida
d.C. = depois de Cristo       Ilmo. = ilustríssimo
V.Sª = Vossa Senhoria         sr. = senhor

**Observação:** Os símbolos relativos às unidades do sistema métrico decimal ou aos elementos químicos não vêm seguidos de ponto-final:

km, m, cm, He, K, C etc.

## 2. Ponto de interrogação

Coloca-se no final das **interrogações diretas**. Também pode ser usado para indicar surpresa, indignação ou atitude de expectativa diante de uma situação:

"Por que derramas tanto amor nos olhos?" (Álvares de Azevedo)

"— Peste? Espere aí! Você vai ver quem é peste (...)"
Monteiro Lobato

"— Recebê-los a bala? Era loucura." (Erico Verissimo)

## 3. Ponto de exclamação

Usa-se essa pontuação:

a) depois de frases que exprimem **surpresa**, **entusiasmo**, **súplica**:

" — Chi! Que fim de mundo!" (Graciliano Ramos)

"Ai que quarto suculento!" (Clarice Lispector)

"Acorda! quem te chama, Julieta, / Sou eu!" (Olavo Bilac)

b) depois de certas **interjeições** e **vocativos**:

"**Ah!** Foi você que me roubou,
foi você, **negra Fulô!**" (Jorge de Lima)

"**Ai! Morena!** És tão bela... perdi-me!" (Álvares de Azevedo)

c) nas frases volitivas (as que exprimem desejo):

"O Senhor te **ouça!**"
Machado de Assis

"Raios o partissem, diabo!" (Aluísio Azevedo)

## 4. Vírgula

A vírgula indica uma pausa breve e é usada nos seguintes casos:

### >> Nos termos da oração

a) separa termos de uma mesma função sintática:

"Ele pensava **em Bibiana, em seus seios brancos, no seu corpo jovem, nos seus olhos inviesados.**" (Erico Verissimo)

"O tutu era um tutu **honesto, forte, poderoso** e saudável."
Jorge Amado

b) separa **vocativos** ou **apostos**:

"**Ó mundo,** minha família natural não te possui." (Murilo Mendes)

*vocativo*

*aposto explicativo*

"Prudêncio, um moleque de casa, era meu cavalo de todos os dias." (Machado de Assis)

c) separa **adjunto adverbial** (antecipado ou intercalado):

"**De repente,** foi como o céu desabasse de seu azul."
Otto Lara Rezende

"Era costume sempre, **na família,** a ceia de Natal."
Mário de Andrade

d) separa palavras ou locuções de natureza corretiva, explicativa ou enfática, como **isto é, a saber, por exemplo, ora digo, ou seja, aliás** etc.:

Viajaremos amanhã, **aliás,** depois de amanhã.
"O amor, **por exemplo,** é um sacerdócio." (Machado de Assis)

e) isola um complemento verbal antecipado ao verbo e repetido pleonasticamente:

"**Os outros reparos**, aceitei-**os** todos." (Mário de Andrade)

"**Ao avarento**, não **lhe** peço nada." (Francisco Rodrigues Lobo)

f) isola predicativo do sujeito intercalado ou antecipado:

"José Dias, **composto e grave**, não dizia nada a princípio (...)."
Machado de Assis

"**Distraído**, o pai não reparou que ele juntava ação às palavras (...)." (Fernando Sabino)

g) indica a **elipse** (omissão de um termo):

"No verão, calor de espatifar osso e carnes." (Carlos Heitor Cony)
(Subentende-se na frase a forma verbal "fazia")

h) isola **topônimos** (nomes próprios de lugar) seguidos de data:

**Brasília**, 21 de abril de 2007.

## Nas orações do período

a) separa **orações coordenadas assindéticas**:

"Barbeio-me, visto-me, calço-me." (Carlos Drummond de Andrade)

"Caiu desembargador, caiu mesa, caiu cadeira e cadeirinha."
José Cândido de Carvalho

b) separa **orações coordenadas sindéticas** iniciadas por conjunção **adversativa**, **alternativa**, **conclusiva**, **explicativa**:

"Morreu Felipe dos Santos; **outros, porém, nascerão.**"
Cecília Meireles

"Era domingo; **eu não tinha nada, pois, a fazer.**"
Paulo Mendes Campos

"**Ora** respondia, **ora** ficava mudo." (Orígenes Lessa)

"Sou homem, **logo não sou pó.**" (Machado de Assis)

"Vem, **que eu te quero fraco.**" (Chico Buarque)

> **Observação:** Antes da conjunção coordenativa **e**, emprega-se a vírgula nos seguintes casos:
>
> 1) quando o **e** não possui valor aditivo:
>
> Esforçou-se bastante, **e** não obteve nenhum sucesso.
> *valor adversativo*
>
> Chorou tanto, **e** conseguiu a sonhada viagem.
> *valor consecutivo*
>
> 2) quando as orações apresentam sujeitos diferentes:
>
> *suj.* *suj.*
> "... **um** deitou-se na rede, **e outro** telefonava."
> Rubem Braga
>
> 3) quando o **e** aparece repetido (polissíndeto):
>
> "Ama, **e** treme, **e** delira, **e** voa, **e** foge, **e** engana."
> Alberto de Oliveira

c) separa **orações subordinadas adjetivas explicativas**:

"O homem sem iniciativa, **que tudo espera do acaso**, é como o mendigo, **que vive de esmolas.** (Coelho Neto)

d) separa **orações subordinadas adverbiais desenvolvidas** ou **reduzidas** antepostas ou intercaladas no período:

"**Como isto não acontecesse,** espiou os quatro cantos (...)"
Graciliano Ramos

"Gente honesta, **se for homem,** é José; **se for mulher,** é Maria." (Stanislaw Ponte Preta)

"**Não obtendo resultado,** fustigou-o com a bainha da faca."
Graciliano Ramos

"E os passos dele, **iniciando a semana,** parecem o de um bicho se arrastando penosamente." (Carlos Carvalho)

"Uma noite, **ao receber a visita de uma amiga,** lembrei-me de lhe emprestar um romance." (Dinah Silveira de Queiroz)

e) separa as orações interferentes ou intercaladas (orações sintaticamente independentes da estrutura sintática da oração usadas apenas para inserir uma opinião, observação, ressalva ou advertência do emissor):

"— Proletário, **acudiu o senhor Rodrigues,** é o cidadão pobre que vive do trabalho mal remunerado." (Artur Azevedo)

" — É fantástico, **observou Castro,** agarrando o copo de cerveja." (Machado de Assis)

" — Esqueci como é que eu durmo, **disse ansioso à mulher**."
Otto Lara Resende

> **Observação:** As orações subordinadas substantivas apositivas podem aparecer antecedidas de vírgula ou de dois-pontos:
>
> "Mas diga-me uma cousa, **essa proposta traz algum motivo oculto**?" (Machado de Assis)
>
> "Desejava realizar um grande sonho: **que todos os homens vivessem pacificamente.**" (Cecília Meireles)

**Cuidado:** Como vimos, a vírgula é empregada para marcar a separação entre termos deslocados ou intercalados, quer no período simples, quer no período composto. Portanto, não havendo deslocamento ou intercalação de um termo ou de uma oração, a vírgula não é compatível nos seguintes casos:

a) entre sujeito e predicado:

Muitos paulistanos deixam o carro na garagem.

b) entre verbo e complemento verbal (objeto direto ou objeto indireto):

Os animais protegem seus filhotes.

As crianças necessitam de carinho.

c) entre substantivo, adjetivo ou advérbio e complemento nominal:

A invenção da imprensa aproximou os povos.

O fumo é prejudicial ao organismo.

Opinamos contrariamente ao seu projeto.

d) entre substantivo e adjunto adnominal:

Existirão rosas sem espinho?

e) entre oração principal e oração subordinada substantiva:

> Não me espanta que você seja tão imaturo.

- or. princ.: Não me espanta
- or. sub. subst.: que você seja tão imaturo

**Mais cuidado:** Se a oração subordinada substantiva figurar antes da principal, a vírgula deverá separá-las:

> Que você é um hipócrita, todos nós sabemos.

- or. sub. subst.: Que você é um hipócrita
- or. princ.: todos nós sabemos

f) entre oração principal e oração subordinada adjetiva restritiva:

> Você foi o único amigo que me apoiou naquele dia.

- or. princ.: Você foi o único amigo
- or. sub. adj. restritiva: que me apoiou naquele dia

g) entre oração principal e oração subordinada adverbial posposta:

> Fico tranquilo quando você volta cedo para casa.

- or. princ.: Fico tranquilo
- or. sub. adv. temporal: quando você volta cedo para casa

## 5. Ponto e vírgula

O ponto e vírgula é empregado para indicar uma pausa maior do que a vírgula e um pouco mais breve do que o ponto-final, sem, contudo, encerrar o período.

Usa-se nos casos seguintes:

a) para separar orações de um período relativamente extenso, sobretudo se uma das orações já apresenta vírgula:

"Aí, a fiscalização era rigorosa; nem lhe escapavam as capas e as armações das cangalhas, que nos menores orifícios podiam esconder diamantes." (Afonso Arinos)

b) para substituir, facultativamente, a vírgula em **orações coordenadas sindéticas adversativas**:

> "Não sou barqueiro de vela; / Mas sou um bom remador."
>
> Manuel Bandeira

c) para separar **orações coordenadas sindéticas conclusivas** (com as conjunções pospostas ao verbo):

> "As doses eram diárias e diminutas; tinham, portanto, de guardar um longo prazo antes de produzido o efeito."
>
> Machado de Assis

d) para separar os **considerandos** e **artigos** de *decretos*, *sentenças*, *petições* etc.:

> "Art. 214. A lei estabelecerá o plano nacional de educação, de educação plurianual, visando à articulação e ao desenvolvimento do ensino em seus diversos níveis e à integração das ações do Poder Público que conduzam à:
> I – erradicação do analfabetismo;
> II – universalização do atendimento escolar;
> III – melhoria da qualidade de ensino;
> IV – formação para o trabalho;
> V – promoção humanística, científica e tecnológica do País."

("O Ensino Superior no Brasil". In: MARTINS, Ives Gandra da Silva. *Reflexões sobre o Direito Tributário*. Osasco: Edifieo, 2006.)

## 6. Dois-pontos

Os dois-pontos assinalam uma pausa suspensiva da voz, indicando que a frase não está concluída.

Empregam-se para:

a) indicar uma **citação** alheia ou própria:

> Já dizia Rui Barbosa: "O homem criando, através do trabalho, assemelha-se a Deus".

b) antes de uma **enumeração**:

"Nós éramos quatro: **uma prima, dois neguinhos e eu.**"
Mário Quintana

"O restante, a saber: **capital, esfera e coroa**, fez-se em pedaços." (Antônio Feliciano de Castilho)

c) antes de uma **explicação** ou **sequência**:

"Talvez fosse apenas falta de vida: **estava vivendo menos do que podia e imaginava (...)**" (Clarice Lispector)

"Procurei o mostrador: **do ponto em que me achava não se percebia número.**" (Graciliano Ramos)

## 7. Travessão

Usa-se o travessão para:

a) indicar mudança de **interlocutor** no diálogo:

"— Papai, que é que eu faço?
— Vá estudar.
— Já estudei.
— Vá brincar.
— Já brinquei.
— Então não amole." (Clarice Lispector)

b) separar **orações intercaladas**, fazendo as vezes de vírgula ou parênteses:

" — Esqueci como é que eu durmo — **disse ansioso à mulher.**" (Otto Lara Resende)

"Levantamos os dois de um pulo, dando graças a Deus — **que ele nos perdoe** — pela oportunidade de escaparmos daquela câmara de suplício." (José J. Veiga)

## 8. Reticências

As reticências são empregadas para indicar a interrupção da frase, sugerindo:

a) dúvida, hesitação, surpresa:

"— Breve... Espere um pouco... Tenha paciência... Vou ser nomeado professor de javanês, e..." (Lima Barreto)

"Em terra de olho quem tem um cego... Ih! Errei!"
Luis Fernando Verissimo

b) a supressão de trechos de um texto. Nesse caso, as reticências ficam entre parênteses:

"(...) um vício cujas raízes obscuras eu mal ousaria tentar pôr a nu (...)" (José Régio)

"(...) uma novena de relho porque disse: Como é ruim, a sinhá!" (Monteiro Lobato)

## 9. Aspas

Usam-se as aspas para:

a) indicar uma citação de frase alheia:

Napoleão disse: "Do alto destas pirâmides quarenta séculos vos contemplam".

b) realçar uma palavra ou expressão dignas de nota ou de sentido irônico:

"Ordem e Progresso" é o nosso lema.

Ele usa muitas gírias na conversa; como é "bacana" a sua linguagem!

>> pontuação

447 >>

**Observação:** Quando já figuram aspas numa citação ou transcrição, devemos usar semiaspas (aspas simples):

"Não diga 'asseguro', Senhor Bernardes; em português é 'garanto'." (Lima Barreto)

"Mas porém deverá parolar, quando mais chegadinho o convívio, sobre essas 'meretrizes' que chupam o sangue do corpo sadio." (Mário de Andrade)

c) indicar palavras estrangeiras, arcaísmos, neologismos (palavras recém-criadas ou que adquirem um novo significado), termos de gírias, etc.:

Gosto de visitar os "sites" sobre educação da "web".

"— Que é o povo? Um monstro com muitas cabeças mas sem miolos. E esse 'bicho' tem memória curta." (Erico Verissimo)

## 10. Parênteses

Os parênteses são utilizados para:

a) separar orações interferentes ou intercaladas:

"O marido de Dona Maria da Glória **(assim se chamava a filha do barão)** era desembargador (...)" (Lima Barreto)

"...ele achou de inventar **(pois tinha aprendido a criar)** a Teoria dos Lados!" (Ziraldo)

b) encerrar a citação de autores e referências bibliográficas:

"Fecham-se uma a uma as janelas. Três horas depois, lá está Dario à espera do rabecão. A cabeça agora na pedra, sem paletó. E o dedo sem a aliança. O toco de vela apaga-se às primeiras gotas da chuva, que voltava a cair." (Dalton Trevisan, *Uma vela para Dario*)

>> PARTE 3

## >> Testes

>> pontuação

1. (**STN**) Indique o período em que as vírgulas não isolam oração subordinada adjetiva:
   a) "Entre a história romanceada, que teve nova voga entre 1920 e 1940, situa-se parte da obra do escritor."
   b) "Dentre os numerosos dialetos regionais usados no Sul da França, não há nenhum que, desde o início da Idade Média, tenha adquirido importância decisiva como língua literária."
   c) "No fim do século XI constitui-se uma língua de civilização, cujo berço é a França Meridional, hoje denominada 'provençal clássico'."
   d) "Os comediantes italianos, que vinham com frequência a Paris, representavam a comédia improvisada em torno de um esquema prévio: a '*commedia dell'arte*'."
   e) "Como consequência de tudo isso, os gramáticos, que eram senhores absolutos da língua, impunham arbitrariamente regras cerebrinas."

   Na segunda alternativa, a primeira vírgula isola um adjunto adverbial antecipado; a segunda e a terceira isolam um adjunto adverbial de tempo, intercalado entre a oração principal e a subordinada adjetiva restritiva, que não exige vírgula. Nas demais alternativas, as orações isoladas por vírgulas são adjetivas explicativas, caso em que o emprego da vírgula é obrigatório. Por isso, a resposta correta é a "b".

2. (**Saae — Sorocaba-SP**) O trecho — A autora da pesquisa, Tatiana Beatriz Tribessi, explica que no processo de pasteurização do suco de laranja busca-se eliminar parcialmente os micro-organismos e inativar uma enzima chamada pectinesterase... — está repontuado corretamente em:

   A autora da pesquisa, Tatiana Beatriz Tribessi,
   a) explica que, no processo de pasteurização do suco de laranja, busca-se eliminar parcialmente os micro-organismos e inativar uma enzima chamada pectinesterase...

449 >>

b) explica que no processo, de pasteurização do suco de laranja busca-se, eliminar parcialmente os micro-organismos e inativar uma enzima chamada pectinesterase...
c) explica que no processo de pasteurização do suco de laranja busca-se eliminar parcialmente, os micro-organismos e inativar uma enzima, chamada pectinesterase...
d) explica, que no processo de pasteurização do suco de laranja busca-se eliminar, parcialmente os micro-organismos e inativar uma enzima chamada pectinesterase...
e) explica que no processo de pasteurização, do suco de laranja busca-se eliminar parcialmente os micro-organismos e inativar, uma enzima chamada pectinesterase...

As vírgulas empregadas na frase "a" separam um adjunto adverbial de tempo ("durante o processo...") inserido entre a oração principal e a subordinada substantiva objetiva direta. Por isso, a resposta correta é a "a".

3. (Saae — Sorocaba-SP) Assinale a alternativa que apresenta correta pontuação.

a) Copenhague, cidade da Dinamarca, tem ótimos pesquisadores.
b) Uma revista científica, publicou estudos sobre o tabaco.
c) No final da pesquisa, constatou-se, o grande mal causado pelo cigarro.
d) Abandonar, o vício, para sempre faz a diferença.
e) Quase 20.000 homens e mulheres, foram acompanhados por pesquisadores.

Em "a", as vírgulas isolam um aposto explicativo ("cidade da Dinamarca" explica o nome "Copenhague"); em "b", o emprego da vírgula está errado porque não se separa, com vírgula, sujeito ("Uma revista científica") de verbo ("publicou"); em "c", a primeira vírgula está correta, pois isola um adjunto adverbial de tempo ("No final da pesquisa") que está antecipado, ou seja, fora da ordem direta da oração; entretanto, a segunda vírgula está incorretamente empregada, por não se separar, com vírgula, o verbo ("constatou-se") de seu objeto ("o grande mal causado..."), mesmo caso da primeira vírgula da alternativa "d" ("vício" é objeto direto do verbo "abandonar"). A segunda vírgula também não se justifica porque separa o sujeito da oração ("abandonar o vício") do verbo ("para sempre faz a diferença"). Na última alternativa, ocorre situação similar: a vírgula separa o sujeito ("Quase 20.000 homens e mulheres") do verbo ("foram"). Por isso, a resposta correta é a "a".

**4. (Crea-SP)** Quanto às vírgulas que aparecem no trecho "*o rico tem telefone fixo, que é analógico; o pobre tem o celular, que é digital*", pode-se dizer que:

a) servem para diferenciar ricos de pobres
b) indicam um tom exclamativo
c) aparecem em orações adjetivas
d) separam os sujeitos dos objetos diretos
e) reforçam a repetição de um termo

As duas orações apresentadas no trecho que figuram após as vírgulas ("que é analógico" e "que é digital") são adjetivas explicativas. O emprego das vírgulas, portanto, é de absoluto rigor. Por isso, a resposta correta é a "c".

**5. (Cetesb-SP)** Indique a alternativa cuja pontuação esteja correta.

a) Acredita-se segundo o governo, que o projeto beneficie 12 milhões de pessoas.
b) Acredita-se, segundo o governo que, o projeto beneficie 12 milhões de pessoas.
c) Acredita-se, segundo o governo, que o projeto beneficie, 12 milhões de pessoas.
d) Acredita-se, segundo o governo, que o projeto beneficie 12 milhões de pessoas.
e) Acredita-se segundo o governo que o projeto, beneficie 12 milhões de pessoas.

Em "a", o emprego da vírgula é incorreto porque separa o verbo ("acredita-se") de seu complemento, no caso a oração subordinada subjetiva objetiva direta "que o projeto beneficie 12 milhões de pessoas"; em "b", a primeira vírgula está empregada corretamente, mas a segunda, não, pois ela deveria vir antes da conjunção integrante "que", e não depois; em "c", o emprego das duas primeiras vírgulas se justifica, mas a terceira separa o verbo ("beneficie") do seu objeto direto ("12 milhões de pessoas"), o que não é correto. Em "d", as vírgulas empregadas isolam corretamente um adjunto adverbial intercalado num período composto (na ordem direta, seria: "Acredita-se que o projeto beneficie 12 milhões de pessoas segundo o governo"). Por fim, na última alternativa, a única vírgula empregada não se justifica porque está separando o sujeito ("o projeto") do verbo ("beneficie"). Por isso, a resposta correta é a "d".

6. **(Cetesb-SP)** Em "*A grande maioria das marcas que encontramos à venda é gaseificada, em processo industrial idêntico ao dos refrigerantes: retira-se o oxigênio presente no líquido e injeta-se, em seu lugar, gás carbônico.*", o uso de dois-pontos indica:
   a) esclarecimento
   b) enumeração
   c) surpresa
   d) reflexão
   e) citação

O emprego de dois-pontos, no período apresentado, indica esclarecimento porque coloca em evidência o que se vai dizer em seguida, isto é, explica qual é o processo industrial de fabricação dos refrigerantes. Por isso, a resposta correta é a "a".

7. **(TRF-RJ)** Está inteiramente correta a pontuação da seguinte frase:
   a) Faça chuva ou, faça um sol escaldante, sempre haverá quem se entregue, com ansiedade à prática de intensos exercícios físicos.
   b) Faça chuva ou faça um sol escaldante, sempre haverá quem se entregue com ansiedade à prática, de intensos exercícios físicos.
   c) Faça chuva, ou faça um sol escaldante, sempre haverá quem se entregue com ansiedade, à prática de intensos exercícios físicos.
   d) Faça chuva ou faça um sol escaldante, sempre haverá quem se entregue com ansiedade à prática de intensos exercícios físicos.
   e) Faça chuva, ou faça um sol escaldante, sempre haverá quem se entregue, com ansiedade à prática de intensos exercícios físicos.

Na penúltima alternativa, a vírgula separa uma oração coordenada assindética em relação à oração anterior. Por isso, a resposta correta é a "d".

8. **(SSP-SP)** Assinale a alternativa em que o texto esteja pontuado corretamente.
   a) Matias, cônego honorário e pregador fiel, estava compondo um sermão quando começou o idílio psíquico.
   b) Matias cônego honorário, e pregador fiel, estava compondo um sermão quando começou o idílio psíquico.
   c) Matias, cônego honorário e pregador fiel, estava compondo um sermão, quando começou o idílio psíquico.
   d) Matias, cônego honorário e pregador fiel, estava compondo um sermão, quando começou, o idílio psíquico.

Na primeira alternativa, as vírgulas intercalam um aposto explicativo na frase. Em "c", a segunda oração é subordinada adverbial temporal posicionada depois da oração principal, caso em que não se usa vírgula antes da conjunção. Por isso, a resposta correta é a "a".

**9.** (**Nossa Caixa-SP**) Assinale a alternativa **correta** quanto à pontuação.

a) Em Mato Grosso do Sul, uma placa anuncia: "Com sua chegada, Bonito ficou lindo."
b) Em Mato Grosso do Sul uma placa anuncia: "Com sua chegada, Bonito ficou lindo."
c) Em Mato Grosso do Sul, uma placa anuncia: "Com sua chegada, Bonito, ficou lindo."
d) Em, Mato Grosso do Sul, uma placa anuncia: "Com, sua chegada, Bonito ficou lindo."
e) Em Mato Grosso do Sul, uma placa, anuncia: "Com sua chegada, Bonito, ficou lindo."

Na primeira alternativa, a vírgula isola um adjunto adverbial deslocado ("Em Mato Grosso do Sul"); os dois-pontos antecedem uma oração que explica, identifica ou esclarece o enunciado anterior; as aspas colocam em destaque a oração explicativa. Note que em "c" e "e", o fato de o nome do município sul-mato-grossense ter sido colocado entre vírgulas personificou-o, tornando-o um vocativo, como se a placa estivesse se dirigindo a alguém com o nome próprio "Bonito", o que muda completamente o sentido do período. Na alternativa "b" falta a vírgula depois do adjunto adverbial de lugar "Em Mato Grosso do Sul"; e, em "d", não se emprega vírgula depois de preposição ("em", "com" etc.), exceto quando o que vier depois for uma oração intercalada (por exemplo: "temos previsões para, digamos, uma semana"), o que não é o caso. Por isso, a resposta correta é a "a".

**10.** (**MP-SC**) Marque a opção em que há erro por falta ou emprego indevido de vírgula.

a) Gostaria de dizer-lhes, meus colegas, que o julgamento foi muito prestigiado.
b) Visto que assim queres, faremos tua vontade.
c) O Ministro da Justiça, virá a Porto Alegre.
d) Ensinei-lhes o respeito aos valores intelectuais do Direito.
e) Quando voltei ao Rio Grande, minha terra, chorei de emoção.

Em "a", as vírgulas isolam um vocativo ("meus colegas"); em "b", a única vírgula do período separa uma oração subordinada adverbial causal anteposta à principal; em "c", não se pode separar, com vírgula, o sujeito do verbo; em "d", não se justifica o emprego de vírgula; em "e", as vírgulas isolam um aposto explicativo ("minha terra"). Por isso, a resposta correta é a "c".

**11. (MP-SC)** Assinale a alternativa em que o texto está corretamente pontuado.

a) Bem te dizia eu, que não iriam a bons resultados as tuas paixões.
b) Bem te dizia eu que, não iriam a bons resultados as tuas paixões.
c) Bem te dizia eu que não iriam a bons resultados, as tuas paixões.
d) Bem te dizia eu que não iriam a bons resultados as tuas paixões.
e) Bem te dizia eu que não iriam, a bons resultados as tuas paixões.

O período da alternativa "d" está correto porque não se separa com vírgula oração subordinada substantiva da oração principal. Nas demais alternativas, não há nenhuma justificativa para o emprego da vírgula. Por isso, a resposta correta é a "d".

**12. (Fesp-SP)** Assinale a frase com **erro** no uso da vírgula.

a) Fui à faculdade; não o encontrei, porém.
b) Depois falaram, o professor, os pais, os alunos e o diretor.
c) No dia 15 de novembro, feriado nacional, foi proclamada a República.
d) Pelé, Ministro dos Esportes, está preocupado com a violência nos estádios.
e) Chirac, que é presidente da França, ainda não suspendeu as experiências nucleares.

Em "a", o emprego da vírgula se justifica porque indica o deslocamento da conjunção coordenativa ("porém não o encontrei" = "não o encontrei, porém"); em "b", não deveria haver vírgula porque entre sujeito e verbo não se usa vírgula; em "c" e "d", as vírgulas isolam apostos explicativos; em "e", isolam uma oração subordinada adjetiva explicativa. Por isso, a resposta correta é a "b".

**13. (Acafe-SC)** A alternativa em que a pontuação altera o sentido dos períodos que compõem cada par é:
a) Houve um discurso; o prefeito (que naquele mesmo ano seria derrubado e preso) disse algumas palavras.
Houve um discurso: o prefeito — que naquele mesmo ano seria derrubado e preso — disse algumas palavras.

b) Hoje, fiquei sabendo, através dos jornais, que houve mudanças no governo.
Hoje fiquei sabendo, através dos jornais, que houve mudanças no governo.
c) O presidente recusou a proposta de reformas; o senado não concordou com as reformas.
O presidente recusou a proposta de reformas; o senado não: concordou com as reformas.
d) Já tive muitas capas e guarda-chuvas, mas acabei me cansando de perdê-los; há anos vivo sem nenhum desses abrigos.
Já tive muitas capas e guarda-chuvas, mas acabei me cansando de perdê-los. Há anos vivo sem nenhum desses abrigos.
e) A prova constará de: um estudo de texto; cinco questões gramaticais; uma redação.
A prova constará de um estudo de texto, cinco questões gramaticais, uma redação.

No primeiro período da terceira alternativa, afirma-se que o senado também não concordou com as reformas contidas na proposta recusada pelo presidente. No segundo período, com a alteração da pontuação, afirma-se o contrário, ou seja, que o senado estava de acordo com as reformas da proposta que o presidente recusou. Tudo porque em "o senado não concordou com as reformas", no primeiro período composto da alternativa, o advérbio de negação "não" se refere ao verbo "concordar" ("o senado não concordou"). No segundo período composto da alternativa, o mesmo advérbio se refere ao verbo "recusar", pois há, aqui, uma elipse (vide o capítulo *Figuras de Linguagem*): "o senado não recusou (a proposta de reformas)". Os dois-pontos, então, introduzem a explicação da recusa. Por isso, a resposta correta é a "c".

14. (**PUC-SP**) O uso das vírgulas de intercalação está registrado adequadamente em uma das alternativas a seguir. Assinale-a.
a) "E então chegava o Carnaval, registrando-se grandes comemorações ao Festival de Besteira."
b) "Um padre local, por volta da meia-noite, recebeu uma denúncia e foi para o baile, exigindo da Polícia que o Papa de araque fosse preso."
c) "E enquanto todos pulavam no salão, o dólar pulava no câmbio. Há coisas inexplicáveis."

d) "... e foi para o baile, exigindo da Polícia que o Papa de araque fosse preso. Em seguida, declarou: 'Brincar o Carnaval já é um pecado grave. Brincar fantasiado de Papa é uma blasfêmia terrível.'"
e) "Até hoje não se sabe por que foi durante o Carnaval que o Governo aumentou o dólar, fazendo muito rico ficar muito mais rico."

"Em "a", o adjunto adverbial "então" intercalado deveria estar entre vírgulas; em "b", as vírgulas intercalam o adjunto adverbial de tempo "por volta da meia-noite" entre o sujeito "Um padre local" e o verbo "recebeu"; em "c", deveria haver uma vírgula antes de "enquanto", para que o deslocamento do adjunto adverbial de tempo ("enquanto todos pulavam no salão") ficasse evidenciado; em "d", a vírgula depois de "Em seguida" isola um adjunto adverbial deslocado, e não intercalado na frase como pede o comando da questão; em "e", falta uma vírgula depois de "até hoje" (adjunto adverbial de tempo que está deslocado), e "durante o Carnaval", outro adjunto adverbial deslocado, também deveria estar entre vírgulas. Por isso, a resposta correta é a "b".

**15. (FGV-SP)** A regra determinante da pontuação na passagem "... pois o conhecimento introduziu no mundo a desobediência, as heresias e as seitas, e a imprensa divulgou-as e publicou os libelos contra os melhores governos" é a mesma que se encontra em:
a) As pessoas se acham frustradas, indignadas e aborrecidas, e ainda esperam solução.
b) Todas as previsões falharam, tudo foi tentado e o plano não só não deu certo, como incomodou muita gente.
c) Discutiu-se o projeto, evidentemente com atenção e cautela, mas houve reações contrárias e ânimos incendiados.
d) A empresa patrocinou os ginastas, os times de basquete e vôlei, deixando de lado os nadadores e velejadores.
e) Os funcionários liberaram a via, as plataformas e os bloqueios, e os usuários puderam utilizar o metrô e viajar tranquilamente.

No período apresentado no comando da questão, a primeira vírgula separa termos coordenados entre si ("... a desobediência, a heresia..."); a segunda separa a oração coordenada sindética aditiva "... e a imprensa divulgou-as..." porque o sujeito é diferente do da oração anterior. Na alternativa "e", a regra determinante da pontuação é a mesma, pois "a via" e "plataforma" são termos coordenados entre si, e a vírgula final separa a oração coordenada sindética aditiva "... e os usuários puderam utilizar..." com sujeito diferente do da oração anterior. Por isso, a resposta correta é a "e".

>> 456

>> PARTE 3

>> pontuação

**16.** (Fuvest-SP) As aspas marcam o uso de uma palavra ou expressão de variedade linguística diversa da que foi utilizada no restante da frase em:
a) Essa visão desemboca na busca ilimitada do lucro, na apologia do empresário privado como o "grande herói" contemporâneo.
b) Pude ver a obra de Machado de Assis de vários ângulos, sem participar de nenhuma visão "oficialesca".
c) Nas recentes discussões sobre os "fundamentos" da economia brasileira, o governo deu ênfase ao equilíbrio fiscal.
d) O prêmio Darwin, que "homenageia" mortes estúpidas, foi instituído em 1993.
e) Em fazendas de Minas e Santa Catarina, quem aprecia o campo pode curtir o frio, ouvindo "causos" à beira da fogueira.

É importante prestar atenção ao enunciado da questão, que especifica qual uso das aspas está-se pedindo para identificar em uma das alternativas. Em todas, as aspas foram usadas corretamente, mas, na alternativa "e", a palavra "causos" (= casos) está grafada entre aspas porque é típica da variedade linguística da região mineira. Nas demais alternativas, os textos estão redigidos em uma linguagem urbana e contemporânea, e as aspas foram utilizadas apenas para evidenciar a ironia. Por isso, a resposta correta é a "e".

**17.** (Fadi-SP) Assinale a alternativa correta quanto à pontuação.
a) Quando se fala de dinheiro, a desconfiança é muito grande, então, pode-se optar pela comunhão parcial de bens e, depois, rever com o tempo.
b) Quando se fala, de dinheiro, a desconfiança é muito grande, então pode-se, optar pela comunhão parcial de bens e depois, rever com o tempo.
c) Quando se fala de dinheiro, a desconfiança, é muito grande então pode-se optar, pela comunhão parcial de bens, e depois rever, com o tempo.
d) Quando se fala de dinheiro a desconfiança é muito grande então pode-se, optar pela comunhão parcial de bens, e, depois, rever com o tempo.
e) Quando, se fala de dinheiro, a desconfiança, é muito grande então pode-se optar, pela comunhão parcial de bens, e depois, rever com o tempo.

**457 >>**

Em "a", a primeira vírgula separa a oração subordinada adverbial temporal ("Quando se fala de dinheiro") anteposta à oração principal ("a desconfiança é muito grande"), as demais vírgulas isolam adjuntos adverbiais de tempo intercalados na frase ("então" e "depois", respectivamente). Em "b" e "d", só o fato de haver uma vírgula separando a locução verbal "pode-se optar", o que não é correto, já denuncia que as alternativas são erradas. Em "c" e "e", detecta-se uma grave incorreção no uso da vírgula, que é separar o sujeito ("a desconfiança") do verbo ("é"). Só isso já as descarta como respostas corretas. Por isso, a resposta correta é a "a".

**18. (ITA-SP)** O teste seguinte refere-se ao trecho do texto *Morte e Vida Severina* de João Cabral de Melo Neto. Leia-o atentamente para respondê-la.

"— Muito bom dia, senhora,
Que nessa janela está;
Sabe dizer se é possível
Algum trabalho encontrar?"

No primeiro verso, **senhora** vem entre vírgulas porque o termo é:
a) um aposto
b) um sujeito deslocado
c) um predicativo
d) um vocativo
e) um sujeito simples

A palavra "senhora" aparece obrigatoriamente isolada por vírgulas porque é um vocativo — termo alheio à estrutura sintática da frase. É usado apenas para indicar o destinatário da mensagem. Por isso, a resposta correta é a "d".

**19. (ITA-SP)** Dadas as afirmações:

I – Usa-se geralmente a vírgula entre palavras, membros e orações de idêntica função.

II – Com exceção das aditivas, antes das quais ela nunca pode ser usada, a vírgula deve preceder as demais conjunções coordenativas.

III – Traço de certa extensão, maior que o hífen, o travessão, além de indicar mudança de interlocutor, pode substituir os parênteses, as vírgulas e os dois-pontos.

IV – Além de separar conceitos, ideias e indicar o término do raciocínio e do período, o ponto e vírgula separa as partes principais de uma frase cujos elementos subalternos têm de ser separados por vírgulas.

Pode-se dizer que:
a) apenas a I e III estão corretas
b) apenas a II e IV estão corretas
c) apenas a II está correta
d) apenas a III está correta
e) apenas a IV está correta

A afirmação II está errada porque pode ocorrer vírgula antes de conjunções coordenativas aditivas; a IV está errada porque o ponto e vírgula nunca pode encerrar o período. Por isso, a resposta correta é a "a".

**20. (ITA-SP)** Dadas as afirmações:

I – Em "José, por não concordar com as ordens do chefe, retirou-se", a supressão de uma das vírgulas constituirá erro, pois virá a quebrar a concatenação da oração, por separar o sujeito do predicado.

II – Em "Disse ele muitas coisas e mais coisas teria dito se não fosse a carência de tempo", é necessária a vírgula antes da conjunção aditiva para separar complementos de verbos diferentes.

III – Usa-se o ponto e vírgula para separar as partes principais de uma frase, sobretudo se longas, nas quais já existam elementos virgulados.

Deduzimos que, de acordo com as normas de pontuação, pode(m) estar correta(s):

a) todas
b) apenas a I
c) apenas a II
d) apenas a III
e) apenas a I e III

Em I, "José" é sujeito de "retirou-se". Entre esses dois termos há uma oração subordinada adverbial reduzida ("por não concordar com as ordens do chefe") que exige o emprego das vírgulas. A supressão de qualquer das duas vírgulas quebraria a relação sujeito/predicado; em II, a vírgula poderia ser empregada facultativamente; em III, enuncia-se corretamente um dos princípios tradicionais do emprego do ponto e vírgula. Por isso, a resposta correta é a "e".

**21. (FGV-SP)** Assinale a alternativa em que a pontuação da frase seja mais adequada.

a) Longe, além da função adverbial de lugar tem a de adjetivo com significação de distante, afastado: é então geralmente usado no plural.

b) Longe além da função adverbial de lugar, tem a de adjetivo com significação de distante afastado, é então geralmente usado no plural.
c) Longe, além da função adverbial de lugar, tem a de adjetivo, com significação de distante, afastado; é então geralmente usado no plural.
d) Longe, além da função adverbial de lugar tem a de adjetivo, com significação de distante, afastado: é então geralmente usado no plural.
e) Longe além da função adverbial de lugar tem, a de adjetivo, com significação de distante, afastado; é então geralmente usado no plural.

Os adjuntos adverbiais "além da função adverbial de lugar" e "com significação de distante, afastado" devem ficar intercalados na frase, portanto, isolados por vírgulas. O emprego do ponto e vírgula depois de "afastado" justifica-se porque separa a segunda oração da primeira, que já apresenta vírgula. Por isso, a resposta correta é a "c".

**22.** (PUCCamp-SP) A **única** alternativa em que o adjunto adverbial aparece **incorretamente** pontuado é:
a) Na fronteira entre o Amazonas e o Peru, a área que concentra o maior número de tribos isoladas é o Vale do Javari.
b) A área que concentra o maior número de tribos isoladas é o Vale do Javari, na fronteira entre o Amazonas, e o Peru.
c) A área que concentra — na fronteira entre o Amazonas e o Peru — o maior número de tribos isoladas é o Vale do Javari.
d) A área que concentra o maior número de tribos isoladas — na fronteira entre o Amazonas e o Peru — é o Vale do Javari.
e) A área, na fronteira entre Amazonas e Peru, que concentra o maior número de tribos isoladas é o Vale do Javari.

Na segunda alternativa, no trecho "na fronteira entre o Amazonas, e o Peru", a vírgula está incorretamente empregada porque não se podem separar termos coordenados sintaticamente entre si. O emprego incorreto da vírgula, aqui, muda o sentido da oração, pois transforma "na fronteira entre o Amazonas" em aposto. Como o aposto pode ser retirado sem prejuízo de sentido, teríamos a informação de que "a área que concentra o maior número de tribos isoladas é o Vale do Javari e o Peru". Se, entretanto, o estudante atentar para a informação geográfica da alternativa, vai perceber que falta informação no aposto gerado pelo uso incorreto da vírgula: fronteira entre o Amazonas e o quê? Em "a", a vírgula isola um adjunto adverbial deslocado; em "c" e "d", os travessões, substituindo vírgulas, isolam um adjunto adverbial intercalado; em "e", as vírgulas isolam um adjunto adverbial intercalado. Por isso, a resposta correta é a "b".

**23.** (**Cásper Líbero-SP**) Dos trechos abaixo, extraídos de *Dom Casmurro*, assinale aquele que está **incorreto** quanto à pontuação:

a) "Que é, Bentinho?"
b) "Dá licença, perguntou, metendo a cabeça pela porta."
c) "Não, eu não sou como outros, certos parasitas, vindos de fora para desunião das famílias, aduladores baixos, não."
d) "Dita a palavra, apertou-me as mãos com as forças todas de um vasto agradecimento, desprendeu-se e saiu."
e) "Uns sapatos, por exemplo, uns sapatinhos rasos de fitas pretas que se cruzavam no peito do pé e princípio da perna."

Na segunda alternativa, o correto seria: "Dá licença?, perguntou, metendo a cabeça pela porta". Como se trata de uma interrogação direta, emprega-se o ponto de interrogação. Por isso, a resposta correta é a "b".

**24.** (**ESPM-SP**) Observe as frases abaixo e verifique a justificativa entre parênteses sobre o uso de dois-pontos:

I – "O que mais penso, testo e explico: todo-o-mundo é louco." (Guimarães Rosa) (esclarecimento)
II – Em um de seus poemas, a escritora Cecília Meireles afirma: "A vida só é possível reinventada." (citação)
III – Eis os motivos pelos quais foram demitidos os diretores: traição, corrupção e desvio de verbas. (enumeração)

a) Todas estão corretas.
b) Somente I e II estão corretas.
c) Somente II e III estão corretas.
d) Somente I e III estão corretas.
e) Todas estão erradas.

Em todas as afirmações enunciam-se corretamente os princípios tradicionais do emprego dos dois-pontos. Por isso, a resposta correta é a "a".

## capítulo 10

# Tópicos de linguagem

Há, na língua portuguesa, muitas palavras ou expressões que, às vezes, oferecem dúvidas quanto ao correto emprego. Vejamos alguns casos importantes para que sejam esclarecidas:

### a cerca de • acerca de • cerca de • há cerca de

**A cerca de** ou **cerca de** significam *aproximadamente*, *mais ou menos*:

Estamos **a cerca de** dois quarteirões do quartel.
"Rui de Leão contava nesse tempo **cerca de** quarenta anos."
Machado de Assis

**Acerca de** é sinônimo de *a respeito de*, *sobre*:

Discute-se muito **acerca da** violência urbana.
Amanhã o professor falará **acerca do** movimento modernista.

**Há cerca de** exprime tempo decorrido. É substituível por *faz mais ou menos*:

Os noivos viajaram **há cerca de** dois dias.
Resido no interior **há cerca de** cinco anos.

## a fim • afim

**A fim** faz parte da locução **a fim de**. Equivale a *com o objetivo de*:

Estudo bastante a fim de ingressar numa boa faculdade.

**Afim** é adjetivo variável. Corresponde a *semelhante, análogo, que tem afinidade*:

O seu projeto é afim ao meu.
Os flagelados tiveram pronta assistência de médicos e afins.

## a menos de • há menos de

**A menos de** é locução prepositiva. Expressa ideia de *tempo futuro, quantidade* ou *distância aproximada*:

Estamos a menos de um mês do Natal.
O candidato discursava a menos de cem eleitores.
Estamos a menos de oito quilômetros da cidade.

**Há menos de** é a locução *menos de* antecedida do verbo *haver* empregado na indicação de tempo. Nesse caso, o *há* é substituível por *faz*:

O avião decolou há menos de dez minutos.
A última eleição ocorreu há menos de dois anos.

## ao invés de • em vez de

**Ao invés de** indica oposição, significando *ao contrário de*:

Ao invés de baixar, o preço do combustível sempre sobe.

**Em vez de** indica substituição, significando *no lugar de*:

Em vez de ir à praia, preferimos estudar.

> **Observação:** Em caso de dúvida quanto ao emprego dessas duas expressões, use sempre **em vez de**, já que essa locução serve para as duas situações.

## ao encontro de • de encontro a

**Ao encontro de** tem o sentido de *a favor de* ou de *em direção de*:

Suas ideias vêm ao encontro de minhas pretensões.
Correu ao encontro do pai e abraçou-o efusivamente.

**De encontro a** exprime a ideia de *oposição*, *choque*:

Seu argumento sempre vem de encontro ao da maioria.
O motorista alcoolizado foi de encontro ao poste.

## a princípio • em princípio • por princípio

**A princípio** significa *inicialmente*, *no começo*:

A festa, a princípio, estava chata, depois melhorou.
"Capitu, a princípio, não disse nada." (Machado de Assis)

**Em princípio** tem o sentido de *em tese*, *antes de tudo*:

Toda criança, em princípio, tem direito à educação.
Em princípio, creio que você tem razão nesse caso.

**Por princípio** significa *por forte razão*, *por convicção*, *em virtude de valores morais*:

Por princípio, não fumo nem bebo.

## a par • ao par

**A par** quer dizer *ciente*, *bem-informado*:

Já estamos a par de tudo o que ocorreu.

A expressão **ao par** só deve ser empregada para indicar equivalência cambial:

O real e o dólar já estiveram quase ao par.

## a baixo • abaixo

**A baixo** é locução adverbial, usada em oposição a **de cima**. Emprega-se em frases como:

Ela observava-me de cima a baixo.
A cortina rasgou-se de cima a baixo.
O médico fez um corte de cima a baixo no peito do paciente.

**Abaixo** é advérbio, usado em situações em que não há oposição a **de cima**. Emprega-se em frases como:

Moro no alto da colina; abaixo passa um riacho.
Os termômetros registraram dois graus abaixo de zero.
A cidade de Quito fica um pouco abaixo da linha do equador.
Desgovernado, o caminhão desceu ladeira abaixo.

## demais • de mais

**Demais** é advérbio de intensidade (sinônimo de *muito*, *excessivamente*) ou pronome indefinido (sinônimo de *os restantes*, *os outros*):

Acho que você fuma **demais**, meu rapaz.
(advérbio)

Os **demais** turistas chegarão no próximo voo.
(pron. indef.)

**De mais** opõe-se a *de menos*:

Alguns possuem regalias de mais; outros, de menos.
Necessito de mais alguns dias de férias.

## embaixo • em cima

**Embaixo** é advérbio de lugar. Deve ser grafado numa só palavra:

O depósito fica **embaixo** do edifício.

O aluno escondeu a "cola" **embaixo** da folha da prova.

**Em cima** é locução adverbial de lugar, antônima de **embaixo**. Deve ser grafada separadamente:

O vaso está **em cima** do armário

A bola parou **em cima** da risca.

## >> há • a

**Há** é presente do indicativo do verbo *haver*. Emprega-se em substituição a *existe(m)* ou *faz*:

"**Há** mulheres no 'Ateneu', meus senhores." (Raul Pompeia)

"**Há** anos raiou no céu fluminense uma nova estrela."

José de Alencar

**A** é preposição (emprega-se quando não é possível fazer a substituição por *faz*) ou artigo definido (caso em que concorda em número com o substantivo feminino):

Estamos **a** poucos dias do final do mês.
*(preposição)*

O navio zarpará daqui **a** pouco.
*(preposição)*

Essa é **a** escola em que estudei.
*(artigo definido)*

Colham apenas **as** frutas maduras.
*(artigo definido)*

## >> mal • mau

**Mal** tem os seguintes valores morfológicos:
- advérbio de modo, antônimo de *bem*:

> Aquele rapaz sempre fala **mal** de nós.
> O orador saiu-se muito **mal** no discurso.

- conjunção subordinativa temporal, sinônimo de *assim que*, *quando*:

> **Mal** começou o desfile, desabou um temporal.
> **Mal** o professor entrou na sala, cessou a algazarra.

- substantivo, caso em que deve ser precedido de artigo ou de outro determinante:

> O **mal** é que somente agora você me revela isso.
> Evitem o **mal** que o fumo provoca.

**Mau** é adjetivo, antônimo de *bom*: refere-se, portanto, a substantivos:

> Ninguém suporta mais o seu **mau** humor.
> Adiamos a viagem devido ao **mau** tempo.

## mas • mais

**Mas** é conjunção coordenativa adversativa. Exprime ideia de oposição. Pode ser substituída por *porém*, *todavia*, *contudo*, *no entanto*:

"É loucura: eu o sei! **Mas** que importa?" (Álvares de Azevedo)

"Minha mãe também padeceu, **mas** sofria com alma e coração."
Machado de Assis

**Mais** pode ser advérbio de intensidade, sinônimo de *muito* ou pronome indefinido, antônimo de *menos*:

*(advérbio)  (advérbio)*

> "E a viagem prosseguiu, **mais** lenta, **mais** arrastada, num silêncio grande." (Graciliano Ramos)

> Procure agir com **mais** cautela, meu filho!

*(pron. indef.)*

## nenhum • nem um

**Nenhum** é antônimo de *algum*:

> **Nenhum** candidato foi reprovado nesse concurso.
> Não confio em **nenhum** desses candidatos.

**Nem um** equivale a *nem um só, nem um sequer, nem um único*:

> Não tenho **nem um** centavo no banco.
> Não vou esperá-la **nem um** minuto a mais.

> **Observação:** É muito comum a substituição errônea da palavra **nenhum** por **qualquer**. Lembre-se de que o pronome **qualquer** não significa **nenhum**. Veja, portanto, alguns exemplos que confirmam isso:
>
> Já não há problema **nenhum** (*e não "qualquer"*) nos aeroportos do país.
> O professor não notou **nenhum** (*e não "qualquer"*) erro em meu texto.
> Os grevistas não sofrerão **nenhuma** (*e não "qualquer"*) punição.
>
> Se o sentido não for de **nenhum**, emprega-se corretamente a palavra **qualquer**:
>
> Essa jogada não é **qualquer** jogador que faz.
> Este carro é capaz de rodar em **qualquer** tipo de estrada

## onde • aonde • donde

Embora autores clássicos não tenham feito distinção entre **onde** e **aonde**, costuma-se seguir a seguinte prática:

- **onde** — usa-se com verbos que exprimem estaticidade, permanência:

> "Não perdi a memória. Só não me lembro **onde** botei."
>
> Millôr Fernandes

- **aonde** — emprega-se com verbos que indicam movimento, deslocamento:

    "Que os leve **aonde** sejam destruídos,
    Desbaratados, mortos ou perdidos." (Luís Vaz de Camões)

    "Lá no céu, **aonde** ela subiu e onde o nosso pai acolheu no seio a sua infeliz filha." (Alexandre Herculano)

> **Observação:** Embora raro, na indicação de procedência, origem, pode-se empregar a contração **donde**:
>
> "Basta de covardia! A hora soa...
> Voz ignota e fatídica revoa,
> Quem vem... **Donde**? De Deus."
> Castro Alves
>
> "Não consente que em terra tão remota
> Se perca a gente dela tanto amada,
> E com ventos contrários a desvia
> **Donde** o piloto falso a leva e guia."
> Luís Vaz de Camões

## por que • por quê • porque • porquê

**Por que** deve ser grafado separadamente quando se trata de duas palavras: preposição *por* + pronome *que*. Emprega-se nos seguintes casos:

- quando puder ser substituído por *pelo qual* e variações, equivale à preposição *por* seguida do pronome relativo *que*:

    "Só eu sei as esquinas **por que** passei" (Djavan)

- quando equivale a *por qual razão*, *por qual motivo*, trata-se da preposição *por* seguida do pronome interrogativo *que*. Como recurso prático, pode-se inserir entre a preposição e o pronome relativo a palavra *motivo*:

    "**Por que** não nasci eu um simples vaga-lume?" (Machado de Assis)

    "Ó mar, **por que** não apagas,
    C'oa esponja de tuas vagas
    De teu manto este borrão?"
    Castro Alves

**Por quê** é posicionado no final de frases ou seguido de pausa forte; neste caso, a palavra *que* deve receber acento circunflexo:

Você sempre desconfiou de mim, **por quê**?

"Voltei-me para meu avô: 'Não beba.'
Mas **por quê**? – quis ele saber."
Erico Verissimo

**Porque** deve ser grafado numa só palavra quando se trata de uma conjunção equivalente a *uma vez que*, *visto que*, *pois* ou *para que*:

"**Porque** há desejo em mim, é tudo cintilância". (Hilda Hilst)

"Eu canto **porque** o instante existe
E a minha vida está completa."
Cecília Meireles

"Ao ingrato, eu não o sirvo **porque** não me magoe."
Rodrigues Lobo

**Porquê** é sinônimo de *o motivo*, *a razão*. Trata-se de substantivo e sempre aparece antecedido de um determinante:

Desconheço o **porquê** de sua recusa.

Você faltou à reunião; gostaria de saber o **porquê**.

## porventura • por ventura

**Porventura** significa *acaso*, *por acaso*:

"**Porventura**, meu Deus, estarei louco?"

Augusto dos Anjos

"Eles iam chorando e calando, **porventura** adivinhando o favor." (Machado de Assis)

**Por ventura** significa *por sorte*:

**Por ventura**, ele escapou da morte.

## se não • senão

**Se não** equivale a *se porventura não*:

"**Se não** falavam, é porque a voz não lhes queria sair da garganta." (Machado de Assis)

**Se não** houver a participação de todos, seremos derrotados.

**Senão** equivale a *caso contrário*, *a não ser*:

"Entra, minha filha, **senão** vais virar prostituta."

Ascenso Ferreira

"(...) que mais haverá em seguir **senão** parar mas seguir?"

Fernando Pessoa

> **Observação:** No caso de significar *obstáculo*, *defeito*, *equívoco*, a palavra **senão** terá valor de substantivo e deverá ser antecedida de um determinante:
>
> Não há nenhum **senão** em sua ficha profissional.
>
> "Nenhum **senão** no todo dela existe. / É bela."
>
> Alberto de Oliveira

## tampouco • tão pouco

**Tampouco** corresponde a *também não*:

Ela não olhava para mim, **tampouco** me dirigia a palavra.

**Tão pouco** corresponde a *muito pouco*:

Trabalhamos demais, porém ganhamos **tão pouco**!

**Observação:** Todos os elementos que formam o vocabulário da nossa língua estão relacionados nos bons dicionários. O dicionário, portanto, é o companheiro constante de quem deseja falar ou escrever corretamente o nosso idioma. Em caso de dúvidas, nunca deixe de consultá-lo.

# Testes

**1.** **(TRF-RJ)** Quanto ao emprego da forma sublinhada, está correta a frase:

a) A razão **porque** ele se absteve compete a ele esclarecer.
b) Sem mais nem **porquê**, ele resolveu nos deixar.
c) Recusou-se a nos esclarecer o **por quê** da sua decisão.
d) Que ele renunciou, todo o mundo sabe, mas ninguém sabe **por quê**.
e) Ele se limita a responder apenas: **Por que** sim...

Em "a", deve-se empregar a expressão "por que" por se tratar do pronome relativo "que" antecedido da preposição "por". Essa expressão equivale a "pela qual": "A razão pela qual ele se absteve..."; em "b", a expressão "por quê" deve ser grafada em duas palavras por ser equivalente a "por que razão" ou "por que motivo". Como aparece seguida de pausa marcada por vírgula, a palavra "que" deve receber acento gráfico; em "c", deve figurar a palavra "porquê", substantivo equivalente a "a razão", "o motivo". Nesse caso, tal palavra sempre aparece antecedida de um determinante e deve ser acentuada graficamente; em "d", a expressão "por quê" equivale a "por que razão", portanto deve ser grafada separadamente. Como aparece no final da frase, deve ser acentuada graficamente; em "e", deve-se empregar a palavra "porque", já que se trata de uma conjunção com valor de "pois". Por isso, a resposta correta é a "d".

2. **(Cetesb-SP)** *"Como se não bastasse a suspeita dessas lacunas, o projeto enfrenta ainda um obstáculo jurídico."* Nesse trecho, *se não* é grafado separadamente porque se trata de uma conjunção condicional seguida de advérbio de negação. O mesmo ocorre em:

a) Se não fosse a seca, o Nordeste seria um polo agrícola.
b) Fique quieto, se não aparece a polícia.
c) Eu nada podia dar se não minha solidariedade.
d) Encontrou um se não que acabou por engavetar o projeto.
e) Ninguém se não o político pode explicar a negociata.

Na frase apresentada, "se não" equivale a "caso não". Essa conjunção também aparece na alternativa "a": "Se não fosse (= Caso não fosse) a seca, o Nordeste seria um polo agrícola"; em "b", deve-se empregar a conjunção "senão", equivalente a "caso contrário" ("Fique quieto, caso contrário aparece a polícia"); em "c" e "e", deve-se usar a palavra "senão", substituível por "a não ser" ("Eu nada podia dar, a não ser minha solidariedade" e "Ninguém, a não ser o político, pode explicar a negociata"); em "d", a palavra "senão" é substantivo, sinônimo de "obstáculo" ("Encontrou um obstáculo que acabou por engavetar o projeto"). Por isso, a resposta correta é a "a".

3. **(SSP-SP)** Assinale a frase com erro de grafia:

a) Ele saiu há muito tempo.
b) A festa seria dali a uma semana.
c) Daqui a alguns meses ele voltará.
d) De hoje há três dias, sairão os resultados.
e) O lugarejo ficava a minutos de carro.

Em "a", temos o presente do indicativo do verbo "haver", substituível por "fazer" ("Ele saiu faz muito tempo"); em "b", "c" e "e", figura a preposição "a", já que não é possível efetuar a troca por "faz". O mesmo ocorre na alternativa "d", cuja correção deve ser: "De hoje a três dias, sairão os resultados". Por isso, a resposta correta é a "d".

4. **(Tacrim-SP)** Qual das expressões abaixo, quando inserida corretamente na frase a seguir, indica oposição, contradição?

"O projeto político daquele senador vem _____ interesses da população."

a) ao encontro a
b) ao encontro dos
c) de encontro aos
d) aos encontros dos
e) dos encontros dos

A expressão "ao encontro de" significa "a favor de". A locução que exprime a ideia de "oposição", "contradição" é "de encontro a" ("O projeto político daquele senador vem de encontro aos interesses da população."). Por isso, a resposta correta é a "c".

5. **(SRF)** Assinale a alternativa em que **não** está correta a sentença.

a) Há cerca de cinquenta mil candidatos inscritos para o concurso.
b) Discursou a cerca do programa de recuperação dos cerrados.
c) Não o vejo há cerca de vinte anos.
d) A fazenda fica a cerca de uma hora de São Paulo.
e) Sua opinião acerca da proposta deve ser considerada.

Em "a", temos o verbo "haver" empregado como sinônimo de "existir" ("Existem cerca de cinquenta mil candidatos inscritos..."); em "c", temos o verbo "haver" equivalendo a "faz" ("Não o vejo faz cerca de vinte anos"); em "d", "a cerca de" significa "aproximadamente" ("A fazenda fica a aproximadamente uma hora de São Paulo"); em "e", "acerca de" é sinônimo de "a respeito de" ("Sua opinião a respeito da proposta..."). Essa mesma expressão deveria ser empregada na alternativa "b" ("Discursou a respeito do programa de recuperação das estradas"). Por isso, a resposta correta é a "b".

6. **(Esaf)** Aquele estudante americano está sempre com a turma, _____ os colegas não o entendem direito, _____ fala muito _____ o português. Ele não é _____ aluno, pois é esforçado e faz _____ trabalhos de pesquisa.

a) mais – porque – mau – mal – bastantes
b) mas – por que – mal – mal – bastantes
c) mas – porque – mau – mau – bastante
d) mas – porque – mal – mau – bastantes
e) mais – por que – mau – mal – bastante

A palavra "mas" é conjunção coordenativa adversativa, sinônima de "porém", "todavia", "contudo"; "porque" é conjunção subordinativa causal, sinônima de "pois", "já que", "uma vez que"; "mal" é advérbio de modo, antônimo de "bem"; "mau" é adjetivo, antônimo de "bom" e "bastantes" é pronome indefinido, sinônimo de "muitos", "vários" e deve concordar em número com o substantivo a que se refere. Isso pode causar um certo estranhamento principalmente pelo fato de "bastantes" não ser comumente utilizado na fala, levando o estudante a pensar tratar-se de erro, o que não tem fundamento. Assim, a oração correta é "Aquele estudante americano está sempre com a turma, mas os colegas não o entendem direito, porque fala muito mal o português. Ele não é mau aluno, pois é esforçado e faz bastantes trabalhos de pesquisa". Por isso, a resposta correta é a "d".

**7. (TRT-SP)** _____ você brinca? _____? Ora, _____ me agrada. A experiência _____ passei foi desagradável. Depois você saberá o _____.

a) Porque – porquê – porque – porque – por que
b) Por que – porquê – porque – porque – porque
c) Por que – porquê – porque – porque – por quê
d) Porque – porque – por quê – porque – por que
e) Por que – por quê – porque – por que – porquê

A expressão "por que", significando "por que motivo", deve ser grafada separadamente; quando seguida de pausa forte, a palavra "que" dessa expressão deve ser acentuada graficamente; o vocábulo "porque", empregado como sinônimo de "pois", é conjunção subordinativa causal, portanto deve ser grafado numa só palavra; o pronome relativo "que", regido da preposição "por", deve ser grafado em duas palavras. Nesse caso, pode ser substituído por "pelo qual", "pela qual", "pelos quais" ou "pelas quais"; "porquê", antecedido de um determinante (como ocorre com o emprego do artigo "o" na última oração), é substantivo e deve receber acento gráfico. Nesse caso, equivale a "o motivo", "a razão". Por isso, a resposta correta é a "e".

**8. (Tacrim-SP)** Qual alternativa está incorreta?

a) A seleção brasileira tem jogado muito mal.
b) Deve-se cortar o mal pela raiz.
c) O mal desempenho da aluna foi muito criticado.
d) A menina caiu de mau jeito.
e) A carne podre cheirava mal.

Em "a" e "e", "mal" é advérbio, antônimo de "bem", razão pela qual deve ser grafado com "l"; em "b", "mal" está empregado como substantivo, antônimo de "o bem"; em "d", "mau" é adjetivo, antônimo de "bom", caracterizador do substantivo "jeito". O mesmo deveria ocorrer na alternativa "c", em que o adjetivo "mau" caracteriza o substantivo "desempenho". Por isso, a resposta correta é a "c".

**9. (TRT-ES)** Assinale a opção em que a palavra sublinhada está empregada **incorretamente**.

a) Durma cedo, <u>senão</u> acordará tarde amanhã.
b) <u>Mal</u> começou a chover, o barraco desabou.
c) Disse que <u>há</u> cinco anos ganhou na loteria.
d) Estava <u>mau</u> informado, por isso se equivocou.
e) De hoje <u>a</u> dois meses pedirei novo empréstimo.

Em "a", "senão" é substituível por "caso contrário", motivo pelo qual é grafado numa única palavra ("Durma cedo, caso contrário acordará tarde amanhã"); em "b", "mal" é conjunção subordinativa temporal, sinônimo de "assim que" ("Assim que começou a chover, o barraco desabou"); em "c", figura o verbo "haver" como sinônimo de "faz" ("Diz que faz cinco anos que ganhou na loteria"); em "d", deveria figurar o advérbio "mal", antônimo de "bem" ("Estava bem-informado, por isso se equivocou"). Em "e", utilizou-se a preposição "a" para indicar tempo futuro, o que se justifica. Por isso, a resposta correta é a "d".

**10. (BB)** Assinale o exemplo em que há erro de grafia, porque a palavra destacada se escreve separadamente.

a) **Porventura** ele não virá aqui?
b) Ele não viu nem **tampouco** soube nada.
c) Creio que eles sabem **demais**.
d) **Conquanto** estudioso, vadia um pouco.
e) Estudou, **porisso** passará.

Em "a", "porventura" é advérbio, sinônimo de "por acaso", por isso é grafado numa só palavra ("Por acaso ele não virá aqui?"); em "b", "tampouco" é conjunção coordenativa aditiva, equivalente a "e também não", caso em que deve ser grafada numa só palavra ("Ele não viu e também não soube nada"); em "c", "demais" é um advérbio de intensidade, sinônimo de "demasiadamente" ("Creio que eles sabem demasiadamente"); em "d", "conquanto" é conjunção subordinativa concessiva, correspondente a "embora", "ainda que" ("Embora estudioso, vadia um pouco"). Quanto à expressão "por isso", nunca deve ser grafada numa única palavra, erro muito comum na escrita. Por isso, a resposta correta é a "e".

**11. (TJ-SC)** Observe as proposições a seguir e assinale a opção que contém, em sequência, os termos corretos para preencher as lacunas:

I – Após deixar a prisão, por diversas vezes ele fez _____ uso da liberdade. (mal / mau)

II – Voltou _____ pouco, declarando que dali _____ pouco tornaria a sair. (há / a)

III – Perguntei-lhe _____ tinha comprado esse CD. (aonde / onde / donde)

IV – Ele caminhou alegremente _____ seu amigo. (ao encontro de / de encontro a)

V – É cada vez mais _____ a soma para pagar o colégio dos filhos. (vultuosa / vultosa)

a) mal, a, há, aonde, ao encontro de, vultosa
b) mal, há, a, aonde, de encontro a, vultuosa
c) mau, a, há, donde, de encontro a, vultuosa
d) mau, há, a, onde, ao encontro de, vultosa

Em I, "mau" é antônimo de "bom", e sua função é de adjetivo; em II, na indicação de tempo decorrido, como sinônimo de "faz", emprega-se "há", presente do indicativo do verbo "haver"; já na indicação de tempo futuro, emprega-se apenas a preposição "a" ("Voltou há pouco, declarando que dali a pouco..."); em III, como sinônimo de "em que lugar" emprega-se "onde"; em IV, como sinônimo de "em direção de" emprega-se "ao encontro de", pois "de encontro a" exprime ideia de oposição, choque; em V, "vultosa" é sinônimo de "volumosa", ao passo que "vultuoso" significa "inchado". Por isso, a resposta correta é a "d".

12. (Inatel) As frases a seguir estão dispostas aos pares. Leia-as com atenção e depois assinale a alternativa em que houve inversão no emprego das palavras destacadas.

   I – Falou **demais** durante o jantar.
   Necessito **de mais** água no reservatório.

   II – Preciso tomar providências, **se não** ficarei endividado.
   **Senão** chover, perderemos a plantação.

   III – Discutiremos novas ideias **acerca de** paisagismo.
   Estamos sem moradia própria **há acerca de** um ano.

a) Nas opções I e II.
b) Apenas na opção III.
c) Apenas na opção II.
d) Nas opções II e III.
e) Nas opções I e III.

Em I, a palavra "demais" é sinônima de "muito", "demasiadamente" ("Falou demasiadamente durante o jantar") e a locução "de mais" sempre antecede um substantivo e opõe-se à locução "de menos" ("Necessito de menos água no reservatório"); em II, a palavra "senão", no contexto em que está inserida, corresponde a "caso contrário" e introduz oração coordenada sindética adversativa ("Preciso tomar providências, caso contrário ficarei endividado"); "se não", por sua vez, equivale a "caso não" e inicia oração subordinada adverbial condicional ("Caso não chova, ficarei endividado"); em III, a locução "acerca de" é sinônima de "a respeito de" ("Discutiremos novas ideias a respeito de paisagismo"); "há cerca de" exprime tempo decorrido, significando "faz aproximadamente" ("Estamos sem moradia própria faz aproximadamente um ano"). Por isso, a resposta correta é a "c".

**13.** (Fuvest-SP) Em *"Era a flor, e não já da escola, **senão** de toda a cidade"*, a palavra assinalada pode ser substituída, sem que haja alteração de sentido, por:

a) mas sim
b) de outro modo
c) exceto
d) portanto
e) ou

A conjunção "senão", nesse contexto, equivale a "mas sim", "mas também", exprimindo adição enfática em relação ao que foi dito anteriormente. É como se afirmássemos: "Era a flor, e não (era) só da escola, mas também de toda a cidade". Por isso, a resposta correta é a "a".

**14.** (FGV-SP) Assinale a alternativa em que não haja erro de grafia.

a) Não tinha feito a prova no dia regular nem tão pouco a substitutiva.
b) Afim de que as soluções pudessem ser adotadas por todos, José Arimateia havia distribuído cópias do relatório no dia anterior.
c) Porventura, meu Deus, estarei louco?
d) Assinalou com um asterístico a necessidade de notas informativas adicionais.
e) Com frequência, os médicos falam de AVC, Acidente Vascular Cerebral. Porisso, os próprios pacientes já estão familiarizados com esse termo.

Em "a", deve-se empregar o advérbio "tampouco". Como esse advérbio tem valor negativo, não se justifica a redundante expressão "nem tampouco" ("Não tinha feito a prova no dia regular, tampouco a substitutiva"); em "b", deve-se usar "a fim de", sinônimo de "para que", locução conjuntiva iniciando oração subordinada adverbial final ("A fim de que as soluções pudessem ser adotadas por todos"); em "c", conforme a alternativa "a" do teste 10, o advérbio "porventura" corresponde a "por acaso", por isso é grafado numa só palavra ("Por acaso, meu Deus, estarei louco?"); em "d", deve-se empregar o substantivo "asterisco" porque não existe a palavra "asterístico"; em "e", deve-se empregar a expressão "por isso", já que nunca se emprega a forma "porisso". Assim, a resposta correta é a "c".

### 15. (Unifoa-RJ) Assinale a alternativa em que a palavra **mal** foi usada indevidamente.

a) Se o mal não existe, o bem não existiria.
b) O empregado foi mal recebido pelos patrões.
c) Todos falavam mal dos vizinhos.
d) Mal despontara o Sol, já estávamos na praia.
e) Ele não é um mal rapaz, apenas preguiçoso.

Em "a", "b" e "c", a palavra "mal" está empregada como antônima de "bem", por isso deve ser grafada com "l"; em "d", a palavra "mal" é grafada com "l" por se tratar de uma conjunção subordinativa temporal, sinônima de "assim que"; em "d", deve-se empregar a palavra "mau", antônima de "bom". Por isso, a resposta correta é a "e".

### 16. (PUCCamp-SP) Das cinco alternativas apresentadas nesta questão, apenas uma completa adequadamente as sentenças seguintes. Aponte-a.

I – Afinal, chegou o presente _____ tanto esperávamos.
II – _____ você vai com tanta pressa?
III – _____ de dois meses, mudamos para este bairro.

a) por que, aonde, há cerca
b) porque, onde, acerca
c) por que , onde, a cerca
d) porque, onde, há cerca
e) porque, aonde, a cerca

Em I, a expressão "por que" pode ser substituída por "pelo qual". Trata-se do pronome relativo "que" regido da preposição "por"; em II, emprega-se a palavra "aonde" com verbos indicativos de movimento, equivalendo a "a que lugar?"; em III, "há cerca de" exprime tempo decorrido, equivalendo a "faz aproximadamente". Por isso, a resposta correta é a "a".

**17. (Anhembi – Morumbi-SP)** Observe atentamente as frases abaixo:

1. "Aonde você mora / Aonde você foi morar?" (Cidade Negra)
2. "Moro aonde não mora ninguém." (Agepê)
3. "Da onde eu vim, a vida era de uma monotonia ímpar. Não havia televisão."
4. Aonde eu for não importa, desde que seja onde estiveres.

Assinale a alternativa em que o emprego de **onde**, **aonde** ou **donde** esteja de acordo com a variante culta da linguagem.

a) Somente a 1 é correta.
b) A 1 e a 4 são corretas.
c) Somente a 4 é correta.
d) A 2 e a 3 são corretas.
e) Somente a 3 é correta.

Emprega-se "onde" com verbos que indicam estaticidade, como o verbo "morar", presente em "a" e "b"; "aonde", com verbos que indicam movimento, deslocamento. A contração "donde" corresponde à locução "de onde", não "da onde". Por isso, a resposta correta é a "c".

**18. (Mackenzie-SP)** Assinale a alternativa que completa adequadamente as lacunas do seguinte período:

Algumas pessoas não admitem _____ provém sua satisfação, porque não sabem _____ vão os sentimentos, nem _____ mora a consideração pelo próximo.

a) donde, onde, onde
b) donde, aonde, onde
c) aonde, onde, aonde
d) aonde, aonde, aonde
e) donde, aonde, aonde

"Algumas pessoas não admitem donde provém sua satisfação, porque não sabem aonde vão os sentimentos, nem onde mora a consideração pelo próximo." Ver as explicações do teste anterior. Por isso, a resposta correta é a "b".

**19. (Fuvest-SP)** Selecione a forma adequada ao preenchimento das lacunas: O _____ aluno foi _____ na prova de inglês, _____ não sabe; se você o _____, é bom avisá-lo.

a) mau – mal – mas – vir
b) mal – mau – mas – ver
c) mal – mal – mais – ver
d) mau – mau – mais – vir
e) mau – mal – mais – vir

Grafa-se com "u" o adjetivo "mau" (antônimo de "bom"), caracterizador do substantivo "aluno"; o advérbio de modo "mal" (antônimo de "bem") deve ser escrito com "l"; "mas" é conjunção coordenativa adversativa, sinônima de "porém"; "mais" (antônimo de "menos") não se encaixa na frase apresentada; a 3ª pessoa do singular do futuro do subjuntivo do verbo "ver" é "vir". Por isso, a resposta correta é a "a".

**20.** (Unicid-SP) Pesquisadores não sabem explicar _____ a morte de animais provoca maior impacto na mídia. Isto _____ as ações dos biólogos são mais divulgadas que o trabalho dos linguistas. "Não nos interessa o _____ dessa negligência, o fato concreto é que entre 20 e 30 línguas deixam de existir por ano", adverte Colette Grinevald, da Unesco.

a) porque – por que – por quê
b) por que – porque – porquê
c) porque – porque – porquê
d) por quê – porquê – porquê

Na primeira ocorrência, "por que" deve ser grafado em duas palavras por equivaler a "por que motivo?" ("Pesquisadores não sabem explicar por que motivo a morte de animais..."); na segunda, "porque" é conjunção subordinativa adverbial causal. Tal oração pode ser reduzida de infinitivo ("Isto por serem mais divulgadas as ações dos biólogos..."); na última ocorrência, a palavra "porque" antecedida de um determinante é substantivo (= a razão, o motivo): "Não nos interessa o porquê (=, "a razão", "o motivo") dessa negligência". Por isso, a resposta correta é a "b".

>> tópicos de linguagem

## >> Instituições promovedoras de vestibulares

**Acafe-SC** – Associação Catarinense das Fundações Educacionais – SC, www.acafe.org.br

**Aman-RJ** – Academia Militar das Agulhas Negras – RJ, www.aman.ensino.eb.br

**Anhembi-Morumbi-SP** – Universidade Anhembi Morumbi – SP, www.anhembi.br

**Cásper Líbero-SP** – Faculdade de Comunicação Social Cásper Líbero – SP, http://casperlibero.edu.br

**Cefet-MG** – Centro Federal de Educação e Tecnologia – MG, www.cefetmg.br

**Cesesp-PE** – Centro de Seleção ao Ensino Superior de Pernambuco

**Cesgranrio-RJ** – Centro de Seleção de Candidatos ao Ensino Superior do Grande Rio de Janeiro, www.cesgranrio.org.br

**CMB** – Colégio Militar de Brasília, www.cmb.ensino.eb.br

**Cotemig** – Colégio Técnico e Faculdade Cotemig – MG, www.cotemig.com.br

**CTA-SP** – Comando-Geral de Tecnologia Aeroespacial – SP, www.cta.br

**Efoa-MG** – Escola de Farmácia e Odontologia de Alfenas – MG, www.efoa.br

**Enem** – Exame Nacional do Ensino Médio, www.enem.inep.gov.br

**Epcar-MG** – Escola Preparatória de Cadetes do Ar – MG, http://concursos.epcar.aer.mil.br

**Esan-SP** – Escola Superior de Administração de Negócios – SP, www.esan-sbc.edu.br

>> SIGLAS

**ESPM-SP** – Escola Superior de Propaganda e Marketing – SP, www.espm.br
**Faap-SP** – Fundação Armando Álvares Penteado – SP, www.faap.br
**Facens-SP** – Faculdade de Engenharia de Sorocaba – SP, www.facens.br
**Fadi-SP** – Faculdade de Direito de Sorocaba – SP, www.fadi.br
**FAI-SP** – Faculdades Adamantinenses Integradas – SP, www.fai.com.br
**Fatec-SP** – Faculdade de Tecnologia de São Paulo, www.fatecsp.br
**Feba-BA** – Faculdade de Educação da Bahia, www.famettig.br
**Fecea-PR** – Faculdade Estadual de Ciências Econômicas de Apucarana – PR, www.fecea.br
**FEI-SP** – Faculdade de Engenharia Industrial, www.fei.edu.br
**Fesp-SP** – Faculdade de Engenharia de São Paulo – SP, www.fesp.br
**FGV-SP** – Fundação Getúlio Vargas – SP, http://portal.fgv.br
**Fiap-SP** – Faculdade de Informática e Administração Paulista – SP, www.fiap.com.br
**FMB-MG** – Atual Fame – Faculdade de Medicina de Barbacena – MG, www.funjob.edu.br
**FMIT-MG** – Faculdade de Medicina de Itajubá – MG, www.aisi.edu.br
**FMPA-MG** – Faculdade de Medicina de Pouso Alegre –MG
**FMU-Fiam-Faam-SP** – Faculdades Metropolitanas Unidas, Faculdades Integradas Alcântara Machado, Faculdades de Artes Alcântara Machado, www.portal.fmu.br
**F. S. Judas Tadeu-SP** – Faculdade São Judas Tadeu – SP, www.sjt.com.br
**Fuel-PR** – Fundação Universidade Estadual de Londrina – PR, www.uel.br

>> vestibulares

483 >>

**Fumec-MG** – Fundação Mineira de Educação e Cultura – MG, www.fumec.br

**Fuvest-SP** – Fundação Universitária para o Vestibular – SP, www.fuvest.br

**FVE-SP** – Fundação Valeparaibana de Ensino – SP, www.univap.br

**Imes-SP** – Universidade Municipal de São Caetano do Sul – SP, www.uscs.edu.br

**ITA-SP** – Instituto Tecnológico de Aeronáutica – SP, www.ita.br

**Mackenzie-SP** – Universidade Presbiteriana Mackenzie – SP, www.mackenzie.br

**Omec-SP** – Organização Mogiana de Educação e Cultura – SP, www.umc.br

**PUCCamp-SP** – Pontifícia Universidade Católica de Campinas – SP, www.puccamp.br

**PUC-PR** – Pontifícia Universidade Católica do Paraná, www.pucpr.br

**PUC-RJ** – Pontifícia Universidade Católica do Rio de Janeiro, www.puc-rio.br

**PUC-RS** – Pontifícia Universidade Católica do Rio Grande do Sul, www.pucrs.br

**PUC-SP** – Pontifícia Universidade Católica de São Paulo, www.pucsp.br

**Senac** – Serviço Nacional de Aprendizagem Comercial, www.senac.br

**UCDB-MT** – Universidade Católica Dom Bosco, www.ucdb.br

**Ucsal-BA** – Universidade Católica de Salvador – BA, www.ucsal.br

**UEA-AM** – Universidade do Estado do Amazonas, www.uea.edu.br

>> SIGLAS

>> vestibulares

**Ueba** – Universidade do Estado da Bahia
**UEL-PR** – Universidade Estadual de Londrina – PR, www.uel.br
**UEM-PR** – Universidade Estadual de Maringá – PR, www.uem.br
**UEPG-PR** – Universidade Estadual de Ponta Grossa – PR, www.uepg.br
**Ufac** – Universidade Federal do Acre, www.ufac.br
**Ufal** – Universidade Federal de Alagoas, www.ufal.br
**UFBA** – Universidade Federal da Bahia, www.ufba.br
**Ufes** – Universidade Federal do Espírito Santo, www.ufes.br
**UFJF-MG** – Universidade Federal de Juiz de Fora – MG, www.ufjf.br
**UFMA** – Universidade Federal do Maranhão, www.ufma.br
**UFMT** – Universidade Federal do Mato Grosso, www.ufmt.br
**Ufop-MG** – Universidade Federal de Ouro Preto – MG, www.ufop.br
**UFPB** – Universidade Federal da Paraíba, www.ufpb.br
**UFPI** – Universidade Federal do Piauí, www.ufpi.br
**UFRGS** – Universidade Federal do Rio Grande do Sul, www.ufrgs.br
**UFS** – Universidade Federal de Sergipe, www.ufs.br
**UFSC** – Universidade Federal de Santa Catarina, www.ufsc.br
**Ufscar-SP** – Universidade Federal de São Carlos – SP, www.ufscar.br
**UFSM-RS** – Universidade Federal de Santa Maria – RS, www.ufsm.br
**UFU-MG** – Universidade Federal de Uberlândia – MG, www.ufu.br
**UFV-MG** – Universidade Federal de Viçosa, www.ufv.br

**Umesp-SP** – Universidade Metodista – SP, http://portal.metodista.br
**Unaerp-SP** – Universidade de Ribeirão Preto – SP, www.unaerp.br
**Unesp-SP** – Universidade Estadual Paulista – SP, www.unesp.br
**Uniceub** – Centro Universitário de Brasília, www.uniceub.br
**Unicid-SP** – Universidade Cidade de São Paulo, www.unicid.br
**Uniderp-MS** – Universidade para o Desenvolvimento do Estado e da Região do Pantanal – MS, www.uniderp.br
**Unifesp** – Universidade Federal de São Paulo, www.unifesp.br
**Unifil-PR** – Centro Universitário Filadélfia – PR, www.unifil.br
**Unifoa-RJ** – Centro Universitário de Volta Redonda – RJ, www.unifoa.edu.br
**Unifor-CE** – Universidade de Fortaleza – CE, www.unifor.br
**Unilus-SP** – Fundação Lusíada/Centro Universitário Lusíada – Santos – SP, www.lusiada.br
**Unimep-SP** – Universidade Metodista de Piracicaba – SP, www.unimep.br
**Unipar** – Universidade paranaense, www.unipar.br
**Unirp-SP** – Centro Universitário de Rio Preto – SP, www.unirp.edu.br
**Unisinos-RS** – Universidade do Vale do Rio dos Sinos – RS, www.unisinos.br
**Unitau-SP** – Universidade de Taubaté – SP, www.unitau.br
**USF-SP** – Universidade São Francisco – SP, www.usf.edu.br
**Vunesp** – Fundação para o Vestibular da Unesp – SP, www.vunesp.com.br

# Instituições promovedoras de concursos públicos

**ACP-SP** – Academia de Polícia de São Paulo – SP, www.policiacivil.sp.gov.br

**Alerj** – Assembleia Legislativa do Estado do Rio de Janeiro, www.alerj.rj.gov.br

**Anatel** – Agência Nacional de Telecomunicações, www.anatel.gov.br

**BB** – Banco do Brasil, www.bb.com.br

**Besc** – Banco do Estado de Santa Catarina, incorporado pelo Banco do Brasil, www.bb.com.br

**Cespe** – Centro de Seleção e de Promoção de Eventos da Universidade de Brasília, www.cespe.unb.br

**Cetesb-SP** – Companhia de Tecnologia de Saneamento Ambiental, www.cetesb.sp.gov.br

**CGJ-RJ** – Corregedoria Geral da Justiça do Estado do Rio de Janeiro, http://cgj.tjrj.jus.br

**CJF** – Conselho da Justiça Federal, www.cjf.jus.br

**Crea-SP** – Conselho Regional de Engenharia, Arquitetura e Agronomia de São Paulo, www.creasp.org.br

**ECT** – Empresa Brasileira de Correios e Telégrafos, www.ect.gov.br

**Esaf** – Escola Superior de Administração Fazendária, www.esaf.fazenda.gov.br

**F. C. Chagas** – Fundação Carlos Chagas, www.concursosfcc.com.br

**FJG-RJ** – Fundação João Goulart – Instituto de Estudos de Administração Pública da Cidade do Rio de Janeiro, www.rio.rj.gov.br/web/fjg

**IBGE** – Instituto Brasileiro de Geografia e Estatística, www.ibge.gov.br

**Inatel** – Instituto Nacional de Telecomunicações, www.inatel.br

**MF** – Ministério da Fazenda, www.fazenda.gov.br

**MM** – Ministério da Marinha, www.mar.mil.br

**MP-SC** – Ministério Público de Santa Catarina, www.mpsc.mp.br

**MP-RS** – Ministério Público do Estado do Rio Grande do Sul, www.mprs.mp.br

**MP-SP** – Ministério Público do Estado de São Paulo, www.mpsp.mp.br

**MPU** – Ministério Público da União, www.mpu.mp.br

**Nossa Caixa-SP** – Antigo banco brasileiro agora incorporado ao Banco do Brasil, www.bb.com.br

**Petrobras** – Petróleo Brasileiro S.A., www.petrobras.com.br

**PGE-RJ** – Procuradoria-Geral do Estado do Rio de Janeiro, www.rj.gov.br/web/pge/principal

**PM-RJ** – Polícia Militar do Estado do Rio de Janeiro, www.policiamilitar.rj.gov.br

**Polícia Rodoviária Federal** – Departamento de Polícia Rodoviária Federal, www.prf.gov.br

**Prefeitura de Guarulhos** – SP, www.guarulhos.sp.gov.br

**Saae – Sorocaba-SP** – Serviço Autônomo de Água e Esgoto de Sorocaba – SP, www.saaesorocaba.com.br

**SEE-RJ** – Secretaria de Estado de Educação do Rio de Janeiro, www.rj.gov.br/web/seduc

**SEE-SP** – Secretaria da Educação do Estado de São Paulo, www.educacao.sp.gov.br

**SRF** – Secretaria da Receita Federal, www.receita.fazenda.gov.br

**SSP-RJ** – Secretaria de Estado de Segurança do Estado do Rio de Janeiro, www.rj.gov.br/web/seseg

**SSP-SP** – Secretaria de Estado da Segurança Pública de São Paulo, www.ssp.sp.gov.br

**STN** – Secretaria do Tesouro Nacional, www.tesouro.fazenda.gov.br

**TAC-SP** – Primeiro Tribunal de Alçada Civil do Estado de São Paulo, atual Tribunal de Justiça do Estado de São Paulo, www.tjsp.jus.br

**Tacrim-SP** – Tribunal de Alçada Criminal do Estado de São Paulo (instância extinta)

**TCE-RJ** – Tribunal de Contas do Estado do Rio de Janeiro, www.tce.rj.gov.br

**TCE-RO** – Tribunal de Contas do Estado de Rondônia, www.tce.ro.gov.br

**TCU** – Tribunal de Contas da União, www.tcu.gov.br

**Telerj** – Telecomunicações do Rio de Janeiro S.A. (instituição extinta)

**TJ-RN** – Tribunal de Justiça do Estado do Rio Grande do Norte, www.tjrn.jus.br

**TJ-SC** – Tribunal de Justiça do Estado de Santa Catarina, www.tjsc.jus.br

**TJ-SP** – Tribunal de Justiça do Estado de São Paulo, www.tjsp.jus.br

**TRE-MT** – Tribunal Regional Eleitoral do Estado do Mato Grosso, www.tre-mt.jus.br

**TRE-RO** – Tribunal Regional Eleitoral do Estado de Rondônia, www.tre-ro.jus.br

**TRF-RJ (TRF-2ª)** – Tribunal Regional Federal da 2ª Região – RJ, www.trf2.jus.br

**TRT-15ª -SP** – Tribunal Regional do Trabalho da 15ª Região, Campinas – SP, www.trt15.jus.br

**TRT-ES (TRT-17ª)** – Tribunal Regional do Trabalho da 17ª Região – ES, www.trt17.gov.br

**TRT-MG (TRT-3ª)** – Tribunal Regional do Trabalho da 3ª Região – MG, www.trt3.jus.br

**TRT-MS (TRT-24ª)** – Tribunal Regional do Trabalho da 24ª Região – MS, www.trt24.jus.br

**TRT-PR (TRT-9ª)** – Tribunal Regional do Trabalho da 9ª Região – PR, www.trt9.jus.br

**TRT-RJ (TRT-1ª)** – Tribunal Regional do Trabalho da 1ª Região – RJ, www.trt1.jus.br

**TRT-SC (TRT-12ª)** – Tribunal Regional do Trabalho da 12ª Região – SC, www.trt12.jus.br

**TRT-SP (TRT-2ª)** – Tribunal Regional do Trabalho da 2ª Região – SP, www.trt2.jus.br

**UnB-DF** – Universidade de Brasília – DF, www.unb.br

## >> Bibliografia

ACADEMIA BRASILEIRA DE LETRAS. *Vocabulário Ortográfico da Língua Portuguesa*. 5. ed. São Paulo: Global, 2009.

ALI, Manuel Said. *Gramática secundária e gramática histórica da língua portuguesa*. 3. ed. Brasília: UnB, 1964.

ALMEIDA, Napoleão Mendes de. *Gramática metódica da língua portuguesa*. 41. ed. São Paulo: Ática, 1964.

_____. *Dicionário de questões vernáculas*. 3. ed. São Paulo: Ática, 1996.

ALMEIDA, Nílson Teixeira de. *Regência verbal e nominal*. 12. ed. São Paulo: Atual, 1988.

_____. *Fonologia, acentuação e crase*. 6. ed. São Paulo: Atual, 1988.

BECHARA, Evanildo. *Moderna gramática portuguesa*. 15. ed. São Paulo: Nacional, 1970.

BOLOGNESI, João. *Testando a língua portuguesa*. 2. ed. São Paulo: Entrementes, 2004.

BORBA, Francisco da Silva. *Teoria sintática*. São Paulo: Edusp/T.A.: Queiroz Editor Ltda., 1979.

_____. *Gramática escolar da língua portuguesa*. Rio de Janeiro: Lucerna, 2001.

CAMPADELLI, Samira Yousseff; SOUZA, Jésus Barbosa. *Gramática do texto/texto da gramática*. São Paulo: Saraiva, 1999.

CEGALLA, Domingos Paschoal. *Novíssima gramática da língua portuguesa*. 30. ed. São Paulo: Nacional,1988.

CEREJA, William Roberto; MAGALHÃES, Thereza Cochar. *Gramática reflexiva*. São Paulo: Atual, 1999.

CUNHA, Celso. *Gramática do português contemporâneo*. Belo Horizonte: Bernardo Álvares, 1970.

_____; CINTRA, Lindley. *Nova gramática do português contemporâneo*. 2. ed. Rio de Janeiro: Nova Fronteira, 1985.

DORNELLES, José Almir Fontella. *As melhores questões de gramática*. 6. ed. Brasília: Vestcon, 2003.

ELIA, Hamilton; ELIA, Sílvio. *100 textos errados e corrigidos*. 26. ed. Rio de Janeiro: Francisco Alves, 1979.

FERNANDES, Francisco. *Dicionário de verbos e regimes*. 32. ed. Porto Alegre: Globo, 1982.

_____. *Dicionário de regimes de substantivos e adjetivos*. 17. ed. Porto Alegre: Globo, 1980.

FERREIRA, Maria Aparecida S. de Camargo. *Estrutura e formação de palavras*. São Paulo: Atual, 1988.

FREITAS, Jandi Ferraz. *Grafias que geram dúvidas*. Belo Horizonte: Planograf, 1986.

HOLANDA, Aurélio Buarque de. *Novo dicionário da língua portuguesa*. 2. ed. Rio de Janeiro: Nova Fronteira, 1986.

HOUAISS, Antônio. *Dicionário Houaiss da língua portuguesa*. Rio de Janeiro: Objetiva, 2001.

JOTA, Zélio dos Santos. *Glossário de dificuldades sintáticas*. Rio de Janeiro: Fundo de Cultura, s/d.

KURY, Adriano da Gama. *Novas lições de análise sintática*. 3. ed. São Paulo: Ática, 1987.

_____; OLIVEIRA, Ubaldo Luiz de. *Gramática objetiva*. 6. ed. São Paulo: Atlas, 1985.

LAPA, Manuel Rodrigues. *Estilística da língua portuguesa*. São Paulo: Atual, 1989.

## >> BIBLIOGRAFIA

LEME, Odilon Mendes. *Tirando dúvidas de português*. São Paulo: Ática, 1992.

LUFT, Celso Pedro. *Dicionário prático de regência verbal*. 4. ed. São Paulo: Ática, 1996.

_____. *Gramática resumida*. 16. ed. Porto Alegre: Globo, 1985.

MARTINS FILHO, Eduardo Lopes. *Manual de redação e estilo de* O Estado de São Paulo. 3. ed. São Paulo: O Estado de São Paulo, 1997.

_____. *Com todas as letras*: o português simplificado. São Paulo: Moderna, 1999.

MATEUS, Maria Helena Mira *et alii*. *Gramática da língua portuguesa*. 2. ed. Coimbra: Caminho, 1989.

MELO, Gladstone Chaves de. *Gramática fundamental da língua portuguesa*. Rio de Janeiro: Ao Livro Técnico, 1968.

MESQUITA, Roberto Melo. *Gramática da língua portuguesa*. São Paulo: Saraiva, 1999.

NEVES, Maria Helena de Moura. *A gramática*: história, teoria e análise, ensino. São Paulo: Unesp, 2001.

NICOLA, José de; INFANTE, Ulisses. *Gramática do português contemporâneo*. 5. ed. São Paulo: Scipione, 1997.

PIMENTEL, Carlos. *Português descomplicado*. 5. ed. São Paulo: Saraiva, 2005.

ROCHA LIMA, Carlos Henrique. *Gramática normativa da língua portuguesa*. 18. ed. Rio de Janeiro: José Olympio, 1976.

RYAN, Maria Aparecida. *Conjugação dos verbos em português*. 5. ed. São Paulo: Ática, 1989.

SANTOS, Francisco Maciel; CORRADIN, Flávia Maria F. S. *Aprenda a escrever*. 9. ed. São Paulo: Cultrix, 1993.

SILVEIRA, Sousa da. *Lições de português*. 7. ed. Rio de Janeiro: Livros de Portugal, 1964.